LA NONNE ET LE BRIGAND

Autrefois journaliste et réalisatrice de télévision, Frédérique Deghelt consacre désormais son temps à l'écriture de romans et de scénarios. Elle est entre autres l'auteur de *La Vie d'une autre*, porté à l'écran par Sylvie Testud avec Juliette Binoche et Mathieu Kassovitz, et du *Cœur sur un nuage*.

FRÉDÉRIQUE DEGHELT

La nonne et le brigand

ROMAN

ACTES SUD

© Actes Sud, 2011.
ISBN : 978-2-253-18288-7 – 1re publication LGF

À AGMB,
en souvenir de notre premier
voyage en Amazonie.

Ce qui remonte à la surface de la mémoire quand on sollicite certains souvenirs, ça ressemble à cette laisse de mer, à ces débris et fragments qui émergent, qu'on ramasse et auxquels on veut arracher des aveux.

Hubert NYSSEN

Il était laid : les traits austères,
La main plus rude que le gant ;
Mais l'amour a bien des mystères,
Et la nonne aima le brigand.

Victor HUGO

Pourquoi je n'arrive pas à détester ces moments où l'on attend dans les aéroports ou les gares ? Il s'installe une sorte de nappe floue, un temps infini passé à regarder les autres, à imaginer leurs vies, à faire naître des rencontres entre ceux qui n'auraient pas dû se croiser, à inventer des histoires là où il n'y a rien. Deviner cet homme-là justement, qui ne regarde pas cette femme seule assise un peu plus loin ; il va la retrouver alors qu'il voyage auprès d'une autre qui ne se doute de rien. Je le sais d'instinct, ils ne se sont pas regardés, ils se frôleront en se dirigeant vers l'embarquement comme dans une ultime provocation. Ils ne se diront rien quand leurs doigts…

« Dernier appel pour le vol de Londres. Mme Kenny est demandée à la porte 23. » Quelle idiote. Je n'ai même pas surveillé mon propre embarquement. Je me précipite vers la jeune femme au micro. Madame Kenny ? Oui pardon, je n'avais pas entendu. Ce n'est pas grave, madame. Bon voyage. Oui, merci.

Et si je laissais arriver ce que je sens ? Je crois que ce qui me fait peur reviendrait. Les hasards se font

11

pressants, ils entourent leur proie, ils tissent leur toile.
Ils coursent la pensée. Où qu'elle aille.

22 A, vous êtes à côté du hublot. Voulez-vous que
je vous aide à placer votre sac ? Non je vais le garder,
merci. Placez-le sous le siège pendant le décollage, s'il
vous plaît.

Une fois seulement, je crois avoir vécu une urgence
d'amour quand la mort était trop proche et gagnait
du terrain. Elle courait. Plus vite que moi. Je sentais
son odeur, amère, presque sucrée, faire illusion. Elle
venait me voler un être cher, le premier de ma vie.
Elle me frôlait donc, pour que je me souvienne d'elle
à tout instant. Je savais que le seul parfum capable
de la combattre était la sève d'un homme. Je voulais
la lécher, la boire, la mettre sur mes lèvres pour que
jamais la mort ne puisse m'embrasser, passer la barrière
de mes dents, pénétrer mon corps. Je voulais sentir
les vibrations de l'amour qui me semblaient les seules
aptes à me protéger de son gouffre. Je m'éparpillais,
je tendais mes lèvres, je disais « viens », les bras offerts
comme une prière. Je la sentais hésiter, s'éloigner un
peu, ne plus oser m'approcher. Et quand la jouissance
était là, je la savais vaincue. Je hurlais. Je n'avais jamais
connu cette soif, cette présence si violente du désir.
La peau sur le cœur, le sexe battant la chamade, toute
peur envolée. Je jubilais en silence. Ma tête abritait un
vacarme assourdissant. Celui de mon combat contre
elle. Tu ne m'auras pas. La mort ricana en emportant
mon père. Je le regardais sans pleurer. Ce serait pour
plus tard. Quand viendraient les jours sans lui. Sans le
son de sa voix.

Désormais, je les aimais contre elle ces corps d'hommes qui me faisaient jouir. J'étais tombée dans une totale contradiction. Je me refusais à vivre et je ne voulais pas mourir. J'aspirais à sentir en moi une flamme qui ne pourrait pas s'éteindre. Je crois que je l'ai su très vite qu'elle me laisserait saine et sauve en vrillant son glaive sur ma mémoire. Elle s'est éloignée en me laissant le pire : la promesse de son retour. Elle a emporté mon éternité, elle m'a légué en échange la certitude de revenir me chercher, de penser chaque jour à elle. J'avais vingt ans. Un jour, mon corps ne me serait d'aucun secours. Il serait faible et décharné. Je mourrais vieille donc. Mais avant, et je m'en fis le serment, je ne regretterais jamais rien, je mordrais dans la vie à pleines dents. Je donnerais surtout, sans jamais me reprendre. On dit que les enfants dont les parents meurent quand ils sont jeunes reçoivent une protection particulière. Mais n'était-ce pas tout simplement une façon de regarder plus tôt que les autres la vie telle qu'elle est ? Éphémère.

Londres. Attendre encore. Le départ pour Bombay est retardé. Les pensées s'envolent à nouveau. Les souvenirs que l'on croyait perdus virevoltent et leurs envolées n'ont ni retard ni détour. Il paraît que l'avion ne partira pas : avarie dans le système de décollage, temps incompressible de la réparation. Personne n'a l'air reconnaissant de le savoir avant le décollage. On nous mène vers un hôtel, on nous sert un dîner censé calmer les voix qui grondent. Aujourd'hui... Demain... Quelle importance... Quelque chose est là et attend que nos impatiences se manifestent pour rire. Indifférente au brouhaha humain, je me laisse bousculer par le destin. Je parle avec ma voisine. Les tables sont grandes. Il est presque impossible de s'adresser à la personne d'en face sans élever la voix. Le regard d'un homme me sourit. Il semble s'amuser de mes efforts pour être malgré tout dans une conversation plus intime. Tout passe. Comme si je ne pouvais rien accrocher à ma mémoire. Je pense à ce voyage interrompu, à peine commencé. À Paris, je serais rentrée chez moi et peut-être ne serais-je plus repartie. Une femme en uniforme nous remet les clés de nos chambres. Pour moi, arriver un jour plus tard ne fait pas de différence, mais certains tentent encore d'être replacés sur d'autres avions. Leur ton geignard m'ennuie. Je fouille dans mon sac et m'aperçois que j'ai pris mon courrier sans l'ouvrir avant de partir. Des factures et cette enveloppe crème qui m'intrigue. *Mme Lysange Kenny* y est tracé d'une écriture abrupte presque illisible que j'ai pourtant l'impression de connaître.

Il fut une époque où j'adorais les rencontres. Je leur trouvais un charme irremplaçable. Je me disais même que je serais incapable de vivre trop longtemps avec un homme, pour pouvoir en rencontrer un autre. Et puis je ne sais quel mystérieux changement s'opère à notre insu. La vieillerie sans doute. Je n'aime plus ça. Je sais ce que l'autre va dire, je sais ce que je vais lui répondre, je m'ennuie. Je connais trop bien le numéro de l'inconnu qui déploie son attirance. Celui de la femme convoitée qui fait semblant d'ignorer qu'elle plaît. Bref, les roucoulades de circonstance. Tout ce qui me poussait à jouer m'indiffère et fausse le plaisir que j'y trouvais autrefois. J'en arrive même à oublier ce que l'on pouvait y gagner. Si bien que je dédaigne un regard d'intérêt, un sourire, une complicité même, que je place immédiatement dans un gouffre sans fond, un chemin qui ne va nulle part. Je cultive avec application l'art de ne plus me laisser séduire et surtout celui de ne tricher pour rien ni pour personne.

Il y a quelques semaines, je vous ai écrit une lettre restée sans réponse. L'avez-vous reçue, lue ? Ma proposition vous a-t-elle effrayée ? Avez-vous cru à une mauvaise plaisanterie ? Au cas où vous préféreriez m'appeler, voici le numéro de mon domicile. Tomas Uhlrich.

Me voici coincée à Londres avec un groupe d'inconnus dont je partage l'infortune et la lettre d'un homme m'ayant, paraît-il, déjà écrit et dont seule l'écriture m'évoque un mince souvenir. J'ai un peu plus de quarante ans, deux grands enfants. Ils ne s'intéressent qu'à leurs amis et c'est bien de leur âge. John, leur père, est mon plus tendre ami et, si ma vie d'amante est jalonnée de bien belles histoires, je ne crois plus au grand amour. J'ai encore mon métier de démographe qui me permet de voyager, m'apporte sans doute mes plus grandes satisfactions et je peux me vanter d'avoir réussi à passionner quelques étudiants en leur transmettant le virus de la recherche. Le bilan n'est pas si extraordinaire. Mais pourquoi penser à tout ça aujourd'hui dans cet aéroport ? Dans mon imaginaire personnel, je m'étais donné quarante-cinq ans pour accéder à un bonheur éclatant et il me reste

deux mois ? Pourquoi quarante-cinq ? C'est tellement stupide les échéances. Et puis qu'est-ce que ça
change ? On a tout juste le temps de s'en apercevoir :
la vie n'a pas le sens profond qu'on lui accordait avant
de disparaître. Certains jours cette perspective m'effraie, et d'autres elle m'indiffère, voire me rassure.
Quand l'existence n'a pas de sens, nos incohérences
sont moins écrasantes.

On pourrait ainsi résumer notre rencontre. Je ne
l'ai pas vu, je ne l'ai pas senti, je lui ai parlé sans y
prendre garde, nous avons conversé naturellement et
sans nous rencontrer de choses anodines. Jusqu'à ce
que l'insistance de son regard amusé devant la coïncidence de nos chambres voisines me rappelle que
nous étions un homme et une femme jetés dans les
contraintes d'un retard. Et puis plus rien. Une fois
la porte franchie, j'oublie. J'entre dans l'indifférence
d'un lieu anonyme... S'il n'y avait ce silence absolu
de l'autre côté du mur et l'impression d'être captée,
par quelque chose d'indicible, que je perçois immédiatement. Nous sommes ensemble. Je suis seule et il
me tient la main. Il est partout autour de moi. C'est
ridicule. Je me retourne sans cesse pour bien m'assurer qu'il n'est pas entré dans ma chambre. Mais je
connais la réponse. Il est de l'autre côté du mur, dans
la sienne, en proie à la même fureur silencieuse. Le
sommeil a délaissé mon corps et l'éveil a pris place
avec la vigilance d'un amour manqué. Je passe la nuit
à essayer de me souvenir des détails de son visage, de
ses mains, de ses yeux sans savoir pourquoi je suis
chevillée à ce désir infernal d'être dans ses bras sans

16

l'avoir désiré quand j'étais en face de lui. J'essaie de lire, peine perdue. J'écoute de la musique et c'est bien pire encore. Mon casque sur les oreilles, je sens que la musique vrille à mes tripes une nostalgie inguérissable. Pendant près d'une heure, je ne peux m'en dégager et me laisse flotter dans mes rêveries. Je glisse dans des pensées qui tiennent mon corps à distance, tout en ne parlant que de lui et de ses sensations.

Allongée dans le noir, je pense à la lumière. Au fond de mes tripes une pierre est tombée. Je nage. L'eau est fluide et je peux respirer. Le corps ondule, je frôle le plafond. Pour ne plus entendre les bruits, j'écoute ses mains. Je confonds les doigts sur le piano, les caresses sur ma peau, les vagues qui passent au-dessus de mon corps. De l'autre côté du mur, le fil se tend. Nager encore, atteindre la rive. Peux-tu cesser de me poursuivre ? Le cœur bondit, le corps se cambre, absence qui creuse et emporte les pensées. Le désir est là tapi de l'autre côté du mur, il attend. Proie consentante, je fais taire l'envol, le désir des actes, pour savoir si je peux.

La musique irradie son chant sur ma peau. Rien ne marche. Je ne m'endors pas. Tout est noir et profond. Le mur se détache, augmente en épaisseur. Dans l'aquarium de mes rêves, le désir reprend ses droits. Main douce qui glisse. Soupir, gémir, mais de l'autre côté du mur ? Je suis tendue vers le ciel pour accueillir la pluie d'étoiles tandis que le piano égrène ses longs arpèges. Bras tendus, je fends l'eau noire de l'espace et traverse. Rythme, danse, hanches ondulantes. Quelques notes roulent éparses. Serrée contre la mélodie, je fais face à l'assaut des frissons. Son rauque d'un animal. Frôlement du jour, je m'éveille. Je colle mon oreille à la paroi, silence absolu. Je flotte à nouveau entre mon rêve et ma chambre. En quelques mouvements, je gagne le bord. Nue dans le soleil, cheveux mouillés, quelques gouttes d'eau salée sur les seins, je reste longtemps sur le bord du lagon. Le mur a cessé d'exister.

Je me suis rendormie à la faveur de mon épuisement et réveillée le cœur battant. J'ai encore mon casque sur les oreilles, la musique s'est arrêtée, je remets l'appareil en charge. Dommage de ne pas pouvoir en faire autant pour moi. Je me précipite sous la douche pour sentir chaque goutte d'eau chaude redonner à mon corps un semblant d'énergie. Je me regarde dans la glace en cherchant ce qui a pu changer. Mais je ne vois rien de particulier. Je ne peux pas modifier la tête que je me fais quand je me regarde, celle que je ne retrouve jamais quand on me prend en photo. Je secoue mes cheveux, tente d'arranger un peu mes boucles brunes rebelles. J'aperçois un cheveu plus clair que j'ai envie d'arracher. Mes yeux sont plus noirs que d'habitude. Humeur de chien, je descends déjeuner.

Insolite matin où le café a le goût de la nuit. Trop fort, trop amer, fiévreux. J'aime entendre parler anglais quand je suis mal réveillée, me forcer à ne pas comprendre, n'écouter que la musique de la langue. Au début de notre mariage, tu me parlais anglais *all the time.* Tu voulais que nous parlions ta langue maternelle à la maison, le français dès que nous étions dehors et l'allemand pour nous engueuler, avais-tu suggéré, provocateur. « *There was nothing so very remarkable in that ; nor did Alice think it so very much out of the way to hear the Rabbit say to itself "Oh dear ! oh dear ! I shall be late* !"* » La voix est douce, un homme raconte à son enfant. Ce n'est pas toi mais un autre, dont la voix semble être la tienne. Est-ce que l'on connaît le secret de la gémellité des êtres qui ne se rencontreront jamais ? Je suis trop fatiguée. Je pense n'importe quoi. Je ne pense qu'à lui. Cet autre qui m'a possédée toute la nuit sans même me toucher. Elle a l'air maligne celle d'hier qui disait qu'elle ne croyait plus à rien, en tout cas ni à l'amour, ni à la rencontre.

De lui, point de nouvelles. Qu'a-t-il fait de moi, ce misérable ? Il me semble que je lui ai parlé librement il y a seulement quelques heures, quand il n'avait pas d'importance. Avoir passé la nuit à lutter contre sa magie m'a rendue incertaine. Je n'ai même pas besoin de lever les yeux pour me rendre compte qu'il vient d'entrer dans la pièce. Je me répète qu'il ne s'est rien passé, à part dans mon imagination galopante, et me voilà défaite et consternée. Est-ce que la nuit a des portes ? Est-ce qu'elles se sont refermées ce matin ? Je suis suspendue au grain de sa voix qui m'ensable. « Vous avez bien dormi ? » Hypocrite ! Comme s'il ignorait tout de ma nuit ! Son regard s'accroche au mien qui vacille. Pourquoi ne puis-je rien cacher ? Les mots sont assez malins pour inclure dans leurs rafales des gouffres de silence. « On ne peut pas exactement le résumer ainsi ; disons que j'ai fini par dormir. » Son

---

* *Alice au pays des merveilles*, chap. I, Penguin Classics, nouv. éd., 1994.

sourire confirme ce que je savais déjà. « Alors nous avons passé la même nuit. Je peux ? » Il s'empare d'une chaise voisine pour s'asseoir près de moi. Mon corps se rebiffe. Il n'a pas attendu ma réponse. Il sait que j'ai envie de dire non. Il sait que je ne le dirai pas. Je n'ai plus envie de lutter. Je suis curieuse de connaître ce que me souffle ce début d'aventure. Peut-être une vérité que je n'ai pas voulu entendre depuis longtemps, une évidence que je me suis cachée avec tant d'ingéniosité qu'elle m'éclate aujourd'hui au visage. On est d'une lâcheté avec soi-même ! Être aimée, bien ou mal, c'est être aimée tout de même. J'ai cette chance. Je suis vernie, protégée de tout, c'est-à-dire totalement vulnérable. Je n'ai pas cette carapace que portent les déçus de l'amour. Je suis une proie offerte. Je vis son arrivée à ma table comme une douceur après la tempête. Cette nuit, mais quelle erreur de m'en souvenir maintenant, son sexe était en moi comme s'il avait trouvé sa terre. Un volcan éteint qui se réveille dans les plis du temps. Mon cœur se serre. Il refuse ces pulsations d'acrobate. Être là, face à lui et revivre la nuit éprouvante d'un vide, d'une absence si proche. Tes mains sur ma bouche et une envie de te mordre si fort que j'en ai peur...

« Je vais me chercher un œuf, vous en voulez ? Je le regarde sans comprendre. Un œuf ? Oui un œuf, coquille, jaune, blanc, à la coque avec des petites mouillettes. Il rit. Je bafouille, je refuse même si j'en ai envie. Vous, vous êtes encore dans votre nuit. Il a dit ça tranquillement, sans y mettre aucune nuance moqueuse. Il s'éloigne. Je prie le ciel de me rendre mon calme. Il revient, pose devant moi un œuf. Il me semblait que votre non voulait dire oui. Je ne réponds rien. Je baisse la tête les yeux rivés sur le coquetier en disant merci. À quoi bon nier et se priver d'un désir ? Un de plus. Je l'observe à la dérobée et je comprends que c'est un vagabond. Son apparence de baroudeur, les rides de son visage, sa minceur, sa façon de s'installer comme s'il était chez lui partout, tout en lui dénonce l'attitude de ceux qui ont pris le voyage comme résidence depuis longtemps. Son visage presque statufié semble creusé de l'intérieur. Il doit avoir un peu plus de quarante ans. Ses traits sont assez marqués, il a un physique étrange. Nous ne nous disons pas grand-chose tandis que je déguste mon œuf et qu'il engloutit les siens. Avant de quitter la table il saisit une pomme et attend patiemment que je finisse mon café. Puis comme un félin il attrape son sac, offre de m'aider à porter le mien et bondit pour les poser ensemble à bord du car qui nous emmène sur la piste. Je me demande quel genre de métier il exerce. Ça ne me ressemble pas. En général je m'intéresse à ce que les gens sont, et non pas à ce qu'ils font. Mais lui c'est différent. Je le sens lié à une façon de vivre bien plus qu'à un travail. C'est un espion, un aventurier, un tueur peut-être... Un truand galant. J'ai envie de rire. Je suis fatiguée de cette nuit blanche et mes pensées me portent à des interprétations saugrenues.

Nous montons dans l'avion. Il me précède comme s'il avait des intentions. Il a pris le coude de l'hôtesse, lui parle tout bas. Je n'entends rien, mais à la fin de leur conversation elle nous dirige en classe business. Je souris. Vous connaissez les propriétaires ? Non, j'ai juste attendri cette brave dame parce qu'au cas où vous ne le sauriez pas, nous sommes en voyage de noces et je n'avais pas assez d'argent pour vous payer la première classe. Il se penche vers moi, ravi de son canular, et me glisse à voix basse, je crois même qu'ils vont nous offrir le champagne. Ne vendez pas la mèche et surtout ayez l'air un peu plus gaie, je ne suis pas un si mauvais parti. Il est vraiment d'une insolence ! Mais ne vous illusionnez pas, il y a toujours des places libres en première sur ce vol. Pour eux cela ne change pas grand-chose de nous surclasser. Je soupire en essayant de ne pas me souvenir de ce que je pensais en quittant Paris et de ce que j'ai rêvé cette nuit, les yeux grands ouverts, de ce qui me traverse là tout de suite tandis qu'il m'observe attentivement. Il a un regard étrange qui n'est ni vert, ni marron. Je plonge dans une sorte de couleur ocre pailletée de kaki. Les yeux d'un loup, me dis-je. Nous nous regardons long-temps, presque dans un défi. Aucun de nous deux ne veut lâcher prise. Je peux vous faire un aveu, madame Kenny ? Vous savez mon nom ? Je repense à l'espion. Il soupire. Je vous signale que vous vous êtes tenue devant moi avec votre passeport ouvert, il y a moins d'un quart d'heure. Je ne suis pas très malin, mais j'ai une assez bonne vue et un brin de mémoire. Et d'où tenez-vous ce prénom incroyable ? Lysange… Un ange posé sur une fleur de lys. Un ange fleurdelysé. Cela vous va bien. Je ne sais pas comment vous êtes quand vous avez bien dormi, mais là, je vous trouve d'une beauté renversante ! Ça ne vous gêne pas que je vous fasse un compliment j'espère. D'autant que c'est vraiment gratuit. Ça fait juste partie de ma franchise naturelle. Quand je vois une belle femme, je ne vois pas pourquoi je me priverais de le lui dire.

Est-ce qu'il va se décider à la fermer ? Je me cale au fond de mon fauteuil, passablement exaspérée. Je ne dis rien. J'ai honte et je m'en veux. Pour une femme qui ne croyait plus à rien, avoir passé la nuit à imaginer des folies avec ce dragueur, c'est une vraie misère. Mais c'est peut-être moi qui suis ridicule et qui ne peux pas recevoir un compliment sur mon physique. Je ne sais pas minauder avec cet air éminemment féminin de fausse modeste. Je ne sais pas non plus sourire pour signifier que oui je suis au courant : je suis belle et je plais. Et surtout je suis toujours en train de me demander dans quel but un homme dit à une femme qu'elle est belle. L'expression me revient soudainement. *Tout flatteur vit aux dépens de celui qui l'écoute.*

L'homme dont je ne sais toujours pas le nom se lève brusquement et se dirige vers le rideau qui abrite le secteur privé des hôtesses. Je reste seule. Salutaire moment qui se prolonge et durant lequel je me surprends à attendre qu'il revienne, puis à me raisonner en pensant que ce serait mieux qu'il reste où il est. L'avion avance vers la piste de décollage quand l'hôtesse se penche vers moi pour m'inviter cordialement à rejoindre mon mari dans la cabine de pilotage où nous sommes invités pour assister au décollage. Rouge cramoisie, je la suis. Je pense fugitivement à deux ou trois amies qui seraient hilares si elles me voyaient kidnappée par cet homme. Surtout ne jamais leur raconter cette histoire ridicule. J'entre dans la cabine où le commandant de bord me félicite chaleureusement d'avoir eu le courage d'épouser un homme aussi absent, qui flirte quotidiennement avec le danger. Je souris bêtement et foudroie du regard *mon mari* qui a adopté un air angélique de circonstance. Je suis vite captée par la beauté du ciel. Je profite du décollage, ce moment où l'on ne cesse pas de se demander comment on en est finalement arrivé à ce vieux rêve de voler sur de si longues distances. Je crois que c'est la première fois que je suis dans une cabine de pilotage sur un long-courrier. L'envol est majestueux, je m'efforce d'oublier combien nous pesons.

Faute de me donner votre nom, vous pourriez me dire votre prénom peut-être, dis-je à mon mari improvisé, en regagnant nos places. Il s'appelle Pierre, il est grand reporter. Vous voulez mon numéro de carte de presse ? Ça ne sera pas nécessaire. Ça signifie quoi, grand reporter ? Il hoche la tête et je sens qu'il va mentir. Quand les autres vont au bout de la rue, je vais à l'autre bout de la planète. Je vais partout où les autres ne veulent pas aller… Là où se déroulent des choses insupportables que j'immortalise pour les montrer à ceux qui ne veulent pas les voir et s'en contrefoutent. Je suis photographe. Je le regarde droit dans les yeux et je sais qu'il n'a pas menti. J'avais raison en devinant que quelque chose se cachait dans son attitude superficielle. Sa légèreté, son apparente séduction de pacotille, tout disparaît derrière l'homme qu'il est quand il parle de son métier. Presque un sacerdoce, un engagement qui fait froid dans le dos et qui me capture pour le restant de notre voyage. Ce qui me surprend, c'est la douceur qui émane de lui tandis qu'il me fait traverser les zones les plus obscures de sa vie. Il n'a pas de mal à se confier, il s'en rend compte avec un sourire gêné. Sa sincérité contraste avec son précédent comportement désinvolte. Il passe d'une gravité qui m'émeut à une ironie presque cynique avec une rapidité étonnante, comme s'il changeait de peau. Il plaisante avec l'hôtesse puis revient à ses confidences en offrant son âme dans un regard. Je n'ai jamais croisé un être si étrange.

J'ai l'impression d'être partie depuis très longtemps. Une semaine d'absence ce n'est pourtant pas si long, mais cette rencontre m'a projetée dans un espace-temps différent. À mon retour, tout a changé et tout est encore immobile. Je joins mon amie Sonia pour un déjeuner prévu de longue date. Sonia, la confidente, qui dit tout haut ce que je pense tout bas. Sonia qui n'aurait pas besoin que je raconte, tant elle devine ce qui me préoccupe. Cette fois pourtant, je n'arrive pas à la mettre dans le secret de cette rencontre pour une raison très simple : je ne sais pas ce que je peux lui en dire. J'ai connu un homme dans un aéroport, nous avons passé une nuit ensemble, chacun dans sa chambre à Londres, puis une nuit éblouie cette fois dans la même alcôve à Bombay, puis un jour et encore une nuit… Mais où étaient le jour et la nuit quand nos corps n'arrêtaient plus de se prendre ?

J'ai connu un homme dans un aéroport qui est une sorte de réponse à mes questions, un homme qui d'un regard me bouleverse et me fait rencontrer les incohérences de mes désirs les plus enfouis. J'ai connu un homme comme jamais je n'en avais rencontré. Je me replonge avec délices dans des images si folles qu'elles ont maintenant l'air d'être nées de mon imagination. Fiction totale. Magie du souvenir qui agit comme un anesthésiant de la vraie vie. Et de tout ce qui y ressemble... Aurais-je pu nous éviter ?

Je marche le long d'un trottoir sale du 12ᵉ arrondissement. Je viens chez toi. Je ne sais pas si tu me vois déjà. Ton regard accompagne toujours mes pas. Je danse un peu. J'entends ton rire au bord de mes yeux. Je savais avant que tu ne m'embrasses que ta langue serait un sexe qui raconterait son exigence dans un seul baiser, m'envahirait et m'emporterait au-delà d'une étreinte. Insistance en douceur. Tes mains sont des caresses qui enferment mes hanches, sont complices de mon désir, accélèrent la violence de la prise. J'abandonne au ciel ce que je sais de la terre. Enfant de l'Atlantique, fille de la tempête, je la laisse me prendre. Quand le vent s'abat en rafales, je n'ai plus de mots. Ma langue suit le fil bleuté d'une veine sur ton sexe bandé. Je lèche doucement la soie de ta peau. J'aime ce râle qui sort de ton corps. Il vient de plus profond que le ventre comme s'il sortait d'un tigre. Une sorte de feulement grave et rauque qui me dévaste. Je mets du temps, je déplie les membres, j'ouvre les bras et, si je me donne, je ne suis pas prête à rejoindre ce point où je te laisse m'aimer sans contrainte. Quelque chose t'arrête à une larme. Là où le cœur psalmodie une prière, je te supplie des yeux d'attendre encore un peu. Ces vagues ne finissent jamais de monter, de passer par-dessus le bastingage. Je ne sais plus quand je hurle. Pleine de toi tandis que tu es vide de moi. Injustice de la distribution des rôles. Je suis en terre de volupté, je ne rêve plus, je suis au-delà. Je n'ouvre pas les yeux. Je te quitte avant le chemin des fulgurances.

Je me dis, c'est cela un homme troublant, une façon de disparaître en laissant un regret. Tu es un homme-sillage ; tu restes là longtemps après être parti et crées un manque dont tu ne contrôles ni la teneur ni la puissance.

Lysange rangea son bureau, jeta les prospectus qui commençaient à s'accumuler et tomba sur une enveloppe ouverte qui s'était glissée là, entre deux revues, et dont elle reconnut immédiatement l'écriture.

Dans l'euphorie de son voyage amoureux, elle avait perdu la deuxième lettre de ce M. Uhlrich qui l'engageait à lui répondre, voire à lui téléphoner. Elle n'y avait même plus pensé. Deux semaines avaient passé depuis son voyage à Londres. Et si elle en jugeait par le tampon de cette première enveloppe, il s'était écoulé huit semaines entre les deux lettres. Elle n'aurait su dire pourquoi l'écriture avait retenu son attention. Elle se souvenait maintenant qu'elle avait parcouru le début de la lettre, avant d'être interrompue par un coup de fil. Prise par le temps, elle avait relégué la lecture de cette appréciation de son travail à plus tard. Puis elle l'avait oubliée. Elle découvrait donc maintenant que ce Tomas lui faisait à la fin de sa première missive une proposition des plus étranges.

Chère Lysange Kenny,

J'ai lu votre livre et j'ai été très impressionné par les aventures que vous racontez. Je suis moi-même d'origine allemande et j'ai passé ma vie à barouder. Durant ces voyages, j'ai souvent rencontré des compatriotes dont les histoires d'immigration et de famille ressemblaient bien à ce que vous décrivez. Tout cela, assorti du propos scientifique de votre étude, rend la chose passionnante à lire. Vous avez une manière agréable de nous parler de démographie sans nous assommer de chiffres mais en reliant très bien votre sujet à des histoires plus humaines. Il se trouve que je connais bien la communauté des Allemands du Paraguay, ces pauvres innocents abusés par la sœur de Nietzsche et partis pour construire un Eldorado purement aryen. J'ai donc pu mesurer la qualité de votre travail, à n'en pas douter identique sur le reste de l'Amérique du Sud.

Je suis vieux maintenant et, comme tous les déracinés, me pose la question du lieu que je vais choisir pour me poser enfin… Jusqu'à la fin, devrais-je dire? Un lieu d'achèvement qui, je l'ai compris avec les années, est toujours lié aux débuts. C'est ainsi que je l'imagine. On ne fait que boucler la boucle. Bref, vous devez vous demander pourquoi je vous raconte ma vie et vous allez trouver ma proposition insolite mais tant pis.

Je dispose d'une cabane de bois posée sur une dune dans le Sud-Ouest et je vais très peu l'habiter dans les mois qui viennent. J'ai dans l'idée de repartir au Brésil où j'ai passé de longues années, les plus heureuses de toute ma vie. Comme je n'ai pas de famille, cela vous plairait-il que je vous laisse la clé de ma maison française? Vous en disposeriez comme bon vous semble.

*J'aurais ainsi l'impression qu'elle est habitée de temps
en temps, que quelqu'un s'en occupe et vous auriez un
endroit calme si vous devez écrire. Ou tout simplement
pour passer de belles heures à regarder la mer…*

Suivait une description de la maison et des charmes
de son environnement. Tomas Uhlrich terminait sa
lettre en proposant à Lysange de l'accueillir chez lui
pour faire connaissance. Lysange la relut plusieurs
fois en y cherchant la trace d'un canular.

Sans qu'elle sache pourquoi elle revit le visage de
Frantz. Leur histoire avait commencé parce que les
autres enfants lui demandaient d'où il venait. Il était
nouveau dans l'école et sa peau si brune semblait
contraster avec la blondeur presque blanche de ses
cheveux. Du Brésil, avait-il lâché comme un défi en
observant le petit groupe qui l'entourait. Lysange
avait renchéri comme pour lui rabattre son caquet.
Moi aussi je viens du Brésil. Je suis née à Belém. Il
l'avait regardée fixement, ses yeux très bleus avaient
souri et c'était comme un pacte qui s'était tissé entre
eux dans ce seul regard. Ils étaient forcément différents puisque nés dans ce pays magique. Ensuite, elle
avait bien été obligée de lui avouer qu'elle ne connaissait pas ces terres. Mais ça n'avait pas d'importance,
il était devenu ses yeux, son nez et ses oreilles. Il lui
avait raconté les lieux, les fruits, la mer, les gens, les
musiques. Il écrivait à la craie sur le trottoir *Rendez-
vous à Bahia* sur le trajet de l'école ou plus tard, quand
ils étaient passés au collège, *Avec ma chérie, dans les
vagues d'Itaparica.*

Il était allemand, exotique et casse-cou. Elle était amoureuse pour la première fois. Quand ils se donnaient rendez-vous dans le square des Batignolles, c'était pour y construire l'Amazonie, pour traverser à cheval les espaces immenses des fazendas brésiliennes. Ils avaient dix ans et le Brésil à leurs pieds. Leur amitié avait duré six ans. Le temps que les parents de Frantz reprennent leur route vers ailleurs. Beaucoup plus tard, bien après son départ en Asie, ils avaient cessé de s'écrire. Elle avait pris le chemin de la faculté, connu de vrais amours et oublié l'enfance. Après ses études d'histoire-géographie, elle avait bifurqué vers la démographie et les mouvements des populations européennes, et plus particulièrement ceux des premiers Germaniques arrivés aux États-Unis. Elle y avait découvert un monde. Si on l'avait interrogée à l'époque, elle aurait dit que par hasard elle était tombée sur un sujet de thèse passionnant, celui des premiers Allemands arrivés aux États-Unis. Elle y avait consacré quatre ans de recherches. Elle avait fait le voyage à Ellis Island, suivi les bateaux de ces familles qui débarquaient sur la terre de l'espoir, fuyant les oppressions religieuses de leur pays et les terres trop chères. Elle avait parcouru le Texas, rencontré des descendants, appris que les hot-dogs et les hamburgers qu'elle croyait typiquement américains devaient leur existence à ces communautés germaniques. Elle s'était tout entière plongée dans l'histoire de ces Bavarois, ces Wurtembergeois, ces Saxons qui avaient bravé les tribus comanches pour cultiver des terres et représenter jusqu'à dix-sept pour cent de la population américaine. Jamais durant toutes ces années elle n'avait repensé au petit Frantz qui voulait toujours marcher pieds nus, mais adorait le crumble aux fruits rouges. Après l'Amérique du Nord, elle s'était intéressée aux pays de l'Amérique du Sud. Elle était devenue la spécialiste de ces mouvements migratoires et donnait des conférences partout dans le monde. Mais elle n'avait jamais revu celui qui était peut-être à l'origine de toute sa vie professionnelle.

Et là, en relisant cette lettre, Lysange réalisait à quel point une partie de ses choix lui avait échappé. Elle se demandait comment elle avait pu, toutes ces années, oublier à quel point les heures vécues avec Frantz, les histoires magiques du Brésil, avaient nourri son avenir. Est-ce pour ce souvenir soudain ressuscité ou parce qu'elle avait besoin de prendre un peu de recul ? Lysange se mit à penser à cette maison près de la mer, « posée sur la dune » comme l'avait écrit cet homme qui se disait vieux, ce descendant d'Allemand qui lui offrait un refuge. Elle se dit qu'elle allait lui répondre et, pourquoi pas, prendre quelques jours pour descendre dans ce Sud-Ouest qu'elle connaissait mal. Elle réalisa qu'il ne précisait même pas l'endroit où se trouvait cette maison. Si cette proposition qui avait l'air d'une plaisanterie se révélait sérieuse, elle aurait échappé deux fois à la négligence de Lysange habituellement si méticuleuse avec son courrier. Il y avait des hasards avec lesquels il était bon de ne pas jouer trop longtemps. Et surtout c'était une occasion à ne pas laisser passer : s'éloigner pour tenter de comprendre.

La voix était agréable, très grave et sans hésitation. Elle lui parut plus jeune que la lettre ne le laissait entendre. Je commençais à me demander si vous aviez reçu mes lettres, lui dit-il avant même qu'elle ne se présente. Ils convinrent d'une date, une semaine plus tard, qui leur laisserait à tous deux le temps de s'organiser. Elle prendrait le train jusqu'à Bordeaux et il viendrait la chercher pour l'emmener jusqu'au Cap-Ferret, où se trouvait sa cabane sauvage, c'est ainsi qu'il la nomma au téléphone. Lysange lui précisa qu'elle prendrait une chambre en ville. Il ne fit aucun commentaire et se contenta de rire du terme choisi « Ville, c'est beaucoup dire. Vous n'êtes jamais venue ici, n'est-ce pas ? » Une fois la conversation terminée, Lysange se renseigna sur le lieu, trouva une photo satellite, comme si ça pouvait être rassurant de donner à cette maison une couleur, une forme, une existence vue du ciel. Elle regarda longuement la langue de sable parsemée d'arbres qui s'étirait sous ses yeux. Elle essaya d'imaginer ce refuge au bord des dunes sur l'écran de son ordinateur, tout en cherchant un hôtel qui soit ouvert en ce début de saison. Un seul lui répondit. Nous ne sommes pas encore en période touristique, lui précisa une femme avec un accent chantant, mais je ne ferme qu'un mois en hiver. Ensuite, elle crut bon de lui expliquer qu'elle trouverait là du calme avant que les touristes ne viennent. C'était le printemps, le bon moment selon elle pour découvrir les lieux. Comme si elle savait qu'elle reviendrait. Tomas ne lui avait posé aucune question sur ce qui l'avait poussée à lui répondre. Il avait simplement dit qu'il avait eu peur qu'elle ne prenne pas sa proposition au sérieux.

Elle brûlait de lui demander pourquoi il lui avait écrit, à elle qui était une inconnue. Pour l'heure, cette aventure l'intriguait et l'éloignait de Pierre qui accaparait son esprit et son corps. Elle avait appris lors d'une exposition de photographies qu'en persan, il n'y avait qu'un seul mot pour dire le corps et l'âme, et l'on ne faisait pas de distinction. Quand un poète écrivait *jan*, on pouvait le traduire par « âme », le poème était alors spirituel, voire religieux, mais si on traduisait par « corps », il devenait érotique. Elle avait aimé cette anecdote alors qu'elle cherchait comment définir son histoire. Un rapt érotique et spirituel, voilà ce qu'elle vivait avec lui. Elle ne faisait plus aucune distinction entre ce qui jouissait et ce qui aimait avec passion. Depuis qu'elle le connaissait, elle avait la curieuse impression que son âme jouissait et que son corps pensait à l'amour. Le souvenir de sa peau suffisait à la faire frissonner. Elle se demanda soudain si une maison sur une dune, loin de Paris, aurait assez de poids pour l'arracher ne serait-ce qu'un temps à cette histoire qui la dévorait.

Tes yeux ouverts sont comme de grands lacs dans lesquels je me noie et parfois se changent en deux fentes qui ne laissent passer que la lame d'un désir tranchant, acéré, impossible à fuir. Ce qui semble un plongeon dans l'infini n'est finalement qu'un bout de route parcouru avec exaltation et, surtout, l'illusion d'être éternel. Ce qu'on vit n'a pas de sens, je me le dis souvent et, contrairement à ce que les autres croient, cela donne une signification immense à l'instant présent. Quand on peut se dire sur un simple regard, sans toi je suis sans vie, alors on sait que quelque chose est en train d'arriver qui au mieux va nous illuminer, au pire nous changer. Être à ce point enchanté, c'est à la fois merveilleux et terrible.

Assouvissement des fluides. Je suis emportée loin de la sérénité. Les voix de la rue me semblent agressives. Je flotte dans un monde sans tain. J'ai soudain violemment besoin de nature, de respirer le printemps, de reconnaître dans ses parfums infinis la douceur des moments. Les couleurs, les nuances, le sable des questions roulent sur l'or des regards que nous n'avons pas échangés.

Voilà, je t'ai quitté et je suis rentrée chez moi sans avoir aucune idée du trajet que j'ai emprunté, des humains que j'ai croisés. Je dois réfléchir, être bien sûre que je n'ai rien laissé dans le métro, que j'ai bien payé mon ticket, acheté du pain, même si je le découvre en passant dans la cuisine. Je suis en pilotage automatique jusqu'à notre prochain rendez-vous. Tu as fait de moi une sorte de fantôme qui affiche pour les autres une image trompeuse. Avenante et rieuse mais si loin de ce qu'elle éprouve et ne peut montrer. Il y a quelques jours mon bilan de vie était déplorable et presque sans avenir. Aujourd'hui, je ne regarde plus ma vie passée, je chevauche mon présent avec l'insouciance d'une adolescente.

Durant les heures passées à tes côtés, je retrouve la joie pure, la complicité, l'oubli du temps qui passe. Rencontrer l'autre et se raconter soi, appuyer un doigt sur ta peau, le laisser glisser le long de ton corps en te demandant comment étaient les années où tu ne me connaissais pas. D'une pirouette, tu t'en sors en me questionnant. Alors comment s'est passée votre enfance, chère madame ? Des peurs, des folies, des révoltes, des garçons, combien de garçons ? À quel âge ? Tu es insatiable. Je raconte puis interroge à mon tour… À nouveau, tu contournes ou grimaces au souvenir d'une injustice. Je glane quelques aveux. Une claque balancée trop tôt, un lit-cage, des parents sans tendresse ? Tu ris encore. Disons-le comme ça, oui. Ta grande solitude d'enfant replié, et puis les filles. Tu ris, sors de ton abattement et te vantes. Ah oui les filles, la belle découverte avec leurs jupettes et leurs bouches qui disent non tandis que leurs corps se tendent. Je comprends à demi-mot. Ce devait être violent, une de ces familles où l'on fait payer aux enfants les fautes que d'autres ont commises. Tu étais fils unique, tu payais donc pour les absents. Je te parle du petit Allemand, Frantz. De ce que j'ai découvert récemment en replongeant dans mes souvenirs d'enfance. Il était mon prince ; il me glissait à l'oreille quand nous nous quittions pour les vacances scolaires, *on se revoit à Belém*, ce qui me semblait le comble de l'exotisme. Quand je voulais le fâcher, je lui faisais remarquer que ses parents étaient allemands et que son vrai pays n'était pas le Brésil. Il me disait non, piquait des colères. Il se servait de l'histoire pour m'expliquer que même le roi du Portugal avait abandonné son propre pays pour diriger le Brésil, preuve que ce pays-là envoûtait quiconque décidait d'y vivre.

L'heure du déjeuner a filé entraînant à sa suite celle de la sieste, celle du goûter, celle de l'apéro, celle du dîner… Au creux de notre alcôve, nous sommes encore en souvenirs d'enfance, d'adolescence, en parcours d'ivresses, en apnées dans le plaisir. Téléphones coupés, volets croisés, seule filtre à travers les persiennes la lueur diffuse de notre prochaine séparation. Arquée, frémissante, tu me tiens à la lisière de la jouissance. J'expire une dernière fois avant de te quitter. Puis je cours dans la rue, ivre de caresses, de ton rire, de tes déclarations d'amour fou, la peau tatouée par tes morsures douces, le corps en vrac. Je fuis le regard des hommes qui s'aimante au mien comme s'ils devinaient, comme si j'étais irrésistible d'avoir été tant aimée pendant quelques heures.

L'absence me modifie, détruit ma vision objective du monde. Cela n'a presque plus d'importance. Les départs nous arrachent à nous-mêmes comme si nous voguions à l'intérieur de nos corps en quittant notre quartier, notre ville, notre maison. Tu vois, j'ai besoin de dire « nous » pour ne pas être seule dans cette émotion. Je t'espère dans le même désarroi et je n'oserai jamais vérifier que je ne me trompe pas. Comme si je me mettais à exister ailleurs, à l'intérieur de cette bulle où tout est limpide. Le monde s'agrandit, devient flou, prend la distance de nos éloignements. Mais peut-être suis-je seule. Le vent se met à souffler en rafales sur mes émotions, dispense mes désirs, creuse le manque ou dissout mon cœur dans une indicible angoisse. D'imbéciles errances me mènent sur les chemins d'un abandon probable. Je dois apprendre à me calmer, juste écouter les battements de mon cœur, mettre en terre d'indifférence les moments qui s'éloignent. Peau, lèvres, seins endormis mais prêts à bondir. Le corps s'exile dans les replis d'une disparition. Je ne suis plus que pensées, passé, projets en attente fébrile d'un présent. J'évite le regard des autres sous peine d'être en proie à ce rougissement soudain au souvenir d'un moment vécu, le trouble de l'impudeur emmêlé à l'envie violente de recommencer. Et mon cœur malgré tout s'étreint et se rapetisse. Est-ce que tout peut s'éteindre sans raison ? Est-ce que la mort de l'amour se pressent, se dessine ? Est-ce qu'un jour le souffle cesse sans qu'on sache vraiment pourquoi il s'en est allé ni s'il reviendra ? Je ne crois pas. Ce sont les questions que se posent ceux qui aiment ; quand l'amour cesse, on a déjà arrêté de s'inquiéter…

Je me souviens d'une maison louée avec John quand les enfants étaient petits. C'était en Provence, la chanson du vent y était incessante. En souffles et rafales, en montées de vagues qui agitaient la forêt comme une grande marée venue du fond de l'océan, elle avait traversé les terres jusqu'à notre maison. Les gens disaient qu'il rendait fou ce vent et que ceux qui vivaient là quotidiennement finissaient par avoir l'esprit emporté dans ses assauts furieux. On ne savait jamais ce qu'il cherchait à faire tomber ou à traverser. Je n'avais pas de mal à imaginer que cette folie nous gagnerait nous aussi si nous le fréquentions chaque jour. Ce vent-là me prenait tout entière, se retirait et me reprenait, me faisait payer ses absences comme un amant jaloux. Une femme traversée par le mistral a-t-elle encore toute sa raison ? me disais-je à l'époque. Je sentais dans ses rafales des inclinations d'homme amoureux, mais l'inconstance du séducteur. Il semblait difficile de ne pas lui céder. Comme à toi aujourd'hui. Voilà ce que tu as fait de ma vie, une traversée de l'existence comme si tu en modifiais le cours. Même la nature semble me raconter des histoires d'amour qui te ressemblent. Je te vois partout. Comme dans cette chambre où j'étais prisonnière de tes pensées avant même d'être à toi. Ai-je jamais appartenu à quelqu'un ?

John me le disait quand nous nous sommes rencontrés, en cultivant ce vouvoiement qu'il faisait semblant d'oublier en français. Vous croyez vous donner, mais vous n'êtes à personne. Votre égoïsme vous oblige à être libre. Je vous aime ainsi. Le savoir me permet de vous aimer en vous comprenant. Je ne répondais rien. Je croyais même qu'il disait n'importe quoi. Mais j'avais pris l'habitude d'engranger les remarques de mes amants. Je pensais que les hommes qui nous aiment nous voient malheureusement très bien et qu'il faut retenir ce qu'ils disent de nous ; les douces remarques comme les plus sévères. Au bout de la vie peut-être, et grâce à leur regard, on pourrait se connaître un peu.

Quelque chose a changé avec toi. Je vois bien que je ne suis pas la même. Je suis plus inquiète, moins libre sans doute. Même ici, dans cet appartement que j'aime et qui est mon domaine, je ne peux pas m'isoler de ce que nous vivons quand nous sommes ensemble. Voilà presque quinze ans que j'ai choisi ce lieu au fond d'une impasse, près des Buttes-Chaumont. Soixante-cinq mètres carrés de charme autour d'une terrasse de bambous. Je faisais rire John qui disait que j'avais l'air d'acheter un lopin de terre, que j'étais une paysanne à Paris.

Tu n'es jamais venu ici, mais tu es partout. Je te connais si peu. Nous n'avons passé que quelques heures à nous aimer. Pas plus de deux nuits et quatre jours. Même pas. Quand je te quitte, je crois qu'instantanément je vais pouvoir t'oublier. Et quand je dois te retrouver, c'est le début d'un séisme.

Là, assise à la terrasse de ce café où nous avons rendez-vous, je te regarde venir vers moi, je te trouve beau, émouvant. Un mélange de grâce et de sauvagerie. Cheveux courts et je n'aime que les cheveux longs. Tu es à l'opposé des hommes que je regarde la plupart du temps. Tu es absent de cet amour que je te porte. Tu l'oublies. Tu es dans l'innocence du devenir, dans la croyance en l'éternité et pourtant jamais je n'ai connu un être qui soit comme toi, si ligoté à l'urgence de vivre tout, tout de suite, sans même jouir du présent que tu as l'air d'investir.

Tu me l'as annoncé comme une bravade. Ces moments fous que nous venons de passer ensemble se terminent là. Quand j'aurai passé la porte, tu vas faire ta valise, prendre un avion avec tes appareils et rejoindre un pays en conflit dont j'ai oublié le nom; pour ne pas avoir peur, pour ne pas relier ton départ à ce que je sais de l'actualité. Tu ne sais pas pour combien de temps tu t'en vas, tu ne le sais jamais. Tu ne sais pas non plus si tu reviendras. Ainsi la mort a trouvé un moyen de me faire signe sans revenir me voir. Elle me salue en me voyant amoureuse de toi. Tu me l'as dit une fois, durant notre première nuit: cette conscience du danger pendant l'exercice de ton métier ne te quitte jamais. C'est l'ombre de la mort que tu viens chasser en immortalisant ceux qui se battent et parfois y perdent leur vie. Voilà ce que tu traques en mettant ta vie en danger, la bêtise des hommes et l'inutilité de leurs combats. Ce chagrin, tu le portes gravé sur ta peau. Tu risques ta vie pour ne pas faire cette guerre que tu poursuis inlassablement. Comment peut-on, et qui a décidé de ces expressions si proches et si lointaines: faire la guerre, faire l'amour, comme si *faire* n'en avait rien à faire justement, de s'accoupler à des mots qui soufflent la vie ou la mort sur sa signification? Quand nous avons parlé de ton métier de photographe pour la première fois, je t'écoutais parce que c'était une façon de te savoir, de découvrir quel sang coulait dans tes veines, de comprendre, si c'était possible, pourquoi j'avais senti en toi quelqu'un de différent. Je n'avais jamais pensé qu'un jour l'annonce de ton départ me déchirerait le ventre. Je ne crois pas que tu y aies pensé non plus. Pour toi cette absence n'est qu'une routine, une façon de vivre depuis vingt ans. C'est même une façon d'interrompre, je le devine, des liaisons qui ne t'intéressent plus. N'as-tu jamais peur ? Bien sûr que j'ai peur. Je tremble même. Ceux qui disent qu'ils n'ont pas peur sont des menteurs ou des inconscients. Ceux-là meurent plus vite que les autres. Ils meurent pour avoir oublié le danger, pour avoir cru que l'absence de fusils est comme une arme qui protège de la mort. Ils meurent par inadvertance. Mais par-dessus tout c'est de moi dont j'ai peur. De moi, as-tu répété avec les yeux dans le vague. Je ne comprends pas. J'ai peur de passer de l'autre côté, de ne pas supporter d'être seulement le témoin d'une horreur, d'avoir envie de la venger, de shooter avec une arme et non plus avec mes appareils. J'en connais deux qui l'ont vécu. Un moment de folie... Tu es pensif à nouveau. Les deux, que tu as côtoyés et dont tu ne me parleras pas, sont entre nous. Puis tu rajoutes, je ne crois pas que ça m'arrivera, j'en ai trop vu maintenant. Moi, je pensais surtout à la peur de mourir. Passer du côté d'un tueur, c'est aussi perdre sa vie, me fais-tu remarquer. J'ai été blessé plusieurs fois, une seule fois très gravement. Pendant le temps où l'on m'évacuait je serrais mon appareil contre moi en me disant que j'avais une superbe photo et que ces cons-là avaient fait une grave erreur en me tirant dessus. C'était eux que je photographiais à ce moment-là, ceux d'en face. Leur magnifique résistance héroïque face aux salauds qui m'avaient embarqué pour que je raconte l'histoire légitime d'une armée contre ceux qu'ils nous présentaient comme les rebelles à abattre. Je ne savais pas encore que mon appareil avait été traversé de part en part, et que la perte de mes photos m'avait sauvé la vie. Je n'avais que la rate éclatée. Un moindre mal en somme qui valait bien de renoncer au prix Pulitzer. Tu étouffes un rire, puis te reprends, je plaisante tu sais, je me fous des prix. Ce que je fais n'en a pas. On ne pourra jamais me payer à la hauteur de ce que je donne. Regarde sur la cheminée, il est toujours là, mon appareil magique. Quand on examine l'intérieur, on peut voir la balle. Je frissonne. Je ne sais pourquoi j'ai tant de facilité à voir tes chairs à vif, déchirées par une balle. Je tente de chasser ces images. Je relis la phrase de Mahmoud Darwich que tu as notée sur le mur de ta chambre.

> *Moi qui ne suis qu'un lancer de dés*
> *entre prédateur et proie,*
> *j'ai gagné en lucidité,*
> *non pour jouir de ma nuit étoilée*
> *mais pour être témoin du massacre.*

Je les lis à haute voix, ces mots, et tu continues presque en psalmodiant.

> *Ainsi naissent les mots. J'exerce mon cœur*
> *à l'amour pour qu'il contienne*
> *les roses et les épines…*
> *Mystiques mes termes, charnelles mes envies*
> *et je ne suis celui que je suis aujourd'hui*

que si le couple se forme :

mon moi et son autre féminin[*].

Tu t'es rapproché de moi et m'embrasses en terminant. *Amour ! Qui es-tu ?*

Je ne savais pas que tu récitais de la poésie ?

J'ai toujours sur moi un recueil de Mahmoud Darwich. Il est le seul qui sache mettre en mots ce que je fais, ce que je rencontre sur les terres de la guerre. Cet homme-là est né de la poésie. Alors, dans les longues attentes entre deux bombardements, ou deux embuscades, j'apprends ses textes et puis je les récite. Je mourrai en disant ses poésies. Ce sera beau, non ?

Toujours cette distance moqueuse envers la mort.

Comment as-tu choisi ce métier ? T'es-tu seulement posé la question ? Accumuler des images de guerre, être attentif au cadrage, à la lumière pour mettre en scène des horreurs. Tu me regardes d'un air étrange qui me fait presque peur. Souvent oui, j'y ai pensé. C'était… pour de mauvaises raisons au début. J'étais jeune, je voulais voyager, vivre une aventure, sentir l'adrénaline. Mais je ne crois plus à cela aujourd'hui. Personne ne peut faire longtemps ce métier pour de mauvaises raisons. Alors pourquoi je n'ai pas arrêté ? Parce que j'ai sans doute quelque chose en commun avec ces hommes qui se battent, un passé qui m'a structuré pour résister à ça. Tu as l'air si fatigué soudain. Tu sais, il y a dix ans, je croyais que j'avais fait le tour des horreurs humaines. Mais chaque nouveau conflit apporte sa part de créativité. Le Rwanda, le

---

[*] Mahmoud Darwich, *Le lanceur de dés et autres poèmes*, traduit par Elias Sanbar, Actes Sud, 2010.

Liberia, la Bosnie... Tu as un ricanement cynique. Les photographes de guerre ne sont pas des journalistes comme les autres. Tu prends ma taille, m'attires vers toi, poses ta tête sur mon sein, respires comme si tu t'évadais. Elle est douce ta peau, j'adore sa couleur, sa texture, et sa lumière. Tu vois ces particules qui se collent exactement sous ma main... Discussion close sans doute. Le temps prend la fuite et je n'essaie même pas de le courser. Il me laisse hébétée par l'échéance de ton départ, et du mien. Je me serre contre toi.

Quand Lysange releva la tête, elle était devant le guichet de la gare Saint-Lazare, la plus proche de chez elle. Elle demanda un billet pour Bordeaux, un billet qui lui laisserait le temps de repasser prendre quelques effets. Puis en sortant de la gare elle appela Tomas pour savoir si ça ne le dérangeait pas qu'elle arrive aujourd'hui, deux jours plus tôt. Il ne fit pas de commentaire sur ce changement de programme. Plus tard, s'installant dans le train, elle ne se souvint pas d'avoir fait son sac, d'être passée à son appartement, d'avoir appelé le bureau pour dire qu'elle serait absente les deux prochains jours, d'avoir trié des affaires, d'avoir tout organisé pour s'en aller. Lysange était heureuse de partir. Et dans un sourire elle songea qu'elle quittait Paris avant lui, avec l'alibi incroyable de répondre à la lettre d'un inconnu, de le rejoindre dans une région perdue en bord de mer et aucune certitude de ne pas avoir foncé dans un piège sans avoir vérifié quoi que ce soit de l'identité de son interlocuteur... À toutes ces questions, elle ne voulait pas répondre. Elle avait emporté un livre, mais ne l'avait pas ouvert. Elle avait posé les journaux devant elle et regardait le paysage filer au rythme du TGV. La banlieue avait disparu. Une suite de champs et de forêts de pins avait pris sa place. Elle somnolait, s'interdisait de revoir les images de leurs étreintes et sentait que contrairement à d'habitude cela fonctionnait plutôt bien. Elle repoussait chaque souvenir de son corps, de leurs baisers, chaque frémissement de son désir. La façon dont elle l'avait caressé, emporté, sa verge dressée, son plaisir… Stop.

Elle s'immergea dans ce qu'elle pouvait deviner de Tomas. Quel âge pouvait-il bien avoir ? Le père de Lysange aurait eu quatre-vingt-huit ans cette année, mais elle n'avait pas d'image de lui âgé. Elle avait vingt ans quand il était mort en quelques mois d'un cancer foudroyant, laissant l'impression de s'éteindre en pleine action. Sa mère Anne avait semblé pendant quelques semaines ne pas pouvoir lui survivre, puis elle était partie voyager en Amérique du Sud, retrouver le pays de leur jeunesse, comme elle le disait. C'était là qu'elle avait rencontré le père de Lysange, un Français exilé au Brésil depuis vingt ans. Ils avaient eu leur premier enfant là-bas, un garçon, puis ils étaient rentrés en France juste après la naissance de Lysange. Anne disait qu'elle voulait revoir sa mère avant qu'elle ne disparaisse et lui présenter ses petits-enfants. Elle s'en voulait beaucoup d'avoir si peu vu son père avant sa disparition. La famille était finalement restée à Paris où Vincent et sa sœur avaient grandi.

Lysange se disait qu'elle connaissait mal ses parents. Si elle les avait rencontrés dans le cadre de son travail, en leur demandant de se raconter, elle en aurait su bien davantage qu'en étant leur fille. Elle ignorait même quel genre de couple ils avaient formé. D'eux, elle gardait un souvenir de petite fille. Elle les avait toujours vus comme deux vieux amoureux sereins. Entre eux, rien ne révélait une passion vécue dans une vie antérieure que leurs deux enfants n'auraient pas connue. Elle ne savait plus où ils s'étaient rencontrés dans ce Brésil immense. L'histoire de ses parents se limitait aux chiffres : des dates qui situaient la famille sur l'échelle du temps. Son père de quinze ans plus âgé que sa mère était mort quinze ans avant elle. Après sa disparition en 1985, Anne venait tout juste de fêter ses cinquante ans. Après de nombreux voyages en Amazonie et dans le Mato Grosso, elle s'était finalement établie dans la maison d'une amie d'enfance que Lysange ne connaissait pas. Son père désirait acheter une maison dans ce pays où ils s'étaient rencontrés. Il parlait souvent des belles années passées à l'ombre des flamboyants, dans la douceur tropicale. Mais il n'avait pas eu le temps de réaliser son vieux rêve. Et Lysange pensa longtemps que le choix de vie de sa mère était presque la réalisation d'une promesse.

C'était Anne qui la plupart du temps venait les visiter en France. Elle ne voulait pas perdre de vue les jumeaux de Lysange. Parfois, elle rejoignait sa fille lors de ses missions en Amérique du Sud. Elle paraissait heureuse. Puis il y avait eu la mort de Vincent, dans un accident de voiture, peu de temps après le voyage au Brésil entrepris pour rejoindre sa mère. Anne ne s'en était jamais remise. Lysange avait du mal à se souvenir de tout. Anesthésiée par son propre chagrin, elle s'en voulait. Elle avait le sentiment d'avoir été incapable d'apporter à sa mère un quelconque réconfort. Elle revoyait son visage à son arrivée à l'aéroport, calme et dévasté par une douleur silencieuse. Elle était si proche de Vincent et cela s'était passé si rapidement. Ce jour-là ils avaient rendez-vous pour déjeuner. Vincent devait lui raconter son voyage en Amazonie, lui donner des nouvelles de leur mère. Il avait dormi en Normandie dans la maison de son amie. Lysange se souvenait vaguement de cette jolie blonde rencontrée pendant ses études, puis perdue de vue. Elle avait ri quand son frère, l'éternel inconstant, lui avait avoué que cette fois il était vraiment amoureux. De cela aussi, il devait lui parler. Il envisageait de déménager pour habiter en Normandie avec elle, et créer une entreprise de communication. Vincent avait six ans de plus que Lysange et tous les deux ressemblaient physiquement beaucoup à leur mère mais c'était lui qui en était le plus proche, tandis que Lysange avait tissé avec son père des liens secrets. Bien qu'il soit l'aîné, c'était toujours à elle qu'il demandait son avis. Vincent adorait sa sœur avec laquelle il était toujours gai et protecteur. Ils avaient habité ensemble pendant trois ans après avoir quitté la maison familiale et vécu leurs premières vraies bagarres. Au dire de Lysange, très ordonnée, Vincent était un sacré bordélique. Ils avaient vécu le bon temps des études, de l'insouciance, de la fête. Jamais un rond en poche mais tant d'aventures. Ils s'étaient souvent étonnés par la suite d'avoir pu sortir tous les soirs alors qu'ils étaient si fauchés. Puis chacun avait vécu sa vie de son côté, Vincent celle d'un célibataire fêtard et Lysange celle d'une femme en couple très vite devenue mère.

Cela faisait si longtemps qu'elle n'avait plus voulu se souvenir de Vincent, de son amour pour lui, de leurs fous rires, de la peine de leur mère lors de sa mort sur cette route de campagne. Puis de sa disparition à elle, presque un an après, jour pour jour, comme pour marquer à quel point il était insurmontable de perdre son enfant, quel que soit son âge.

L'année suivant l'accident, sa mère avait tenu à faire célébrer une messe d'anniversaire à Paris. Elle s'était évanouie pendant la célébration. Son cœur s'était arrêté et le médecin n'était pas parvenu à la ranimer. Désemparée, Lysange avait écrit à l'amie de sa mère restée au Brésil. La réponse fut chaleureuse et rédigée comme une excuse. Son état de santé ne lui permettrait pas de venir à l'enterrement. Elle enverrait par conteneur les effets d'Anne et les objets de valeur qu'elle pouvait avoir. Lysange garda un anneau d'or que sa mère portait toujours à la main droite et donna le reste.

Pour l'heure, Lysange accusait le train, qui en l'éloignant de son amour sorcier lui faisait dévider toute la pelote de sa vie… Avant de l'emmener dans une maison inconnue posée au bord de la mer. Rencontrer un homme qui, lui aussi, avait vécu au Brésil. Ce n'était pas une nouveauté. Lysange avait toujours eu sur sa route des Brésiliens ou des Européens fascinés par ce pays. Curieusement, c'était le pays d'Amérique du Sud qu'elle connaissait le moins bien. Adulte, elle n'avait voyagé que dans le Sud du pays, là où se trouvaient les communautés allemandes qu'elle étudiait.

Pourquoi n'était-on jamais préparé à perdre les êtres qu'on aimait le plus ? On se savait provisoirement là, mais l'on n'en tenait jamais compte. Et comment faisait la mémoire pour se taire, pour respecter les mises à distance qu'on lui imposait ?

Du jour au lendemain, Lysange avait mis à la porte ses souvenirs, elle les avait cadenassés dans un coin de son cerveau pour ne pas trop souffrir. Mais maintenant que sa mémoire resurgissait intacte, tout lui faisait un mal de chien. Pour la première fois, elle prenait conscience du fait qu'elle était seule à leur survivre, qu'elle ne pouvait parler d'eux avec un proche puisqu'ils étaient désormais tous partis. Elle réussit à sourire en se souvenant de ce que lui disait sa mère.

Tu n'as pas à te tourmenter pour demain, lui serinait Anne quand elle s'interrogeait sur l'avenir. Ce que j'appelle Dieu et que tu as décidé de ne pas nommer pourvoira à l'essentiel. Lysange lui objectait régulièrement toutes les raisons scientifiques qui l'empêchaient de suivre ce chemin sur lequel elle voyait sa mère avancer en aveugle confiante. Parfois, il lui semblait qu'elles n'étaient qu'à quelques encablures, sa mère avec son Dieu et elle avec son destin.

Elle avait fait sien cet aphorisme de Paul Morand qui glaçait Anne bien qu'elle ne le lui eût jamais avoué, « le Créateur a raté ce monde-ci, pourquoi aurait-il réussi l'autre ? »

Troublée par la remontée de ses souvenirs, Lysange admira le grand pont sur lequel passait le train. Elle se demanda le nom de ce large fleuve de couleur boueuse juste avant que le contrôleur n'annonce la gare de Bordeaux ! Elle avait donc passé trois heures à se souvenir de ses parents et de son frère, s'éloignant ainsi de ses emportements amoureux. Elle avait passé trois heures à se libérer de lui, son amour parti dans une guerre à laquelle il ne prendrait jamais part. Elle se saisit de son sac, y rangea en vrac journaux et livres qu'elle n'avait pas ouverts et sauta du train juste avant que la porte ne se referme. Un proverbe africain lui revint en tête. « Si tu ne sais pas où tu vas, souviens-toi d'où tu viens »… Lysange réalisa qu'elle ne savait plus d'où elle venait ni où elle devait aller et cela lui donna le sourire. Elle n'avait aucune description de Tomas ; juste son âge qu'il avait indiqué dans sa première lettre. Elle ne lui avait pas envoyé de photo d'elle ni donné d'indice vestimentaire. Ils n'avaient pas échangé de numéros de portable et, pour comble de malchance, elle s'aperçut que la gare semblait avoir plusieurs sorties. Elle examina les trois hommes un peu plus âgés qui se trouvaient à l'une d'elles ; ils ne lui jetèrent pas un regard et elle décida de tenter sa chance à l'autre bout du couloir. Au bout de quelques minutes, un homme assez grand et plutôt mince s'avança vers elle. Il avait de très grands yeux bleus, un teint basané et des cheveux blancs épais coupés court. Il lui tendit la main en souriant. Je vous imaginais petite. Elle sourit à son tour. Moi aussi, je vous imaginais petit. En ce qui me concerne, cela aurait pu être le cas. Ma mère était assez petite, mais question taille j'ai hérité de mon père. Elle sentit qu'elle avait mis toute la fierté qu'elle ressentait pour son paternel dans cette phrase et ce détail qu'il ne sembla pas noter la fit rougir. Tomas prit sa valise et l'entraîna vers le parking. Il était vêtu d'un jean noir et d'une chemise beige clair dont il avait remonté les manches. Il marchait vite, et elle avait envie de traînasser… Il faisait doux et déjà dans la ville

52

on devinait l'air océanique. C'est une très bonne idée d'avoir avancé la date de votre arrivée. Nous éviterons ainsi les embouteillages du week-end. À la fin du mois de mars, les Bordelais commencent à retourner sur les plages. Ce sont de belles journées et nombre d'entre eux ont des maisons au bord de la mer. Vous avez retenu une chambre à la *Maison du Bassin*, je crois ? Je les ai prévenus de votre changement de date.

Lysange se rendit compte qu'elle avait oublié d'appeler l'hôtel et, l'espace d'un instant, son esprit fut traversé par le dernier baiser de Pierre, son dernier regard quand elle avait fixé le vert pailleté de ses yeux qui semblait s'assombrir puis sa fuite sans se retourner dans les rues de Paris. Tomas ne cessait pas de parler. Il disait de petites choses anodines, lui racontait les us et coutumes des gens du Sud-Ouest, comme si elle venait effectuer un travail de recherche sur cette population. Elle le regardait pendant qu'il conduisait. Il dégageait une grande force et quelque chose de plus secret, voire obscur. Ses mains étaient étranges. Nouées comme celles d'un homme qui aurait travaillé la terre ou cherché de l'or. Son visage bronzé et marqué était celui d'un homme qui a passé sa vie au soleil. À un feu rouge, enfin silencieux, il tourna la tête pour la regarder et elle sentit qu'il résistait à l'envie de murmurer quelque chose, comme si ce regard sans parole leur était nécessaire. Puis le cours de son bavardage reprit. Elle ouvrit la fenêtre et perçut une odeur de fleurs. Ils quittèrent les rues de Bordeaux, les belles demeures qui bordaient les grands boulevards pour s'enfoncer dans la banlieue tranquille. Les arbres étaient déjà en bourgeons... Un printemps qui était loin d'encore exister à Paris.

Je me demande si tu es déjà sur un terrain de guerre. J'imagine les photos que tu prends car je les ai regardées, tes images. Il y avait dans ta chambre sur l'étagère le catalogue d'une de tes expositions. Je revois le visage de cette mère tenant son enfant mort dans ses bras, ces combattants qui n'avaient pas l'air de savoir que tu étais là, que tu immortalisais leur détresse. J'ai compris ce que tu m'avais expliqué sur le voyeurisme en regardant tes photos. Tout y était sobre, pudique et plus terrible encore. La souffrance brute n'est pas un spectacle pour celui qui est un humble témoin, m'as-tu dit, ce que je donne à voir, c'est ce que nous sommes. Une réalité humaine que nul ne décide de prendre en compte pour lui-même.

Je me rassure sur ton sort en pensant à nos étreintes. Tu ne crois pas en ta propre disparition. Cela te rend extrêmement vivant. Tu n'es pas dans l'urgence du gouffre. Tu en es trop près. Parfois j'envie ton insouciance. Être éveillée me condamne à la solitude, une sorte d'exil dans la lucidité. J'essaie de me le dire, le souvenir de ta présence m'indiffère, je me sens loin, oublieuse de ta réalité. Je le crois, mais l'instant suivant, sans savoir pourquoi, le désir de toi me crucifie. Tes mains, tes yeux, ton sexe sont partout en moi, s'insinuent dans la moindre parcelle de mon corps et de mes pensées. Où étais-tu quand tu n'existais pas pour moi? Peut-être déjà là, dans l'ombre de ce qui me cheville à l'amour. La vie que j'imagine est toujours plus grande que celle que je crois vivre. Mais la vie vécue est plus tangible que ces fictions, ces rêves comblant mon appétit d'exister. Je suis enchaînée à un fil de soie; il se déroule et m'emmène sur un chemin mystérieux. Je l'emprunte et j'ai l'impression d'être poursuivie. Les questions me taraudent et me poussent à hurler mes abstinences, offrir mon âme au ciel et la sentir empreinte d'une aspiration : celle de tout oublier. Je me consume dans une attente infinie de toi. Rien ne peut étancher cette soif de ta présence. Pas même toi. Nous nous retrouvons. Un endroit secret de Paris. Tu as trouvé facilement? Tu ris. J'imaginais un lieu plus accessible, mais il est comme celle qui me l'a proposé. Je ris à mon tour. C'est-à-dire? Assez intime et désirable. Ma définition te convient?

Tu tends la main vers ma joue. C'est une des choses que j'aime en toi. Jamais tu ne me croises sans me toucher. Comme si ce contact te permettait d'en savoir plus sur notre conversation. Sais-tu que les fourmis font la même chose? Elles échangent des informations avec leurs antennes puis continuent leur course. Oui mais elles le font avec toutes les fourmis qu'elles croisent, me fais-tu remarquer. Je ne pousse pas la coquetterie jusqu'à te demander combien de fourmis tu croises. Ça m'est égal.

Après cette chambre dont nous avons abattu le mur, il y en a eu d'autres. Une à Bombay, une autre encore à Londres. Jamais plus d'une nuit, parfois moins. Et dans une moitié de nuit, il n'y a pas de sommeil possible. Seulement deux corps qui se retrouvent, s'explorent, s'aimantent avant de s'arracher. Ton avion partait à trois heures du matin. J'en ai oublié la destination et le mien m'a ramenée chez moi.

Aujourd'hui tu es là. Je n'en crois pas mes yeux. Je t'ai attendu et tu ne vois rien de ce qui m'inquiète vraiment. J'avais peur que tu ne viennes pas et suis muette de plaisir. Je sais maintenant que j'ai désiré ce feu qui est partout en moi. Son parfum de bois brûlé, cette âcreté de lavande qui pique ma gorge. Je t'ai donné rendez-vous dans un jardin improbable à Paris, un recoin de Sud parsemé de branches de genêt en fleur. Leurs fragrances de sucre envahissent l'atmosphère. Je comprends que ma vie a été une succession d'absences, un chemin de disparitions légères ou définitives. À commencer par la mienne. J'ai disparu de ma propre vie sans m'en apercevoir. Il faudra un jour que quelqu'un m'explique pourquoi j'ai toujours l'air de rester tandis que les autres partent. Ce n'est pas une question de voyage. Même quand je me déplace, je ne bouge pas. Je m'enracine facilement. À l'autre bout du monde, une maison devient la mienne, les voyageurs s'en extirpent et me laissent la place. Mes souvenirs s'enroulent autour des arbres, serpentent autour de moi comme si j'habitais là depuis cent ans. Je reconnais presque d'avance les lieux où l'on peut poser son sac. Comme si je les portais en moi avant de les connaître. L'espérance dont ils sont remplis m'appelle. Doit-on héberger en soi le désert à traverser pour être abreuvé par ce qui vient ? Tu m'as dit cela en te réveillant, je crois m'en souvenir. Lors de notre première nuit, celle où j'étais tellement surprise de t'entendre me murmurer « je t'aime » avec tant de naturel. C'est rare tu sais. Qu'est-ce qui est rare, mon amour ? Une femme comme toi ; ça fait cent ans que je cherche alors je le sais. Je ne savais pas de quoi tu parlais. Et je me suis sentie désemparée. Je ne savais quoi répondre. Est-ce que j'ai cherché un jour un homme comme toi ? Ou tout simplement un homme qui ressemble à un idéal qu'on se fabrique ? Je ne crois pas. Je n'ai jamais rien cherché. J'étais désemparée comme si je découvrais que l'amoureuse que j'étais n'avait aucun désir, aucune pauvre idée de ce qui pourrait bien la combler. Et cela m'a fait rire aussi. Je me suis dit que c'est un bon reste de l'enfance, ne pas savoir ce que l'on veut.

Cette nuit-là nous nous sommes mis à la fenêtre et je t'ai dit que je croyais à la douceur des choses pour combattre la violence des êtres. Tu m'as serrée dans tes bras. La lune ronde avait l'air pleine. De qui et de quoi va-t-elle accoucher ? me suis-je demandé. Regarde, elle a des rondeurs voluptueuses, elle impose sa féminité, elle repousse les nuages. Elle cligne de l'œil pour que le vent l'aide à mettre en échec ce rideau de pluie qui vient la manger sur ce côté. La lune a disparu derrière un nuage. Tu jubilais. La nuit devenait plus profonde. Tes mains ont enserré ma taille, sont descendues le long de mes cuisses, et déjà je me sentais reprise. Je t'ai tendu mes lèvres, j'ai frissonné au contact de ta peau. Tu semblais m'écouter attentivement, tes caresses se déployaient au son de mes murmures d'extase. Combler une femme en engendrant une soif plus grande encore de jouissance. Tu semblais rire de me connaître si bien, tandis que je tâtonnais pour comprendre qui tu étais et où tu m'emmenais.

Et puis je t'ai trouvé enfin, sous la ligne pure d'une étreinte plus longue. À tout instant, sur le versant infime du sang qui se propage, se joue un abandon qui nous dépasse. La touffeur de ta chambre refermait l'espace, les ondes lascives de ton plaisir, l'imminence de l'ivresse, tout semblait capturer les secondes pour les suspendre dans un temps qui n'en finissait pas de s'arrêter.

Subjuguée, ployée, roulée, distendue, hébétée, laminée… Ce jour-là, j'ai quitté ton alcôve dans le scintillement d'une offrande que je ne mesurais plus. À chaque pas qui m'éloignait de toi, tes mots d'amour s'échappaient de mon téléphone, rythmaient mon retour vers nulle part et donnaient à mon regard des incandescences de madone.

Lysange ne savait plus du tout ce qu'elle avait raconté à Tomas pendant le trajet en voiture qui les avait menés jusqu'au Cap-Ferret. Elle n'avait gardé que le souvenir précis des paysages traversés. Les pins, la naissance du printemps, quelques flammèches d'un vert tendre dans les chênes. Des fougères, grandes comme celles des forêts tropicales. C'était bien d'elle ça, comparer la végétation d'un pays à celle d'un autre. Elle avait aperçu des forsythias sur le bord de la route, humé en ouvrant la vitre l'odeur de la résine. Mais de leur conversation, rien ne lui restait. Elle était encore imprégnée de l'amour de Pierre, de leurs nuits, de leurs jours et son esprit était resté prisonnier dans leur histoire. Tomas n'avait pas eu l'air surpris de sa conversation. Elle avait dû parler de son métier, de ses recherches. Il lui avait posé des questions. C'était un sujet qu'elle maîtrisait assez pour donner des réponses on ne peut plus fiables sans même y réfléchir. Vous auriez pu dormir dans votre future cabane, ce n'est pas la place qui manque, lui fit remarquer Tomas quand ils passèrent le panneau du Cap-Ferret. Mais je comprends, ajouta-t-il avec un sourire. Ce n'est pas tous les jours qu'un cinglé vous confie sa maison sans vous connaître. Elle protesta. Elle n'avait pas eu peur de lui mais d'elle. Elle se savait discrète, sauvage. Cela le fit rire. Et si vous aviez eu tort, si vous étiez trop naïve, trop confiante ? Elle le considéra sévèrement malgré le sourire qu'il affichait. Vous essayez vraiment de m'effrayer ? Je peux encore ne jamais entrer dans votre maison, vous savez, et reprendre le train en oubliant votre proposition. La situation semblait le ravir. Oh non, vous ne pourrez pas me dire non. Attendez un peu de voir la cabane océan comme je l'appelle. Vous voulez déposer d'abord vos affaires à l'hôtel, j'imagine ? Elle faillit refuser, mais un dernier sursaut de méfiance lui interdit de le suivre chez lui sans laisser la trace de son passage à l'hôtel. Personne ne savait où elle se trouvait en ce moment. Elle n'avait rien dit à John de son départ dans le Sud-Ouest. Et bien sûr, sans vouloir se l'avouer, elle avait un fond de scepticisme qui l'empêchait encore de croire à cette proposition gratuite.

Tomas arrêta son véhicule tout-terrain devant la *Maison du Bassin*. La véranda bleue était comme une invitation à rester. Lysange mourait d'envie de se reposer, de prendre une douche, mais n'osa pas lui demander de la laisser là pour revenir une heure plus tard. Il ne fit aucun commentaire sur son choix. Elle avait réservé volontairement un hôtel charmant. Elle n'avait pas pris de vacances depuis si longtemps. Et puis il fallait tout prévoir. Si jamais Tomas se révélait désagréable, elle aurait au moins le plaisir de se retrouver seule dans la nature et logée dans une chambre sensuelle. Avec l'absence de Pierre, il ne pouvait en être autrement. Lysange n'aurait su dire l'impression exacte qu'elle avait de Tomas. Il devait avoir environ soixante-quinze ans. Son visage était très marqué, mais il n'arborait pas le masque d'une souffrance ou d'une vie aigrie. Une grande malice se dégageait de ses traits et parfois un voile de gravité passait comme une ombre aussitôt balayée par un sourire un brin désabusé. Il avait un côté mystérieux et buté qu'il semblait cacher sous un masque de sagesse. Rien dans cette savante composition ne cadrait avec ce que percevait intuitivement Lysange. Il n'était pas celui qu'elle avait imaginé en lisant sa lettre, et elle sentait en lui un autre homme, beaucoup plus compliqué qu'un généreux donateur. Bref, elle se sentait pleine de curiosité à son égard. Durant le trajet, il n'avait pas dit grand-chose le concernant, cela l'aurait frappée, même si tout son être était encore ailleurs.

Je ne pourrai pas te joindre. C'est si bon de te parler parfois. Si doux de ne rien dire et d'entendre tes silences. Je reconnais les dialogues du cœur qui s'insinuent entre les mots murmurés. Mais ceux-là ne sont rien. Juste la musique, l'accompagnement subtil de ce qui hurle, gémit, geint, soliloque, déblatère, vocifère et soupire en moi. C'est ce qui ne se dit jamais que je porte. Les sons du corps sont sans voix. Ils ne sont que fièvres, langueurs, montées de peur qui s'arrêtent en chemin. Je te sais, te sens, te respire et mon cœur s'arrête de battre, se croit dans son dernier jour au souvenir d'une seule nuit. Que disais-tu lors de notre dernière conversation ? J'ai oublié les serments, les promesses répétées. L'absence de toi égare mes pensées. Je rêve et cauchemarde tour à tour. J'ai vu tant d'amours éternels durer le temps d'un baiser et mourir à la fin du printemps.

Voler, traverser les murs, toucher son rêve du doigt, caresser les aspirations de toute une vie, voilà qui justifie bien la fuite et la panique. Faisons taire les mauvaises langues qui susurrent à nos oreilles. Écoutons le vent qui passe, les montées incessantes du désir, les caresses promises à un autre jour, les voluptés des nuits à venir. Découvrons la violence de ces rêves, ce qui préside aux départs d'un voyageur exilé dans sa folie de se perdre. Quelle importance... La souffrance est mère de toute fuite, mais elle est le retour immuable de l'amour donné. Jamais repris, il devient le phare d'une possible guérison, l'assurance d'être vivant, de le rester et de partager dans un court moment d'extase cet amour, enlacés.

Qu'ai-je voulu ? Suivre mon désir ? Le laisser m'envahir, ne pas refuser son chant. Tout s'est joué à mon insu. J'ai sans doute espéré une déception, le passage de ce qui nous creuse sans nous combler. Mais dès le premier moment, celui où ma peau s'est collée à la tienne j'ai rencontré la même soif, la même aspiration, un espoir jeté au ciel qui m'a crucifiée au cœur de l'étreinte. Vite engloutie par cette intensité, j'ai tenté un moment d'endiguer le flot de la surprise et tout à la fois j'ai désiré ce plaisir de toute mon âme. Alors la faille s'est ouverte, j'ai plongé dans le gouffre toutes ailes déployées. Baignée d'amour, les yeux ouverts, à la vitesse des grands vents, j'ai suivi la trajectoire en essayant de ne pas penser à l'avenir. Peut-être se revoir, peut-être se quitter pour essayer l'absence qui fâche : prendre une distance qui lamine les grands emportements. Peine perdue. Comme toujours quand on n'y croit plus, c'est l'inverse de ce que l'on pense qui se produit. Je suis là, le cœur en équilibre sur le manque, folle de désir, offerte à ce qui vient.

Je repense à cette petite chose recroquevillée presque morte au fond de moi. La vie a des façons bien à elle de récupérer son bien dans le flou de nos âmes absentes. Je cherchais la beauté sans y croire, j'étais en veille, lointaine, et je ne faisais semblant de rien. Ce n'est pas si simple d'aspirer au sublime quand le bonheur nous accompagne. On lui tient le bras, on est droit et souriant. On ne s'autorise rien de fou ou de triste ; il y a tant de misères autour de soi qu'on n'a pas le droit de pleurer, pas le droit de vouloir plus ou autre chose. On se concentre, on fait circuler le souffle et la gaieté doit suivre. C'est le baiser d'une existence de dupe, la fleur vénéneuse de l'insatisfaction, le parfum d'un souvenir inassouvi. Tout est bon pour fabriquer des bienfaits dans lesquels on puise quand les heures sont moins douces. J'avais oublié la tempête, les ouragans, la force des grands vents qui enseignent à ceux qui naviguent un jour une leçon de vie éternelle. Ça secoue, ça cogne, ça fait peur et l'on s'apaise en regardant la mer retrouver son calme. Avais-je le choix ? Ta pensée ne me quitte pas. Je te regarde très loin et, quand je détourne les yeux, je te vois encore comme si ton regard attaché au mien noyait sa peine ancienne dans nos yeux réunis. On ne peut pas vivre cela chaque jour, face à face. On deviendrait fou.

Lysange sentit qu'ils se rapprochaient de ce qui lui avait fait quitter Paris. Et si elle était partie par désarroi, elle éprouvait maintenant un peu de curiosité. Peut-être n'aurait-elle jamais appelé Tomas s'il n'y avait pas eu l'amour de cet homme dans sa vie ? Pour combattre son absence, il fallait au moins un départ, un paysage, quelque chose qui fût nouveau et la détournât de ses envoûtements. Tomas avait pris un petit chemin au milieu des pins et lui expliquait que sa cabane était cachée dans les dunes. Ils roulaient doucement sur une piste de sable, entourée d'une végétation d'un vert sombre, parsemée de bouquets d'un jaune éclatant, des bouquets de forsythias ou des gerbes de mimosas, lui précisa Tomas. La maison tout en bois était du côté de l'Océan, mais en dix minutes de marche on pouvait atteindre les bords du bassin d'Arcachon. Lysange prit une grande inspiration, huma les embruns marins et relâcha son air comme si elle n'avait pas respiré depuis longtemps. Tomas sourit en constatant qu'elle avait l'air heureuse d'être là. La cabane, plus importante que son nom ne l'indiquait, dégageait une curieuse magie. On aurait dit qu'elle avait surgi de la terre tant elle paraissait emmêlée au paysage. Tomas s'effaça pour laisser entrer Lysange. Passé le minuscule couloir de l'entrée, une odeur de feu de bois et de café la saisit. Les pièces du rez-de-chaussée s'ouvraient sur le jardin grâce à de larges baies vitrées par lesquelles la nature donnait l'impression d'entrer dans la maison. Tout de suite Tomas l'engagea à faire comme chez elle, à poser ses affaires où elle le désirait puis il s'activa auprès de la cheminée et rassembla quelques bûches pour allumer le feu. En bord de mer, la fraîcheur tombe vite. Si ça ne vous ennuie pas, il y a tout ce qu'il faut sur votre gauche pour préparer un café, ou un thé si vous préférez. Je boirai la même chose que vous. Si vous avez faim, servez-vous, il doit y avoir un reste de lasagnes dans le réfrigérateur ou même une part de tarte si vous préférez quelque chose de sucré. Ensuite, nous monterons à l'étage, et je vous montrerai votre domaine. Lysange se demanda s'il ne repoussait pas la visite de la maison afin qu'elle n'ait pas peur de cet isolement dans lequel ils se retrouvaient soudain. Elle mit de l'eau à chauffer, ouvrit quelques placards tandis que, disposant brindilles et bûches, Tomas l'observait du coin de l'œil. L'intimité du lieu était presque gênante pour les inconnus qu'ils étaient encore. Ils se retrouvaient comme un couple qui se prépare à passer une soirée en tête-à-tête et elle ne put s'empêcher de repenser à sa proposition incongrue. Ainsi il avait l'intention de lui confier cette cabane en bois qui était tout de même une vraie maison dans laquelle elle sentait déjà des ondes qui la capturaient en lui murmurant quelque chose qu'elle n'avait pas encore compris mais qui était là. Lysange aurait aimé la connaître mieux. Comme s'il avait écouté ses pensées, Tomas rompit le silence. N'hésitez pas, faites la curieuse, il y a un bureau au fond, là-bas sur votre gauche.

Le rez-de-chaussée se composait d'une grande pièce de vie avec cuisine à l'américaine. La pièce dont parlait Tomas était une sorte de bibliothèque-bureau qui avait tout d'un intérieur de bateau y compris l'étroitesse des lieux. On se serait presque attendu à voir tanguer ce curieux endroit où tout objet semblait avoir sa place. Lysange avait toujours cru qu'on pouvait presque tout savoir d'un être en examinant les étagères de sa bibliothèque. Aussi dirigea-t-elle immédiatement son regard sur les titres qui s'alignaient devant elle. Beaucoup de noms évoquaient un goût pour le voyage et pour la littérature étrangère. Des livres en anglais, en portugais, en allemand occupaient tout un pan de mur. Mais rien ne prouve qu'ils soient ses livres, pensa Lysange. C'est une occupation qui m'est venue sur le tard, l'informa Tomas qui venait d'apparaître dans l'encadrement de la porte et suivait son regard. Ma jeunesse était toute vouée à l'action. J'aurais peut-être lu si je n'avais pas été si remuant. À l'adolescence, j'avais mes bibles, Kerouac et d'autres voyageurs littéraires brésiliens ou sud-américains. Ma compagne lisait beaucoup. C'était la première fois qu'il faisait allusion à une femme, mais l'emploi de l'imparfait incita Lysange à ne lui poser aucune question. Et maintenant vous lisez beaucoup ? Pas tellement à vrai dire. Je relis mes voyageurs fétiches, Blaise Cendrars, Conrad. Les habitudes prises restent tenaces. Ainsi j'abandonne volontiers un livre pour aller couper du bois. Ce qui n'est pas si éloigné de la question, lui fit remarquer Lysange en souriant.

J'ai mes heures, et mes vagabondages ne correspondent pas forcément à la lecture docile d'un bout à l'autre d'une histoire. Disons que j'aime vivre avec des livres et m'y plonger de temps en temps. Ils prennent moins de place que mes souvenirs. C'est un homme vaste, se disait Lysange sans savoir pourquoi ce qualificatif lui semblait le plus approprié. Que désirez-vous manger ce soir? Avez-vous des goûts ou des dégoûts particuliers? Elle réfléchit un instant et opta pour la franchise. Je ne suis pas très difficile, mais je vais être très mal élevée, je déteste le chou-fleur. Tomas la regarda curieusement et se retourna en marmonnant. Rassurez-vous, dit-il d'une voix distincte cette fois, je n'avais pas l'intention de mettre ce légume au menu. Je l'ai en horreur. Je ne suis pas un cordon-bleu, mais je me débrouille, ajouta-t-il comme pour la rassurer. Les femmes que je rencontre disent que les hommes qui cuisinent sont souvent des marins ou des célibataires endurcis. Et c'est le cas? Ce fut le cas pendant un bon bout de temps. Et maintenant je fais mentir les statistiques qui disent que les femmes vivent plus vieux que les hommes. Ma compagne a disparu avant moi. Sans doute qu'il y a une justice puisque j'ai passé une assez grande partie de mon existence à ignorer qu'elle était la femme de ma vie. Que voulez-vous?... Il faut apprendre. Et il semble que les leçons se prennent le plus souvent à nos dépens.

Vous avez vécu longtemps en Amérique du Sud ? Vous m'avez dit au Brésil, je crois, et vous veniez d'Allemagne d'après votre lettre… Lysange pensa que ses questions passeraient pour de l'intérêt professionnel. Tomas l'intriguait. Cet homme l'avait conviée chez lui et, depuis qu'elle était là, il avait l'air de le regretter. Ce n'était pas qu'il soit désagréable, mais Lysange sentait dans son regard quelque chose d'hostile, une défiance qu'elle n'arrivait pas à s'expliquer. Une sorte de mal-être se dégageait de lui, qu'il semblait cacher sous son air de vieil homme, mais c'était là, bouillant, presque palpable. Un volcan sous la cendre, se disait-elle. Elle pouvait presque l'imaginer jeune. La cafetière italienne ronronna et elle sursauta. Laissez, lui dit-il, je vais servir. Elle lui emboîta le pas, quittant à regret le bureau du capitaine. Elle remarqua en passant la lampe-tempête qui avait dû contribuer à accentuer son impression de navigation. Vous verrez demain, si la brume daigne nous laisser un bout de matinée ensoleillée, toute la lumière est dans le carré le matin… Oui, il faut que je vous dise, cette pièce est tellement devenue mon bateau que je l'appelle « le carré ». Même ma douce s'y était faite. La lampe que vous regardiez, décidément rien ne lui échappait, m'a été donnée en Patagonie par un marin. Vous avez vécu aussi en Argentine ? Tomas grogna plus qu'il ne répondit. Une sale période. La junte militaire, les escadrons de la mort. Brésil, Argentine ou Chili… Dans les années soixante-dix, ils étaient tous de mèche ; ils appliquaient les méthodes françaises pour combattre la guerre subversive comme ils l'appelaient. Et croyez-moi, ils étaient actifs et bien organisés. Lysange le regardait un peu inquiète mais décidée à en savoir plus. Et vous, un Allemand exilé, qu'aviez-vous à voir dans tout ça ? Tomas sourit. Si je ne connaissais pas votre métier, je dirais que vous jouez sur une corde sensible, mais vous avez en partie raison. Ma nationalité a du sens dans mes engagements de l'époque. Mes parents étaient des libres-penseurs, intellectuels, farouches ennemis du nazisme. En 1936, mon père a compris que les événements qui se déroulaient en Espagne n'étaient qu'une répétition de ce qui allait suivre. Il n'a pas sous-estimé Hitler ou pensé, comme la plupart de ses amis, que ceux qui ne partageaient pas son avis pourraient lui échapper. Il faut dire qu'il avait lu *Mein Kampf et* qu'il était d'origine juive. Mais enfin il n'était pas le seul à avoir lu ce livre terrifiant. Bref, nous nous sommes exilés au Brésil. Pour moi, ce fut une aubaine. J'ai grandi dans la nature. Je n'étais pas fait pour les études au grand désespoir de mes parents. Débarqué dans ces grands espaces à l'âge de six ans, je passais mes journées à cheval dans les fazendas. Plus les années passaient, plus j'étais absent. Quand ils essayaient de me remettre aux études, je fuguais… Bref, à seize ans j'avais le don de les rendre fous. Je suis parti vivre ma vie. Être sans contrainte et partir à l'aventure, c'était ça mon paradis. Mais vous savez, le sens de la liberté, les choix politiques d'un homme se cultivent à son insu dans son enfance. Cela aussi, le dictateur de mon pays natal l'avait bien compris en élevant des bébés nazis, en faisant des Jeunesses hitlériennes le fer de lance de son idéologie.

Lysange ne l'avait pas interrompu. Il parlait lentement, s'arrêtait pour réfléchir, comme si c'était la première fois qu'il racontait toute cette période de sa vie, comme s'il avait besoin de temps pour se rassembler. Les dictatures qui disparaissent laissent dans le cœur des hommes qu'elles ont élevés des traces de haine, des frustrations de pouvoirs, des germes qui ne demandent qu'à éclore au gré de l'histoire qui se répète. En fait, je ressemblais à mes parents, j'étais un être libre, mais je l'exprimais dans la nature tandis qu'ils se servaient de leurs livres et de leur pensée philosophique. Très vite j'ai rejoint l'Amazonie, j'ai vécu avec les Indiens qui avaient des relations difficiles avec les Blancs. J'ai appris leur langue, leurs coutumes. Les Blancs le savaient et je leur étais utile. Comme nous le faisons toujours avec les populations indigènes, les Blancs arrivaient, prenaient des terres qui ne leur appartenaient pas et se retrouvaient fléchés par les Indiens. Comme je trafiquais un peu, je m'entendais bien avec tout le monde. Les chercheurs d'or, les paysans, les indigènes. Ou plus exactement, chacun d'eux se méfiait de mes bonnes relations avec son ennemi. C'est à Manaus dans les années soixante à soixante-dix que j'ai rencontré des généraux français qui formaient des Brésiliens et des Argentins à la guerre sale. Ce qu'ils appelaient à l'époque « la guerre subversive ». Celle qu'ils avaient pratiquée en Algérie. Je les ai fréquentés parce qu'ils me fascinaient. Leur absence totale de scrupules, leurs pratiques de la torture avec préméditation comme si c'était une arme normale. Ils étaient très excités à l'idée de combattre les civils qui aidaient la guérilla. Ils ressemblaient à des monstres dont la cruauté aurait enfin trouvé de quoi étancher leur soif inextinguible de faire mal. Je leur fournissais quelques petits plaisirs clandestins et j'en apprenais beaucoup sur eux et sur leur boulot de formateurs. Je voulais savoir qui ils étaient, ce qu'ils projetaient de faire de cet apprentissage et naturellement en quoi il consistait. Au début, c'était une curiosité presque naturelle. Mes parents m'avaient autrefois éloigné des nazis et je retrouvais sur ma route des êtres tout aussi sanguinaires. Je me disais qu'il devait y avoir là une sorte de fatalité que je ne pouvais pas ignorer. Je m'étais trop intéressé à l'histoire de mon pays pour ne pas vouloir comprendre où se jouait la limite entre le pouvoir et la barbarie.

Lysange devait avoir l'air un peu effrayée car Tomas s'interrompit soudain. Vous voulez quelque chose, du sucre avec votre café, un peu de lait peut-être. Mais elle ne voulait que la suite de son histoire... Elle se disait que sa venue et son travail sur les populations allemandes en Amérique du Sud n'étaient peut-être pas si étrangers que cela à l'offre de Tomas. Elle voulait savoir jusqu'où était allée sa fascination.

Je ne comprends pas. À quoi pouvait vous servir cette enquête sur ces hommes si vous n'aviez pas l'intention de travailler pour eux... Cette fois c'est Tomas qui la considéra d'un air effaré. Travailler pour eux ? Vous me surprenez, Lysange. C'était la première fois qu'il l'appelait par son prénom. Ces hommes me faisaient horreur, mais j'avais le même intérêt dépassionné et documentaire que je vois maintenant sur votre visage de chercheuse. Je voulais comprendre, et que cette observation serve à ceux qui étaient comme moi, à la recherche de toutes les facettes les plus improbables d'un être humain. Et je peux vous dire que côtoyer dans une même journée les Indiens, qu'en comparaison je trouvais si purs, et ces machiavéliques militaires était une drôle d'aventure. Je n'avais rien à craindre pour moi-même, mais j'en apprenais trop, et j'attirais ceux qui auraient voulu en savoir plus. En fait, j'assistais à la formation des chefs militaires qui allaient servir toutes les dictatures de l'Amérique du Sud pendant les dix années à venir. À cette place stratégique d'observateur, j'intéressais particulièrement deux clans qui ne pouvaient pas se supporter et se livraient dans cette partie du Brésil une guerre acharnée et peu visible. Le Vatican et les francs-maçons. Les uns essayaient de progresser dans l'évangélisation des bons sauvages, les autres tentaient de les en empêcher et de rendre au monde sa laïcité comme ils le faisaient partout ailleurs. Ces deux groupes voulaient que je les renseigne sur les agissements des instructeurs français dont les techniques se répandaient comme si c'était désormais inéluctable de faire de la barbarie une arme officielle et militairement acceptable.

L'histoire de Tomas fascinait Lysange. Dehors le jour avait disparu. Un manteau noir avait recouvert la lande et, par la fenêtre qu'il avait ouverte pour que s'échappe la fumée que refoulait la cheminée, elle entendait les vagues de l'océan Atlantique. Tomas déroulait le film de ses souvenirs et Lysange en avait des frissons. Elle avait devant elle un bonhomme placide, qui lui décrivait les secrets de tout un pan de l'histoire de l'Amérique du Sud. Elle ne se souvenait plus bien de toutes les dates, mais elle revoyait le stade de Santiago où étaient torturés les rebelles d'Allende, elle avait entendu ces histoires sur les escadrons de la mort, les folles de la place de Mai qui portaient les photos de leurs enfants disparus en Argentine. Elle se disait qu'il avait dû garder de cette époque des noms ou des documents. Et elle souriait intérieurement, parce qu'elle était venue chercher la paix dans une maison isolée près de l'Océan, elle était venue oublier un homme en guerre qui avait mis son cœur à feu et à sang et elle se retrouvait dans un carnage de l'histoire à côté duquel son amour immense ressemblait à une gentille aventure sans lendemain. Et lui, ce Tomas né en 1930, elle l'avait rajeuni en le rencontrant ; il avait l'air doux et placide, mais dans quel camp avait-il joué ? Lui disait-il la vérité ? En quoi puis-je lui être utile ? se demandait-elle, car elle commençait à croire qu'elle n'était pas du tout là par hasard. Après tout, ses parents aussi s'étaient rencontrés en Amérique du Sud, au Brésil. Que savait-elle de la vie de son père par exemple ? À tout hasard, elle lui glissa que ses parents avaient vécu au Brésil à cette époque tout en l'observant pour voir si cela provoquait chez lui une réaction. Elle guetta sur son visage un petit quelque chose qui lui aurait permis d'établir un lien entre Tomas, ses parents et cette invitation à partager sa maison. Mais cela ne sembla pas évoquer quoi que ce soit pour lui et, sans trop savoir pourquoi, elle en fut soulagée. Est-ce que Tomas aurait pu croiser ses parents ? Ils s'étaient rencontrés en 1956 ou 1957 dans la région du Mato Grosso. Sa mère avait tout de suite été enceinte et son père était si amoureux qu'il n'avait pas eu beaucoup d'efforts à faire pour sauver l'honneur de cette jeune femme. Pourtant, d'après ce qu'elle avait compris, personne n'avait jugé les deux amoureux. Les parents de son père étaient déjà morts et ceux de sa mère étaient en France. Elle se rendait compte, maintenant qu'ils avaient disparu, que, s'ils ne faisaient pas de mystère autour de leur amour et de leur rencontre, elle ignorait tout des raisons de leur exil. Sa mère enseignait le français à de jeunes et riches Brésiliens, son père travaillait dans la fazenda dont il avait hérité. Mais comment étaient-ils arrivés là? Elle n'en savait rien. Cela prêtait à rire pour une femme qui avait choisi d'étudier les raisons pour lesquelles des populations s'exilaient en Amérique du Sud. Elle n'en était plus bien sûre, mais il lui semblait que sa mère avait à un moment de sa jeune vie éprouvé le besoin de tester son indépendance en quittant le cocon familial. Elle se souvenait vaguement d'une discussion qu'elles avaient eue à ce propos, quand elle-même désirait voyager et s'éloigner du cocon parental. Puis elles n'en avaient plus reparlé et aujourd'hui Lysange regrettait amèrement de ne pas en savoir plus sur les choix de ces jeunes adultes qu'avaient été ses parents. On a peu de raisons de s'enquérir de ce qui paraît à portée de soi, se disait-elle. Il n'y avait pas de mystère, pas de lourds secrets, de longs silences, et dans son enfance on parlait du passé librement. Si bien qu'elle n'avait jamais eu l'idée d'enquêter pour en savoir plus. Ses parents avaient souvent raconté leur vie brésilienne, leur rencontre, sans oublier les raisons pour lesquelles ils étaient rentrés. Peut-être cette liberté de parole avait-elle fait oublier à leurs enfants de leur demander pourquoi ils étaient partis. Lysange se disait aussi qu'elle avait du mal à se représenter ses propres parents comme deux personnes distinctes qui, avant de se rencontrer, avaient eu des désirs, une vie propre, et ne s'étaient embarrassées d'aucun projet commun si ce n'est celui très vague d'un jour être deux. La vie de ses parents commençait au jour de leur rencontre et se résumait pour ce qui précédait à quelques anecdotes d'enfance. Mais ce qui avait fondé leur vie de futurs adultes, leurs atermoiements à l'adolescence, cette période si fragile et si floue où chaque désir exprimé devient une sorte de rêve inaccessible ou de cauchemar récurrent selon le jour, tout cela elle n'en savait rien.

La discussion avec Tomas avait lentement dérivé sur ces considérations familiales. Il parlait de ses années en Amérique du Sud puis brusquement questionnait Lysange sur sa propre vie. Était-elle née là-bas ? À quel moment avait-elle eu envie de repartir sur ce continent ? Lysange ne pouvait s'empêcher de penser qu'ils apprenaient à se connaître et construisaient une relation qui ne leur servirait plus à grand-chose une fois que Tomas aurait quitté la maison. Mais peut-être avait-il besoin d'en savoir plus sur elle. Il ne donnait pas l'impression d'être méfiant, juste curieux. Parfois Lysange sentait son regard attentif, et lointain. Comme s'il retrouvait à travers elle et ses évocations quelque chose dont il ne lui parlerait pas. Elle lui avait demandé s'il avait besoin d'aide pour préparer le dîner, mais il avait refusé qu'elle quittât son tabouret. Elle s'était donc installée au bar à ses côtés et sirotait le verre de bordeaux qu'il lui avait servi pendant qu'il préparait haricots et grillades, menu qu'il lui avait annoncé avec une certaine fierté. Cela aurait pu être un repas du Sud-Ouest, mais les haricots étaient noirs comme souvent au Brésil et les escalopes n'avaient rien à envier à la viande argentine.

Elle avait un peu parlé de ses jumeaux et de leur vie à New York. À vingt ans, ils avaient intégré tous les deux la Parson's School pour faire des études d'art et vivaient chez une cousine de John. Comme si elle avait compris ce que signifiait cet éloignement, Lysange n'avait plus versé de larmes depuis ce jour. Dans un moment d'abandon, elle se surprit à faire cette confidence à Tomas. Mes jumeaux sont loin, mais je crois qu'ils me manquent moins que leur enfance ou bien j'essaie de me le dire ainsi pour me consoler de ne plus pouvoir les contempler petits. Ainsi tout s'éloigne, eux de l'autre côté de l'Atlantique, leur enfance dans mon souvenir... Elle s'arrêta et fit un geste comme pour chasser la mélancolie de ses propos.

Elle attendait que Tomas en dise un peu plus sur une possible descendance mais, comme rien ne venait, elle lui demanda s'il avait des enfants. J'ai eu un fils, oui, lui répondit-il en soupirant. Je crois ne l'avoir jamais autant dit que depuis qu'il est mort. Si bien que c'est maintenant que je n'en ai plus que je réalise que j'en ai eu un. Comme s'il lisait dans ses pensées, Tomas lui sourit et précisa qu'il avait aussi fait le deuil de ne pas l'avoir élevé. Lysange aurait bien voulu en savoir plus, mais les questions demeuraient au bord de ses lèvres, comme si elle sentait que dans la relation de Tomas avec son enfant se trouvait tout ce qu'il ne voulait pas dire de lui. Elle n'osa pas demander si la compagne qu'il avait évoquée était sa mère, ni à quel âge il était mort. Elle préférait imaginer les circonstances dans lesquelles il était devenu père d'un enfant dont, elle l'aurait parié, il ne voulait pas. La mâchoire de Tomas semblait soudain rigide et son visage avait pris des angles durs qui ne laissaient aucun doute sur le traumatisme que représentait encore aujourd'hui sa paternité. Il finit de retirer les grillades du petit barbecue en pierre de la cuisine et s'excusa en essayant de retrouver sa bonne humeur. Un autre jour peut-être, je vous raconterai tout ça. C'est encore un peu tôt, n'est-ce pas ? Lysange acquiesça avec empressement. Vous me confiez déjà votre maison, Tomas, vous n'êtes pas obligé d'y inclure les secrets de votre vie. À ce propos, reprit-il soulagé, je vous laisserai les meubles et la plupart des livres qui sont dans la bibliothèque. Je n'en aurai pas l'usage à Belém.

C'est là que vous habiterez quand vous retournerez au Brésil ?

C'est une ville que j'aime. J'y ai mes habitudes, quelques amis et je viens d'acquérir une petite maison en bordure de l'Amazonie. C'est une ville qui doit se gagner. Il faut y avoir vécu pour la comprendre et s'en faire apprécier. Je n'aime pas les villes qui s'offrent au premier venu.

Je ne savais pas qu'on pouvait dire cela d'une ville, remarqua Lysange.

Vous voulez dire qu'on ne peut le dire que d'une femme ? Elles ont en commun la complexité de leur architecture et une très grande facilité à vous emmener là où vous ne vouliez pas aller en passant par des chemins obscurs. Vous voulez manger à table ou le bar vous convient ?

Le repas fut agréable et la conversation légère. On eût dit que le moment dans lequel chacun testait l'autre et son intimité était passé. Il fut question des travaux que poursuivait en ce moment Lysange, du choix des études artistiques que faisaient ses enfants, du gouvernement du monde et des dangers qui attendaient çà et là les prochaines générations. Tomas s'excusa de n'avoir rien d'autre à lui offrir en dessert que des fruits et Lysange à son tour regretta qu'il soit obligé de ressortir pour la raccompagner à son hôtel. Cela le fit rire. C'était le prix de votre liberté et de votre prudence, n'est-ce pas ? Vous pourrez emménager demain ou les jours suivants dans la maison si vous changez d'avis. Ainsi, vous saurez ce que ça fait d'être réveillée par les cris des grues cendrées ou d'être bercée par mon hibou des marais. Il y a de très nombreux oiseaux au cap Ferret. Nous sommes à un passage stratégique des oiseaux migrateurs. Regardez derrière vous, la photo de ce rapace au mur a été prise ici, il y a quelques années. Bondrée apivore. Une splendeur en vol plané. Il soupira. Plus ça va et moins ils sont nombreux. Savez-vous que j'ai acheté cette maison à un ornithologue ? Lysange sourit en le découvrant soudain animé par la passion des oiseaux. Ses yeux bleus étaient devenus brillants. Et vous vous intéressez aux oiseaux depuis longtemps ? Je m'intéresse aux espèces animales en général, mais les migrateurs m'ont toujours fasciné. Je suis comme vous. J'aime comprendre les exilés. Vous le savez sans doute, jusqu'à l'existence des satellites, on ignorait leur trajet exact. Ce n'est que très récemment que l'on a su qu'ils suivent les lignes des méridiens. Je vous ramène maintenant ?

Lysange n'avait plus envie de quitter la chaleur de la salle à manger, le parfum de noisette qu'avaient laissé les grillades, la douce ambiance du bois et de la pierre. Tomas sourit comme s'il devinait ses pensées. Demain vous devriez donner votre congé à l'hôtel et dormir ici, dans votre chambre. Je l'avais déjà préparée en prévision de votre venue. La maison ne possédait à l'étage qu'une pièce, une chambre immense et son balcon caché dans les feuillages, tourné vers l'Océan. Cette pièce sous les toits était presque vide et disposait d'une salle de bains lambrissée personnelle. Elle n'abritait qu'un grand lit, une table en bois, un coffre et de quoi accrocher quelques cintres. Au fond de la pièce, un grand hamac était tendu entre deux poutres. Même les quelques étagères semblaient avoir été vidées de leurs livres. Quelques ouvrages encore traînaient çà et là, comme s'ils avaient été oubliés. En ouvrant la porte-fenêtre qui donnait sur le minuscule balcon, elle avait eu l'impression que l'Océan et son parfum du large lui coupaient la respiration. Dans la pénombre elle avait deviné la vue qu'elle aurait de cette pièce et elle s'en faisait une joie de petite fille. Tomas, lui, dormait dans une petite chambre qui jouxtait le bureau du rez-de-chaussée. Autrefois c'était un garage qu'il avait transformé en un refuge de vieux loup solitaire qui lui ressemblait.

Mimosas, Océan, pins, vous verrez, les parfums de la nuit sont plus capiteux encore. Lysange prit une grande inspiration. Elle savait ce qui l'attendait à l'hôtel et c'était ce qu'elle redoutait le plus. Prendre conscience du manque, éprouver l'absence, retrouver le vide qu'avait laissé Pierre en elle. Combien d'heures, de minutes, de secondes d'éternité s'étaient écoulées depuis cette dernière fois où elle avait fermé les yeux en savourant la volupté de sa main sur sa peau ?

Je rejoins ma chambre qui ressemble au petit bureau de Tomas. Elle est accueillante. C'est moi qui suis glacée. C'était une jolie plaisanterie quand j'étais plus jeune. Mon père prenait ma défense quand on me traitait de frileuse. C'est normal, c'est une fille du Nordeste. Elle est née au Brésil et son corps a gardé le souvenir du climat qui lui convient, disait-il pour m'excuser de mettre un pull en plein été. Mon père, mon plus fidèle allié. C'était à lui d'abord que j'avais raconté mon désir d'étudier les communautés allemandes en exil. J'avais l'habitude de m'installer à ses côtés en rentrant de la faculté. Je lui relisais mes cours. Il me posait des questions comme si toutes les années qu'il avait passées à travailler dans une ferme, puis dans une entreprise agroalimentaire à son retour en France, l'avaient éloigné des livres. Il avait une soif d'apprendre immense. Je lui rapportais des ouvrages que je prenais à la bibliothèque. Mais je crois qu'il faisait semblant de les lire pour me faire plaisir. Il préférait que je lui raconte les histoires. J'avais, disait-il, du talent pour lui faire comprendre la grande histoire par la voix des petites gens. Est-ce que je lui aurais parlé de toi s'il était toujours en vie ?

Je reprends mon portable que j'avais laissé sur le lit. Acte manqué ou volontaire, je ne sais plus très bien. De toi, aucune trace. Pas de message, pas d'appel. Parfois quand je te voyais te déplacer comme un félin, je t'imaginais sur le terrain, *on the fields* comme tu dis… C'est joli, non ? Chérie pardonne-moi, je vais passer une petite semaine dans les champs… Je te vois courir, prendre une photo, négocier habilement entre le risque encouru et l'audace de ta mission. Je te devine. Planqué derrière des murs, mais mon imagination s'arrête là. À ces murs, que je n'ose pas visualiser, criblés de balles ou d'impacts d'obus. Mon esprit refuse d'aller plus loin, de voir ce que tu vois. Ça me fait peur. Maintenant tu es à nouveau là-bas, et tout se passe comme si je n'existais plus. Je ne sais plus ce que tu as dit sur ton vol, ni sur ta destination. La mienne, c'est l'attente.

La distance est un glaive qui creuse mon manque et tout à la fois un baume qui colmate la déchirure de cet amour. Je ne veux pas avoir la tentation de te suivre dans un pays en guerre à travers ce qu'en disent les journaux télévisés. Dans les moments les plus fous, je tremble, je claque des dents et seule la musique m'envoûte, engourdit mes membranes et ralentit mon cœur. Litanie, c'est bien cela qu'il faut pour répondre à l'appel impérieux de mon corps sans toi. Je ne veux plus penser à ce désir de sentir tes mains sur mes seins, à cette brûlure de ton sexe dans le mien. Ton rire est au creux de mon oreille, tu murmures des douceurs à venir d'une voix rauque et tes mots, qui disent déjà mes extases, me les rendent plus désirables encore. Muette, je suis chair et ne sais plus rien dire au cœur de l'étreinte. Je hume, j'écoute, je flaire, je touche, palpe et perçois tout ce qui n'a plus de verbe. Je t'ai dans la peau, mélange d'embruns, de souvenirs et de délires futurs, tu rends mon présent lunaire. Je ne ferme plus les yeux, je suis tout de suite bercée par le ressac, irradiée par ces couleurs ocre d'une fin de journée, pénétrée par la noirceur de la nuit. Des frissons étoilent mon corps et tendent mille fils entre ton désir et le mien. Dans un silence assourdissant et peuplé d'oiseaux, les vagues furieuses de l'absence se brisent sur mes refus. Métamorphose : je marche, féline, dans la forêt de tes rêves, je feule et te cherche ; sur ma peau, le velours de ta langue tisse la caresse d'un temps échappé. Je m'abandonne à la joie de la nature qui me possède. Je suis arbre, brise, herbe. Survolant ta chambre, je croise ton regard et tu ne me vois pas. J'emporte ta peine, je la mange avec rage, je souffle sur ton cœur les vies à venir ; dans ces mille destins, il te faudra choisir. Les parfums secrets et suaves des genêts mêlés de lys et de poivre déploient mes rêves. Les langueurs de la nuit succéderont aux pluies qui font briller la terre. Les mains sur l'écorce, je conjure ta peur. Je bois à la source la sève de nos vies pour les jours sans toi. L'amour est loin. Il a l'exigence d'une terre vierge qu'il faut à chaque fois reconquérir.

La nuit fut courte et envahie par l'absent. Lysange sortit d'un brouillard qui ressemblait à celui de la lande du cap Ferret. À force de veiller, elle ne s'était pas vue s'endormir et n'avait maintenant qu'une envie. Sortir de la chambre qui abritait encore le fantôme de sa nuit, rejoindre les dunes qui dessinaient à l'horizon des vagues indéfinies, surmontées de ces petits bouquets d'herbe censés retenir le sable. Avant de lui souhaiter une bonne nuit, Tomas lui avait redit de l'appeler afin qu'il vienne la chercher ce matin, mais elle avait envie de marcher. Elle était sûre de se souvenir du chemin. Et puis, en parcourant cette langue de sable perdue entre l'Océan et le Bassin, elle avait peu de chances de se tromper. Il était sept heures quand elle quitta sa chambre sans avoir décidé encore si elle y passerait une nuit de plus ou si elle accepterait d'emménager dans sa nouvelle maison. Elle s'était sentie bien dans cet hôtel qui ressemblait à la bibliothèque marine de la maison de Tomas. Les petits déjeuners n'étaient pas encore servis mais, la voyant si matinale, le propriétaire lui offrit un café au bar et une madeleine faite maison. En marchant sous le rideau de glycines de la véranda bleu pâle, elle décida de rester là ce soir. Elle ne se voyait pas dormir dans la cabane de bois en sachant que Tomas, qu'elle connaissait à peine, était à quelques mètres d'elle. Elle s'amusait à se répéter « quand je dormirai dans ma nouvelle maison… » sans arriver à le croire vraiment. Elle se disait que peut-être, quand elle aurait les clés, ou qu'elle y reviendrait seule… Et déjà elle se demandait avec qui. Avec lui ? C'était la première fois qu'elle y pensait. Elle s'étonna que, jusqu'à cet instant, l'idée de se retrouver là avec lui ne l'ait jamais traversée. Fugitivement elle revit les lieux, imagina un dîner, une étreinte devant la cheminée mais elle repoussa ces images. Pour l'instant cette cabane devait commencer par être la sienne. Pas celle d'un amour, aussi fou soit-il, pas celle d'un couple, pas comme autrefois avec John. Elle comprenait soudain pourquoi elle n'avait pas pensé plus tôt à l'imaginer comme un nid d'amour. C'était sa maison à elle. Pas celle qui lui évoquerait des souvenirs avec un homme. Elle l'avait seriné un temps à une amie qui voulait vendre sa demeure. Les hommes passent, les maisons restent. Si tu as trop de souvenirs, tu ne les vendras pas avec ta maison. Réapproprie-toi le lieu, fais-en ton domaine, aménage ta solitude, sans nostalgie de ce que tu y as vécu, mais ne vends pas. Au fond, ce n'est pas ta maison que tu vends, ce sont des mauvais moments que tu essaies de quitter. Elle n'avait jamais été propriétaire, mais d'instinct elle savait déjà comment les murs d'un nid peuvent réparer, ensevelir les peines ou protéger des fantômes.

Son hôtel se trouvait en bordure du bassin d'Arcachon. L'eau était calme, la marée basse avait laissé les bateaux sur le flanc, couchés sur des tapis d'algues bruns aux fragrances d'huître. Elle plongea dans les terres pour gagner le côté de l'Océan. Elle avançait le long de la petite route. Elle était confiante, elle reconnaîtrait le chemin de terre. De temps en temps une voiture la frôlait, des riverains sans doute à cette heure-là, ou des insomniaques qui avaient combattu l'éveil, comme elle cette nuit. Elle avait envie de savoir comment c'était, d'arriver à travers la pinède. Est-ce qu'on était surpris de voir se dresser une maison devant soi ? Il y a des paysages aux résonances insolites, des contrées sauvages qui vont mieux aux êtres qui aiment, se disait Lysange. L'enroulement des sols, les infinités d'horizons y sont comme l'arrière-pays de ce qu'on ne sait pas nommer dans l'amour. Elle plongea dans la forêt, huma les odeurs du matin, une en particulier la saisit et, juste avant de rencontrer leur flamboyance, elle se sentit envoûtée par le parfum sucré des mimosas. Quand elle se rapprocha des dunes de sable, elle ferma les yeux pour mieux sentir les embruns. Elle pouvait comme hier entendre les vagues ; elle les devinait à travers la brume. Le paysage et les effluves étaient complètement différents de ce côté-ci. La terre frissonnait, semblait s'extraire d'un long sommeil. Lysange pressentit la maison avant de la voir. Comme la veille, elle lui donna l'impression d'être sortie du sol, d'être à l'heure à un rendez-vous que lui aurait fixé Lysange, comme si elle attendait qu'on monte à bord avant de disparaître à nouveau. Suivant l'exemple de Tomas à leur arrivée, elle se dirigea vers la porte de la cuisine. Il était huit heures maintenant. Elle avait traîné en route, fait un détour par l'Océan… Et s'il dormait encore? Elle réalisa soudain que la voiture n'était pas là. La porte de la grange était ouverte. Tomas était parti. Il ne reviendrait pas. Lysange secoua la tête pour chasser les idées angoissantes qui l'assaillaient. La porte était ouverte. Une bonne odeur de café semblait flotter dans l'atmosphère. Un moment elle hésita, appela, il y a quelqu'un?… Des gazouillis répondirent. Sur le bord de la fenêtre, deux mésanges se disputaient les restes d'un petit pot de crème. Elle se demanda si Tomas l'avait laissé à leur intention puis s'attacha à prendre possession du lieu. Refaire du café, rallumer le feu en se battant avec une bûche pas suffisamment sèche, trouver des brindilles et s'installer dans la bibliothèque avec sa tasse. Elle regarda autour d'elle et se laissa porter par le moment puis avisa sur l'étagère la plus proche une jolie édition un peu ancienne d'un livre de Stefan Zweig, *Brasilien : ein Land der Zukunft, Le Brésil, terre d'avenir.* Lysange l'avait lu en français. Attirée par une photo de la maison de l'écrivain à Petrópolis, elle le feuilleta la tête renversée sur le fauteuil de cuir. Un rayon de soleil envahit la pièce; il avait raison Tomas, c'était un bateau de lumière qu'elle avait sous les yeux. En reposant le recueil, elle effleura une couverture de cuir, crut d'abord qu'il s'agissait d'un carnet de correspondance mais ne put s'empêcher de l'ouvrir. C'était l'emballage d'un cahier dont les pages étaient couvertes d'une petite écriture ronde presque enfantine. *Je ne savais pas ce que c'était l'amour, je ne savais rien de ce qui nourrit et dévaste,*

alors sans ce savoir je n'étais qu'une petite chose lancée
sur les routes et sans arme pour affronter la vie.

Il n'y avait que cette phrase sur la première page, écrite à l'encre bleue, presque délavée. Lysange eut comme le sentiment que ces phrases s'adressaient directement à elle et cela lui ôta tout scrupule pour commencer à lire ce qui avait tout l'air d'être un journal de bord.

Journal de sœur Madeleine

Comment se retenir de dire merci, mon Dieu, après ces longs mois d'attente ? Au fond n'ai-je pas toujours voulu cela, être au service des autres ? Depuis que Tu m'as choisie, mon Dieu, j'ai toujours eu le sentiment de T'écouter et de suivre Ta volonté. Comment aurais-je pu répondre à cette vénérable supérieure qui cherchait à sonder mon cœur, voulait savoir quelle ambition je satisfaisais en désirant si fort partir sur les routes ? Comme elle m'a blessée sans le vouloir sans doute en me soupçonnant d'être émoustillée par un voyage, une aventure au-delà des portes du Carmel. Quelle erreur ! J'ai tant voyagé entre ces murs et sans bouger d'un pouce, grâce à Toi, Seigneur. Dans ces longues prières où je ne sentais plus la fatigue de mon corps, de mes genoux meurtris, j'étais joyeuse, perdue dans l'immensité de Ton regard bienveillant. Mais comment a-t-elle pu croire que je courais après je ne sais quelle gloire exotique ? C'était à Toi que j'obéissais, c'était mon devoir que j'accomplissais. Dans le secret de mon cœur, je me sentais appelée à servir les autres, à les rejoindre en des lieux où ils souffrent. Je savais que j'avais tout reçu ; je devais donc affronter cette misère humaine et à ma toute petite mesure contribuer si possible à la soulager un peu. Tu as Tes raisons, Seigneur, que je ne connais pas. Mais les hommes en ont d'autres et la supérieure du Carmel de Notre-Dame-du-Calvaire avait les siennes. Elle me jugeait trop jeune, trop impatiente de partir. Elle ne comprenait jamais que j'étais pressée de T'obéir, Seigneur, et je ne pouvais arguer de cette volonté qui était Tienne. Elle l'aurait prise pour un alibi. De mon côté, je le sais aujourd'hui, car je commence fort tard ce journal que j'aurais dû tenir dès le jour de mon départ, elle devait probablement considérer le danger, la difficulté, sa responsabilité de supérieure en me laissant m'embarquer pour ce très long voyage pour rejoindre la mission de Guajará-Mirim. D'autres sœurs l'avaient cruellement expérimenté quelques années auparavant. La supérieure ne pouvait l'ignorer. Pourtant c'était bien Toi qui m'appelais, comme un lancinant cri intérieur, le même que celui de ma vocation. C'était maintenant que je devais partir. En choisissant cette congrégation, je ne savais rien de ses missions, n'était-ce pas la preuve flagrante que Tu m'avais guidée vers mon destin dont je n'entrevoyais que le fait de me lier à Toi pour toute la vie ? Quant au reste, peu m'importait. Je Te faisais confiance. Tu m'avais invitée à entrer à Ton service, Tu m'avais montré que tout viendrait à moi et que Tu me guiderais. Il suffirait que Tu me fasses quelque signe. Je pensais que je le reconnaîtrais.

Enfin, on me l'a appris un matin de printemps : je serais de la prochaine mission avec sœur Véronique pour le Brésil ; j'ai compris que Tu m'avais tout prédit déjà. Nous devions partir avec des caisses de médicaments, un très gros chargement, puis une fois sur place sœur Véronique qui était infirmière pourrait aider à soigner les Indiens. Moi, je mettrais à profit mes études d'enseignante. Nous étions les seules de la mission à parler portugais. On ne m'a pas caché que c'était un endroit reculé de l'Amazonie, qu'il fallait au moins deux mois pour y parvenir en empruntant des pistes, des bateaux, des trains et que sais-je encore. Nous devions avoir sur place un guide chargé de nous mener à bon port, un homme qui connaissait les difficultés de la région, les relations avec les trafiquants en tout genre ou les Indiens dont il parlait la langue. Au dire de la mère supérieure, mais elle était restée discrète sur ce point, notre guide était plus ou moins ami avec les créatures les moins recommandables de la région. Il était donc censé faciliter notre passage. Il avait toute la confiance de dom Rey, l'évêque de notre congrégation de l'Amazonie à Guajará-Mirim.

Ô Seigneur, quand nous étions proches du départ, j'aurais voulu rester toute petite repliée dans Ton amour. Oui j'aurais voulu rester à l'ombre douce des grands arbres de Notre-Dame-du-Calvaire, jardiner, ne jamais partir, continuer cette vie simple à laquelle je m'étais attachée. J'aurais voulu oublier ce malaise qui me prenait au ventre dès l'heure du réveil et ne me quittait plus jusqu'à l'heure du coucher. J'avais peur de ne pas être à la hauteur de ce que j'avais tant souhaité. Peut-être que la supérieure avait raison, me disais-je. Aveuglée par mon sentiment d'être appelée par Toi, je m'étais surestimée. J'avais oublié que j'étais jeune, faible, maladroite. Je ne savais rien du vaste monde ; j'allais payer très cher mon orgueil. Je ne savais plus si Tu ferais une assez grande protection entre ma peur et ce que je devais accomplir en Ton nom du mieux possible. Je n'osais rien Te demander parce que ceux qui souffraient avaient besoin de Toi. Je pensais pendant les dernières messes dans la petite chapelle, laisse-moi puiser à la source de Ton amour pour oublier mon incompétence. C'était affreux, jamais depuis que je m'étais sentie choisie par Toi je n'avais imaginé que Tu aurais dû en prendre une autre qui serait bien meilleure. Là, dans le doute qui m'assaillait, j'étais même capable de renier Ta clairvoyance. Je parcourais le jardin pour tenter d'apaiser mes peurs. Je me remplissais les yeux de la couleur des fleurs, je regardais les arbres et je touchais leur écorce en priant qu'ils me donnent un peu de leur force.

Pardonne-moi, Seigneur, mais c'est encore pire aujourd'hui. À peine appelée vois-Tu, déjà je me plaignais. Je me disais que je serais sauvée par le travail et qu'il y aurait tant à faire une fois sur place, je n'aurais pas le temps de penser que je ne sais pas me débrouiller. Je me raccrochais à la joie que j'aurais plus tard, une fois arrivée, de porter Ta parole. Et puis sœur Véronique était plus âgée et pleine d'expérience, elle m'aiderait. Mais là encore Tu as décidé de ne pas m'épargner.

Nous sommes déjà en Amazonie et je recommence seulement à écrire dans ce cahier que j'aurais voulu quotidien dès mon départ de Gramat. Je consacre les très courts moments dont je dispose à la prière et j'oublie qu'en écrivant, je Te parle encore, Seigneur. Et je sais même mieux que jamais, au-delà de mes paroles qui s'envolent, ce que je désirais Te dire. Je viens de relire ce que j'ai griffonné rapidement à l'arrivée du bateau, ce que j'écrivais quand je ne savais encore rien de ce voyage et que je m'en remettais à la maturité de sœur Véronique. Cela me fait sourire aujourd'hui que j'ai vieilli de cent ans. Je crois que je me suis presque évanouie à l'annonce de notre mère prieure. Devant l'état de santé incertain de sœur Véronique, il était imprudent qu'elle prenne la route et je partirais sans elle. C'était désormais Ta volonté, Seigneur, de me voir affronter seule ce voyage, avec notre convoi de médicaments, et celui qui est devenu aujourd'hui mon tourment principal. Tu aurais été le malin, je T'aurais entendu ricaner, mais Tu étais mon Dieu, je croyais en Toi, en Ta toute-puissance. La mère supérieure, que ses doutes sur les vraies raisons de ma vocation semblaient avoir abandonnée, ne cessait de me rassurer et de me dire que je serais parfaitement à la hauteur. Pour le reste, le Seigneur pourvoirait à mes besoins… Et elle était personnellement entrée en contact avec notre guide sur place qui lui avait assuré qu'il perdrait la vie s'il le fallait, mais que rien de fâcheux ne m'arriverait. Tant de dévouement avait achevé de la rassurer. Il viendrait me chercher à l'arrivée du bateau à Belém. De là, nous filerions à travers l'Amazonie par la seule route qui existait. Je n'avais pas bien compris laquelle, même en examinant la carte que dom Rey nous avait envoyée. Une partie s'effectuerait par le fleuve, une par la route et même par le train si la voie ferrée était en état. Je n'osais pas imaginer ce que voulaient dire *les jours sans voie ferrée.* Et bien sûr, j'essayais d'être sereine : mon Dieu, Son fils, la Vierge Marie, notre mère à tous… Ils seraient tous là près de moi et ils ne seraient pas de trop face au périlleux voyage dont j'entrevoyais désormais les difficultés, bien qu'elles ne m'apparaissent encore que de façon très floue.

Malheureusement, les anges divins n'étaient pas mes seuls guides et celui en chair et en os, qui m'attendait avec la ferme intention de sacrifier sa vie pour sauver la mienne et de me mener sur ces chemins semés d'embûches, était d'un tout autre style. J'aurais pu dire le diable en personne mais, Seigneur, je préfère le voir comme une épreuve de plus. Pourtant cette fois, il me suffisait de me mettre au diapason de la tolérance, de chasser ma répugnance à l'égard de ce mal élevé arrogant dont nous ne pouvions nous dispenser, vu sa connaissance du terrain. Je sais qu'il y a en tout être une aspiration à Ta parole, si ténue soit-elle, mais avec cet homme-là, autant chercher une aiguille dans une botte de foin. J'aurais déjà gagné en tranquillité s'il avait cessé de me lorgner avec cet air goguenard. Sa façon d'insister en m'appelant « ma sœur » comme s'il m'avait appelée « ma chérie » m'a dès le début exaspérée. Cela a commencé au bateau ou après son sifflement quand nous nous sommes rencontrés. Il m'a demandé comment une jolie fille comme moi pouvait T'avoir choisi, Seigneur ! Comme si la vocation religieuse était réservée à celles qui sont affublées d'une disgrâce physique. J'en ai rougi de honte pour Toi et celles qui partagent avec moi ce choix. Alors vous êtes fiancée à Jésus si je ne m'abuse ? a-t-il demandé, en jetant un coup d'œil à la bague visible à ma main droite. Puis son ricanement s'est accentué et en se penchant vers moi il a demandé, et comment était la nuit de noces ? De ma vie je n'avais imaginé qu'un tel être existât. Je pensais que les habits que nous portons, si ce n'est notre statut, exhortent à un minimum de respect. Je sais bien qu'autrefois certains hérétiques, et il en existe encore aujourd'hui, n'ont pas hésité à massacrer des religieux. J'exclus les monstres, dont Tu dois sûrement prendre soin, Seigneur, et auxquels, je ne sais comment, Tu accordes Ta clémence. Je m'efforce de regarder cet homme qui me fait l'effet d'un fauve indompté avec Ton regard bienveillant, mais j'ai encore beaucoup à apprendre de Toi. J'essaie. Je me dis que, malgré tout, il accompagne une mission humanitaire et ne doit pas être si mauvais que cela. Je me défends de le juger sur cette attitude arrogante qu'il affiche depuis mon arrivée, mais il a l'art de me mettre les nerfs en pelote.

Il y a tant d'êtres qui n'ont pas de joie de vivre, qui n'ont pas l'air de savoir qu'ils peuvent se tourner vers Toi et être comblés juste en sachant que Tu existes. Je n'arrive pas à comprendre pourquoi il m'agace autant alors que je suis habituellement d'un naturel tranquille. Dès qu'il est dans les parages, je deviens nerveuse, plus maladroite. Je suis empotée, ce qui a l'air de le réjouir et de le conforter dans l'idée qu'ils ont envoyé un bébé sœur pour une mission bien au-dessus de ses forces. Il me pousse dans les tranchées d'une fierté maltraitée et je déteste cela. Si Tu l'avais choisi pour tester ma patience, Tu n'aurais pas pu mieux faire, Seigneur, et cela me fait du bien d'en rire par écrit. Je retrouve Ton humour dans les hasards, Ta façon discrète de me donner des leçons.

Angel, c'est ainsi que les Indiens l'ont surnommé. (Je n'ai jamais vu un prénom si mal porté.) Oui Seigneur, je T'entends dire que je suis méchante et qu'on ne juge pas ainsi son prochain. Je le sais. Je suis loin d'être une sainte même si j'aspire à être meilleure. Son visage semble avoir été taillé au couteau. Il doit avoir vingt-huit ou trente ans ; il est assez grand et porte un chapeau qui lui donne l'air de sortir de la conquête de l'Ouest américain. Il a des yeux bleus très perçants et j'ai remarqué deux canines pointues que l'on voit nettement lorsqu'il esquisse ce sourire narquois devenu son habitude en me regardant. Je devrais écrire « en me toisant ». On dirait qu'il se moque de son interlocuteur en permanence et que l'avis des autres n'a aucune espèce d'importance. Pourtant il est très attentif sous son air de ne pas entendre et je l'ai déjà vu négocier avec des Indiens en leur opposant la même nonchalance. Il a un grand rire très sonore qui, si on le prenait pour une façon de se gausser de la vie avec humour, le rendrait tout à fait sympathique. Mais il n'a l'air de s'en servir qu'avec une distance méprisante. Dès mon arrivée, il a voulu jeter un coup d'œil aux caisses de médicaments. Devant mon étonnement qui n'était pas loin de l'indignation, il m'a expliqué qu'il avait déjà transporté des armes à son insu et qu'il ne tenait pas à renouveler l'expérience. Je ne voyais pas comment ces caisses, que nous avions clouées avec sœur Véronique, pourraient contenir des engins pour tuer, mais je l'ai laissé ouvrir et constater par lui-même tout en lui fournissant la liste du matériel emporté. Malgré tout, ses soupçons m'ont inquiétée et peut-être que ça m'a rassurée de voir que nous allions aborder l'Amazonie avec le bon chargement. J'étais contente de constater qu'il avait résisté à notre traversée de l'Atlantique, bien mieux que moi à dire vrai.

En écrivant le mot *Amazonie*, je me revois à mon arrivée à Belém. Je crois que je ne pourrai jamais oublier l'émerveillement que j'ai éprouvé devant cette forêt. Ces arbres immenses, cette création grandiose de la nature m'a fait éprouver plus encore ma taille minuscule dans l'univers. Ce que je pressentais déjà quand je regardais la voûte étoilée des nuits d'été dans le Lot. Je regardais cela bouche bée et aujourd'hui, en essayant de comprendre mon étonnement d'alors, je me rends compte que ce sont des souvenirs de textes anciens qui me reviennent. Des récits de voyage que je lisais plus jeune. Je crois que j'ai compris en voyant l'Amazonie que je rencontrais là tout le secret de ma vie. Sans le savoir et depuis très longtemps, j'avais aspiré à découvrir la planète aussi fortement qu'à répondre à l'appel de Dieu. Et tenant là pour la première fois l'un et l'autre de ces deux souhaits, je T'adressais des remerciements infinis, Seigneur. J'étais pleine d'allégresse et d'admiration envers Toi, mais remplie de craintes aussi devant ce monde immense et si vert dont je devinais l'hostilité. C'était un univers qu'on ne pouvait pas seulement regarder ou admirer. On ne pouvait que le contempler avec respect. J'avais eu l'intuition qu'en voyageant, je découvrirais l'étendue de Ta Création, j'embrasserais l'immensité et la complexité de la vie, mais j'ignorais avec quelle force chacun de ces arbres et cette terre pourraient me remplir d'une joie si profonde. Mon premier coucher de soleil sur le fleuve fut d'un jaune orangé que je n'avais jamais vu nulle part ailleurs. C'est tous les jours comme ça ? ai-je demandé à Angel, éperdue d'admiration. Non, a-t-il répondu avec son sourire moqueur tout en aiguisant son couteau, c'est juste pour votre arrivée.

Elle commençait à plaire à Lysange, cette jeune sœur avec sa façon si naïve de découvrir le vaste monde en détestant son guide. Elle allait pousser plus loin sa lecture quand elle entendit un bruit dans la pièce d'à côté. Comme elle se sentait déjà coupable de ne pas avoir attendu Tomas pour entrer dans la maison, elle enroula les lanières de cuir autour de l'ouvrage et reposa précipitamment le cahier sur l'étagère. Puis elle se leva d'un bond. Tomas, c'est vous ? Un rire franc lui répondit. Vous attendiez quelqu'un d'autre ? Elle se précipita dans la pièce. Vous êtes venue toute seule alors ? Je m'en doutais un peu. Je suis passé vous chercher. On m'a dit que vous aviez quitté l'hôtel très tôt.

Vêtu d'une veste de cuir marron, il se tenait dans l'encadrement de la porte avec un fusil. Lysange sursauta. Je vous ai rapporté notre déjeuner. Il tenait dans sa main gauche un lièvre ou un lapin, elle ne savait pas trop. Je déteste les chasseurs ! Cela lui avait échappé. Tomas rit à nouveau. Moi aussi. Je ne les fréquente pas. Nous n'avons pas la même vision des animaux. Mais vous chassez ? Non. Je me nourris et c'est uniquement à cette condition que je tire un lapin… Ou un sanglier quand j'ai des invités. Lysange marmonna que ça revenait un peu au même, mais elle s'arrêta. Elle ne voulait pas le froisser, et puis elle était encore dans ses impressions de lecture et cela perturbait ses pensées.

Après avoir vérifié qu'elle n'était plus chargée, il se débarrassa de son arme qu'il accrocha dans un coin de la pièce et la considéra gentiment. Ne vous inquiétez pas, je ne laisserai pas cette carabine. Je suis allé la récupérer chez un voisin qui devait me la rendre depuis longtemps. Vous savez que ce n'est pas la saison de la chasse en ce moment. C'est le printemps. Il l'avait dit avec une petite pointe d'ironie, comme une information qu'il aurait délivrée à une ignorante. Elle fronça un sourcil en regardant le lapin mort qu'il tenait par les oreilles.

Ah, ça ? C'est ce fameux voisin qui me l'a offert pour me remercier de mon prêt. Il a un élevage. Je m'en occuperai tout à l'heure. En attendant, si vous avez encore assez de forces pour marcher, je vous montre les chemins aux alentours. Nous reviendrons du côté du bassin d'Arcachon par un chemin dont vous me direz des nouvelles.

La brume commençait à se lever, un soleil timide perçait le voile. Ils passèrent par les dunes. Il lui expliqua les oyats, ces petites herbes fines qui se pliaient dans le vent et retenaient le sable. On ne devait surtout pas les écraser. Il pesta contre les promeneurs qui ne comprenaient rien à cet équilibre fragile entièrement façonné par l'homme mais dont la nature s'était emparée. Vous voyez, c'est pour cette raison qu'ils ont été obligés de clôturer un peu partout. Des palissades de bois longeaient la plage, protégeant des plantes qui couraient dans le sable et semblaient fausses. Il lui montra quelques spécimens de ces fleurs aux noms inventés par des poètes. Le liseron, les immortelles des sables, le lys de mer, la giroflée des dunes. Vous voulez faire de moi une vraie… Mais Lysange s'arrêta car elle ne savait pas comment appeler les habitants de cette région. Il devina son embarras. Les Ferretcapiens… Vous allez être une Ferretcapienne. Mmm… Très joli, on dirait une race de femmes préhistoriques. Ils rirent ensemble. Il l'emmena au village de L'Herbe, ils passèrent devant la chapelle mauresque qui faisait face au bassin d'Arcachon. Un pin complètement tordu, dont le tronc se séparait en deux morceaux, faisait au ras du sol un perchoir idéal pour les jeux des enfants. Ils étaient quelques-uns à s'interpeller d'une branche à l'autre. Il lui raconta l'histoire de cet homme qui avait fait fortune en Algérie et édifié à son retour une maison, la *Villa Algérienne*, aujourd'hui détruite et dont il ne restait que cette chapelle si insolite, surmontée d'une croix et d'un croissant. C'était un très bon conteur et Lysange en sa compagnie oubliait ses tourments, ses questions sur l'avenir et même ce journal qu'elle venait de découvrir et qui l'intriguait déjà. Il lui parla longtemps de ce Léon Lesca qui avait amené toutes sortes de bonnes choses dans ce pays de Buch et notamment les mimosas qu'elle avait tellement admirés durant sa balade matinale, et même des yuccas. En déambulant dans les ruelles, entre les petites maisons de ce village de pêcheurs, elle eut soudain très envie de manger des huîtres. Elle fit part de son idée à Tomas. Votre lapin

102

nous attendra bien jusqu'à ce soir ? Ils s'installèrent sur une petite jetée de pierre, au soleil, qui avait maintenant fait de la brume un léger souvenir. Ils burent un verre de graves et dégustèrent leurs huîtres en silence. Lysange repensa à la phrase lue sur la première page du manuscrit à la couverture de cuir. *Je ne savais pas ce que c'était que l'amour… ce qui nourrit et dévaste…* Le reste lui avait échappé. Elle se demanda quel âge pouvaient bien avoir cette pauvre nonne embarquée en Amazonie, tiens le Brésil encore, et cet homme qui avait l'air d'être un sacré voyou.

Elle fut captée par cette sensation sauvage de manger l'Océan. Elle avait toujours aimé les huîtres, pures, sans cette sauce vinaigrée détestable qu'y mettaient les Parisiens. La compagnie de Tomas était idéale. Il sentait quand il fallait parler ou se taire. C'était si rare. Puis son vagabondage la ramena à Pierre. Le désir de se promener avec lui dans ce paysage, de tenir sa main, de partir le matin après avoir usé leurs corps l'un contre l'autre toute la nuit l'effleura. Comme un peu plus tôt, elle repoussa ces images. Elle pensa aussi que c'était dur de ne même pas pouvoir compter les jours, savoir combien d'heures les séparaient, dépendre entièrement de lui, de son retour, de son appel. Être dans une sorte de no man's land qui ressemblait au temps où elle ne le connaissait pas, au temps où il lui manquait sans qu'elle le sache… au temps où elle ne savait même pas que c'était possible d'aimer et d'être aimée à ce point-là. Elle s'aperçut que Tomas la considérait en silence, un demi-sourire aux lèvres, avec l'air de bien savoir ce qui était en train de l'agiter. Plus tard quand elle retrouva sa chambre, elle se félicita de ne pas avoir emménagé encore dans sa future maison. Il était décidément mystérieux, ce Tomas. Il avait tellement l'air d'en savoir bien plus qu'il ne disait. Il n'était pas avare de paroles mais, pendant tout le temps passé à ses côtés, Lysange avait la sensation qu'il ne lui disait rien de l'essentiel. Elle n'arrivait pas à s'expliquer cette intuition. Il semblait avoir la même finesse dans ses dires que dans sa propension à parler ou à se taire. Mais peut-être qu'elle se faisait des idées. Cet homme allait lui confier sa maison et il lui montrait la région, voilà tout. Il était intelligent, répondait volontiers aux questions qu'elle lui posait sur sa vie au Brésil. Alors quoi ? Ses regards qui la sondaient quand il pensait qu'elle était trop absorbée pour le remarquer, cette façon dont son visage se fermait parfois comme s'il interdisait l'accès à quelque chemin obscur. Et ce journal dont le décor la ramenait toujours au pays d'origine de ses parents. Elle frissonna. Et si cette invitation n'était qu'un piège ? Si Tomas n'était pas l'homme tranquille qu'il avait l'air d'être ?

Et si elle l'avait connu avant de vivre cette histoire d'amour, en ouvrant sa lettre quand elle était arrivée et non pas deux mois plus tard, est-ce qu'elle aurait été plus clairvoyante ? Ne l'aurait-elle pas remercié gentiment en lui écrivant que ça ne l'intéressait pas ? Elle se sentit vulnérable. Puis, quelques minutes plus tard, heureuse d'être là, ressentant au creux du ventre l'amour de Pierre comme un bienfait. Oui, elle allait aimer cet endroit.

Disparition encore et toujours. Silence de mort. Pourquoi les êtres qui nous manquent peuvent-ils ainsi créer dans notre cœur cette impression que tout s'éteint pendant leur absence ? Savoir que l'autre est à portée d'une caresse quand on ne se touche plus est si apaisant. Il reste les mots… Ceux que tu m'envoyais et qui ponctuaient ma journée. Ceux qui disaient, et je les relis à m'en crever les yeux, que tout existe, que tout est magique, à portée de rêve. Je ne tremble plus quand tes mots se posent sur ma pensée. Mon cœur cesse de se plaindre de souffrances imaginaires, d'inquiétudes insondables. Et pour un temps, ça chante, exulte et se réjouit. Pour un temps très court seulement. Ensuite les « pourquoi » reviennent, comme un vol de corneilles croassantes. L'amour fou ça ne dure jamais ou ça devient moins fou et c'est toujours la même chose.

Seule la musique reprend son chant où la passion l'avait laissé. Elle seule fait tournoyer mon cœur dans ce mal lancinant d'un souvenir perdu. Oui, la musique ravive avec grâce, si ce n'est l'amour, son exact pincement.

Ce que l'absence fait au cœur est une vue du corps et non de l'esprit. Le souffle d'un vent froid qui se propage en frissons, l'estomac qui se noue à l'approche du jour où je me vois liée à trop d'incertitude. L'impression de couler dans une eau lourde et noire. Pourquoi ? Quand je n'aspire qu'à la pensée, aux lèvres qui se joignent, aux mains qui s'égarent, aux baisers… ? Et puis tout se tait. Je n'ai plus peur. Je ne bats plus des cils, je ne claque plus des dents, je ne me cogne plus aux vitres de l'impossible. Je laisse tomber les murs, je prends l'air dans une lente aspiration au bonheur. Rien n'est grave. Je décide d'accepter ce qui vient et ce n'est plus une fatalité mais un cadeau de la vie. Parfois, je suis dans tes pensées et me prends à cheminer dans ce qui ne me ressemble pas. Je me dis que cela doit t'appartenir. Je cesse de me demander ce que je fais là, indiscrète visiteuse de ton cerveau. Je m'enchevêtre, me faufile et, pour un temps, j'arrête les secondes.

J'ai choisi un métier, celui de chercher pourquoi les hommes s'exilent et comment ils le font. J'ai voulu savoir cela. Mon métier est lié au mystère, aux chemins de vie, aux destinées qui nous échappent. Quand je fais mon travail, avec l'application d'une écolière, je suis rassurée par son côté cadré, objectif. Les recherches scientifiques ont toujours une part humaine d'intuition, de hasards, même si je dois arriver à des conclusions qui m'obligent à construire de façon méthodique, à argumenter avec des chiffres.

Ce vide entre toi et moi me sépare aussi de ce que je crois être. Il est ma source et tout à la fois mon danger. Quand je serai trop vieille pour être aimée, est-ce que je t'aimerai encore ? Ce sont des questions que je ne me suis jamais posées pour aucun homme. Est-ce avant que j'étais perdue, ou le suis-je maintenant que je découvre un chemin que je n'ai jamais pris ? J'ai la sensation soudaine de m'inventer à chaque pas. Et si je ne rêve pas la suite, serai-je condamnée à subir mes cauchemars ? Je n'ai pas le choix dans cette alternative cruelle. Une sorte de chaleur dégouline sur mon cœur. Quant à mon corps, ce long hivernage lui donne des rages de prédateur. Je crie dans un vacarme où personne ne m'entend. Je crie intérieurement tandis qu'au-dehors, le silence est écrasant.

Après avoir passé deux jours à découvrir cette langue de sable et ses villages de pêcheurs, Lysange avait l'impression de s'approprier les terres qui entouraient son domaine, comme si elle entrait dans une nouvelle vie. Tomas était un guide attentif. Il n'omettait rien et passait du fonctionnement de la maison aux lieux où elle pouvait trouver chaque chose. Il lui parla des commerçants à éviter pendant l'été, des lieux secrets à rejoindre aux heures estivales. Il ne l'avait pas emmenée chez les voisins, mais lui avait raconté chaque personnage ou plus exactement les rapports qu'il entretenait avec eux ; une distance courtoise, un verre de temps en temps, une partie de chasse ou une promenade mais jamais de soirées ensemble. Lysange appréciait que Tomas fût comme elle, un peu sauvage. Je vous laisserai ma voiture. Et quand vous rentrerez à Paris, vous pourrez la garer dans le parking de la gare de Bordeaux où je dispose d'un abonnement. Ainsi vous ne serez pas obligée d'en louer une et la mienne fera de l'exercice. Il avait dit cela en rentrant du petit-bois pour la flambée du soir. Lysange était un peu interdite. Il était presque paternel. Vous êtes sûr que vous voulez que j'utilise votre véhicule ? Il la considéra, amusé. Bien sûr, je ne vais pas l'emmener au Brésil. Et puis là-bas, j'ai déjà une carriole et un cheval ! Lysange regretta soudain d'avoir dit à Tomas qu'elle avait conservé sa chambre à l'hôtel et que, pour l'instant, elle avait besoin de cette distance entre eux. Ça lui avait échappé dans un moment d'abandon, parce qu'elle sentait que lui aussi devait se détendre quand elle le quittait, organiser son temps et son espace comme un vieux loup solitaire. Il avait l'air à la fois ému et soulagé quand ils se séparaient jusqu'au lendemain. La question fusa soudain sans qu'elle l'ait pressentie. Et à Paris, vous vivez seule ?

Elle n'avait pas envie de parler de John, alors elle entra dans le début des aveux. Elle parla à Tomas de cet homme qu'elle venait de rencontrer. Pour la première fois, il eut une existence hors des moments qu'elle passait avec lui, hors des rêves qui l'illuminaient quand il n'était pas là. Elle se dit que, grâce aux confidences faites à Tomas, sa liaison avec Pierre avait l'air d'être vraie. Tomas ne commenta pas son histoire, ou plutôt ce qu'elle voulait bien en dire. Il comprit qu'elle explorait devant lui des sentiments nouveaux. Il fut pudique et attentif puis la coupa brusquement, comme s'il avait oublié quelque chose d'important.

Si ça ne vous dérange pas, je dois aller à Bordeaux demain pour régler quelques petits détails de mon prochain voyage au Brésil. Vous découvrirez ce que c'est d'habiter cette maison sans moi. Cela vous fera une répétition... À moins que vous ne préfériez m'accompagner et faire un peu de shopping pendant que je m'occupe de mes affaires. Lysange pensa immédiatement que cette absence lui permettrait de continuer la lecture du journal de sœur Madeleine. Elle n'éprouvait aucune envie de le suivre dans une ville. Elle déclina son invitation poliment en s'efforçant de ne pas laisser paraître son bonheur de rester seule dans la maison de Tomas.

Dans l'après-midi du lendemain, elle quitta la *Maison du Bassin* pour s'installer dans la grande chambre mansardée de la maison de l'Océan. Tomas l'avait emmenée à l'hôtel pour récupérer son sac, mais c'était elle qui avait pris l'initiative de ce changement. S'il avait paru heureux de sa décision, il ne lui avait fait aucun commentaire. Une fois de plus, Lysange s'étonna de ne rien pouvoir capter de lui. Le lendemain matin, Tomas ne devait pas encore avoir quitté la ville du Cap-Ferret quand elle se rendit le cœur battant dans la bibliothèque. Elle s'avança avec un peu d'appréhension vers les étagères, et poussa un soupir de soulagement ; le journal de sœur Madeleine était toujours là.

Journal de sœur Madeleine

À chaque pas, j'ai envie de dire merci et je vois que mon affreux guide m'observe et s'en amuse. Je dois avoir l'air d'une petite fille à qui l'on a offert ce dont elle rêvait le plus. Cet homme-là n'a pas l'air de s'émerveiller. Est-il blasé au point de ne plus savoir qu'il a sous ses yeux des merveilles ? Tout est un ravissement, l'enroulement des plantes, les chants d'oiseaux, les nuances du jour qui décline. Ici la terre vit, soupire, vibre, exhale des parfums secrets. Le ciel a des teintes que je n'ai jamais vues en France, ni même sur les palettes des peintres. Dès qu'on se penche et qu'on regarde attentivement les feuilles ou les branches, on distingue des animaux dont la coquille, la peau ou l'enveloppe imite la nature. Mais à l'inverse les grosses racines boueuses sur les rives du fleuve donnent à leur tour l'impression d'être de gros caïmans au repos qui vont se soulever à l'approche d'une proie. On ne sait jamais si une liane qui s'enroule autour d'une branche n'est pas un serpent suspendu au-dessus de nos têtes. Penser que je suis sur la même planète qu'à Gramat mais dans un décor si différent me donne le vertige.

Voilà, je reprends ce journal après l'avoir abandonné quelques jours et suis toute contrite, Seigneur. Tu T'es chargé de m'apprendre à ne pas juger les êtres trop vite et de belle manière. Ce soir alors que j'étais absorbée par la préparation de notre dîner, Angel est venu me chercher. Laissez un moment vos casseroles, ma sœur, et suivez-moi. J'étais agacée et méfiante mais, comme il insistait avec gentillesse et sans l'air moqueur qu'il arbore d'habitude, je lui ai emboîté le pas. Nous sommes entrés dans une partie plus touffue de la forêt et il dégageait devant nous ces grandes fougères ondulantes à la machette, puis tout doucement il m'a fait signe d'avancer en mettant son doigt sur sa bouche. Devant nous une famille de petits singes étranges se trouvait en pleine toilette mutuelle. Une mère prenait soin de ses petits et leur montrait patiemment comment s'épouiller. La proximité de leur comportement avec le nôtre, leurs petites mains habiles et leurs yeux vifs me fascinaient. Je ne les avais vus que de loin durant la journée, quand ils s'élançaient d'une liane à l'autre, dans les frondaisons des hautes cimes. Nous étions cette fois tout près d'eux. À un moment l'un d'eux a levé la tête dans notre direction et notre guide m'a fait signe d'opérer un retrait rapide. C'est très rare qu'ils descendent des cimes, si ce n'est pour boire. Ils sont pacifiques mais, quand on s'approche des femelles et des petits, ils peuvent devenir très agressifs et mordre jusqu'au sang, m'a-t-il glissé tandis que nous revenions vers les autres. Naturellement, la forêt s'était refermée, les rayons de lumière qui filtraient à travers les feuillages à notre départ semblaient avoir été dévorés par des fourrés aux ombres inquiétantes. Je ne comprenais pas comment Angel reconnaissait le chemin de notre campement dans ce fouillis indescriptible de branches tentaculaires, d'obstacles aux ramifications infinies. Il marchait sans hésitation tout en m'expliquant le mode de vie de ces sapajous et d'autres espèces de la forêt. Il me promettait de me faire découvrir d'autres animaux comme le pécari, une sorte de sanglier… que nous allions déguster dès que nos porteurs auraient fait bonne chasse ! Comme nous revenions au camp, je me suis entravée dans ma robe et il m'a rattrapée avant que je ne tombe dans un énorme trou caché par des lianes entrelacées. Nous marchions sur des feuilles en putréfaction et les fruits tombés qui pourrissaient au sol exhalaient une odeur insoutenable de vomissures. Il a gardé ma main dans la sienne malgré mes protestations en prétextant qu'il n'avait pas l'intention de surveiller mes chutes à chaque instant. Puis il a juré sur ma robe de religieuse et prononcé une phrase incompréhensible à l'encontre des sœurs. J'étais à la fois furieuse, gênée de me tenir à lui et rassurée par le contact de cette main chaude qui m'aidait à marcher. J'avais peur de tomber dans cet humus aux couleurs incertaines qui, je le croyais, Seigneur, pouvait se transformer en marécage. En arrivant au camp, il a ri et lâché ma main en me signifiant que nos porteurs seraient surpris si nous revenions ainsi liés l'un à l'autre, et puis qui sait, a-t-il rajouté, vous pourriez y prendre goût. Je n'ai pas relevé cette insolence qui lui enlevait la douceur et la sensibilité dont il avait fait preuve en m'emmenant voir ce beau spectacle animal. Je l'ai remercié gentiment et j'ai pensé à Toi Seigneur qui me donnais là l'occasion de m'apercevoir que cet homme était aussi sensible qu'un autre à la beauté de la nature et que je n'étais pas seule à T'admirer même si nous ne mettions pas les mêmes mots sur ces moments d'observation. C'était une jolie leçon. Désormais j'arrêterai de le juger, même quand il m'agacera.

Et à ce propos je m'aperçois qu'en écrivant cette histoire, je ne le nomme jamais. Je ne connais pas son vrai nom. Il a été appelé « Angel » par les Indiens. Et décidément je n'arrive pas à m'y habituer. Je lui ai déjà demandé s'il avait un prénom de baptême, mais il a pris son air de voyou pour me dire que seules les femmes avec lesquelles il était intime l'utilisaient. Je n'ai pas insisté.

Les murs sombres de la forêt s'élèvent parfois à trente mètres au-dessus de l'écume blanche du fleuve. C'est un spectacle qui mériterait que nous ne soyons là que pour l'admirer. Devant ces arbres immenses, si hauts et qui s'étendent à perte de vue comme un océan vert, je repense à l'éblouissement bleuté que j'ai ressenti en traversant l'Atlantique. Mon état durant cette traversée est la principale raison pour laquelle je n'ai pas commencé plus tôt mon journal. Les premiers jours en mer, j'étais si malade que je ne voyais rien. Y repenser m'évoque une longue descente vers la mort. Je me recommandais à Toi, Seigneur. Tout mon être était accroché à cette nausée qui cessait quand je dormais. Il me semblait que je passais des jours entiers à vomir. Parfois, le corps basculé par-dessus le bastingage, j'avais envie de me laisser tomber dans l'eau pour que ce malaise s'arrête. J'étais devenue un pauvre sac de toile brinquebalé par la bile. C'est quelque chose de croire qu'on est une marée mouvante embarquée sur une autre masse liquide. Je n'étais plus qu'eau et je ne sentais plus mes chairs. J'aurais donné n'importe quoi pour poser mes pieds sur la terre ferme, arrêter ce roulis permanent.

Parmi les membres de l'équipage, Philippe, le second du capitaine, m'avait prise en pitié. Il était du Lot comme moi et m'appelait « ma sœur pitchoune » parce que je lui rappelais sa fille. Il me tenait au courant de notre avancée en me portant de la bellafoline et de la citronnade dans ma cabine. Nous abordions le golfe de Biscaye, la mer était agitée, le roulis de plus en plus fort. Ça, je le savais déjà. Les fauteuils se renversaient, les carafes étaient projetées au sol. Les objets semblaient accorder leur danse à celle qui se déroulait à l'intérieur de mon estomac. Philippe avait tenté de m'expliquer qu'il fallait manger. Même quand on ne gardait rien ! Courage ! Vous vomissez et tout de suite après vous mangez. Des bananes et du chocolat. C'est aussi bon à l'aller qu'au retour, affirmait-il tandis que je le regardais, horrifiée. Sur un bateau, il ne faut avoir ni faim, ni soif, ni froid, ni peur. Vous n'avez pas peur, dites-moi, ma sœur pitchoune. Je le regardais et je devais avoir un air déplorable tant je lisais de pitié dans ses yeux. Je refermais les miens et je Te priais, je T'implorais, Seigneur, mais Tu semblais sourd à mes appels. Je T'offrais mon malaise pour que

Tu en sauves d'autres à ma place, pour ne pas avoir l'impression que cette sensation de mourir à petit feu dans un lancinant mouvement ne servait à personne. J'étais ridicule. Moi qui m'étais dit qu'offrir en pâture ses douleurs pour soulager celles d'autrui ressemblait à une souffrance que n'exigerait jamais un Dieu bienveillant. Depuis toujours, ces méthodes de rachat du mal par le mal étaient pour moi des élucubrations humaines, des interprétations bibliques sans fondement, et surtout trop anciennes pour être crédibles. Mais au Carmel je n'en soufflais mot à personne, pas même en confession. Le fondateur de notre ordre avait pratiqué la flagellation en pénitence et il aurait été mal vu que je désapprouve publiquement ces pratiques. Mais c'était un fait. Certaines choses me dérangeaient dans l'apprentissage docile de notre religion. J'avais parfois l'impression de ne pas y retrouver le Grand Amour que je ressentais en Te priant. Je ne pensais pas du tout que Tu puisses, Toi Seigneur, être complice de ces méthodes obscures et barbares qui me semblaient d'un autre temps. Je ne croyais pas que Tu veuilles que l'on souffre. Et là, sur ce bateau, je découvrais plus encore la force de cet amour. Je Te priais donc de toute mon âme. Et un matin enfin, j'ose le mot, ce fut le miracle. Au réveil, je sentis que mon corps se déployait au rythme des longues vagues, mais pour la première fois cela ne m'était pas désagréable. Les voix des marins criaient « les alizés… les alizés », nous les attendions depuis plusieurs jours, ce vent chaud et ces ondulations très longues qui soulevaient doucement le bateau. J'ai ouvert les yeux, je suis sortie sur le pont. La douceur du soleil était caressante.

Mon estomac n'avait pas envie de danser la gigue. Ô surprise, j'avais faim. Une immense faim ! Soudain, je l'ai vue. Elle m'a éblouie : la beauté de la mer, ses bleus et verts chatoyants. Ma première journée sans nausée fut une joie à la hauteur de l'enfer de ces douze jours de maladie. Un enchantement de chaque instant. Je Te remerciais, Seigneur, autant pour le bien-être que me procurait l'arrêt de mon écœurement permanent que pour les merveilles qui s'étalaient sous mes yeux à toute heure de la journée. J'étais épuisée, j'avais perdu beaucoup de poids et je flottais dans ma robe mais j'étais seule à le savoir. Sans doute avais-je les joues creusées par la fatigue et le manque de nourriture, mais je ne me lassais plus du spectacle et de la jouissance que m'imposait ma résurrection. Le coucher du soleil fut merveilleux, il déposa sur les flots une cape de diamants et dans une dernière danse mauve fit place à une voûte étoilée infinie. Et même les jours suivants, dans le mauvais temps, les grains que l'on voyait venir de loin mettaient en effervescence les marins de l'équipage et offraient un spectacle grandiose. Tout me paraissait plus beau et je n'avais jamais peur. C'était vrai : l'eau avait toujours été mon élément. Toute petite déjà, quand je plongeais dans les rivières, je me savais fille de l'eau. Terrorisée par le feu, je n'imaginais pas de mort plus douce que celle d'une noyée.

C'est là que je me rendis compte que mon mal de mer ne dépendait pas du temps. Il m'avait tenue quelle que soit la météo pendant les douze premiers jours de navigation, et m'avait ensuite laissée comme si j'avais passé l'examen. Depuis que la tempête de mon estomac était devenue un souvenir, je profitais des longues heures ensoleillées autant que des pluies violentes, de ces immenses vagues que je trouvais splendides, tandis que le bateau était comme une coquille de noix malmenée par les flots. Il y avait quelque chose de biblique dans cet océan-là. Mon voyage ressemblait aux passages les plus improbables et les plus magiques de Ton Livre. J'admirais Ta puissance, Seigneur, et, quand il nous arrivait de croiser une famille de dauphins qui nous suivait pendant quelques milles, tout me semblait appartenir à un monde étrange.

Les jours à bord s'écoulaient différemment, dans un autre univers parce que les gens venaient de tous les horizons et n'étaient liés que par ce voyage et ce bateau. Dans cet espace limité que je ne pouvais fuir, même les rapports humains étaient modifiés par l'étroitesse des lieux. Il suffisait par son attitude de signifier son besoin de solitude pour que personne ne s'approche de vous. Nous étions presque d'une autre époque, tant notre condition de voyageurs nous faisait épouser les temps anciens de la découverte. Au passage de la ligne de l'équateur, j'étais devenue Blanche Mouette, un nom que m'avaient donné les marins en guise de baptême. Je finissais mes journées par le chapelet et l'*Ave Maris Stella.* Je chantais beaucoup, je pouvais presque voir mon chant s'envoler au-dessus des vagues.

Je savais que cette aventure ne faisait que commencer et qu'il me faudrait ensuite affronter des éléments nouveaux. La forêt surtout, dont on m'avait parlé avec beaucoup de crainte dans la voix. Une sœur était morte, à l'âge de vingt-sept ans, d'une hépatite fulgurante, lors du premier voyage des religieuses de Notre-Dame-du-Calvaire en 1935. Après avoir enduré mille épreuves, les sœurs à peu près vaillantes avaient refusé de quitter la mission. Le sort des habitants de ce pays était pour elles plus important que leur sécurité ou leur difficulté à vivre sur ces terres hostiles. Les Indiens étaient heureux de s'instruire, de se soigner. Ils trouvaient auprès d'elles et de dom Rey, le fondateur, un soutien contre les profiteurs, ces *seringalistas*, barons du caoutchouc, qui avaient tout intérêt à voir la mission quitter les lieux pour exploiter sans vergogne les Indiens. Les sœurs qui m'avaient précédée avaient résisté et ouvert la voie avec un courage immense. Vingt ans après, je ne pouvais pas faire moins.

Avant mon départ, la mère supérieure m'a donné à lire un article écrit par notre évêque de Guajará-Mirim. Il raconte que les propriétaires de ces forêts d'hévéas exploitent des ouvriers qui vont pour eux extraire le latex, la précieuse sève qui donnera le caoutchouc. Seul dans une zone d'exploitation, en plein milieu de la forêt hostile, le *seringueiro* entaille chaque matin un certain nombre d'arbres puis le soir vient recueillir ses godets. Il chauffe ensuite leur contenu jusqu'à ce que le caoutchouc brut se coagule en une masse très visqueuse. À la fin, l'ouvrier obtient une grosse boule de plus de cinquante kilos. Mgr Rey explique dans son récit qu'un bon *seringueiro* produit trois boules par semaine et que chacune est pétrie de sa sueur et de son sang. Depuis que l'industrie du caoutchouc s'est effondrée, les pauvres *seringueiros* souffrent encore plus pour toujours moins d'argent. Je me demande comment font ces hommes pour vivre seuls ou en famille dans la forêt pendant des semaines, comment ils se nourrissent et où ils dorment. Notre révérende mère n'avait pas l'air de le savoir non plus. Je n'ai pas encore osé le demander à Angel. Depuis nos dernières discussions, j'ai peur de lui poser des questions.

Il fallait rentrer. Les jours passés avec Tomas étaient une parenthèse qui n'avait déjà plus de réalité. Dès qu'elle avait posé le pied dans le train du retour, Lysange avait compris que les démons de son amour la reprenaient. Elle s'était laissé gagner par la nostalgie, se replongeant jusqu'au vertige dans les moments fous passés avec Pierre. Où était-il en ce moment ? Dans quel conflit provisoire ? Des bribes d'une de leurs conversations lui revinrent.

Ton métier, c'est bien d'enquêter sur l'immigration ? Tu devrais m'étudier un peu plus attentivement. Moi aussi je suis un exilé… Un exilé des grands hôtels. Le Rachid de Bagdad, le Commodore de Beyrouth, le Hyatt de Belgrade, l'Intercontinental de Kaboul, l'Holiday Inn de Sarajevo. Ça va, tu ne t'embêtes pas, lui avait-elle fait remarquer. Holà, ma belle, ne t'arrête pas aux noms. Ce sont les seuls endroits où la bouffe est à peu près potable, où l'on peut envoyer nos photos, se laver pour repartir dans la folie. Et pour le nombre de nuits que j'y passe… Tu vois, je ne dis même pas que j'y dors. Quand je fais le compte, je vis bien plus de jours de galère dans des lieux inimaginables pour un homme civilisé. Il prononçait ce mot avec beaucoup de mépris. Tout lui revenait clairement maintenant, comme dans un film. Ce long baiser comme pour éloigner ses souvenirs. Puis ils s'étaient rejoints sous la douche. Il avait fermé les yeux, renversé la tête sous l'eau qui coulait sur son visage. Elle lui avait fait remarquer ce bien-être, le plaisir de cet instant-là, en passant ses mains le long de son torse savonné tandis qu'il grognait de plaisir. C'est bon. Tu sais, là-bas, il disait souvent *là-bas* et ça ne désignait nulle part, seulement ces lieux de guerre qui finissaient par avoir le même nom : terres de misères, luttes sans fin, combats de l'inutile… Là-bas, être propre, c'est une obsession. C'est ma façon à moi de conjurer la mort. Je crois qu'elle se saisit plus facilement d'un mec sale. Il avait d'autres superstitions. Maintenant, disait-il, je ne reste plus aussi longtemps qu'avant. Je rentre le plus souvent possible. Pour quelques jours mais, si je reste, j'ai l'impression de devenir comme eux. Et là aussi il faut savoir négocier avec la chance. J'ai toujours cru que la bonne étoile ne m'abandonnerait pas si je savais doser, ne pas m'attarder trop longtemps.

Son cœur se serra et elle pensa que, durant son séjour au Cap-Ferret, elle n'avait pas pris soin de penser à lui avec une force qu'elle aurait voulue protectrice.

Elle songea : « Pourvu qu'il soit vivant. » Le train entra en gare de Paris-Montparnasse et au bout du quai John l'attendait.

Que me reste-t-il des milliers de jours vécus avec John ? Ils s'enfuient loin de moi quand j'essaie de les imprimer. Et ces amours de passage que je croyais charmants. Ces coups de cœur, ces rires, ces rencontres, ces colères qui me semblaient à portée de regard et de voix. Tout a changé. Je ne reconnais pas les sentiments dont j'étais autrefois imprégnée. Cette belle jeune fille et ce beau jeune homme de vingt-quatre ans qui furent mes bébés m'émeuvent. Je les trouve gracieux et intelligents, mais je ne sais plus s'ils sont vraiment sortis de moi. Parfois je pense à eux en me disant « les enfants de John » comme si je n'avais rien à voir dans leur conception. Et pourtant je les ai choyés avec la vigilance d'une louve. Lui, le garçon, a toujours été accroché à moi tandis qu'elle, très tôt, a trouvé en son père un ami irremplaçable, ce que je comprenais fort bien. Pour moi John était un frère, un compagnon de route, un refuge, ma protection, mais pas vraiment un amant. Mon corps avait pris son envol ailleurs, avec d'autres. John avait le flegme anglais de son père et le détachement américain de sa mère. Il était fait pour être un camarade protecteur. Dans un lit, ne pas dormir était pour lui une torture. Il repliait son corps trop mince, rêvait sans doute d'avoir une carapace et s'épouvantait en constatant que je le regardais dans sa nudité avec une curiosité d'anthropologue. Sa pruderie me faisait rire et sa froideur m'aurait fait pleurer si je n'avais pas si vite pris la poudre d'escampette avec des amants aussi inventifs que volages. Je ne m'en plaignais pas. J'avais un couple qui durait, des envies d'histoires qui ne s'éternisent pas. Finalement la vie était facile avec cet homme tolérant qui ne posait pas de questions et considérait mes escapades comme des caprices de petite fille. J'enterrais mes histoires de cœur dans le creux de ses bras. Sa sagesse, ses qualités de père et d'ami faisaient vite le poids face à mes passions. Il éclipsait l'emportement de mes amants ténébreux. Mes histoires passaient, il restait là, rassurant et serein. Je m'enflammais, brûlais et m'éteignais avec la régularité d'une lampe-tempête. Je trouvais le repos avec John. Je l'aimais sans doute, à ma manière. Enfin soyons honnête. Je crois surtout que je n'aurais pas aimé le perdre. Son absence de jalousie me fascinait car, tout infidèle que j'étais, je regardais d'un sale œil les femmes qui tentaient de le charmer. Sur le principe pourtant, je lui accordais la même liberté, mais je n'étais pas si claire dans son accomplissement. Il avait l'air de s'en amuser, pas mécontent sans doute de m'affirmer ainsi que le petit jeu dangereux auquel je me livrais était susceptible de l'éloigner de moi. Mais par ailleurs John avait lui-même oublié que je pourrais un jour rencontrer un homme qui me poussât à partir tant il était habitué à me récupérer au fil des années. J'étais, lors de ces retours, plus ou moins gaie mais toujours convaincue d'être mieux à ses côtés qu'en fuite avec un amant trop égoïste. Je ne lui mentais jamais. C'était inutile. Il me perça à jour dès ma première histoire. Peu de temps après ma grossesse, sous prétexte que j'avais besoin de séduire, d'être une femme et plus seulement une mère, je m'accordai une escapade. Tout se passa sans que je comprenne vraiment ce qui était en train de m'arriver. Je revois dans un sourire l'émerveillement de John devant ses bébés, sa profonde admiration envers la mère que je devenais, et qu'il découvrait chaque jour plus attentive. Mais il était dans la plus parfaite ignorance de mes envies. Retrouver pleinement ce corps accaparé par la maternité et oublier mes jumeaux dans un temps consacré à refaire de moi une femme. Avec le recul, je me dis que tout était prévisible. Le premier homme charmant qui passa réveilla une femelle endormie qui n'attendait que lui pour s'épanouir. J'étais si heureuse de me sentir vivante hors de toute fonction maternelle que je n'arrivais même pas à éprouver le moindre remords envers John. Tout au plus étais-je un peu embarrassée d'une situation qui faisait de lui un cocu et de moi une femme épanouie. John ne fut pas très long à percevoir et mon trouble et son origine. Il m'accueillit froidement un soir, tandis que je rentrais fort tard sur la pointe des pieds. Je suis l'homme qui te convient, car tu ne pourrais sûrement pas vivre avec les hommes que tu as envie d'aimer et qui te font jouir. Si le terme me choqua, je ne relevai que son pluriel. Les hommes ? fis-je en levant un sourcil. Cela le fit rire. Naturellement. Celui-là est sans doute le premier d'une longue série. Mais je ne te juge pas. Amuse-toi, mon ange, passe ta jeunesse comme bon te semble. Je fus presque vexée et un sentiment de remords m'envahit. Mais toi, John? Il resta évasif. J'ai mes propres hobbies qui te déplairaient souverainement. Vis ta vie et garde tes questions. La vraie liberté, c'est d'accorder à l'autre l'envol de ses désirs et le charme de taire ce qu'il en fait. Tu trouveras en moi un confident mais jamais un bavard. Et je ferai de même. Une chose cependant. Ne me sépare pas de nos enfants et passons toujours nos vacances ensemble. Mis à part ces règles, je n'ai rien contre tes nuits d'absence et même quelques jours, si je suis là. Que rien ne soit douloureux pour nos jumeaux. Il prêchait une convaincue. Je n'avais aucune intention d'abandonner mes enfants ou même de leur manquer. Pendant toutes ces années, je me tins à ces conventions clairement énoncées lors de mon premier adultère. Curieusement, nous continuions à passer quelques nuits ensemble et parfois même à faire l'amour, dans une douceur de somnifère. Auprès de lui, je m'endormais dans une quiétude que personne d'autre ne m'offrait. Il faisait de même et j'accueillais son abandon comme la preuve de notre indéfectible association. Autour de nous, les amis nous prenaient pour un couple uni et je ne soufflai mot à quiconque de ces arrangements si particuliers. Sans doute faisait-il de même. Je vivais mes amours dans la clandestinité et je ne présentais jamais aucun de mes amants à notre entourage.

Tout au long de ces années, rien ne changea. Mais au début d'un été, nos enfants devaient avoir une douzaine d'années et nous avions loué une maison en Angleterre. John me fit l'amour chaque soir animé d'une fièvre dont j'ignorais l'origine. Je ne me refusai jamais et ne lui posai aucune question, pensant que je finirais par apprendre naturellement ce qui lui était arrivé. Je riais en reliant sa nouvelle attitude au climat de son pays natal, mais ses accès de libido cessèrent aussi brusquement qu'ils étaient apparus. Ils ne se renouvelèrent jamais. Par chance, son désir avait vu le jour dans une période où il n'y avait personne dans ma vie. J'aurais mal supporté sa fièvre si elle était apparue pendant l'une de mes amourettes. Je le compris à ce moment-là, j'étais une femme multiple en amour mais fidèle dans le désir. Pourtant, il est probable que certains de mes amants se lassèrent de cette amante qui n'avait aucune intention de quitter son mari et qui partageait de temps à autre sa couche. La société semble si libre et les couples si évolués qu'on en oublierait presque que les vieilles lois des mâles régissent encore le cœur des hommes et réglementent leurs territoires de chasse, me disais-je. Après avoir béni la rencontre avec une femme si libre tout en étant mariée, et qui n'exigerait rien d'eux, mes amours basculaient rapidement dans le désir de tout vouloir de moi. Je ne leur cachais pas mes relations harmonieuses avec mon mari. Et là, ils étaient choqués. Qu'une femme rendît son mari cocu avait de quoi les satisfaire, puisqu'ils étaient les amants triomphants qui remportaient le meilleur, mais que je ne me plaigne pas de John et que j'avoue qu'il était au courant en me laissant libre de mes mouvements et de mes choix les rendaient perplexes. Puis rapidement ils adoptait une maussaderie enfantine, qui disait mieux que des mots qu'ils reconnaissaient à John une force et une intelligence dont ils étaient dépourvus.

Très vite la question suivante passait leurs lèvres. Lui accordais-je la même liberté? Je pouvais facilement acquiescer mais à dire vrai, soit que John eût choisi de me cacher ses béguins, soit qu'il n'en eût jamais, je ne savais rien de ses aventures extraconjugales. Si bien que j'ignorais ce que m'aurait inspiré l'amour de John envers une rivale. Je n'avais pas rencontré sur son visage un regard rêveur qui pouvait me laisser penser que son esprit voguait dans des caresses ou des sentiments qui m'étaient étrangers. Et même au plus fort d'une rencontre, d'un coup de foudre ou d'une intensité amoureuse dont je ne me serais pas crue capable, mes amants ne me manquaient jamais. L'absence de leur corps alimentait le trouble de nos retrouvailles et je les quittais avec un pincement au cœur qui me paraissait délicieux avant de rejoindre mes jumeaux et leur père. Ils étaient mon autre vie saluée d'un clin d'œil de John ou d'un baiser tendre et narquois qui renouvelait sa joie généreuse de me voir épanouie. Là où d'autres auraient vu de la perversité, il mettait beaucoup de malice.

Cela me plaît d'imaginer qu'il existe un metteur en scène de nos vies qui se rit des situations qu'il nous impose et nous pousse à explorer nos failles. Mon existence s'est tout à coup dissoute dans une simple rencontre. Pierre m'a désorganisée en deux ou trois nuits, en quelques heures volées au temps qui passe. Je suis livrée corps et âme à cette relation diabolique. Toute ma volonté est réduite à néant et je suis prête à tout pour que cette aventure ne cesse jamais d'exister. Étais-je à ce point assoiffée d'amour ?

Je ne sais pas si John a deviné quelque chose, mais il me couve d'un regard inquiet. C'est la première fois qu'il fait une enquête sur l'heure de mon arrivée pour venir m'accueillir à l'improviste dans une gare. Pourtant, j'affiche apparemment les mêmes symptômes de joie, d'agacement ou de tristesse que dans toutes les histoires qui ont jalonné ma vie. Même si tout a changé. Je me demande si John est au courant de ce volcan qui vient d'exploser en moi. Il n'inversera pas le cours des choses. Et le savoir ne me procure aucun sentiment de crainte ou de regret particulier. J'ai la sensation de flotter, d'avoir tranché le cordon qui me reliait à mon ex-vie. Je la considère désormais comme un lieu, presque un décor où se déroule le quotidien qui me repose de mon épuisant voyage en terre d'amour.

Je regarde John et je ne sais comment évoquer ce qu'il doit percevoir sans en imaginer le gouffre. Il m'emmène sur les traces de nos complicités du passé. Un restaurant, quelques heures durant lesquelles je lui raconte mon voyage, la maison de Tomas, cet homme étonnant. Je lui avoue même la découverte du journal. Je tais le plus important. La rencontre avec Pierre, tout ce qui se joue entre les lignes, tout ce silence en moi qui a ouvert des territoires inconnus. En m'efforçant de gérer mes impasses, je m'aperçois que c'est difficile de séparer ma rencontre des liens qu'elle a tissés avec le journal de cette jeune nonne ou même avec cette maison. N'est-ce pas en prenant le train, pour rejoindre la cabane des dunes, que j'ai mesuré ce que devient ma vie ?

Cet amour fou m'accapare, me disloque et me donne envie de le regarder d'une fenêtre, d'en comprendre les fils emmêlés dans mon cœur. L'arrivée providentielle de cette maison de bois, presque posée sur l'Océan, a nettoyé l'horizon. J'y ai passé une première nuit sauvage, dans une absence quasi totale de sommeil. C'était une nuit de pleine lune, accoudée au rebord de la fenêtre pour ne pas perdre une miette du ressac enivrant de l'Océan. J'y ai retrouvé la sensation de nos étreintes dans le mouvement sensuel de chaque vague de l'Atlantique. Le temps s'est effiloché, a emporté ma vie d'avant en me présentant le tableau de celle-ci. Occupée à mordre dans cette passion furieuse, je n'avais jamais pris une seconde pour en percevoir les contours. Et soudain seule, invitée par ce presque octogénaire intéressé par mes travaux, je jouissais d'un recul que personne ne m'avait offert avec tant d'à-propos. Bien sûr Tomas n'en savait rien. Mais c'était à croire que la vie se charge d'organiser des cadeaux, de mettre à disposition des amoureux fragiles des étoiles dont il faut saisir les oracles. Avant de le quitter, avant de m'éloigner de sa cabane que j'ai si vite adoptée, j'ai réussi à me replonger dans le journal intime de sœur Madeleine dont je ne pouvais plus me détacher. Quelque chose se joue là. Je ne sais pas bien ce qui m'attire dans cette aventure, mais je pressens dans le trouble de cette jeune sœur un tout autre engagement que celui qu'elle raconte pour son Dieu. Elle me trouble. Sa façon d'aller vers une nouvelle vie à son insu. Quelque chose en elle me ressemble et me fait peur.

Journal de sœur Madeleine

Guajará-Mirim est à la frontière de la Bolivie et,
pour y arriver, il faut des heures de route, de train
et de bateau à travers l'Amazonie. Nous prendrons *le
train de la mort*, m'a précisé Angel, on l'appelle ainsi
parce qu'il a coûté vingt mille vies aux Indiens durant
sa construction. Toute cette souffrance pour tracer en
pleine forêt trois cent cinquante kilomètres de voie
ferrée de Pôrto Velho à Guajará-Mirim, là où le fleuve
n'est plus navigable à cause des rapides. Une petite
incision de ferraille dans l'impénétrable verdure.
Avant mon départ, je ne savais pas grand-chose des
conflits d'intérêts qui existent dans cette région du
monde. Le lieu et son nom me semblaient déjà irréels.
Je me posais des questions sur la chaleur, le climat,
mais j'étais très loin du tableau déplorable que m'a
fait Angel dès le premier soir, à mon arrivée à Belém
où il était venu me chercher. Il a eu l'air de prendre
un malin plaisir à lire sur mon visage effaré le résultat
de ses récits. La forêt est pleine de dangers inhérents à
la vie sauvage, mais les plus coriaces semblent générés

131

par les hommes. Par exemple ceux qui cherchent de l'or et des améthystes et qui seraient très intéressés par la monnaie d'échange que représente notre chargement, ou encore ceux qui contraignent les Indiens à travailler pour eux. Enfin il faut ajouter à ceux-là un certain nombre d'Indiens qui voient les Blancs d'un très mauvais œil et seraient ravis de nous réduire la tête, voire de nous dévorer. Vu la réputation que peuvent avoir certains religieux auprès des Indiens... Il y a, paraît-il, des protestants dont les méthodes d'évangélisation musclées ne sont guère populaires auprès des populations indigènes, je serais sûrement la première à être criblée de flèches, ou à subir un sort qu'Angel ne m'a pas détaillé, mais que ses grimaces m'ont laissé deviner. Rajoutons à cela qu'Angel a une piètre opinion de cette lutte religieuse que se livrent protestants et catholiques pour évangéliser les bons sauvages. J'étais révoltée par sa vision des choses et il s'en est aperçu. « Ouvrez les yeux, ma sœur, les conversions religieuses sont, au dire des croyants, une façon de civiliser les Indiens, ce qui est parfaitement colonisateur, stupide et insupportable. » Que pouvais-je répondre à cela ? Lui-même a vécu dans plusieurs tribus et sait à quel point ils sont respectueux de leurs dieux qui ne sont pas plus crédibles que le vôtre, m'a-t-il précisé en surveillant mon regard ; j'ai compris qu'Angel a un grand respect pour les Indiens. Ils lui ont appris bon nombre de choses pour survivre dans la forêt, chasser ou même négocier avec les tribus les plus difficiles. Ce que je m'efforce de retenir, moi, c'est que notre guide s'entend aussi bien avec les voyous exploiteurs qu'avec les Indiens et qu'il facilitera le passage de notre chargement en toute circonstance. Pour le reste, je remets mon âme en Toi, Seigneur, et m'efforce d'oublier que j'ai également un corps qui pourrait devenir convoitable, voire comestible.

Ce soir, j'ai demandé à Angel pourquoi il aide notre mission malgré sa piètre opinion des religieux que nous sommes. Il m'a lâché du bout des lèvres que dom Rey a apporté son aide à la population de cette région délaissée par le gouvernement, et qu'il a consacré ses soins attentifs depuis quinze ans aux Indiens de la région. Il les accueille avec bienveillance et mène avec les sœurs un travail pour qu'ils sachent lire, écrire et se débrouiller dans leurs échanges avec les hommes blancs. S'il n'était pas là, les Indiens devraient faire face à une incursion plus sanglante des profiteurs dans leur territoire, même si l'envahissement de ce dernier paraît irréversible. Il m'explique que l'évêque de Guajará-Mirim s'est plusieurs fois interposé afin que les *seringalistas* n'organisent pas d'expéditions punitives envers ceux qui défendent leurs terres en combattant leurs exploiteurs. Il n'a pas toujours pu éviter les massacres, mais la situation s'est un peu améliorée. Finalement, il respecte le travail de cet homme qui lui semble bien plus dévoué aux Indiens et à leur cause qu'au fait de les voir prier le même Dieu que lui. Et il ajoute quelques insultes à l'adresse de ceux qu'il appelle les évangélistes, les aveugles de la religion qui continuent à sévir et à brouiller la vision que les Indiens ont des Blancs.

Je suis perplexe. Cela me semblait une noble cause de servir Ta parole, Seigneur. J'étais même toute

remplie de foi et du bonheur de venir ici pour évangéliser les Indiens. Je ne me suis jamais posé la question
d'un Dieu ou de plusieurs. J'ai grandi à Toulouse où
mon père était professeur de philosophie et ma mère
institutrice. J'étais en avance et j'ai fait des études pour
enseigner. Mes parents n'étaient pas très religieux ;
d'origine catholique, non-pratiquants, ils m'ont laissée prendre le chemin du catéchisme sous l'influence
de ma grand-mère maternelle. Et puis Dieu m'a choisie. Je me redis tout cela pour tenter de comprendre
ce que peut-être je n'ai jamais saisi dans mon enfance.
Je me souviens de cet appel lancinant qui tourmentait
mon esprit : je pouvais faire quelque chose pour les
autres. Quand j'ai compris que c'était Toi, Seigneur,
qui m'invitais à entrer à Ton service, je ne savais pas
comment faire. Tu m'as vite montré que Tu m'indi-
querais le chemin. J'ai compris que je serais toujours
guidée, que tout viendrait à moi. À la grande conster-
nation de mes parents, je suis entrée à Gramat dans
cette congrégation dont le nom m'est tombé sous les
yeux lors d'une fête de Pâques. Je suis devenue sœur
Madeleine et c'est tout. Les histoires d'évangélisation,
de concurrence, de conquête des sauvages pour en
faire de bonnes créatures de Dieu selon l'expression
d'Angel, je les découvre maintenant et ma naïveté
m'est insupportable. Pendant notre discussion, qui
est devenue un monologue, je ressens une vague
colère que je dirige contre lui mais qui ne vise que
l'innocence avec laquelle je me suis embarquée vers
Toi, Seigneur. J'avais une âme d'enfant. Dans mon
désarroi, je me recommande à Toi afin que tu viennes

combler les lacunes dont je me sens chaque jour plus handicapée.

Depuis mon arrivée, je n'ai pas avancé d'un pouce. Comment se fait-il que je sois si démunie dans ce pays ? Jamais, lors de la prise du voile qui représentait, je crois, un énorme changement de vie, je n'ai eu peur de tout quitter pour Te suivre, jamais rien ne m'a paru difficile ou étrange. La vie au couvent m'était douce malgré les horaires très matinaux. J'étais heureuse de tout faire pour être avec Toi. Aujourd'hui j'ai l'impression d'avoir levé une autre sorte de voile, celui qui recouvre tout ce que je pensais. J'ai envie de Te dire comme Ton fils, « pourquoi m'as-Tu abandonnée ? » Je ne sais rien faire dans ce monde hostile et vorace qui n'est pas le mien. Et même quand je reconnais la grandeur de Ta Création, elle est immédiatement embrumée par la difficulté de vivre avec elle.

La vie du Carmel me manque. Je finis par regretter les réveils difficiles à cinq heures du matin. Il m'arrive de rêver du son des carillons, de la couleur des fleurs, de la tranquille présence des hêtres. Je revois le réfectoire, les regards de mes sœurs, nos rires et nos chuchotements en regagnant nos chambres après les dernières prières. Avec quel cœur nous Te faisions l'offrande de notre personne et de toute notre vie ! Devenue l'épouse mystique de Jésus, comme le disait notre révérende mère, j'ai quitté mes parents dans l'insouciance de mon engagement. Pour autant, je ne me sentais pas loin d'eux, alors qu'aujourd'hui la famille de mes sœurs chéries me manque terriblement. Parfois, sans que je le veuille, mes pensées s'envolent vers Gramat où j'assiste auprès des autres à la procession. Je me réveille et, dans la brume de mon sommeil, j'entends encore des kyrie ou des gloria qui se mêlent au concert des oiseaux de l'Amazonie. Et cela rend mes matins moins énigmatiques.

À notre arrivée au Brésil, quand nous avons quitté l'Océan j'étais toute surprise de naviguer sur les eaux de l'Amazone. Sur les bords du fleuve, la vie est là. Les indigènes ne semblent pas souffrir de ce que nous appelons, nous, une grande misère. Toute cabane emportée est aussitôt reconstruite et semble tout aussi éphémère que la précédente. Nos ancêtres devaient vivre ainsi. N'est-il pas étrange de voir des hommes vivre avec des siècles de retard sur la même terre? Ces hommes et femmes presque nus qui se nourrissent des produits de la nature, d'animaux étranges cuits au feu de bois.

À cet endroit, le fleuve est si large qu'on se croirait en mer. Quand on se rapproche de la rive tout paraît impénétrable et je comprends pourquoi les hommes ont nommé cette forêt « l'enfer vert ». Parfois, le sol rouge paraît avoir été saigné. Quelques paysans, les *caboclos*, d'une pauvreté effrayante, arrachent à la terre une maigre subsistance. Ils vivent là, loin de tout, dans des masures de paille. On a l'impression qu'ils veillent plus qu'ils ne cultivent. S'ils s'endormaient pendant deux ou trois jours, la forêt se refermerait sur leurs maigres cultures. Ils font de grands signes quand nous passons avec le bateau. Sur des séchoirs, j'ai cru voir des lambeaux de vêtements, mais on m'a expliqué que ce sont des filets de poisson. L'aspect n'est guère appétissant. Sur le bateau, comme je discutais avec un Brésilien, Angel a été très désagréable. Il est venu me chercher sans même comprendre de quoi nous parlions, nous a interrompus sous un prétexte ridicule en me demandant de le suivre. Il m'a ensuite expliqué que l'homme avec lequel je parlais n'avait pas l'air très recommandable et que je devais me fier à son instinct. J'ai protesté parce que cet homme était venu vers moi à cause de mon habit de religieuse et m'avait demandé de prier pour lui et pour sa famille. D'après ce que j'ai compris, il s'est endetté en suivant un prétendu plan de fortune et ne peut plus guère s'en sortir à moins de rester l'esclave d'un profiteur pour le restant de sa vie. Au matin, j'ai voulu lui remettre un petit texte de prière et j'ai appris qu'il s'était éclipsé avec l'argent de quelques passagers. Angel m'en a informée en souriant. Je n'ai fait aucun commentaire. Je suis sûre que l'histoire de cet homme était vraie. C'est ce qui l'a poussé dans la mauvaise direction. Prends soin de lui, Seigneur.

Nous sommes arrivés à Belém. Quelle joie d'être accueillie au collège San Antonio des sœurs Dorothée, de découvrir ces religieuses si gaies qui dansent et chantent tout le temps. Angel, lui, s'est éclipsé après m'avoir déposée parmi mes semblables. Il reviendra me chercher demain et doit se charger des détails de notre embarquement. Quel bonheur d'assister à une messe, la première depuis la France, et de communier à nouveau ! L'abbé qui aurait dû se trouver à bord de notre paquebot n'avait pas embarqué et j'ai découvert en retrouvant l'Eucharistie combien cela m'avait manqué de n'avoir aucune conversation avec un prêtre ou une sœur pendant le voyage. La célébration de Ton sacrifice, Seigneur, ne rythmait plus mes journées. Ensuite nous avons partagé avec le prêtre et les femmes du couvent un repas plein de saveurs étranges et nouvelles pour moi. Ces haricots rouges avec un peu de viande, du manioc et des tranches d'orange, qu'ils appellent *feijoada*. J'ai quitté à regret les religieuses brésiliennes et leurs accolades si chaleureuses et surprenantes quand on vient d'un pays où les femmes d'Église se tiennent droites, les unes face aux autres, et ne s'embrassent que dans les grandes occasions. Il y a peu de contact physique entre nous et j'étais un peu surprise quand la révérende mère du collège brésilien m'a pratiquement décollée du sol pour me souhaiter la bienvenue. *Tudo bom* ? demandait-elle sans cesse pour être sûre que j'allais bien, que je ne souffrais ni de la chaleur ni de l'humidité. C'est elle qui m'a emmenée dans le jardin pour me montrer les fruits et les légumes que je ne connaissais pas et me demander quelques nouvelles de mes sœurs de Gramat. Elle s'était rendue là-bas quelques années auparavant et cela m'a fait un bien fou de parler de notre vie dans ce village. Il n'y avait pas que des Brésiliennes dans ce couvent mais toutes vivaient là depuis au moins trois ans. *Beijos et abraço*, criaient-elles quand nous sommes repartis. L'une m'a donné un petit chapelet en graines locales, l'autre une histoire de sainte. Chacune m'a fait un petit cadeau de bienvenue et d'encouragement pour le chemin qu'il nous restait à parcourir. J'ai donc embarqué avec mon précieux chargement et mon accompagnateur sur le bateau *Los Indios*. À bord quelques indigènes ont tendu des hamacs sur le pont pour passer la nuit. Pour ma part je dispose d'une cabine et j'en suis soulagée. Non que cela m'indispose de dormir au milieu des autres, mais avec ma robe je ne suis pas sûre de m'installer sans tomber et de savoir passer toute la nuit dans ces morceaux de tissu instables.

Ce matin, je me suis levée à cinq heures pour admirer l'aurore. Sur le pont, des centaines d'insectes morts gisaient dans la rosée matinale. Le ciel était d'un violet mélangé à de longues traces orange, qui se reflétaient dans l'eau, avant qu'un soleil rouge n'apparaisse derrière les arbres. Une fine ligne de brume séparait en deux l'horizon.

Tout au long de notre parcours, le Rio ressemble à une longue respiration dans cet enchevêtrement végétal qui forme un mur sur chaque rive. À Santarém, nous avons jeté l'ancre au milieu du fleuve. De nombreuses barques se sont approchées de nous avec des denrées à vendre et même des singes. Angel a acheté, je devrais dire négocié, *uma cuia*. C'est une sorte de calebasse peinte et travaillée par les Indiens. J'ai essayé de cacher ma peur quand nous avons aperçu les premiers caïmans qu'ils appellent ici les *jacarés*. Dans la nuit, à bord des pirogues, les Indiens éclairent leurs yeux, et se dirigent vers ces points fluorescents, les aveuglant pour les harponner. Une corde est attachée au harpon, elle permet de remonter l'animal qui plonge dans les profondeurs, puis ils attachent leur gueule en la fermant avant de les hisser ensuite à bord des pirogues où ils se débattent comme de beaux diables. Ils les tuent pour vendre les peaux et les consommer. On les fait mariner plusieurs heures dans du citron, de l'oignon et de l'ail. Ils en font même une sorte de pot-au-feu.

Lors de notre escale à Santarém, je continuais à me sentir embarquée et je ne marchais plus droit. Un peu comme à notre arrivée au Brésil mais cette fois le phénomène a duré plus longtemps. Angel se moquait de moi. Alors, ma sœur, il faut arrêter de boire. L'alcool finit toujours par nous trahir. Je m'efforçais de sourire à ses plaisanteries. La visite de l'église m'a enchantée. Comme si je retrouvais Ta maison, Seigneur, dans un tout autre style que celui que nous avons l'habitude de voir en France. Une fois de plus en parcourant la ville, j'ai à nouveau été surprise de la gaieté des Brésiliens. Pas une heure ne se passe sans entendre une guitare, un homme qui fredonne une chanson d'une beauté qui donne envie de pleurer. Et l'instant d'après, des rythmes, des danses, des rires envahissent un coin de rue ou une place. La musique semble être ici l'unique son du désespoir. Les enfants ne pleurent presque jamais, les femmes se promènent en grappes et n'ont rien d'autre à faire que plaisanter. Une nuée de bambins les accompagne partout, même très tard le soir. Elles paraissent très libres et sont pour la plupart très légèrement vêtues. Habillées ainsi en France, même l'été, elles seraient indécentes. L'une d'elles aujourd'hui m'a donné l'impression de bien connaître Angel et lui tournait autour comme un papillon. Elle battait des cils et avait l'air de lui tendre sa bouche dès qu'elle lui parlait. Angel la prenait par la taille et la faisait danser avec des déhanchements ridicules. Il se tenait tout près de son corps et se frottait à elle. Je l'ai laissé sur place parce que je ne supportais plus cette mascarade. Quand il m'a retrouvée à la maison qui nous hébergeait, il m'a demandé si j'étais jalouse.

Quelle stupide question ! Je lui ai répondu que c'était ridicule et qu'il prenait ses désirs pour des réalités. Il s'est moqué de moi. N'allons pas jusque-là, ma sœur, que savez-vous de mes désirs ? J'ai rougi tandis qu'il me faisait remarquer que j'aurais pu l'attendre pour ne pas me perdre. Mais je me suis fort bien débrouillée sans lui. Il est tellement prétentieux qu'il pense que toutes les femmes sur terre le trouvent séduisant. Ne voit-il pas l'habit que je porte ? Seigneur, donne-moi de la patience pour supporter cet individu exaspérant !

À vivre dans cette atmosphère lourde et tiède, j'ai l'impression que les humains deviennent comme la forêt. Tout est démesuré, plus dense, les jours s'écoulent dans une sorte d'envoûtement parfumé. Après Santarém, nous avons gagné Manaus. Juste après cette ville, sur près de soixante kilomètres, le rio Negro se joint au Solimões pour former l'Amazone. La rencontre de ces deux fleuves est un vrai spectacle. Les eaux boueuses et jaunes du Solimões ne se mélangent pas aux eaux noires du rio Negro. Nous croisons des embarcations fragiles, des sortes de plateformes ou de pirogues. On se demande comment elles flottent. À leur bord, des Indiens joyeux souvent accompagnés d'enfants nous saluent et crient ce qu'ils ont à nous vendre. Nous avons passé la nuit à Manaus dans une sorte d'hôtel d'une saleté repoussante. En sortant de ma chambre ce matin, je me suis rendu compte qu'Angel avait passé la nuit avec la Brésilienne qui semblait être la patronne du lieu. Elle m'a souhaité bonne chance pour le voyage en me donnant un sac de mangues et de papayes et elle a adressé un clin d'œil à Angel avant notre départ. J'étais si heureuse d'avoir pu prendre une vraie douche, chose impossible depuis notre départ de Belém, que je n'étais même pas fâchée de le voir narguer ma vertu avec ses insinuations.

Dès qu'on s'engage dans les eaux du fleuve Madeira, les rives sont beaucoup plus habitées que sur les bords de l'Amazone. Ses rives sont si éloignées l'une de l'autre qu'on a du mal à imaginer qu'il n'est qu'un affluent. Ce matin, un épais brouillard couvrait le fleuve, cela m'a fait penser à Cahors. Mon Dieu, voilà seulement quelques semaines que je suis partie, et j'ai l'impression d'avoir quitté mon pays depuis des années. Tout est si grand ici. Il paraît que le premier conquistador blanc qui a essayé de remonter le Madeira a été écrasé par la chute d'un arbre énorme alors qu'il surveillait les rives pour ne pas être fléché par les Indiens. Angel m'a raconté que pendant longtemps plus personne n'avait tenté d'explorer le Madeira. Puis un certain Palheta s'est à nouveau lancé. Aussi intrépide et avide de grands espaces que son prédécesseur mais impressionné par sa fin, il prenait chaque arbre croisé sur l'eau pour son ennemi et avait appelé le fleuve Madeira. C'est vrai que l'on voit tout au long de cette navigation des troncs noirs aussi grands que des bateaux, munis de branches dénudées, comme des bras qui s'ouvriraient pour nous attraper.

Il me semble que c'est l'appât du gain qui poussait les Portugais à de grandes explorations. Angel connaît très bien l'histoire de ce pays et de ceux qui ont tenté de le posséder. Je sens qu'il a une grande admiration pour leur courage. Et ses récits nous ont fait dériver dans une drôle de conversation. Je ne me souviens plus très bien comment elle a commencé, mais j'étais stupéfaite de son raisonnement quand nous avons parlé de la vérité. C'est comme avoir un vrai ou un faux bonsaï, voyez-vous. Si vous avez un faux bonsaï extrêmement bien imité, il paraîtra vrai. Mais si vous élevez un bonsaï, à moins que vous ne soyez un as, vous vous retrouverez avec des feuilles qui sèchent puis des branches nues. Bref vous aurez sous les yeux l'étendue de vos incompétences pour cultiver votre jardin et vous n'arriverez jamais à ce qu'il soit aussi beau que celui que vous pourriez présenter sans faire aucun effort. Je n'ai pas fait le choix de montrer aux autres un bonsaï nu et laid.

Vous préférez mentir alors ? Non, m'a-t-il répondu avec force. Je préfère présenter une vérité qui me sied à merveille. Tout est beau. Ça ressemble à une vraie réussite. Ça me convient. Le reste ne regarde que moi et je m'en accommode. Vous êtes bien arrangeant, lui ai-je dit.

Et vous, vous êtes transparente. La vérité suinte de tous vos pores. Je crois que je l'agace autant qu'il m'exaspère. Mais ce n'est pas une consolation.

Pourquoi n'arrivé-je pas à l'empêcher de me mettre en colère ? Comme toujours la discussion s'est terminée de façon abrupte. Mais qui êtes-vous pour me dire ça ? Où est-elle, votre vérité ? Elle est donc si laide que vous vouliez à ce point la cacher ? Et il a eu cette réponse dont je ne sais que penser. J'ai idée qu'en ce moment, ma sœur, ma vérité ne vous plairait pas beaucoup, et que c'est vous qui préféreriez que je la cache.

À quelle saison se tait une ville ? À quel moment, le hurlement incessant des cœurs peut-il s'entendre, dans ce brouhaha urbain ? Si je te touchais, là tout de suite, est-ce que tout exploserait ? De longues minutes me séparent encore de toi, mais elles n'ont plus le même goût que les autres. Les autres s'éloignaient, couraient en sens inverse. Les aiguilles avaient disparu de ma montre et s'étaient fichées sur mon cœur à l'heure de ton départ. Un dernier baiser, un regard qui dit tout sur une place ensoleillée. Toi qui veux me quitter plus vite pour moins me regretter, et moi qui en profite pour savourer ce moment où tu ne te caches pas du mal que cela te fait. Et puis le vide, une place envahie et pleine de ton absence. Le hurlement du corps. Les ténèbres d'une pensée sans âme. Tu n'es plus là, dans l'ombre rassurante de l'amour. Tu n'es nulle part. Ta présence est une abstraction, un désir de ton être, le rêve d'un autre… Je me mets à chanter en espagnol. Je change de chanson, je mélange avec du brésilien. Cela me libère de ton absence. Dans ces autres langues latines, je peux habiter pleinement la douleur d'une extase. Tout peut s'envoler. J'attends. Je préfère être immobile dans l'attente plutôt que marcher dans le temps. J'écoute encore la musique de ces terres ensoleillées. Curieux mélange d'Espagne et d'Afrique. Elle s'imprime au revers de ma peau. Et si j'essayais d'écrire pour m'empêcher de penser ? Si j'élevais des murs de phrases, je serais peut-être protégée de l'attaque de mes désirs amplifiés par les mots. Je n'y crois pas. Je ne peux rien faire contre ces pensées qui parsèment ma peau de frissons sauvages. Les déposer sur une feuille ne changerait rien. Je me sens si rebelle à la fixité qu'impose l'attente. L'exil est toujours là, dans un recoin de mon cœur. Sans doute n'est-ce pas le hasard ni un simple souvenir d'enfance si je l'ai choisi pour thème de recherche. J'étudie ceux qui partent, quittent leurs terres, en abordent une autre pour vivre. Que cherchent-ils qu'ils n'auraient trouvé sur place ? Et moi qui ne pars pas et m'enracine toujours dans toute situation. Le moindre voyage que j'effectue pour mon travail ne dure jamais plus d'une quinzaine de jours ; il me donne la nausée. J'ai la sensation de frôler l'interdit, de prendre la barre d'un bateau pour aller n'importe où. Et puis, dès que je suis partie, me voici chez moi. Le voyage est ma patrie. Plus encore dans le déplacement qu'à mon arrivée, je trouve mes marques. Comme si je marchais sur un fil tendu entre deux rêves, deux existences, dont me parviendraient les parfums subtils.

J'embrasse ton ombre depuis tant de jours que la chair de nos étreintes me broie les yeux. Je tremble et ne suis plus moi. Corps vide, cœur à sang. Savoir ce que l'avenir me réserve serait la pire des servitudes.

Mon rêve réduit à néant. Et pourtant je tremble de l'ignorer. La fin d'une histoire est tout entière présente dans son début. Ce qui dure est au-delà de l'histoire, d'une rareté intemporelle en quelque sorte. Il ne faut rien planifier, ne pas imaginer la suite, ne pas vouloir quelque chose. Ce que l'on peut donner n'est pas du tout ce que l'on peut recevoir. L'échange n'existe pas vraiment. Dans une fausse évaluation de l'autre. Une sorte d'imposture amoureuse. J'en ai les tripes déchirées. Je t'aime. Je le sais et ne peux rien faire d'autre que l'entendre et le murmurer à ton oreille en me mordant les lèvres pour ne pas crier. Je m'entends alors le dire comme un aveu minuscule qui n'est pas à la hauteur de ce que je ressens. Et soudain peu m'importent ces fêtes charnelles, ces désirs fous, ces emportements d'amants inassouvis. Ce que je ressens est si fort, comme imprimé dans une éternité. Les hommes qui ont traversé ma vie se tiennent la main mais toi, tu viens d'ailleurs. Tu es un mystère dont je ne veux pas connaître les raisons. Mes mains enlacées aux tiennes savent ce que je ne veux pas savoir. Une pierre sur l'estomac, je me plonge sous mon casque et, musique collée aux oreilles, je ferme mes paupières. Chaque note pèse son poids d'errance. La musique naît comme si elle s'écrivait maintenant, à même la peau. Tout danse devant mes yeux. Nous sommes égoïstes, jouisseurs. Je ne sais pas grand-chose de ta vie. Tu captes les êtres en mouvement, parfois juste avant qu'ils ne disparaissent dans la mort. Tu immobilises les horreurs de la guerre et puis tu vends ces images pour que d'autres hommes qui vivent en paix s'en indignent et sachent les désespoirs du monde.

Que reste-t-il dans tes yeux de ces folies guerrières quand tu tends la main vers moi, quand tu immobilises un peu de notre temps ensemble pour me rendre plus vivante? La violence de ce que je ressens me dévaste et ne trouve pas d'issue. Manque de sommeil sans doute.

Quoi qu'il arrive, il faut surtout conserver l'humour, la distance aux choses, et si possible une certaine lucidité, m'expliquait Tomas, en me racontant ce qu'il avait essayé de faire durant toute sa vie. Je sens que ça rit déjà à l'intérieur de ma tête. Et pourquoi ne pas être raisonnable? Tout ce que j'exige là est impossible à obtenir et rien ne tient compte de mes injonctions au calme. Femme immolée sur l'autel de sa passion, si je pouvais, je m'affranchirais de l'indicible. Je rapetisserais la folie et récupérerais ce que je crois être en moi, tranquille. Mais c'est impossible. Quelque chose est là dont je ne sais pas le nom, quelque chose qui me transperce, une clé qui n'ouvre aucune porte. Dans ce constat, point de fuite possible. Je dois aller seule et m'étendre sur la mousse, être cette fleur ouverte qui se donne et ne veut rien savoir de la saison prochaine. La nostalgie n'a pas de place dans mon présent vorace. Elle sera là quand le voyage emportera ta présence. Quand les indifférences de nos manques imbéciles réveilleront les vieux démons.

Enfin tu es là, mon amour. Revenu. Oublieuse de nos fantômes, je te goûte avec délices. Sereine, à ta peau je me fonds. Tu n'es que chaleur et douceur quand tu plonges en moi. Un fils de la rivière qui soulève en vagues de bonheur une fille de l'Océan.

Embruns, parfums du large, je caracole sur ton désir. Sur le bout de ma langue, ton goût amer se prolonge. J'ai mal, plus mal encore quand je sais que je vais partir dans quelques minutes. S'offrir l'éternité de cet instant est une pâle vengeance. Tu es beau, libre et je t'aime ainsi. Je ne puis te diviser et je t'emmène à l'intérieur de moi. Mais l'absence ne se comble pas. La folie d'attendre l'autre; l'âme sœur est à ce prix. Il faut vivre ce qui est là et ne rien vouloir d'autre. Je suis éblouie par l'intensité de nos vibrations. Tu me le dis sans cesse, me serres, m'enrobes, comme si c'était la première fois que tu aimais. Je suis ta reine, ta tigresse, ta douce et tu sembles aussi fou que moi de ce qui nous arrive. Je suis plus timide dans mes déclarations. L'austérité ou l'inconséquence de mes précédentes histoires m'ont rendue plus silencieuse. Et puis ta sauvagerie m'impressionne. Elle est à peine dissimulée par ta tendresse.

Je te devine pris dans des filets invisibles, je sens ton envie d'en découdre avec le bonheur interdit. Là où l'amour m'endort dans sa touffeur, il t'engloutit, te saute à la gorge, enroule ses lianes subrepticement. Peut-on ignorer ce qu'il nous apporte pour nous consacrer à ce que nous désirons lui donner ? Je réalise avec une certaine innocence que cette question ne m'a jamais effleurée. Elle m'est dictée par la pureté de ce que je ressens pour toi. Quelqu'un est sans doute responsable du bonheur que l'on ne s'autorise pas à vivre. Ce qui vibre en nous comme un appel, est-ce une force ou un aveuglement ?

Sous le couperet de ces exigences, je ne pèse pas lourd. J'avance dans une forêt de remords à coups de machette et je revois mes liaisons amoureuses comme une suite d'impostures dans lesquelles je me suis beaucoup déguisée. Avec toi je me love, je me colle, j'oublie les fantômes de l'échec, les pincements des ruptures. J'aime enfin pour la première fois et ne suis pas en état de conquête futile. Je suis tout entière dans l'instant qui passe. Je le retiens, lui souris, me donne l'impression de le maîtriser. Rien de ce que j'ai vécu ne ressemble à ce bel épanouissement oublieux des affres, gouffres et autres plongeons dans les abysses du doute. Enfin, c'est ce que je me dis quand nous sommes ensemble. Et puis tu t'en vas pour un temps plus ou moins long. Je ne sais jamais quand je te reverrai ou recevrai un message. Je n'oserai jamais t'avouer que ton silence creuse en moi le sillon d'une lame acérée. Cette soif d'amour tient de la folie. Elle affecte mon aptitude au sourire. Je prends la musique et le soleil comme compagnons de route. Paupières closes, je m'offre des envolées où j'imagine nos corps à corps, peau à peau, yeux dans les yeux, paume contre paume en écoutant les harmonies cubaines de Chucho Valdés et de son piano dont les accents désuets emportent ma mélancolie.

Parfois tu me parles de ta solitude à toi. Quand tu retrouves un terrain de conflit ou quand tu rentres à Paris. L'appartement vide qui sent le renfermé, le temps soudain étiré. Vivre seul, se réveiller seul, manger seul un plat de pâtes sur un coin de table, fumer une clope les yeux dans le vide à la fenêtre. Travailler comme une brute sur ton prochain reportage pour ne pas te voir t'endormir et te traîner au lit pour plonger dans le sommeil sans conscience du manque de douceur. Pas de femme. C'est ce que tu as voulu, c'est ton désir et ton calvaire. Peut-être que les femmes de ta vie n'ont pas supporté cette absence récurrente. Peut-être qu'elles ont fui cet homme inconnu qui rentre et charrie derrière lui les cadavres d'une existence sans nom. Ton ombre de solitude me poursuit. Le mystère de ton regard est la barrière de ta lancinante douleur. Le sourire pâle que tu esquisses parfois me transperce. Que contient-il de tes visions guerrières insoutenables ? Soudain tu t'illumines, tu ris et toujours dans ta voix je sens la fêlure et la sensation du miracle d'être en vie. Une étreinte passe et ton corps me semble secoué d'un spasme d'espoir. Mais l'amour lui-même qui paraît nous sauver est un tourment. Il a cette langueur, ce ressac infiniment marin et puis sans prévenir son apparente insouciance est mise à mort par une tempête soudaine.

Dans cet équilibre fragile qui rappelle étrangement celui d'un funambule, je ne me reconnais plus. Les convictions vacillent. L'ivresse et la fureur de donner me transpercent tout autant que la douceur de ce don. Toutes mes certitudes s'effilochent. Dépossédée, sauvage, exclue de mes propres pensées, je laisse l'ivresse me chanter sa parole. Marché de dupes comme une ultime tentative de compréhension là où il n'y a rien à comprendre. Les tourments du cœur sont indomptables. Un jour sans toi s'étire comme s'il ne devait jamais finir. Et si nous n'avons point de rendez-vous qui remplisse les heures à venir du bonheur de te revoir, je tremble, j'imagine le pire et la fin de cet amour qui m'a prise à la gorge comme un assassin.

Je repense à sœur Madeleine... J'ai triché. J'ai réussi à emporter un passage du journal. Je n'ai pas osé emporter l'original. J'ai mis du temps à dénicher une photocopieuse durant les absences de Tomas. Je l'ai branchée, fiévreuse d'être découverte, tapant du pied tandis que les feuilles sortaient, trop lentement, trop pâles, presque illisibles.

Ce qui me bouleverse dans son témoignage, c'est de sentir la naissance d'un sentiment amoureux qu'elle ne semble pas encore voir. Elle n'est pas une adolescente, elle n'est pas tout à fait une femme. Elle est un esprit pur que l'amour aborde avec des manières de pirate.

Journal de sœur Madeleine

Les premiers temps, la forêt m'a arraché des cris d'admiration. Je voyais là une cathédrale végétale de lianes exubérantes. Les rayons du soleil qui pouvaient parvenir jusqu'à nous étaient Ta lumière, Seigneur. Les nervures des feuilles géantes qu'elle traversait formaient à plusieurs mètres de hauteur un immense vitrail naturel. Angel haussait les épaules. C'est un paysage grandiose, certes, mais il faut en avoir peur avant de l'admirer. Tout ici est démesuré. Nous sommes des nains dans une forêt conçue pour des géants. Marcher dans ces ramifications de troncs et de branches vous expose à vous enliser dans un marécage invisible. La moindre fourmi peut vous coller au lit avec de la fièvre, trempez votre main dans le fleuve et les piranhas vous boufferont les doigts même si vous n'avez aucune plaie. Quant aux papillons grands comme une main, que vous avez tantôt trouvés charmants, ils se nichent toujours dans ces endroits où vivent des millions de moustiques minuscules suceurs de sang, qui viennent en grappes familiales tester la douceur de votre peau au coucher du soleil. Voilà bien le seul moment de la journée, ma sœur, où j'envie votre robe qui fait office d'armure contre ces affamés. Quant à l'heure où les ténèbres descendent sur cette jungle rampante, vous avez dû constater par vous-même qu'elle ressemble à l'enfer. Je ne proteste même pas, Seigneur. Certains êtres sont ainsi, à toujours voir l'ombre et jamais la lumière de ce qu'ils ont sous les yeux. Oui, il connaît mieux la forêt que moi et sans doute que mon ignorance me cache les effets dévastateurs de certaines bestioles splendides, mais faut-il pour autant cesser d'admirer les richesses de la terre sur laquelle nous vivons ? Je ne suis pas dupe de ses manœuvres pour m'impressionner. Parfois à la tombée du jour, quand je suis éblouie par les nuances du ciel, il s'approche de moi et me dit presque en chuchotant, vous n'avez donc rien lu des récits de ceux qui vous ont précédée dans ce qu'on appelle l'enfer vert : « Ici le cœur, l'esprit, les sentiments s'égarent, on est victime d'une chose affamée qui vous ronge l'âme. »

Me revoilà, Seigneur, après quelques jours d'interruption. Je devrais dire que je suis heureuse de retrouver ces confidences écrites après avoir été bien effrayée et bien malade. Un soir avant que je ne regagne ma tente, Angel a entrepris de me faire la morale. Pardon, ma sœur, d'insister mais, si vous devez prier à la tombée du jour, faites-le sous votre moustiquaire. J'ai répondu que j'étais assez grande pour savoir où et comment prier mais il a ajouté qu'il avait besoin que je sois en forme pour notre voyage et que je devais combattre mon inexpérience en matière de jungle et écouter ses conseils. J'ai pensé qu'il m'avait surprise quand j'étais à genoux la veille derrière un des buissons et que j'allais si mal. Mais ce qui me rongeait à ce moment-là n'avait rien à voir avec les piqûres de moustique. J'avais constaté depuis quelques jours à l'aine une grosseur qui s'était mise à suppurer. Je n'osais pas en parler. Dans notre convoi d'hommes, je n'ai nul confident. Pour comble d'ironie, celui dont je suis la plus proche, c'est Angel. Les autres parlent à peine le portugais. Je souffrais de plus en plus et cela me rendait la marche difficile. Je me cachais bien pour que personne ne remarque mes grimaces de douleur, mais l'examen de ma blessure m'inquiétait d'heure en heure. Angel a fini par s'apercevoir de mon manège et j'ai tenté de lui expliquer le problème à mots couverts. Avec sa brusquerie habituelle, il a exigé que je lui montre ma jambe. Arrêtez de faire l'héroïne, ma sœur, d'autres sont morts assez vite de ce genre de négligence. Montrez-moi cette plaie. Je crois savoir ce qu'il en est et je sais que les Indiens qui nous accompagnent ont ce qu'il faut pour vous soigner. J'étais honteuse d'être forcée de remonter ainsi ma robe, mais plus affolée encore par ce que je pressentais de mauvais. Avec une infinie douceur et sans avoir l'air de remarquer que j'étais dénudée jusqu'à la culotte, Angel a examiné la plaie et s'est mis à discuter avec l'un de nos accompagnateurs. C'est le plus âgé de la troupe et c'est toujours à lui qu'Angel s'adresse pour les décisions importantes, le trajet ou les heures de pause. Je m'étais mise à tant souffrir que soudain le fait que ces deux hommes examinent ce que j'estimais être une partie intime de mon corps ne me faisait plus

rien. « Les Indiens ont ce qu'il faut pour vous guérir »
était la phrase qui martelait désormais mon esprit
embrumé par un début de fièvre. Celui que j'appelle
le sorcier-chef, Machujamai, a préparé une mixture
dont j'ai volontairement ignoré les ingrédients tandis
qu'Angel pestait contre ma sottise et tempérait sa
colère en me regardant d'un air inquiet sombrer dans
la pénombre d'un délire. Je n'ai pas senti le panse-
ment qu'on m'appliquait et je me suis réveillée dans
un hamac porté par deux hommes. J'ai voulu protester et me lever pour marcher, mais je suis retombée en
proie à mes fièvres. Je n'ai rien pu dire jusqu'au soir.
J'ai entendu Angel me dire que nous nous arrêterions
au prochain village pendant deux jours, le temps que
ma blessure se colmate. Sous l'effet des plantes, l'ab-
cès avait éclaté, expulsé le pus qu'il contenait et j'étais
fascinée de constater que ce remède qui m'avait paru
si sommaire améliorait nettement la plaie. Durant tout
ce temps, Angel ne me quittait pas. Parfois quand
j'ouvrais les yeux, épuisée par la fièvre, je sentais sa
main sur mon front ; il me donnait à boire régulièrement, tout en cherchant à savoir comment je me
sentais. J'étais gênée, Seigneur, d'être si vulnérable et
de l'avoir si mal jugé.

Dans mon brouillard se mélangeaient les belles allées
tranquilles du jardin de Notre-Dame-du-Calvaire, le
visage inquiet d'Angel qui soudainement avait l'air de
bien porter son nom et une voix effrayante qui me
soufflait que je serais toujours malade dans cette forêt
dont la splendeur masquait les pires pièges.

Déjà au début de notre voyage, Angel m'avait obligée à acheter des chaussures fermées pour remplacer les sandales que je portais habituellement et il m'avait fait mettre dans mes chaussettes de l'acide salicylique pour éviter les attaques d'une moisissure qui s'installe au bout des doigts de pied et creuse des galeries très incommodes pour marcher. Je ne voyais pas comment mes pieds auraient pu se mettre à faire comme les confitures car je me souvenais que nous mettions cette mixture sur les pots confectionnés chaque année par les sœurs, après les récoltes d'abricots. Comme Angel avait vite compris que je n'étais pas du genre à obéir sans explication, il m'avait montré le pied d'un de nos porteurs, sillonné de galeries par endroits surmontées de petites excavations d'une couleur incertaine entre le vert et le marron. En quelques jours presque toute sa jambe semblait devenue un nid infectieux. J'avais frissonné et immédiatement obéi à ses injonctions.

Chaque jour qui passait me le confirmait. Cette forêt n'était décidément pas faite pour celui qui n'y était pas né. C'était une sorte de ventre moite et mou. Une fois entré en son sein, on se sentait condamné à ne pas en sortir. Et peut-être que l'on s'y perdait ou qu'à force d'y vivre, on devenait comme elle. Même les Indiens habitués à cet environnement qui semblait se refermer sur l'homme pour mieux le dévorer observaient le moindre changement dans la nature qui nous faisait face. J'avais remarqué qu'on pouvait lire dans leur attitude si quelque chose ne se passait pas comme prévu.

Dans mon sommeil, brûlante des fièvres de l'infection et balancée au rythme de la marche de mes porteurs si adroits, j'entendais des chants qui s'élevaient et ajoutaient encore à ma curieuse sensation d'être perdue entre le sommeil et le purgatoire. Je me sentais mal et j'avais si froid, tandis que la sueur s'écoulait le long de mes tempes, que je ne savais plus les mots des prières que j'aurais voulu murmurer. Au bout de quelques jours qui auraient pu être des heures ou des mois, je suis sortie de ma torpeur. J'étais couchée dans une chambre où pendait un crucifix, sur un lit blanc, habillée d'une longue chemise de nuit brodée. L'horrible pensée qu'on m'avait laissée là et que je n'avais pas pu assurer ma mission me mit les larmes aux yeux et tout de suite je me suis demandé qui avait bien pu me déshabiller. C'est le moment qu'a choisi Angel pour entrer avec un plateau chargé de victuailles. Une soupe, des fruits, quelques légumes et des haricots noirs. Je n'avais pas faim mais, en le voyant, mes craintes se sont apaisées et j'ai cessé de penser que l'on m'avait mise de côté et que je ne serais plus capable d'accompagner mon précieux chargement. Je lui ai décoché un pauvre sourire. Je crois que je me sens beaucoup mieux, ai-je articulé pour le rassurer. Je ne crois pas que ce soit à vous d'en décider, m'a-t-il répondu d'un air jovial. Ici, nous avons de la chance et vous disposerez d'un médecin. Nous sommes hébergés dans sa maison. Il va vous examiner et dire si vous êtes apte à repartir ou si je vous remplace par une femme plus solide qui protège le chargement, agrémente mes nuits et me chante le blues quand je m'ennuie. Quoique vous soyez charmante dans cette chemise ! Ça vous donne un petit air romantique qui vous va bien mieux que votre costume de calvaire.

Je me suis tassée au fond de mon lit en essayant de contenir ma colère. Finalement il n'avait pas changé ! Je n'ai jamais demandé à voyager en votre compagnie, lui ai-je fait remarquer pour qu'il comprenne enfin que je goûtais fort peu ses allusions. Sa réponse m'a donné l'impression que le ciel lui-même avait pris son parti. Ma chère sœur, les voies du Seigneur sont impénétrables ! Je partageais ce point de vue bien sûr, mais me serais passée de l'entendre de sa bouche avec ce petit ton ironique qui semblait n'être réservé qu'à moi. Ça n'allait pas être facile de le remercier et pourtant il me faudrait bien m'y résoudre, ne serait-ce que pour être en paix avec ma conscience. Vous avez raison, a-t-il ajouté en riant, on dirait que vous allez beaucoup mieux.

Nous sommes repartis le lendemain et le soir même j'ai trouvé l'occasion de reparler à Angel de sa gentillesse durant ma maladie.

Je voulais vous dire que j'ai apprécié ce que vous avez fait pour moi. Je vous avais mal jugé et de toute façon, en tant que servante de Dieu, j'aurais pu me passer de vous juger…

Je ne crois pas, ma sœur. Être la servante de Dieu, comme vous dites, ne vous exclut pas des humains ! Nous faisons tous ça. Évaluer l'autre, savoir d'un coup d'œil si c'est un ennemi possible ou s'il va nous aimer. Et comme vous me paraissez très futée pour votre âge, j'ai de grandes chances d'être exactement tel que vous m'avez perçu la première fois.

J'ai voulu insister en lui disant que je ne le croyais pas mauvais et je lui ai demandé de m'excuser de ne pas être une malade très facile. Il avait l'air de me

158

considérer en riant ; je suis sûre qu'il était fier de me voir un peu honteuse et humiliée.

Pour me remercier, vous n'aurez qu'à me chanter ce cantique que j'ai entendu quand vous faisiez vos ablutions dans le Rio, il y a quelques jours. Et voilà qu'il avait trouvé le moyen de me remettre en fureur. Vous m'avez vue ?

Oh non, je n'ai pas l'habitude de lorgner les bonnes sœurs pendant leur toilette. J'ai en matière de femmes des goûts plus... comment vous dire... affriolants. Bref il se trouve que je lavais ma chemise derrière le bosquet et que je vous ai entendue et écoutée avec plaisir.

Je regrettais notre conversation au fur et à mesure qu'elle se déroulait. Il faudrait que quelqu'un m'explique pourquoi je m'en sors aussi mal avec cet individu. Seigneur... Dire que les premiers temps j'étais dans l'illusion de le changer ou même de le convertir à Ta douceur. J'ai imaginé qu'il deviendrait mon ami et qu'il serait enfin respectueux de Ton nom et de la servante que Tu as choisie pour perpétuer Ton Église. Je lui ai même dit dans un moment stupide de sincérité, savez-vous que j'avais caressé l'espoir que nous pourrions être amis ? Et qu'a-t-il répondu ? Voilà où était votre erreur, ma chère sœur, ce n'était pas l'espoir qu'il fallait caresser, je peux être si docile quand une femme s'y prend avec douceur ! Quelle imbécile je fais de lui donner toujours l'occasion de me prendre en défaut.

Voilà. Maintenant, il me faudra attendre de retourner au Cap-Ferret. Pourquoi n'ai-je pas emporté ce journal ? Toute ma vie n'est qu'une attente de la suite d'une histoire. La mienne ou celle de cette religieuse qui, je ne sais pourquoi, ont l'air de cheminer ensemble.

Nous devions nous revoir demain, mais cela me paraissait si loin, si incertain. J'ai risqué un mot dans ta direction et tapé un message téléphonique comme on griffonne une proposition. Un dîner ensemble ? Un point d'interrogation, une tentation, un embarquement pour ailleurs. Je ne sais pas encore où, mais peu importe. Selon l'humeur du moment, nous marcherons sur les quais, entrerons dans un café sombre et mal famé. Nous pousserons la porte d'un restaurant aux lustres brillants où l'on nous emmènera dans un salon particulier ; celui où les femmes rayaient les glaces pour tester la pureté des diamants offerts par leurs amants. Et maintenant je mourais, l'oreille aux aguets, craignant un refus ou pire un silence. Mais tu as répondu vite. *D'accord pour ce soir. Je t'aime. Passe me chercher. Je t'aime.* Tu l'as répété. Je jubile. Je suis immergée dans mes dossiers, je réponds à peine quand on entre dans mon bureau, mon regard suit la ligne des branches sur les arbres dont les bourgeons sont à peine éclos. C'est le printemps qui commence ici. Je pense aux mimosas là-bas près de la dune. C'est un bonheur d'avoir une maison quelque part, une terre presque choisie vers laquelle on se laisse voguer comme une consolation aux impatiences de la vie. Ma maison, mon oubli de toi. Mon travail stagne. Je dois rendre un article assez long pour le prochain numéro de notre revue interne. Je suis la dernière. Les autres se sont exécutés. On me presse. Je rechigne, mais finis par avancer un peu.

Je ne sais pas pourquoi, quand on me rencontre, on croit toujours que je ne travaille pas. Je dois dégager un *je ne sais quoi de confortable*, des volutes de femme au foyer. Souvent je me tais. J'en jouis. J'ai passé parfois des soirées entières à être la compagne de John, la femme de l'antiquaire, la bonne de l'historien, parfois la ravissante idiote. Il suffit de peu de chose pour faire une étiquette. Quand l'investigation se poursuit et qu'on m'arrache ma fonction, mon nom de scientifique, un peu de mes recherches, on est bouche bée. Chercheuse au CNRS. Je ne corresponds pas. Je devrais être forcément moche, forcément mal habillée, et de surcroît pas du tout sensuelle. Un esprit pur et laborieux qui trimballe un corps attribué. La bêtise humaine me consterne. Parfois, on me demande même si j'ai eu des diplômes. Non, dis-je dans ce cas, je couche avec les plus grands, les mieux placés. Vous savez, ce sont des hommes aussi. On ne me croit pas. On a tort ! Certains, ceux qu'on a coutume d'appeler *des tronches*, ne s'en sortent pas mal du tout avec le reste de leur corps. Quand j'aurai le temps, je passerai voir quelques collègues qui étudient le cerveau. Je voudrais scientifiquement savoir comment je fais pour penser à ma vie, penser à toi, écrire cet article qui, je le sens, commence à prendre une forme fluide tout en étant très dense. J'y intègre les champs que nous ont ouverts nos dernières découvertes. Dans les années qui viennent, les flux migratoires vont complètement changer. Nous sommes à la charnière. Dans tout ce que j'ai observé jusqu'à ce jour se trouvent les mouvements des hommes de demain. Nos travaux vont commencer à servir à quelque chose, disent ceux qui ne pensaient pas avoir besoin de nous. Jusqu'à ce dîner, je m'efforce de ne pas laisser nos retrouvailles me distraire. Comme toujours j'ai le cœur qui bat très fort, mon estomac a lâchement abandonné la partie ; il navigue entre le poumon et la bile. C'est pire encore que d'habitude. Une de mes étudiantes que j'aime bien, et qui me demande souvent mon avis pour sa thèse sur les immigrants allemands en Pennsylvanie, passe me dire bonjour. Avant de quitter le bureau, elle hésite puis se penche vers mon oreille. *Vous avez l'air d'avoir des papillons dans le ventre...* C'est quoi ça, des papillons dans le ventre ? C'est quand on est vraiment amoureuse. Quand on a une aventure, mais que ce n'est pas rien, vous pigez ? Je rougis et proteste. Je n'ai jamais d'aventures qui ne sont *rien.* Elle me fait un petit clin d'œil. Peut-être mais là, ça m'a l'air d'être quelque chose ! Ça se voit donc tant que ça ? me dis-je, affolée. Comme si elle m'avait entendue, elle a repassé la tête dans l'entrebâillement de la porte. J'ai cette réputation-là. Ne vous inquiétez pas. C'est juste parce que moi, je le vois. C'est un don, dit-elle sans prétention avant de refermer doucement derrière elle. Nous n'avons jamais parlé de rien d'autre que de météo, de l'histoire des peuples et de je ne sais plus quoi d'autre aussi éloigné de notre vie privée. Je hausse les épaules. C'est vrai que je me sens vraiment mal. *Des papillons dans le ventre*? Des chauves-souris plutôt.

Les jours où l'on vide le placard en maugréant « je n'ai rien à me mettre » sont aussi obscurs que les instants sereins où la main se tend sans hésiter vers cette jupe-là, cette couleur de printemps, ce motif de rêve. Mystérieusement cette robe sera ce soir celle de notre rendez-vous. Elle est couleur de soleil avec des fleurs. Elle est l'image du printemps qui nous a réunis. Plus que quelques minutes avant de te retrouver. Pour finir mon article, j'ai oublié l'heure. J'ai à peine le temps de prendre une douche, de mettre un peu de maquillage, de courir vers le métro. Les yeux dans le vague, j'enregistre les battements de mon corps. À l'intérieur de mon estomac, le manège de la grande roue a commencé son tour. J'ai toujours détesté les fêtes foraines. Un homme se penche vers moi. Vous êtes très belle. Je lui souris, à peine rassurée. Je vacille devant ta porte.

Quand tu m'ouvres, tu as un téléphone vissé sur l'oreille, me fais signe d'entrer avec un bref sourire. La conversation dure longtemps, tu navigues entre les différentes pièces et m'adresses des sortes de rictus en me croisant. Je me sens de plus en plus mal. J'ai l'impression d'être arrivée à un faux rendez-vous, d'avoir rejoint quelqu'un sans y avoir été invitée. Tu raccroches, m'effleures le front de tes lèvres, puis recomposes un numéro en t'excusant. J'attends et je sens que tu prends ton temps comme si je n'étais pas là. Tu ris, papotes, comme si nous n'avions aucun dîner, comme si je n'étais pas dans la pièce à côté. Les Espagnols disent *esperar*, espérer, pour attendre. Cela convient mieux à ce que je fais là. Quelque chose cloche, mais je ne sais pas quoi. Bientôt cela fera une heure que je patiente, en soupirant que tu finisses. Je feuillette quelques livres de photos sans conviction. Cela tue mon enthousiasme et je le sens. Je tente de me raisonner, de me dire que tout est normal, que tu avais des choses à faire, mais l'affront ne m'échappe pas. Que veux-tu me signifier que je ne comprends pas ? Je diffère. Je suis encore dans l'impatience, dans le désir de nous retrouver dans ces douceurs qui nous ressemblent. Quand tu termines enfin ta conversation, je m'approche pour t'embrasser, mais tu me repousses et prends un air distant. Une main d'acier me traverse le ventre. En quelque sorte, l'intuition d'un désastre. Et commence une scène, insoupçonnable dans la belle histoire que nous vivons. Tu te lances dans une sorte de monologue dans lequel tu m'expliques que tu es un homme libre, que j'ai envahi ton espace, que je suis une sorte de femme vampire qui dirige notre relation. Nous ne nous sommes jamais disputés. Dans cette course assoiffée de l'autre, nous n'en avons jamais eu le temps ni l'envie. Cette soirée n'était pas prévue, mais tu l'as désirée autant que moi. Enfin je le croyais. Je ne comprends rien à cette flopée de reproches. J'essaie de le dire. Mais ma tentative a l'air de servir ton propos. Ta voix est forte, de plus en plus théâtrale. Tu pérores, tu t'écoutes parler, mais tu n'as pas l'air de mesurer les énormités que tu profères. C'est un cataclysme de mots, un magma scintillant de raisonnements abrupts. Devant ce hourvari où il ne m'est rien offert que de subir tes dégorgements, je m'effondre intérieurement. Je ne peux rien dire, je suis blême. J'écoute cette voix dure, inconnue, qui me malmène et retourne ce que j'ai dit dans un match que je n'ai pas voulu disputer. Tu te sers de tout, de tes jugements comme de mes abandons. Tu reprends des confidences, des moments passés. Il faudrait se battre, protester, se défendre, renvoyer la balle. Mais je suis venue si légère dans une invitation pour un voyage d'une soirée. Un dîner que nous aurions partagé. Celui qui me fait face est un étranger. Je ne peux comprendre ce décalage, ce flot d'agressivité, de rancœur. Ce besoin de rudoyer l'autre, de le voir se plier à je ne sais quelle autorité démesurée. Derrière les mots qui m'insultent en essayant de me mettre plus bas encore, j'entends un autre discours. Quelque chose qui suinte des limbes de l'enfance.

Tu as osé me demander de l'amour à moi qui suis un être en guerre. Tu vas payer. Tu seras laide, sans intelligence, tu seras comme je crois que je suis. Un homme de peu d'importance qui gonfle la voix pour se persuader qu'il en a. Tu mourras de m'avoir aimé, de m'avoir cru brillant. Tu vas crever, ma belle, parce que je ne sais pas aimer sans détruire. Tu vas crever parce que tu m'aimes et que je me déteste.

Quel scénario fatal se déroule en toi ? D'où viens-tu ? Je devrais m'en aller, me tirer en courant au lieu de basculer d'un seul tenant. Mais ce flot de révolte, ce besoin de destruction anéantissent ma colère. Je me tiens, paupières baissées, dans un échec vertical et ruisselant. Mon cœur est dévoré par cette menace voilée. Paralysée, j'articule quelques mots, mais chaque tentative est contrecarrée, sévèrement remise à la place que tu lui as assignée. Une de tes confidences me revient. *J'ai un instinct très sûr de l'autre, de ce qu'il va faire, de ce qu'il pense.* Cet instinct-là, qui pilote ton cynisme, l'utilises-tu contre moi en ce moment même ? Je suis sommée de répondre de mes incompétences, de mes manques, de ce que je ne suis pas, de ce que je ne sais pas faire. La situation est ridicule et je pourrais hurler, claquer la porte, éclater de rire, te traiter de dingue et partir. Oui, je devrais fuir ce que je vois et qui ressemble à de la folie, puis me réjouir de comprendre à quoi j'ai échappé. Mais quelque chose me retient. J'ai envie de hurler, d'appeler l'homme que j'aime et que je suis venue rejoindre, l'impatient qui m'aimait. J'espérais la lumière des retrouvailles. Un monstre me fait face, il a ton corps et ton visage. L'émotion me submerge. Surprise. Des larmes viennent en cascade, jaillissent de mes yeux. Je m'enfuis dans l'autre pièce, tente de les retenir comme tout le reste, alors elles roulent silencieusement sur mes joues. Ma sensibilité est laminée, mon âme se recroqueville. Je ne savais pas qu'on pouvait m'atteindre de la sorte. Dans la nudité de l'amour que je ressens pour toi, j'implore que tout s'arrête. Que s'est-il passé ? Mon silence balbutie tandis que ton flot verbal est d'une intarissable cruauté. Je mets à distance cette voix dont le timbre m'est inconnu. Je suis face à toi qui me détestes en cet instant. Le temps est interminable. Je découvre que ma fierté s'est enfuie. Je ne jouis pas de la souffrance que tu m'imposes ; je t'aime en silence et, suffocante de larmes, je sens que les coups portés ne me tuent pas. Stoïque et désemparée, je continue à t'aimer malgré la peur. Le spectacle de ta fureur me souffle que tu es plus en danger que moi. Est-ce pour cela que je reste ? Tu finis par t'apaiser, tu es troublé par mes larmes. Tu me prends dans tes bras, t'excuses enfin. Mais ce retour à la caresse ne m'apaise pas. Au contraire. Il va falloir lutter, faire comprendre au monstre que je viens de voir que je ne suis pas sa victime. Être restée pendant la tempête m'a arrachée à moi-même. Tout m'est interdit sous peine d'endurer à nouveau ta violence brute, animale. Je marche sur un fil au-dessus d'un océan d'acide. Je ne sais plus si je suis cendre ou braise, si je peux me disséminer ou m'enflammer à nouveau. Je respire tout doucement. J'essaie de comprendre sans te scruter. Je suis en quête de savoir ce qui est mort alors que je lèche les morsures. Je ne dis rien. Je sens que le fauve serait repu de son pouvoir de détruire. Je fais taire mon désir d'être ailleurs. J'attends, je suis calme et tente de réintégrer mon corps dévasté. Je guette en toi une lueur qui répondrait à cet amour immense que je n'ai jamais cessé de te porter au milieu de ce raz-de-marée d'injustices. Les démons semblent s'éloigner. Je me sens protégée par quelques puissantes sorcières qui tissent une toile pour m'isoler du pire. Je n'ai pas vu venir la foudre, mais j'ai compris dans ce chagrin qui s'estompe qu'il te fallait une guerre, un vainqueur, quitte à courir le risque d'être le vaincu, le salaud, l'assassin. Celui qui meurt de tuer. Je n'ai jamais connu cela. Mes histoires étaient simples, passionnées puis dépassionnées. Mon égoïsme naturel m'éloignait des complications. Les amoureux transis m'ennuyaient, les torturés me faisaient fuir. Bref, je suis encore plus surprise de mon attitude que de la tienne. Tout amour déployé, je suis debout dans ce champ de bataille où, en ce qui me concerne, il n'y a ni vaincu ni vainqueur. Seul l'amour semble occuper la place de ce terrain silencieux. Je mesure la distance qui nous sépare d'une étreinte.

Je croyais pourtant à notre pacte d'amour. Être là pour l'autre, lui donner ce qu'il désire quand il en a besoin. Ce qui est impossible à vivre au quotidien, cet éphémère sentiment d'avoir trouvé l'âme sœur. Demeurer dans la permanence pour brûler le plus fort possible sans être ensemble. L'absolu secret de la rencontre, l'impossible contrat des amants maudits. Mais n'en est-il pas toujours un qui se rebelle après avoir tout accepté ? Il renie des promesses qu'il ne croyait pas avoir faites, se révolte, regrette ce qu'il a béni, hurle d'avoir des miettes, se croit moins aimé. Il pense que le don suprême réside dans ce quotidien qu'il déteste, ce partage qui broie l'incandescence dans les griffes de l'habitude. On peut décider de sauver sa peau, d'y laisser des plumes ou d'inventer du charme au jour le jour, mais il y a un moment où les manques de l'autre mettent à sac notre bonne volonté, un moment où l'on cesse de vouloir être seul responsable pour être malheureux, exclu ou mal aimé. Parce que notre propre incompétence pour aider l'autre nous est un poids plus grand que nos propres empêchements. La valse de nos sentiments est une danse dans laquelle on ne peut faire entrer autre chose que ce tournoiement envoûtant qui épouse la musique du cœur. Il est interdit à ceux qui s'aiment de regarder l'avenir. Saisir l'instant et lui donner toute sa splendeur, vivre le bonheur dans un regard immédiat, voilà le secret de la longévité. Et rompre le charme, c'est vouloir mettre des « toujours », concevoir des plans, édifier des murs, prévoir, construire, consolider, interroger demain... Voilà tout ce qui me traverse depuis notre rencontre. Des intuitions que j'érige en principes et dont je me fous qu'elles aient un caractère universel.

Tu me l'as dit pourtant durant cette première nuit. Je suis un homme toujours absent, parti sur des terrains dangereux. Je n'ai rien à promettre, je ne peux rien décider. Je t'ai répondu que j'étais encore mariée et que je vivais avec le père de mes enfants, même si j'étais aussi libre qu'une célibataire. Je me souviens que tu as ajouté que tu n'avais jamais aimé aucune femme aussi fort, alors j'avais confiance. Je ne savais pas que tu prendrais une hache, que tu abattrais ce qui était là, fragile. J'avais omis que ton besoin de conquête incessant ne se satisferait pas de ce qui était donné. Il fallait que ce soit difficile, inespéré. Il te fallait des refus que tu repousses au-delà de l'impossible. Tu ne vivais que dans ce qui te donnait l'impression de mourir pour l'obtenir ; te dépasser pour être enfin aimé. Seul te motivait ce que tu pouvais prendre, arracher, gagner, puis digérer, broyer, rejeter. Ma peau accordée à la tienne percevait ce gouffre qui nous séparait. Je découvre que ce que tu avais aimé en moi est exactement ce que tu

169

viens d'essayer de tuer. Ce bonheur facile et léger que tu te refuses. Tout était beau, tout était fluide, tout était simple. Je jouissais de toi et me donnais avec la force d'une femelle qui trouve son double et n'en a jamais peur. Je t'avais aimé si fort. Pourquoi le dire au passé ? J'aurais pu te comprendre dans la sensibilité exacerbée de nos séparations. Je me souviens que, dès la première fois où nous devions nous quitter, tu m'embrassais avec désespoir, m'attirais, me repoussais, semblais exaspéré que je sois encore là et me reprenais encore pour me toucher. Tu murmurais, va-t'en, je suis fou de toi. Avais-tu déjà peur que je m'accroche et que je t'emprisonne quand tu disais m'avoir espérée avec l'urgence de ne pas mourir sans me rencontrer ? La tempête de mes sentiments n'arrange rien. Cet amour fou qui n'a plus que sa folie apparente est-il mort ? Peut-être te nourris-tu de ce sentiment irrémédiable d'avoir tout perdu et par ta seule faute. Je sais que d'autres à ma place seraient tranchantes et ne te reverraient plus. D'autres encore se damneraient pour te garder, se vengeraient de leurs faiblesses en ayant plus mal encore. Mais je ne suis pas dans ce camp-là non plus. Je ne suis pas dépendante de la souffrance que tu m'as infligée. Je suis attentive à ton désarroi. Je me demande quel genre de passé peut prédestiner un homme à fuir l'amour qu'il désire. Je ne te laisserai jamais croire que tu avais raison avec tes attaques définitives. Perdre, c'est encore une façon de gagner parce que celui qui érige l'échec en règle tire une jouissance de toute catastrophe personnelle. Je suis là et je t'aime. Je le répète avec force et gentillesse. Quelque chose est mort en moi, mais dans l'élan de ta folie quelque chose est né aussi. Une joie de donner que je ne soupçonnais pas, un amour véritable qui m'inspire l'émerveillement de vouloir faire le bonheur d'un homme qui en a tant manqué. Je suis là, désemparée par ce nouveau sentiment que je ne savais pas possible. Ce n'est pas la peur de l'amour et son délicieux pincement au ventre. C'est un malaise que j'essaie d'apaiser entre tes bras à nouveau refermés autour de moi. Tu as fait écran au rire insouciant du cœur qui bat. Je me dis que je ne suis qu'une folle qui croit à l'amour d'un être dont la déchirure est si profonde que cet espoir est vain. Panser la plaie. Passer ma langue sur sa profondeur, mettre de la chair sur ta chair, opérer ce cœur ouvert dont le battement ne tient qu'à un fil. Je me leurre peut-être. Je suis dans l'illusion d'un sauvetage tandis que tu m'immoles tout entière sur l'autel des prétentieuses qui croient à la félicité. Je suis l'innocente fleur ouverte à ton sexe d'acier et tu me fais jouir pour mieux me dévorer. Larmes et sperme réunis, mon corps franchit le mur du son. Ce râle qui sort de moi est un cri de peur. Ta capacité à la douceur est un piège dont je suis la victime rêvée. Tu ne cesses jamais de chercher la faille et le point faible, et je ne suis pas en état de me cacher. Je me suis dévoilée en toute confiance. La nudité de mon âme, mon amour candide, mon indulgence pour tout ce qui tâtonne et cherche en l'autre, tout en moi est un appel pour un prédateur de ton espèce. Pour saper l'amour que je te porte, je te sais maintenant prêt à utiliser ce que tu crois être des faiblesses, et qui ne sont que des dons. Ce que je ressens pour toi jusqu'au fond de mes entrailles me broie le cœur. Ta peur de mon amour va-t-elle nous faire mourir ?

Tomas entra dans la bibliothèque, s'installa sur le fauteuil et regarda cette pièce qu'il aimait tant et qui allait devenir le domaine de Lysange. Tout en l'imaginant assise au bureau, dans une attitude d'élève appliquée, il revoyait son regard, ses boucles qu'elle secouait de temps en temps comme pour abandonner quelques idées noires. Tourné vers l'étagère, il saisit brusquement le journal de cuir de sœur Madeleine. Il en caressa la couverture, l'ouvrit délicatement, huma l'intérieur et commença à tourner les pages pour retrouver le passage qu'il voulait relire. Son regard balayait les écrits comme s'il cherchait une trace, une preuve qui lui aurait signalé que Lysange l'avait déjà trouvé ou parcouru. Il pensa qu'il était encore trop tôt et se prit à le regretter.

Un prénom agrippa son regard.

Journal de sœur Madeleine

Nous venions de faire escale pour la soirée. La voix d'un homme venant du fleuve a retenti. Douglas. Angel. Ils se sont donné l'accolade comme de vieilles connaissances. Jamais je n'avais vu Angel aussi heureux de rencontrer quelqu'un. L'homme avait tout d'un aventurier. C'était un Blanc plus vieux que lui, barbu et sale ; il devait avoir dans les quarante-cinq ans et n'avait pas dû croiser la civilisation depuis longtemps. L'embarcation du fameux Douglas était une sorte de cabane flottante et il avait tout un tas d'objets hétéroclites à bord. Elle contenait des caisses, des rames, des perches, des lignes de pêche, des outils, des chaussures étranges… Il nous a invités à dîner, puis nous a emmenés dans son bateau pour rejoindre sa masure sur les rives du fleuve. Mais avant cela nous avons fait un détour sur un petit cours d'eau qui se déverse dans le Madeira. Nous avancions sous un enchevêtrement de lianes illuminées par les rayons du soleil qui perçaient à travers les feuilles d'un vert scintillant. C'était magnifique. Douglas m'a demandé si j'avais déjà pêché le piranha, puis il m'a montré comment placer un petit morceau de viande sur l'hameçon. Il suffit de tremper et de remonter tout de suite. Si on laisse trop longtemps la ligne dans l'eau, on perd le poisson. Ils sont tellement voraces qu'en quelques minutes, nous avions rempli son seau. Douglas riait car j'avais peur d'enlever l'hameçon. Ces petites choses frétillantes ont des dents pointues qui m'ont fait froid dans le dos. Je les ai imaginées en grappe sur un être vivant malencontreusement tombé à cet endroit. Il faut dire que les souvenirs de piranhas, qu'ils évoquaient devant moi avec Angel, étaient atroces. Comme s'il avait entendu mon dégoût, Douglas a soudain saisi une caisse dans le bateau et ouvert une drôle de boîte de couleur rouge. Il faut absolument que je vous fasse connaître mon plus grand bonheur ici ! Je n'en croyais pas mes yeux. Là, en pleine jungle, au milieu des ipés à fleurs jaunes ou roses, Douglas voulait nous faire écouter un disque. Je me demandais comment il allait brancher l'appareil, mais il s'est lancé dans une explication technique sur ces saletés de batteries qui ne tenaient jamais le coup avec l'humidité. Il nous a abreuvés de ses performances de bricoleur sur cet électrophone, un prototype français qu'il avait échangé contre ses dernières pépites à un Français en voyage. Puis il s'est tu, comme en extase. Il s'est immobilisé pour guetter les premières mesures de la musique, les yeux fixés sur moi avec un regard d'enfant. Et les chœurs des violons se sont alors élevés, partant des nénuphars, s'enroulant autour des fleurs multicolores et des rideaux de lianes scintillantes qui serpentaient devant nous. Quelques minutes irréelles se sont écoulées. Angel souriait. Alors ma sœur, Mozart dans l'enfer vert, la *Symphonie n° 29*, n'est-ce pas grandiose ? Le mot était faible. J'étais fascinée. Jamais je n'aurais imaginé que cette musique, diffusée dans la cacophonie des cris d'insectes et d'oiseaux de la forêt tropicale, aurait tant d'ampleur et de grâce. Cela faisait si longtemps, Seigneur, que je n'avais pas écouté autre chose que ces chants de la nature. Tout était insolite dans ce moment. Cet être si grossier qui se métamorphosait en écoutant Mozart, le regard d'Angel qui me scrutait, cette barque incertaine qui filait entre les lianes sur l'eau boueuse de la rivière. Malheureusement, l'appareil a commencé à donner des signes de faiblesse, Douglas s'est mis à jurer comme un charretier et notre intermède musical s'est terminé dans un dernier accord de violons mourants. Nous avons ensuite rejoint le minuscule terrain défriché où se trouvait la maison de Douglas. L'endroit était sommaire. Quelques planches de bois, un réchaud, des systèmes de bassines différentes pour l'eau. Un rideau était tendu pour séparer ce semblant de cuisine de l'espace pour dormir. Une femme se trouvait là et n'avait pas l'air bien heureuse d'hériter de deux invités imprévus. Je me suis précipitée pour lui proposer mon aide ; elle s'est un peu adoucie. Au cours du repas, toujours à base de ces haricots noirs et de farine de manioc, mais agrémentés cette fois de morceaux de poule passés à la poêle, Douglas ne s'adressait qu'à moi. Il parlait d'Angel. Où avez-vous dégoté un loustic pareil pour vous accompagner, ma sœur ? Remarquez, le choix est judicieux. Avec lui, rien ne peut vous arriver de fâcheux. Enfin je parle de votre sécurité. Pour le

175

reste… Lui et les femmes… Enfin une sœur, quand même… Il ponctuait ses petites phrases inachevées d'un rire très gras. Vous savez que je l'ai connu en couches-culottes, l'animal, mais il était déjà malin comme un singe. Vous devez être plus raisonnable que lui, ou les bonnes sœurs ne sont plus ce qu'elles étaient, je me trompe ? Angel riait et n'était pas du tout fâché de la description que son ami faisait de lui. Ce Douglas parlait très mal à sa femme et la traitait comme une bonne. Dis ma grosse, apporte donc la *cachaça* pour nos amis. Elle ronchonnait. Durant tout ce temps, il n'a jamais dit son prénom, Maria, qu'elle m'avait soufflé tout bas en cuisinant, comme si elle avait peur d'être réprimandée.

Alors Angel, te souviens-tu de nos petites virées chez les danseuses du carnaval ? Les belles métisses pas farouches qui tombaient comme des mouches devant les chercheurs d'or que nous étions ! Et toi qui leur parlais de nos mines qui débordaient de pépites ! Je ne me suis pas marré comme ça depuis ton départ ! Il faudrait le castrer celui-là, a marmonné sa femme en ouvrant la bouteille d'alcool de canne à sucre. C'est déjà fait, ma belle, depuis que je vis avec toi, a déclaré en riant Douglas qui avait saisi au vol ses paroles. Mais sois un peu gentille, ce ne sont pas des conversations pour une envoyée de Dieu. Nous avons la chance d'avoir un peu de pureté qui nous tombe du ciel aujourd'hui. Comme si sa pauvre dame était responsable ! Je me sentais de plus en plus mal, Seigneur. Angel me surveillait du coin de l'œil et j'avais l'impression qu'il s'en rendait compte. J'ai essayé de récupérer la situation en l'interrogeant. Monsieur Douglas, vous qui avez beaucoup vécu, racontez-moi. Y a-t-il encore beaucoup de chercheurs d'or dans cette région? Font-ils fortune? Sont-ils brésiliens ou viennent-ils d'ailleurs?

Vous boirez bien un petit coup, ma sœur? Goûtez-moi cet élixir indispensable à ceux qui vivent dans cette épouvantable forêt. Avec la *cachaça* et Mozart, en ce qui me concerne, je peux mourir ici! J'ai refusé, bien sûr. Mais je crois qu'il me testait et que sa proposition n'était pas sincère. Les chercheurs d'or viennent de tous les coins du Brésil. Ils sont comme ces pauvres bougres de *seringueiros* abusés par des rabatteurs qui leur promettent de faire fortune. La vérité c'est que, depuis que le cours du caoutchouc a baissé, les hommes ne gagnent plus rien et restent prisonniers des dettes de leurs achats à ces voleurs de *seringalistas*. Imaginez qu'ils achètent leur nourriture et même leurs outils à leurs patrons. Alors la dette s'allonge et celui qui est parti pour faire fortune est toujours là dix ans après, encore plus pauvre qu'à son arrivée. Et quand, par désespoir, ils essaient de fuir, on les abat comme des chiens. Ou alors ils tombent sur une volée de gros malins et leurs petits gains amassés durant plusieurs mois de labeur changent de mains en une seule soirée. Ne croyez pas tout ce que vous entendrez, ma sœur, il y a plus de misères que de fortunes accumulées par ici. Puis, se penchant vers moi avec un air confidentiel, il m'a demandé si ce voyou qui m'accompagnait m'avait fait des avances. À ma grande surprise, c'est Angel qui l'a envoyé paître sèchement en lui rappelant qu'il était chargé de m'emmener à Guajará-Mirim saine et sauve, et c'est tout.

J'ai remarqué qu'il ne faisait aucune allusion à notre chargement de médicaments. Le regard de Douglas a longuement scruté Angel, puis il s'est tourné vers moi. Vous savez ce que signifie Guajará-Mirim ? En langue tupi-guarani, cela veut dire « petits rapides », mais d'autres indigènes se réfèrent à ces tourments mystérieux de l'eau et selon les légendes disent qu'il faut traduire Guayaramerín par « lieu des femmes sensuelles, séductrices » ou « lieu des sirènes ». Un drôle d'endroit pour une bonne sœur !…

La sonnerie du téléphone tira Tomas de sa lecture et il sursauta. Il laissa sonner deux ou trois fois sans bouger puis se ravisa et se leva pour décrocher. Son visage s'éclaira en reconnaissant la voix. Bonjour ma sœur, comment allez-vous ? *Tudo bem.* Comme c'est gentil à vous de m'appeler. Il écoutait attentivement son interlocutrice en pensant à la belle amitié qui s'était tissée entre eux au fil des années. Vous aviez raison comme toujours. Même si c'était un peu difficile au début. *Saudade.* Non, je n'ai rien dit. Oui. Les yeux, la voix, les expressions. Je surmonte. Je suis heureux de lui confier cette maison. J'aurais été idiot de ne pas vous écouter. Je vais rentrer au Brésil dans deux ou trois semaines. Je ne sais pas grand-chose d'elle. Je la devine très amoureuse. Quand même, avouez que je suis dans une drôle de situation. Le journal ? Je ne crois pas. *E voce*, comment ça se passe là-bas ? Encore ? Il faudrait leur régler leur compte une fois pour toutes… Oui je sais, mais ça fait quand même deux mille ans qu'il s'en fout ! Je vous embrasse, ma sœur. *Abraço.* Saluez Geraldo de ma part. *Até logo.*

Durant la conversation téléphonique, Tomas n'avait pas lâché le cahier. Après avoir raccroché, il se laissa tomber sur le siège le plus proche, comme épuisé par ces quelques mots échangés. Puis il tourna à nouveau les pages d'un air sûr, et soupira d'aise en saisissant au vol les mots du passage qu'il cherchait quand il s'était laissé entraîner par la rencontre avec Douglas.

Journal de sœur Madeleine

Hier, j'ai eu très peur. Angel a été pris d'une fièvre épouvantable. C'était à la fin de la journée, il transpirait, je voyais bien qu'il allait mal, se retenait et tentait de ne rien laisser paraître. Quand nous nous sommes arrêtés pour établir le camp pour la nuit, il s'est presque évanoui. Il tremblait, grelottait, tout en refusant de se coucher. Je pense qu'il avait une crise de paludisme. Il m'a indiqué où trouver des pilules qu'il a prises immédiatement, mais cela n'a pas eu l'air d'arranger les choses. Les Indiens lui ont fait boire une mixture dans laquelle je n'avais pas trop confiance, mais je n'ai pas osé m'y opposer. Ils lui ont fabriqué une natte de branchages qu'ils ont élevée sur une sorte d'estrade sur pilotis pour qu'il ne soit pas à même le sol durant la nuit et je suis restée auprès de lui, désemparée. De toutes mes forces, je Te priais, Seigneur. J'imaginais le pire. Je me disais, s'il meurt, qu'allons-nous faire ? Pourtant je ne voulais pas croire à la gravité de son état. Il avait l'air de souffrir et, pour une raison que j'ignore, j'en étais très malheureuse. Dans son délire, il a saisi mon chapelet et s'est déchaîné en voyant la tête de mort qui se trouve sur l'autre face du visage du Christ souffrant. Il a commencé à délirer en y lisant je ne sais quel signe sur son état. C'est vous, n'est-ce pas, qui venez pour me conduire en enfer ? Je le savais.

Je lui ai posé un linge mouillé sur le front et j'ai tenté de chanter quelques cantiques pour l'apaiser. Pendant quelques minutes, il a paru s'endormir puis ses élucubrations ont recommencé. En portugais cette fois. *Eu sonhei com você, sabe meu amor ?* J'ai rêvé de toi. Tu le sais, mon amour ? Il me broyait la main en chuchotant dans cette langue que j'aime tant. *Você estava nua nos meus braços.* Tu étais nue dans mes bras. *Eu escorregava minhas mâos entre as suas coxas macias.* Je glissais mes mains à l'intérieur de tes cuisses si douces. *Você sentiu minhas carícias, não sentiu ?* Tu as senti mes caresses, n'est-ce pas ? Sa voix était enveloppante et, malgré les gouttes qui perlaient à son front enfiévré, il avait l'air de me parler. Il me fixait de ses yeux bleus écarquillés. Il semblait fou. Je savais bien que ses paroles s'adressaient à une autre, mais j'étais troublée. Je me disais qu'une Brésilienne l'attendait peut-être au bout de notre voyage. Je m'efforçais de le calmer, chut, vous allez bientôt la retrouver. Ne vous fatiguez pas, reposez-vous. Mais il ne s'arrêtait jamais de parler. *Você tinha virado o rosto pra trás, fechado os olhos e deixado a boca entreaberta. Eu beijava seus lábios e você gemia… Lembra ?* Tu avais renversé ton visage en arrière et fermé les yeux, tu avais entrouvert ta bouche et je baisais tes lèvres, tu gémissais, tu t'en souviens ? *Diz pra mim que você queria gozar de novo !* Dis-moi que tu voulais encore jouir. Il caressait ma main qu'il n'avait pas lâchée. Je me disais qu'il devait l'aimer, cette femme, mais je ne voulais plus l'entendre. Ses paroles me perturbaient. Je me demandais s'il s'en souviendrait une fois réveillé. J'avais envie de savoir qui était cette femme qui peuplait ses rêves. Je me demandais si tous les amoureux avaient besoin de se murmurer leurs aventures charnelles. C'est terriblement indécent, cette présence des mots. *Deixa eu lamber seus seios.* Laisse-moi passer ma langue sur tes seins. *Veja como eu morro de tesão por você!* Regarde comme je… pour toi. Je ne connais pas le sens de ce verbe. *Dê-me seu amor. Eu tinha esquecido a doçura de uma pele tão branca.* Donne-toi mon amour. J'avais oublié la douceur d'une peau si blanche. Tiens, elle n'était donc pas métisse comme celle de l'autre jour. Je l'ai laissé un instant pour ne plus écouter ses délires. J'ai fait quelques pas vers les fourrés exubérants qui bordaient notre campement. L'air moite et chaud me prenait la gorge et j'étouffais. J'avais l'impression d'être moi aussi fiévreuse. Puis Angel a gémi et je suis revenue à son chevet. Il parlait encore et je ne comprenais pas tout. Jamais je n'avais entendu personne dire ces choses-là. Il est vrai que j'ai abandonné l'amour humain quand j'étais encore enfant. Je me souviens de ces garçons qui tournaient autour de moi. Ils voulaient toujours que je les embrasse. Je devais être jolie. Un jour, l'un d'eux m'avait poussée dans les foins fraîchement coupés. J'avais dix ans, peut-être onze. Je lui avais collé une claque. Je l'aimais bien pourtant. Pour se venger, il avait ensuite raconté à tout le monde que je l'avais embrassé en secret, avec la langue. J'étais furieuse. J'avais eu toutes les peines du monde à rétablir la vérité. L'histoire me fait rire aujourd'hui. Ensuite, je n'ai plus repensé à toutes ces bêtises. Il n'y avait que Ton immense amour dans ma vie, Seigneur. Il n'y a jamais eu de place pour autre chose. Quand Angel s'est enfin endormi, j'ai regagné mon hamac. Je tendais l'oreille pour être sûre que sa respiration était régulière. J'entendais résonner sa voix grave dans ma tête et toutes ces folies qu'il voulait faire à sa belle. Je n'avais pas imaginé qu'Angel puisse appeler une femme « mon amour ». Et je ne sais pourquoi, mais ses paroles ont déployé sur mon cœur une lancinante douleur. Je me demandais ce qu'il en aurait été de ma vie si je n'avais pas pris le voile. Je n'ai jamais été qu'une gamine amoureuse d'un beau paysage, une âme émue par le spectacle de la nature.

Les émois puérils de mon enfance ne peuvent pas me faire regretter l'amour, mais ce que j'ai perçu dans le délire d'Angel me trouble. J'ai fini par tomber dans un sommeil lourd et chaotique, peuplé de rêves inavouables. Ce matin, quand j'ai apporté une tasse de café à Angel, il m'a semblé que sa fièvre était tombée. Il m'a fait un grand sourire en ouvrant les yeux, s'est étiré comme un chat et m'a saluée de cette bêtise, alors ma sœur, vous venez vous recoucher un peu avec moi ? Ils m'ont fait un lit splendide, nos amis indiens. Dommage que j'y sois seul. J'ai haussé les épaules et balayé les folies de la nuit. Vous avez l'air guéri ! Vous avez joué les infirmières à ce que je vois. Et là, j'ai été odieuse, Seigneur, il faut me pardonner, mais je lui ai dit qu'on avait encore besoin de lui pour la mission. Je n'ai pas pu m'en empêcher. Il a ri. Charmant ! J'ai dû vous en raconter de bonnes dans mon délire. Là encore, il me donnait l'occasion de le moucher. Vous parliez à votre femme apparemment. Ma remarque a paru le mettre en joie. À une seule femme ? Vous êtes sûre ? Quelle idiote je fais ! Comment j'ai pu croire un instant que ce voyou a dans sa vie une histoire d'amour ? Oui, Seigneur, j'étais bien sotte, alors j'ai continué à jouer l'imbécile pour le plaisir ou pour en savoir plus. Oui. Une seule, ai-je affirmé, et vous aviez l'air très intime ! Mais c'est bien fait pour moi. Je me suis fait piéger.

Et vous pourriez me répéter les mots que j'ai dits à cette amoureuse, ma sœur ? J'étais cramoisie en y repensant. Sûrement pas ! Je m'en doutais. C'était donc un peu trop osé pour vos chastes oreilles. J'espère que ça vous a fait de l'effet. Arrêtez de jouer avec moi, nous avons de la route à faire et votre état de santé a ralenti notre mission, lui ai-je balancé pour qu'il se taise. J'ai cru qu'il ne s'arrêterait jamais de rire. Je vous adore, ma sœur. J'ai failli mourir entre vos bras et c'est tout ce que vous trouvez à me dire. Et si mon délire s'adressait à vous, hein ? Je ne sais pas ce que j'ai raconté, mais peut-être que c'était réellement à vous que je parlais !

Je n'ai rien répondu, surtout pas que c'était impossible puisqu'il parlait portugais. Après tout, il ne s'en souvient plus et cela restera mon secret… Et ma tourmente, si j'en crois la nuit que j'ai passée.

Tomas referma le cahier avec un grand sourire aux lèvres. Il revit sœur Madeleine, bien des années après, lui avouer que jamais elle n'avait imaginé que les paroles si crues d'Angel s'adressaient à elle. Et pourtant elle se souvenait que cette nuit-là, à la faveur de son insomnie, le corps replié dans son habit de religieuse, elle avait senti l'ombre menaçante du doute. Elle aurait voulu interroger une autre sœur plus âgée, savoir si elle était seule traversée par cette impression d'expier une faute qu'elle n'avait pas encore commise. Mais il n'y avait personne auprès d'elle, seulement ce Jésus qu'elle avait pris pour époux et qui n'avait pas l'air d'entendre ses appels au secours. Tomas sombra dans ses souvenirs et s'endormit sur le fauteuil, serrant entre ses doigts le journal de sœur Madeleine.

Depuis ce que j'appelle ta crise, je ne t'ai pas revu. Avec cette folle soirée, tu as créé une douleur. Elle est posée entre nous comme un bloc de cristal qui menace de se briser. Tu as entamé la mélodie frénétique de la rupture. Les mots sont les révélateurs des desseins machiavéliques qui nous échappent. Je n'en avais pas face à cette déferlante de violence verbale qui me tenait à distance avec mépris. Toi, tu connaissais leur pouvoir. Tu l'as utilisé durant cette bataille où le silence était mon seul argument. Je voudrais y voir plus clair, pour me venger de tes promesses de dupe, de tes peurs d'enfant démasqué. Je voudrais comprendre cet emportement qui me lie à toi, cette irrémédiable envie de faire échec à ta mortifère destinée. Je crois que je t'aime encore. Si j'entre dans les méandres de mon âme, je vais me perdre. Entendre ton rire, rencontrer ta colère, fondre à ta douceur et ne plus savoir comment libérer mon corps transi par ces étreintes. Si je ferme les yeux, je sens ta langue qui noie ce que je veux dire, tu aspires mon désir de te repousser, tu infiltres ton venin de désir dans tout mon être, imprimes au revers de ma peau ton élixir, le sang du manque. Tu me connais si bien sans savoir qui je suis.

Et pourtant, tout ce que tu as dit sur moi était faux. Le bon comme le pire. Je ne suis ni parfaite, ni laborieuse, ni bête, ni formidable, ni sortie d'un moule. L'amour ne peut pas me construire avec des exigences, il n'obéit à aucune loi. C'est sans doute son charme et son danger. Quand me viennent ces expressions : une nonchalante rêverie, une mélancolie bienheureuse, je sens que l'amour m'entraîne. L'univers des sensations y crée son domaine. Mais si viennent la science, l'intelligence, la précision et le calcul, le voilà qui se cabre et disparaît. Mon amour pour toi est à la fois fort et fugace. Un rien le fait grandir sans que tu le saches et, si grand soit-il, il peut disparaître sur l'instant pour peu qu'on touche à sa magie. Pour me couler dans ce qu'il te donne, il faut que je me laisse aimer sans crainte de recevoir ces pépites, comme un fil tendu entre la peine que je porte et les étoiles auxquelles j'aspire.

Après cette nuit incertaine, je fais le pari que tu ne m'appelleras pas et cela dit plus fort encore la rancœur des reproches accumulés. Tu as toujours misé ta vie sur l'intelligence ; contrairement à moi qui pressens que seules les émotions nous dirigent. Crois-tu faire ce que tu décides ? Tu essaies de vivre comme tu shootes tes meilleures photos. Très vite, en imaginant que tes connaissances et ton raisonnement guident ton instinct. En réalité, tu ignores tout de la petite impulsion qui te fait appuyer sur l'obturateur quand tu sais que tu tiens ton image. Ton sentiment de toute-puissance vient de cet instant que tu crois éternel parce que tu l'as saisi. Mais l'autre intelligence, celle du cœur, te malmène sans que tu puisses t'en libérer. Dans la volée de flèches que tu m'as envoyées hier et dont je sentais la pointe me traverser, il y avait toute l'étendue de ton désarroi.

Aujourd'hui, je ne sais plus ce qui compte vraiment. Cet amour que tu as fait naître ou l'issue fatale que tu as voulu lui donner. Tout se mélange comme si notre histoire avait commencé et fini en une seule journée. J'ai brûlé d'amour et suis morte. La vie d'un lépidoptère crucifié sur une lampe. Je repense aux *papillons dans le ventre.* Une infinie mélancolie s'est déposée sur ma vie. Mon âme n'a plus l'ampleur que lui donnait ce chant du ciel depuis notre rencontre. Aspirée dans mes rêves, je courais sur les nuages, de l'air plein les yeux. Je vois maintenant des poussières qui me piquent, ensevelissent mon horizon, s'accumulent en m'aveuglant et dansent devant mes rêves anciens jusqu'à les masquer. Maintenant je sais que le couperet est tombé en coupant les fils et je t'en veux d'avoir gâché une si belle histoire. Et je m'en veux aussi. Quel aveuglement prétentieux et si féminin de croire que l'on va sauver un amour dont un homme vient de briser l'espérance ! Quels tourments inutiles ! Le bonheur ? Laissez-moi rire ! Il n'est décidément que dans cette promesse garantie à vie d'un couple qui s'entend et chemine tranquillement sans fièvre. Bien sûr qu'il aurait dû m'alerter, ce sourire béat que tu affichais en ayant l'air de découvrir que tout avait changé, que tu avais droit à la paix. L'accident était dans le virage suivant. La férocité du destin ne pouvait pas mieux faire. Que je sois là trop tôt, ne saisisse rien au contexte de la soirée entamée, ne comprenne rien à toi ce soir-là avait peu d'importance. Tout cela n'était que des raisons inventées, des alibis pour que s'abatte la hache. Ce qui allait se refermer sur moi était tout autre qu'une incompréhension d'un soir. Un piège où se débattre dans les manœuvres de fuite d'un homme programmé pour le suicide amoureux. Le temps de l'amour n'avait pas fait son chemin. Tu étais passé de l'amour à l'insulte sans raison apparente. Tout avait son prix, sa face négative, sa part d'ombre.

Ce qui était merveilleux, caché, éternel est devenu maintenant haine, farouche refus, douleur indicible. Voilà le seul choix qui me reste pour considérer l'amour immense que nous nous étions voué. Être une agression, m'empêtrer dans des appels réparateurs qui ne feront qu'empirer les choses. Ne plus savoir quoi dire, sentir l'exaspération quand on ne sait plus parler à l'autre. Ces échanges sont des lianes lancées où rien ne s'accroche. Toute main tendue reste vide. Savais-tu, après tes excuses, que cette étreinte serait la dernière ? Je me suis méfiée quand tu m'as demandé d'une voix très douce, *je t'ai fait peur ?* Je n'ai rien répondu. Question éminemment dangereuse. Si je disais non, je n'avais plus aucun intérêt, si je disais oui, j'étais foutue. Tu m'as serrée si fort·avant que je ne te quitte. Tu as dit, je t'aime. Et je l'ai répété. Alors tu m'aimes comme une nonne, m'as-tu dit très bas. J'ai sursauté et tu m'as regardée partir, avec un pâle sourire. Tout souvenir lié à une possible suite ouvre ma plaie. Sournoisement, les vibrations de nos chevauchées d'avant me hantent. La pulpe soyeuse de ta peau me frôle. Faire l'amour après cette tempête était une leçon, disais-tu ? Pour lequel de nous deux ? Le foudroiement est diffus. Tu es devenu mon amour chimérique.

Trois jours après cette terrible soirée, Lysange hésita, composa dix fois le numéro de Pierre sans aller jusqu'au bout. Puis, n'y tenant plus, elle finit par lui parler, essuya sa froideur, raccrocha sans espoir et appela Tomas pour lui demander s'il ne voyait pas d'inconvénient à ce qu'elle revienne passer trois jours au Cap-Ferret. Elle précisa qu'elle habiterait dans la maison et cela le fit rire. Je ne vous voyais pas loger à l'hôtel maintenant que nous nous sommes apprivoisés. Elle avait, disait-elle, des questions pratiques à lui poser sur le règlement des factures, le fonctionnement du chauffage. Lors du premier voyage, tout à sa découverte, elle n'avait pas pensé à l'intendance. Elle ne se souvint pas que Tomas avait déjà abordé ces questions. Et s'il s'en aperçut, il n'en laissa rien paraître, il lui rappela qu'ils avaient encore un mois devant eux avant qu'il ne reparte au Brésil et qu'elle était la bienvenue quand elle le désirait. Après un silence, il ajouta qu'elle n'avait pas besoin de raison valable pour venir chez elle. Dans sa voix, elle sentit qu'il la devinait plus qu'elle ne l'aurait pensé. En raccrochant, juste avant de réserver son billet, Lysange se souvint en partie de la première phrase lue dans le cahier de cuir : *Je ne savais pas ce que c'était l'amour, je ne savais rien de ce qui nourrit et dévaste...* Elle avait complètement oublié le début de cette histoire et voilà que cet extrait lui revenait quasi intact avec la force d'un avertissement qu'elle devait considérer à tout prix. Elle revit la maison près de la mer, posée sur la dune, et se réjouit de pouvoir lire bientôt la suite du journal de sœur Madeleine, dont l'épigraphe semblait bien s'accorder à ce qu'elle venait de vivre. Les sentiments de la religieuse allaient-ils se révéler vrais ? Fugitivement elle revit la soirée terrible avec Pierre et se demanda si son attitude mutique, sa grande compassion envers lui et l'amour qu'elle avait ressenti malgré la rage qui se déversait ne la rapprochaient pas d'une forme d'amour absolu et quasi religieux. Elle secoua la tête, dérangée par cette pensée. Puis, pour la énième fois, Lysange se demanda ce que faisait ce journal sur l'étagère de la bibliothèque de Tomas. Quelle était sa relation avec la religieuse ? Pouvait-il être cet Angel, cet homme arrogant que décrivait la sœur ? Lysange en doutait. Tomas avait l'air si calme. Et pourtant son parcours collait parfaitement à celui de l'aventurier. Peut-être n'était-il rien du tout dans cette histoire. Il était tombé sur ce cahier abandonné dans une poubelle ou chez un antiquaire brésilien. Ému parce qu'il était écrit en français, il l'avait acquis pour quelques réaux. Elle se souvenait d'avoir feuilleté dans une librairie le journal d'une religieuse, retrouvé dans la rue avec photos et dessins, et Pierre lui avait raconté avoir acheté pour une bouchée de pain des plaques photographiques prises dans les tranchées pendant la guerre de 14-18.

Des documents inédits et importants qu'il avait précieusement gardés.

Un moment elle se demanda si cette nonne en écrivant son journal avait pensé être lue un jour par quelqu'un d'autre que son Seigneur. Peut-être avait-elle espéré qu'Angel découvrirait ses atermoiements. Non. Sans doute ce précieux cahier était-il resté caché jusqu'à sa mort. Mais peut-être vivait-elle encore.

Au début Lysange avait pensé que le silence était son compagnon le plus sûr. Qu'aurait-elle bien pu dire à ses amis qui ignoraient tout du pacte qui avait toujours régi sa vie de couple ? Qui aurait pu la comprendre sans voir dans cette aventure la pathétique expression d'une crise de la quarantaine ? Elle aurait dû se débattre dans un argumentaire lamentable perdu d'avance, hors de propos. Cela prêterait à rire. Elle n'avait nul besoin de cet homme qu'elle n'avait ni imaginé ni désiré, et encore moins de son corps dont elle était aujourd'hui avide. Il lui semblait avoir déjà assouvi et exploré les mouvements de l'état amoureux, mais cette histoire ne ressemblait à rien de ce qu'elle avait connu jusqu'alors. Innocence, pureté, don total, vénération, tout ce qui ouvrait l'âme et s'emmêlait de façon inextricable au corps était un mystère. L'absence trahissait le souvenir, le désir et même la raison d'être d'une histoire, mais il était une chose que Lysange ne pouvait effacer : les portes qui s'étaient ouvertes, ce que l'amour avait modifié en elle et qui ne pourrait plus disparaître.

La vérité, c'était qu'elle était devenue une amoureuse intermittente convertie à l'abnégation totale. Elle aimerait désormais jusqu'à l'impossible, baignée de sentiments, comme une nonne illuminée par la foi. Et pas n'importe quelle foi, celle de l'amour absolu. Voilà ce qu'elle se disait avec tout le cynisme dont elle était capable. La solitude était-elle mauvaise conseillère ? Certes, mais il valait mieux garder tout ça pour soi. Dehors les raisonneurs. *Exit* les carillons bienfaisants. Il fallait ne parler à personne, et surtout ne pas prêter le flanc aux sceptiques. Elle ne voulait pas, alors qu'elle ne comprenait pas grand-chose à ce qui se passait dans sa vie en ce moment, que les autres lui expliquent ce qu'ils avaient l'air d'avoir compris. Oui, ce n'était pas si stupide de continuer à fréquenter ce fou qui voulait lui prêter sa maison gratuitement. Et oui, elle voulait continuer à croire que, pour la première fois, elle aimait un homme totalement, avec la ferveur d'une adolescente qui découvre l'amour et la volupté d'une femme mûre.

On vivait des temps conformes et sans charme. Tout ce qui échappait à cette règle et ressemblait à l'aventure devait nécessairement être faux ou dangereux. Rendre compte d'une réalité qui ne ressemblait pas à celle des autres équivalait à se faire des idées sur sa propre vie ou aller au-devant d'une flopée d'emmerdements. Tout comme avec John. Lysange savait depuis longtemps que la banalité était de mise. Un couple comme le leur, ça n'existait pas. Elle finissait par se demander si elle vieillissait ou si les choses prenaient véritablement un goût âpre avec le temps. Pourtant, qu'y avait-il de plus beau que les souvenirs, ces histoires qu'on se racontait et dans lesquelles la mémoire faisait son nid d'accumulations plus ou moins vraies ?

Avec Pierre, elle avait souvent parlé de la mémoire quand le désir les laissait reprendre leur souffle. On a beau dire, on a beau faire, la mémoire historique finit par être portée non plus par ceux qui ont vécu l'événement, mais par ceux qui ont connu ceux qui l'ont vécu, lui disait-il. Alors l'histoire se transmet différemment et cette mémoire perd soudain la force et l'émotion du souvenir. Tu comprends ? Toi, tu catalogues une mémoire de chiffres, de raisonnements à partir d'une enquête sur la vie quotidienne des hommes traversés par le chaos, la famine, la guerre. Tu cherches les raisons d'un exil et tu collectes les traces de la vie que des hommes construisent ailleurs, ce qu'ils gardent ou abandonnent dans ce voyage. Et moi, je témoigne avec mes images d'une histoire que ceux qui sont en train de la vivre ne pourront pas raconter demain. Elle s'étonnait de sa certitude. Tu ne crois pas que tu travailles pour ceux d'aujourd'hui, qui voient tes images et peuvent changer les choses ? demandait Lysange. Non. Personne ne veut rien changer, ou si peu. En revanche, cette peur d'être vus et jugés continue à tenir en laisse les bourreaux qui cherchent à échapper à notre objectif. Ceux qui nous disent que nous sommes des voyeurs avec nos appareils photo n'ont rien compris. Ce qui est sale, c'est la guerre, ce ne sont pas ceux qui la photographient. Il y a une phrase d'Albert Londres qui dit qu'un journaliste doit porter la plume dans la plaie. Rien n'est plus vrai que cette phrase-là pour le reporter de guerre que je suis.

C'est ce que j'essaie de faire avec mes images. Je mets la réalité des conflits sous le nez de ceux qui sont en paix. Juste pour qu'ils sachent. Et plus encore quand mes photos concernent des atrocités perpétrées sur des alibis de guerre. Ces génocides sont des crimes et, si on ne les montre pas, ces crimes n'existent plus...

En plongeant dans le souvenir de ces échanges, Lysange réalisait à quel point sa relation avec Pierre lui était précieuse et profonde. Mais qu'avait-il donc en lui qui ne lui permette pas d'avoir droit à l'amour, à une terre qui ne soit pas celle d'une guerre ? Elle avait essayé de le questionner sur sa vie quand il était en reportage. Et les femmes ? Quelles femmes ? Celles qui font le même métier que toi, pas celles du pays bien sûr, mais celles qui pourraient te comprendre, partager... Je ne sais pas, moi. Il avait sifflé. Ce ne sont pas des femmes. Ce sont des compagnons de route. On s'étreint dans les coupures de courant, on baise aussi, pour conjurer la mort et la peur. On se connaît très bien. On est les meilleurs amis du monde. Il n'y a rien de féminin en elles pour un homme. En tout cas, pas pour moi. Il n'y a pas de femme avec laquelle je puisse vivre une histoire dans ce métier. Mais depuis peu, je m'en fous. Il y a toi que j'aime et que j'ai tant cherchée, ma princesse, mon double, ma belle. Chaque mot amoureux prononcé par Pierre lors de ces conversations la traversait maintenant comme une lance.

Lysange se disait qu'une histoire d'amour était comme une vie tout entière. Elle avait son propre destin et ses atermoiements. Parfois elle ne s'accordait pas du tout à celui qui la vivait. Elle devenait alors un séisme, un si grand bouleversement qu'on ne pouvait plus la mener jusqu'au bout. Mais abandonner une histoire qui avait tant de personnalité, n'était-ce pas s'abandonner soi-même ?

Journal de sœur Madeleine

Aujourd'hui Angel a l'air inquiet. Nous sommes proches d'un village de *seringalistas* et selon lui un certain nombre d'individus peu recommandables ne nous laisseront pas repartir sans essayer de nous soutirer une partie de nos médicaments, voire la totalité. Il a imaginé que nous pourrions faire une halte en laissant notre chargement caché dans la forêt et gardé par deux Indiens. Cette solution ne me plaît guère, mais il n'a pas l'air d'humeur à supporter d'être contredit. De mon côté, je n'ai pas d'arguments très valables pour soutenir une autre idée. S'il a raison, nous risquons de tout perdre. Je n'ai encore jamais rencontré ces hommes dont les Indiens semblent avoir très peur. Quand je repense aujourd'hui à ce que je pouvais imaginer de ma vie de missionnaire, je souris intérieurement. Si l'on m'avait parlé d'aventure, j'aurais probablement répondu, rencontrer Dieu est déjà une aventure en soi, mais partir pour répandre Sa parole était certainement la façon la plus littérale d'imiter les disciples. Je me souvenais d'une sœur qui nous en parlait avec exaltation. Imaginez quel regard et quelle force de conviction devait avoir Jésus, nous disait-elle, pour que des pêcheurs s'en aillent sur-le-champ en laissant toute leur vie, quand il leur disait simplement, « viens et suis-moi ». Pour nous, petites novices qui allions épouser le Christ, cette image était fascinante.

Enfin, je n'aurais certainement pas envisagé de vivre un jour une aventure si humaine et si primitive pour Te servir, Seigneur. Quant à imaginer que je serais obligée de suivre dans cette aventure un être si... comment le dire, je ne sais pas, mais très loin de Jésus en tout cas.

Je ne sais plus par où commencer en reprenant mon cahier. Je me suis perdue, Seigneur. Il s'est passé une chose terrible qui m'a ouvert les yeux. Je ne sais pas si je suis capable de raconter ce que je viens de vivre tant j'ai l'impression que ma vie a pris un tournant irrémédiable.

Pendant notre fameuse nuit au village des *seringalistas*, j'ai entendu deux hommes sous ma fenêtre. Ils parlaient du fameux chargement qui ne semblait pas nous accompagner. Comment étaient-ils au courant ? Ils avaient l'air de dire qu'il ne fallait pas nous laisser repartir. Ils savaient qu'Angel s'entendait bien avec l'un des leurs, mais ils nous liquideraient à son insu. Les Indiens chargés de nous accompagner s'enfuiraient en abandonnant les biens. Au pire, ils en passeraient un à la torture et il parlerait. Je tremblais en les écoutant. Savaient-ils que leur conversation était entendue et qu'elle avait lieu sous ma fenêtre ? J'ai décidé que non pour me rassurer. Je me disais que c'était un hasard, une chance que Tu m'offrais, Seigneur, afin de nous sauver. J'ai remis ma robe sans cesser de trembler. J'ai écouté, l'oreille collée à la porte, mais tout était silencieux. J'ai traversé le couloir qui me séparait de la chambre d'Angel et tapé doucement. Il a grogné puis m'a ouvert. En me voyant, il a eu un large sourire et m'a demandé si je venais passer la nuit avec lui parce que j'avais peur. Je lui ai intimé de se taire et l'ai poussé à l'intérieur en lui murmurant qu'ils voulaient nous tuer. Il a essayé de me calmer tandis que je faisais des tentatives désespérées pour lui rapporter de façon cohérente ce que j'avais entendu. Au bout d'un moment, quand il a enfin compris que je disais vrai, il m'a regardée en fronçant un sourcil. Vous parlez portugais, ma sœur ? J'étais exaspérée. Ce n'était vraiment pas le moment de faire l'état de mes connaissances. Je crois que la peur m'a poussée à lui répondre sèchement. Évidemment, sinon je ne vois pas pourquoi on aurait envoyé une sœur qui ne parle pas la langue du pays. Ça alors ! Angel avait l'air médusé. Est-ce que vous vous rendez compte que vous n'avez pas dit un mot de portugais depuis que nous voyageons ensemble ? Je ne voyais pas du tout ce qui l'étonnait. Les Indiens discutent dans leur dialecte que connaît Angel et je n'ai pas eu l'occasion de me débrouiller seule dans les villes que nous avons traversées. Et puis sur le bateau avec cet homme… Bref, ce n'était pas l'urgence. Angel enfin revenu de sa surprise a réveillé l'Indien qui dormait non loin, lui a dit quelques mots et ce dernier a détalé en silence. Puis il a remis une grande partie de nos affaires à un autre Indien et éparpillé le reste dans la chambre. Il a renversé une chaise tout en m'expliquant qu'il nous serait difficile de nous éclipser tout de suite. Il nous faudrait attendre en nous cachant que nos futurs assassins croient à un départ précipité. Les Indiens sauraient les égarer et Angel leur avait donné un lieu de ralliement dans une de leurs tribus. Il m'a présenté la petite table en me faisant signe de monter après avoir ouvert la trappe donnant sur le toit. Puis il m'a aidée à me hisser dans le grenier en me recommandant de rejoindre le fond de la toiture pendant qu'il effaçait toute trace indiquant ce que nous avions pu faire. J'ai eu un moment de panique en pensant qu'il allait partir avec les Indiens et m'abandonner là. Vous n'allez pas me laisser ? Angel a posé un doigt sur sa bouche et j'ai eu l'impression que ma question l'avait fait sourire. J'ai entendu qu'il arrangeait la pièce puis il s'est glissé dans le grenier en refermant la trappe après avoir dégagé complètement l'espace. Il m'a rejointe et m'a dit tout bas : Dès que nous les entendrons, il faudra nous allonger complètement dans la partie la plus éloignée de l'ouverture au cas où ils auraient l'idée de jeter un œil. J'ai acquiescé, terrorisée par ce qui nous attendait. Je me doutais bien que ces hommes n'apprécieraient pas d'avoir été bernés par quelques Indiens, un mercenaire et une missionnaire. Je ne sais pas pourquoi j'emploie ce mot de mercenaire en parlant d'Angel mais c'est celui que je devine le plus adapté à la vie qu'il mène habituellement. Maintenant je sais la suite de cette aventure et je suis sûre, Seigneur, que Tu étais déjà au courant des arcanes de mon cœur. Je suis perdue, incertaine. Quand j'étais dans ce grenier, paralysée par l'angoisse d'être découverte, je n'avais pas le moindre mot pour qualifier Angel. Il était l'homme qui savait ce qu'il fallait faire et moi je n'étais qu'une petite chose inutile. Il a pris ma main et l'a serrée dans la sienne. Ça va aller, ma sœur ? Vous n'allez pas crier ? Comment lui en vouloir de poser la question alors que je n'étais pas sûre moi-même de ma résistance ? Je sentais qu'il se voulait rassurant. Le chargement est à l'abri, déjà reparti en direction d'un village, et pour nous c'est l'affaire de quelques heures, le temps qu'ils croient que nous nous sommes éclipsés en douce. Je lui étais reconnaissante de sa gentillesse. J'ai somnolé, assise une partie de la nuit, et au petit matin, alors que les oiseaux commençaient à chanter, nous avons entendu des voix d'hommes dans la chambre, juste au-dessous de nous. Ils claquaient les portes, parlaient fort. Sur un signe d'Angel, je me suis allongée au fond du toit et Angel s'est collé à moi après avoir armé son pistolet. J'ignorais même qu'il en avait un. Mon cœur battait comme un tambour et j'écoutais attentivement en essayant de saisir les mots de portugais qui nous parvenaient. J'entendis très bien l'un d'eux suggérer de regarder dans le grenier. Angel se plaqua plus fort contre moi pendant l'ouverture de la trappe. Je sentais son souffle au creux de mes oreilles et ses lèvres effleuraient mon cou. L'un des hommes parla de la poussière dans laquelle il n'y avait aucune trace de pas et ils refermèrent la trappe. Je me demandais comment rien ne subsistait de notre passage, mais j'aperçus dans la pénombre le sourire d'Angel. Il murmura à mon oreille que nous étions sauvés pour l'instant. Les voix s'éloignèrent et je me rendis compte que j'étais agrippée à lui ; je l'avais serré contre moi et j'avais aimé son corps collé au mien malgré la peur. Mais surtout, perdue dans ces sensations, au bord de l'évanouissement, Seigneur, je T'avais oublié. Je ne T'avais pas prié, mon esprit n'avait pas même esquissé une pensée vers Toi, mon Sauveur éternel. Accrochée à cet homme comme une pauvre épave, je T'avais en quelque sorte remplacé par un sauveur d'un autre genre. J'étais étourdie, troublée. Je le repoussai enfin, consternée par ce retour à la réalité et par ce que je venais de vivre. Il ne se releva pas tout de suite. Il se souleva et me regarda au fond des yeux, longtemps. Pour rompre la gêne qui mettait mes joues en feu, je lui ai dit, *ça ne vous a pas trop coûté de sauver une femme aussi peu affriolante ?* Ma remarque l'a secoué d'un grand rire. Ce fond de coquetterie venant de vous me plaît énormément, ma sœur. Il a insisté sur ce « ma sœur » avec une particulière tendresse moqueuse. Ô Seigneur, en l'écrivant mon cœur est aussi agité qu'au fond de ce grenier. Aurais-je des sentiments pour cet homme ? Se peut-il que mon cœur qui T'appartient soit touché par ce… Je ne trouve pas de mot. Je suis au désespoir. Je ne comprends plus rien. Comment se fait-il que je sois tellement perturbée et que, face à lui, je ne sache pas me défendre ? Pourquoi, alors que j'aurais dû trembler, je frissonnais pour une tout autre raison ? Je claquais des dents. Pourquoi ne puis-je lui parler sans dire justement tout ce qu'il faudrait taire ?

À Toi, maintenant, je peux l'avouer, Seigneur, Tu connais mon cœur transparent depuis si longtemps. Depuis l'épisode du grenier, j'ai surpris le regard d'Angel à plusieurs reprises. Il ne me regarde plus de la même manière. À chaque fois, je m'éclipse pour Te prier, Seigneur. Je l'évite. Il faut que Tu m'aides. Se peut-il qu'il ait perçu mon trouble ? qu'il sache maintenant comme moi ce que mon cœur distillait à mon insu ? Qu'en est-il du sien ? Je suis folle d'imaginer qu'un homme comme lui puisse un instant envisager… Mais je n'ai pas rêvé. Ce regard insistant, cette flamme dans ses yeux. Qu'était-ce ? Ma foi chancelle dans la certitude d'être amoureuse. Le monde de mon engagement envers Toi, Seigneur, où est-il ? Où ai-je mis les pieds ? Sur quelle planète inconnue et dont la force me fait si mal ? Pardonne-moi et comprends ma faiblesse. Parfois Angel ne m'adresse plus la parole pendant plusieurs heures. Puis soudain, alors que je crois qu'il me boude ostensiblement, comme hier soir tandis qu'il arrangeait le feu, il m'interroge, comment avez-vous décidé de devenir bonne sœur ? Comment une jeune fille peut-elle prendre une voie aussi barbare ? J'ai détesté ce ton méprisant pour parler de mon choix. Pourtant j'aurais dû être plus bienveillante. La question était bienvenue. N'était-ce pas là l'occasion de réaffirmer ma foi ? Pour lui, je me suis remémoré Ton appel, Seigneur. Cela m'a fait un bien immense de lui raconter ma vocation, de revivre l'exaltation merveilleuse qu'elle m'avait procurée et que je ne croyais pas avoir gravée si profondément en moi. Je ne me suis pas demandé si cette histoire allait le faire sourire, je n'ai pas eu peur de nommer ma foi en Toi, mon désir de Te servir, mon engagement qui soudain ne vacillait plus. Jusqu'à ce qu'il me demande d'une voix douce où perçait l'incrédulité si je n'étais jamais tombée amoureuse. Alors je l'ai regardé droit dans les yeux et j'ai affirmé en le croyant, non, jamais. Et aujourd'hui je suis fiancée à Jésus pour toujours. Il a hoché la tête et n'a pas lâché mon regard de ses yeux bleus perçants et j'ai senti qu'il descendait dans mon âme pour y chercher une faille et quelque chose s'est ouvert là et m'a déchiré l'estomac. Quelque chose qui ressemblait au mensonge. Jusqu'au fond de mon âme, là où Tu Te trouves, Seigneur, il a fissuré quelque chose. Cet homme est un démon. Parce qu'à ce moment-là, il n'y avait plus de moquerie ou de jeu en lui, il était sincère, j'en suis sûre. Est-ce que je suis naïve, misérable et faible ? Est-ce qu'il ne suffisait pas que le voyage soit long et difficile, est-ce qu'il fallait que Tu me laisses seule face à la tentation ? Comme Tu l'as fait avec Ton fils dans le désert ? Mais je dis n'importe quoi. Je ne sais pas ce qu'est la tentation. Ce n'est pas la chair, c'est pire. C'est l'amour, je crois. L'amour humain dont je ne sais rien. Je ne connais que l'amour filial et celui du prochain. Mère Stanislas a laissé cet héritage de bonté à notre ordre. Elle disait que *la vie religieuse consiste à corriger ses défauts, à comprimer ses penchants. C'est la guerre ouverte contre la nature pour le triomphe de la grâce.* Je suis loin d'en être là. Me voilà dans des inclinations en opposition avec la raison et la foi. Je T'en supplie, aide-moi, Seigneur, et garde-moi dans Ta maison.

Lysange en aurait pleuré. Ce qu'elle avait senti se révélait vrai et la petite nonne commençait à se rendre compte que Dieu a beau vous avoir choisie, il ne vous met pas à l'abri du grand amour ou de la grande tentation. Lysange n'avait pas mis plus d'une heure à retrouver l'histoire de la petite sœur Madeleine. Elle avait tant compté sur elle pour la distraire des tonnes de chagrin accumulées sur son cœur. C'était très réussi même si le pincement que lui procurait l'amour de la religieuse venait rajouter de la mélancolie à son âme. Elle avait envie de la protéger, de lui crier à travers ces lignes à l'écriture si scolaire que c'était un piège, cet amour fou, qu'elle en savait quelque chose et que toute la prétendue science d'une femme qui a déjà aimé ne lui serait d'aucun secours. Chaque amour faisait table rase du précédent, s'emparait de ce qu'il y avait à prendre et ne laissait que larmes et désolation. Et puis elle en riait toute seule d'avoir envie de parler à cette nonne. Elle s'étonnait de son attachement à cette bonne sœur qui se trompait de chemin. Lysange qui n'était pas croyante trouvait à ce récit le mérite de remettre les pendules à l'heure humaine. Cela lui avait toujours paru contre nature de demander à des hommes et des femmes de renoncer à l'amour pour servir Dieu. N'avait-elle pas lu quelque part qu'au XVe siècle le commerce d'objets érotiques pour le plaisir des femmes seules avait été relancé par les bonnes sœurs ?

Tomas l'avait juste déposée dans la maison et il était reparti régler des affaires urgentes chez un notaire. Il n'était pas sûr d'être là pour la soirée et s'était excusé auprès de Lysange de ne pouvoir mieux la recevoir. Elle était ravie. Elle allait connaître enfin sa première vraie soirée solitaire dans la maison de bois. Elle pourrait lire le journal de sœur Madeleine sans avoir peur d'être surprise par Tomas, manger quand elle en aurait envie, prendre un bain, se promener à moitié nue, et penser au reste…

Déjà elle se sentait mieux. À son arrivée à la gare, Tomas l'avait accueillie comme une vieille amie et, sans oser lui dire quoi que ce soit, elle avait senti qu'une partie de sa vie était désormais consolable ici, dans ces dunes et dans cette maison. Déjà les parfums de l'Atlantique étaient perceptibles alors qu'ils n'avaient pas encore quitté la ville. Pourtant, une fois sa décision prise, Lysange avait failli annuler cent fois le départ. Sous prétexte d'un retard dans son travail, vite démenti par son supérieur. Les vacances scolaires, dont elle faisait peu de cas désormais, mettraient tout au ralenti. Lysange s'était alors inventé des raisons de rester à Paris pendant que John allait rejoindre leurs enfants. Mais ce dernier l'avait convaincue de retourner dans son refuge océanique.

Tu n'as pas l'air très en forme, disait-il, et cela te fera le plus grand bien de respirer l'air de l'Atlantique. Il s'inquiétait et lui acheta même les billets déjà réservés pour être sûr de son voyage. Pourtant elle sentait que son manque de résistance la pousserait à se précipiter chez Pierre sur un coup de tête, quitte à débarquer en pleine nuit. Il était si facile de ruiner en quelques minutes ses résolutions d'éloignement, faire couler en quelques phrases assassines le maigre espoir d'amour qu'elle s'ingéniait à imaginer encore. Il était plus prudent de s'éloigner. Depuis sa tentative de coup de fil, le poids de son silence était terrifiant. Elle n'osait pas le rappeler. Rien que l'idée lui donnait des crampes à l'estomac. Elle s'en voulait terriblement. Parce qu'il était si simple de mettre fin à ce massacre et de décider que cette histoire était finie. Ce qui l'étonnait encore davantage, c'était cette conviction profonde de pouvoir quelque chose pour lui. Lui apporter de l'amour sans rien exiger, sans regretter l'histoire fusionnelle qu'ils avaient vécue. Lysange sursauta en entendant taper à la porte. Tomas, tu es là ? C'est Guy. J'ai des photos pour toi. La porte s'ouvrit doucement et un homme glissa son visage jovial tout en continuant à appeler. Il y a quelqu'un ? Il entra avec sous son bras des tirages photographiques dont le premier représentait un couple d'oiseaux. Tomas n'est pas là, il est dans les Landes, je peux faire quelque chose pour vous ? L'homme se présenta et lui expliqua qu'il partait parfois avec lui pour photographier des oiseaux rares ou migrateurs qui passaient dans la zone. Nous nous connaissons depuis un an. Je suis à la retraite et nous nous sommes rencontrés un jour sur la plage. J'étais photographe de presse jusqu'à l'année dernière. Lysange le trouva sympathique et lui proposa de boire un café. Le bonhomme était bavard et lui raconta sa vie quand il était en activité dans les agences photo parisiennes, une belle époque qui avait disparu, selon lui. Quand Lysange parla de façon anodine des photographes de guerre, il alluma sa pipe et la regarda en souriant. Une race à part, lui assura-t-il. Je vais vous raconter une anecdote, chère madame. Appelez-moi Lysange, je préfère, lui répondit-elle en servant le café. Il y a quelques années, j'ai accompagné des journalistes sur un terrain militaire. Je devais réaliser un reportage pour un magazine de photos durant un stage que leur offrait l'armée. C'était très intéressant. Ils étaient entraînés par des légionnaires pour mieux se comporter sur les terrains de conflit, avoir de bons réflexes, vous voyez, ce genre de choses. À la fin du stage, le légionnaire instructeur les a emmenés dans un champ de tir et leur a proposé d'échanger leurs appareils contre une arme. Moi j'ai refusé parce que ce sont des engins de mort, ces trucs-là. Mais tous les photographes de guerre sans exception ont pris l'énorme kalachnikov et ont tiré sur les cibles en ayant l'air d'y prendre un sacré plaisir. Pour tout vous dire, cela m'a tellement troublé que je n'ai pris aucune photo d'eux à ce moment-là. J'ai eu peur qu'elle soit mal utilisée et mal interprétée… Croyez-moi, ils sont tous un peu cinglés, ces journalistes de guerre.

Je crains que la folie ne soit ton univers naturel et peut-être est-elle contagieuse. Je ne comprends pas ton silence, je ne le supporte plus. J'ai précipité mon départ sans oser imaginer quand je te retrouverais, si toutefois je dois te revoir.

Cela me pèse trop. Avant de quitter Paris, je t'ai écrit deux lettres. L'une pour te raconter ce que j'ai vécu et l'autre pour mettre un terme à cette relation qui me dévaste. C'est un vœu sans consistance. Je ne crois pas que tout soit terminé. Ce qui me coûterait en décidant d'abandonner l'histoire d'amour la plus troublante qui me soit arrivée, ce n'est pas le manque, mais de ne jamais savoir ce qu'elle deviendrait si je la menais à son terme. Ce que tu deviendras si j'arrive à te rendre à toi-même. Mais comment imaginer que je peux te sauver de ta destruction ?

Tu me l'as longuement décrite, cette solitude de ne pas avoir, quand tu es sur ces terrains où la mort règne en maître, une femme qui t'aime ailleurs dans un pays en paix. Une femme qui pense à toi et t'attende, quoi qu'il arrive. Un printemps, j'ai été cela pour toi. Quelques jours qui ne pèsent pas lourd face au temps, infini quand on s'aime. Quel gâchis, quelle plaie béante ! Je suis encore trop fragile. Si je te voyais là devant moi maintenant, je tomberais dans tes bras. Si tu m'envoyais un simple message, *je regrette la souffrance infligée*, j'oublierais. Mais qu'as-tu fait de moi ? Serais-je encore capable de cet abandon, de cette innocence ? N'est-ce pas toi qui me posais cette même question, il y a encore quelques jours, quand je t'aimais si fort et si complètement ? L'histoire de Guy m'a troublée. J'y vois un signe du ciel venu m'avertir dans ma retraite. Ce que je pressens sur toi et qui m'étreint le cœur est irrémédiable. J'essaie de comprendre ce qui nous conditionne à être vivants ou à mourir enfermés dans nos souffrances parce que nous les connaissons et qu'elles nous rassurent.

Quand on n'existe pas dans le regard de l'autre, comment décider d'avoir une vie pour soi-même ? Le premier regard qui tue est celui d'une mère qui ne sait pas pourquoi elle vous a mis au monde. Notre deuxième erreur est de croire qu'elle est la seule à pouvoir nous le dire. Je l'avais appris à mes dépens en croyant que la mienne n'avait désiré que mon frère aîné. Non qu'elle fût désagréable envers moi ou injuste mais il me semblait parfois percevoir quand elle le regardait quelque chose de magique et de douloureux que je ne retrouvais pas quand elle dirigeait ce même regard vers moi. Puis, en la voyant s'effondrer entre mes bras à sa mort, j'ai compris que j'étais désormais son seul enfant et qu'elle souffrait d'une mort inversée. Une mort qui n'était pas dans l'ordre des choses : voir partir son enfant avant soi. Et puis elle m'a paru ce jour-là accablée d'un chagrin supérieur au drame qu'elle vivait. Comme une façon de payer une faute lointaine dont elle ne disait mot. Alors je suis devenue indulgente. Je pouvais maintenant comparer. Me rendre compte que je ne savais pas si j'avais à mon tour désiré la jeune fille qu'était devenue ma fille. Bébé, elle semblait n'accorder ses gracieux sourires qu'à son père. Tandis que son frère jumeau était accroché à moi. Je les aimais d'un amour inquiet et respectueux qu'ils me rendaient avec le calme des vieilles âmes qui en ont vu d'autres. Leur adolescence avait été un long chemin dont j'étais absente tant ils étaient occupés à se battre contre leur paternel. Comme s'ils n'avaient pas besoin de s'opposer à moi pour se construire. Je n'avais jamais eu avec eux ces problèmes dont nous bassinent les parents de ces presque adultes. J'en étais arrivée à me demander s'ils étaient bien mes enfants.

Et puis, du jour au lendemain, la maison s'était vidée de leurs cris et de leur désordre et j'avais découvert le manque. John était silencieux et l'on ne savait jamais s'il était perdu dans quelque ouvrage ou absent. Nous étions cependant moins embarrassés que ces couples dont la vie tournait autour de leur progéniture et qui en avaient oublié jusqu'à l'amitié qui aurait pu être leur lien d'amants vieillissants. Notre dialogue jamais interrompu, les secrets de notre relation avaient alimenté une complicité salvatrice au moment où tout couple se confronte au vide laissé par l'histoire quotidienne d'une vie parentale. Je n'avais plus à tenir compte de la présence de ces grands dont les emplois du temps étaient depuis quelques années déjà chargés d'activités diverses et de *soirées entre potes*, comme ils disaient. Je veillais simplement à les réunir plusieurs fois par mois pour maintenir une vie familiale. Nous en avions profité pour vivre à notre guise et nous jeter dans nos boulots et passions avec la ferveur des jeunes gens. Les soirs où nous nous retrouvions, nous partagions nos dernières lectures, sortions voir un film et nous nous racontions nos dernières découvertes professionnelles. J'adorais que John me parle de ses pérégrinations pour trouver tel ou tel objet, meuble, bijou centenaire. Il était maintenant devenu un antiquaire très connu et l'on savait qu'il pouvait se mettre en quête pendant des années pour satisfaire un client. Il me racontait des voyages qu'il avait faits autrefois et comment très jeune il avait su que les objets portaient les traces de la vie des hommes qui les possédaient. C'est pour ça que je te garde, me disait-il pour me fâcher. Plus tu vieillis et plus tu m'es précieuse ! Quand je considère mon ancien petit confort dérisoire, cette vie-là me semble si loin, et dans le même temps je voudrais la retrouver. Je voudrais ne pas t'avoir rencontré, ne pas être bousculée par des questions trop insidieuses sur l'amour et ses effets dévastateurs. Avec toi, nul repos n'est possible.

Je réalise depuis notre soirée infernale que je ne sais pas grand-chose de tes origines. Le peu que tu m'as laissé entrevoir raconte la violence, le manque d'amour, la folie peut-être. Tu es un être sans parents, un sauvage né dans la guerre et dont le passé a levé son voile mystérieux dans l'explosion d'un soir.

Journal de sœur Madeleine

Aujourd'hui la voiture dénichée et négociée par Angel avec toute sa science de voyou est tombée en panne. Déjà nous avions abandonné les trois cents kilomètres de voies ferrées qui joignent Pôrto Velho à Guajará-Mirim. Le train bloqué par je ne sais quel problème technique ne serait pas réparé avant plusieurs semaines. Je n'en étais pas fâchée; celui qu'on appelait *le train de la mort* ne me disait rien qui vaille. Il me restait à découvrir la piste sur laquelle nous allions rouler! Je me suis demandé pourquoi Angel envoyait immédiatement des Indiens dans la jungle tandis qu'il tentait de réparer le véhicule avec Imaïn qui est notre cuisinier depuis que Machujamai est resté dans son village. Quelques heures plus tard, des porteurs sont revenus, accompagnés d'autres Indiens vêtus seulement d'une sorte de ceinture maintenant un petit carré de tissu pour cacher leur sexe. Ils étaient peints sur la totalité du corps et très athlétiques. Je me sentais gênée de les regarder. Ils avaient amené des pirogues. Angel, que je n'osais pas interroger, m'expliqua que nous voyagerions désormais par le fleuve, mais qu'à certains endroits peu navigables, les Indiens devraient porter les embarcations et leurs chargements. Je n'ai rien répondu parce que cette solution était sans doute préférable à une attente trop longue dans la jungle. Les ennemis semés grâce à notre départ précipité auraient pu nous retrouver, ou lancer je ne sais qui à nos trousses. Les pluies diluviennes des jours précédents avaient trop endommagé la piste, cassant une des pièces de notre voiture alors que nous étions sur le meilleur tronçon de ce qu'on ne pouvait appeler une route. Ce qui nous arrivait là aurait pu survenir plus loin, quand nous serions à plusieurs jours de marche du premier village indien. Après bien des détours, nous pouvions tomber d'accord sur le fait que la chance était avec nous. Ces aventures imprévues allaient bien sûr ralentir notre voyage, mais cette perspective ne m'a pas paru désagréable et, immédiatement après avoir réalisé ce que j'étais en train de penser, j'ai rougi et me suis effrayée de mon envie d'être auprès de cet homme plus longtemps encore.

Angel m'a demandé si je n'avais pas peur en pirogue et j'ai répondu que Tu serais là, Seigneur, pour me protéger. Il a fait une terrible grimace qui disait à quel point il ne croit pas en Toi.

Je m'imaginais une journée plus facile sur le fleuve. Éloignés des bêtes sauvages et de la piste de tôle ondulée, de cette terre rouge où toute respiration est suffocante, poussiéreuse, l'eau me paraissait une voie plus agréable. Sur la route, il fallait parfois descendre du véhicule, marcher pour alléger la charge et permettre à l'engin de négocier les passes difficiles. Mais je me suis aperçue que c'est identique avec les hauts-fonds remplis de cailloux et d'herbes et, quand il y a assez de profondeur, ce sont les rapides qui rendent la tâche ardue. Bref, la descente du fleuve est délicate, angoissante, et la spectatrice embarquée que je suis ne peut pas faire grand-chose. Alors je prie. Je me souviens de la révérende mère de Gramat qui nous disait toujours, vous pouvez faire beaucoup en priant, toujours plus que vous ne le pensez. Et je revois son regard affûté qui guettait à ce moment-là, dans les yeux de chacune d'entre nous, si nous doutions de cette vérité. À cette époque, j'y croyais dur comme fer. C'était une évidence ; je savais déjà ce qu'elle était en train de nous affirmer. Mais je comprends maintenant que je n'avais jamais été en péril, au point de ne plus savoir si cela sert à quelque chose de prier. J'ai besoin de le dire, Seigneur, à ce cahier, et à Toi du fond de mon cœur. Parfois je prie… Je prie que cela serve à quelque chose. Est-ce que l'on peut croire en doutant à ce point-là ? Peut-on pardonner à une servante qui a si peu de foi et dont l'engagement vacille ? Comment vois-Tu cette femme qui fut devant Toi étendue, face contre terre, qui a prononcé des vœux pour suivre Ton appel et qui se retrouve déstabilisée par le premier coquin venu ? Je ne suis vraiment pas digne de Toi, Seigneur, et ne sais comment dompter mon cœur et faire taire ce qui bondit en moi à mon insu. Je suis si malheureuse et si mortifiée. N'ai-je donc aucune volonté ? Ne puis-je comprimer ces penchants qui me morcellent ? Est-ce si impossible de dompter les ressorts de mon âme faible, de ligoter la nature avide qui me torture, de tordre le cou à ces démons qui détruisent mes convictions les plus profondes ?

Les nouveaux Indiens qui nous accompagnent ne sont pas de la même tribu et, si certains excellent dans la direction et le maniement des bateaux, d'autres ont un sens approximatif de la manœuvre. Parfois Angel crie et je ne comprends pas un traître mot de ce qu'il dit mais je vois bien qu'il peste contre la maladresse de certains rameurs. Nous avons failli nous retourner à plusieurs reprises et j'aspire à une nuit de repos. En ce moment le repas classique est une sorte de soupe de caïman et je m'efforce de trouver cela normal. Je chasse l'image de cet animal hideux visualisé aux premières cuillerées et je me répète que c'est une soupe. La faim m'aide beaucoup et tout le monde semble se régaler, alors je m'en voudrais de jouer à la fine bouche. Quand je n'arrive plus à réciter mon chapelet parce que j'ai trop peur des remous, mon esprit s'envole à la cathédrale de Cahors. C'est bientôt la fête du Christ-Roi et j'ai tant aimé cette célébration pendant laquelle les chœurs des séminaristes se joignent aux voix pures des enfants. Le soir, quand je m'étends dans mon hamac, je ressens un immense bien-être dont je Te remercie, Seigneur. Ce lit tressé qui se suspend à n'importe quel arbre est une invention magnifique des Indiens. Aujourd'hui j'ai pensé que, pour Te reposer de Ta Création, Tu avais dû utiliser un hamac. Mais bien sûr c'est une pensée trop humaine et qui n'a pas de sens. J'aimerais tellement que Tu me souffles ce que peut être une pensée divine. Contrairement aux premières nuits dans la jungle où chaque bruit de la forêt me semblait suspect, je me laisse bercer, et m'endors comme un bébé. Chaque soir, les Indiens installent des abris, quelques branches couvertes de grandes feuilles imperméables, et nous sommes ainsi protégés des éventuelles pluies nocturnes. Certaines nuits, les pluies ont l'intensité d'un chagrin de géant et nos feuilles sont balayées. Autour de ma couche, Angel fait tendre des toiles et je suis isolée des hommes pour la nuit. Sur nos toiles sont fixées des moustiquaires qui nous protègent tant bien que mal des attaques violentes des petits buveurs de sang. Je ne savais pas réellement ce qu'était un moustique avant de mettre un pied dans cette jungle. Je croyais, Seigneur, que je pouvais bénir Tes créatures sans distinction, et j'étais la première à me proposer pour sauver un cafard de la fureur de la cuisinière du couvent mais ici certaines bestioles ne suggèrent qu'une interrogation : pourquoi les as-Tu créées ? Quand je vois les dégâts que peuvent faire ces moustiques en si peu de temps sur un minuscule carré de peau et le supplice qui s'ensuit, j'ai un peu de mal à louer Ta Création. Après plusieurs jours de jungle, on pense qu'ils vont s'arrêter, que la peau va sécréter je ne sais quel antidote mais ce n'est pas du tout le cas et, quant à se glisser sous la moustiquaire sans qu'ils aient le temps d'entrer, c'est une vraie performance.

Ce matin, je me suis réveillée un peu plus tard ; j'étais fatiguée et nous étions déjà prêts à repartir. Ma première vision en ouvrant les yeux a été le regard d'Angel fixé sur moi. Il soufflait doucement sur mon visage avec une tasse de café à la main. J'étais furieuse d'être ainsi prise en défaut d'avoir loupé l'heure, mais j'ai remballé ma colère pour le remercier. Il riait franchement car mon geste d'agacement n'a pas dû lui échapper. Ne vous excusez pas, ma sœur. Vous aurez besoin de toute votre énergie aujourd'hui et je vous ai volontairement laissée dormir. Le fleuve va être difficile. Et à propos, vous êtes très belle quand vous dormez. Un peu moins souriante quand vous vous éveillez mais… Je lui ai balancé un vêtement à la tête. Il est vraiment insupportable, mais pour une fois je n'arrivais pas à être fâchée et j'ai ri. J'ai replié en hâte mes affaires, fait ma prière en pestant encore contre ma fatigue. Je me sentais si joyeuse que j'ai finalement pensé que ce n'était pas si mal d'avoir gagné quelques minutes de sommeil. J'ai quand même dit à Angel, je ne veux pas de traitement de faveur, vous auriez dû me réveiller. J'aurais mieux fait de me taire. Il a toujours réponse à tout. Quand vous dormez, on ne pourrait pas soupçonner que vous avez un aussi mauvais caractère et, surtout, vous laissez de côté votre masque de bonne sœur ! De qui parle-t-il, Seigneur ? Se peut-il que je sois une autre personne que celle que je crois être ? Je me répète, mais cet homme est un démon. Il faudrait que je m'en persuade pour mesurer le danger que je cours en le laissant semer des doutes dans ma vie. Tout ce qui me semblait être un magnifique chemin tracé est désormais mouvant. Ma vie était comme la grande allée claire du Carmel et elle est devenue comme cette forêt sombre et pleine de dangers qui me guettent mais dont je ne sais rien. Où es-Tu, Seigneur, quand je T'implore de ne pas m'abandonner à ses griffes ?

Face à ce cahier et tandis que j'écoute les chants du crépuscule, si je suis honnête, je dois l'avouer, j'aime la vie que je mène en ce moment, malgré ma peur et mon incompréhension. Une partie de mon être qui était comme endormie est là, bien vivante. Je me souviens d'une sœur que j'aimais beaucoup et qui disait, nous ne sommes jamais bien loin de ce qui nous échappe.

Parfois j'observe ceux qui nous accompagnent, et notamment quand nous nous arrêtons dans leurs villages. Ces hommes et ces femmes sont d'un autre monde. Il me semble que les Indiens ne sont pas agités par de perpétuelles pensées comme nous le sommes. Ils passent de longues heures à ne rien faire et sans doute à ne rien penser. Ils peuvent jouer avec leurs doigts ou contempler je ne sais quel arbre durant un temps infini et pour je ne sais quelle raison. La plupart du temps est occupé par la chasse pour les hommes et par le soin des petits et de la maison pour les femmes. Dans le village qui nous a accueillis aujourd'hui, on cultive le manioc. Mais la dernière fois, j'ai eu l'impression qu'ils se nourrissaient de ce qu'ils pouvaient trouver dans la forêt. L'un des porteurs est venu me demander de lui apprendre le signe de la croix. Il le connaît parce qu'il est déjà allé à Guajará-Mirim. Même s'il baragouine un peu de portugais, c'est compliqué pour moi de trouver les mots pour raconter Dieu. Il m'écoute avec une grande attention, mais mon ignorance de son dialecte ne simplifie pas les explications. Angel a refusé de faire l'interprète. Ne comptez pas sur moi pour propager vos balivernes, ma sœur. Je ne crois plus au père Noël depuis longtemps.

Au passage, je vous signale que les Indiens ont leurs dieux, et c'est déjà assez compliqué comme ça.

Je me débrouille donc toute seule. Je vois qu'Angel hausse les épaules quand il me voit faire le signe de la croix avec deux ou trois Indiens de notre groupe. Mais rien ne m'atteint dans ces moments-là. C'est le début de ma mission prochaine qui pointe son nez. Je me sens soulevée par l'allégresse, Seigneur. J'ai tant rêvé de venir ici et de servir Ta parole. Rien ne peut m'enlever ma joie. Pas même la tête consternée et blasée de notre « ange » qui n'a pas l'air de venir de Ton ciel.

Autrefois, je le dis ainsi car le temps si proche de Gramat me paraît enfoui dans un passé lointain, je coupais moi-même mes cheveux, mais je n'ai pas emporté les gros ciseaux du couvent. Je ne sais pas comment faire. Je me vois mal trancher discrètement mes cheveux à la machette, dissimulée par les tentures de ma chambre improvisée. Quand je retire mon voile chaque soir, je sens qu'ils arrivent maintenant au-dessous de mon visage, et cette longueur a rendu à mes boucles rebelles d'adolescente une nouvelle vie. Aujourd'hui, je sentais ma tête mouillée par la sueur. Je retire toujours mon voile à l'abri des regards. Je mouille et lave mes cheveux dans le fleuve pour supporter la moiteur de l'atmosphère. Quand il me voit m'éloigner pour mes ablutions quotidiennes, Angel crie en riant, gare aux caïmans, ma sœur. Ils pourraient vous dévorer comme une hostie. Une servante de Dieu en pleine jungle et appétissante, ça ne se refuse pas ! Je finirai bien par rire de

221

ses provocations. Au moins, maintenant, j'arrive à lui répondre. Vous êtes sûr qu'ils ne préféreraient pas un voyou dans votre genre ? Attention, ma sœur, n'insultez pas une créature de Dieu. Je marmonne que je ne suis pas du tout sûre qu'il ne soit pas plutôt une créature du diable. Chaque fois que j'empoigne ma robe et que je la relève pour monter dans la pirogue, Angel m'aide en pestant. Je préfère les Indiens qui n'ont pas l'air troublés par mon habit. Je crois que rien venant d'un Blanc ne pourrait leur paraître bizarre. Pour eux, nous sommes définitivement différents.

Aujourd'hui mon costume de sœur a failli me coûter la vie. Depuis quelques heures déjà, les passages difficiles semblaient dérouter les deux rameurs de ma pirogue. Nous traversons des zones d'herbes flottantes qu'ils appellent la *colcha*. C'est une herbe aquatique qui se forme dans les méandres des rivières. Les *colchas* s'accumulent et deviennent un matelas, véritable obstacle à la navigation. Parfois des morceaux de ce matelas s'arrachent et nous enchaînent, puis nous lâchent au cœur des rapides, les *cachoueras*. À ce moment-là, tandis que les autres activent de grandes perches et s'arrêtent de ramer en passant des remous hérissés de morceaux de roches avec une adresse incomparable, les Indiens de ma pirogue semblent devoir leurs réussites à une chance insolente qui les remplit de joie. À plusieurs reprises, je me suis cramponnée de toutes mes forces au bord de la pirogue puis aux cordes et lianes qui retiennent les caisses de nourriture embarquées à notre bord. À un moment, j'ai réussi à rétablir la pirogue en me jetant instinctivement pour faire contrepoids sous le regard surpris d'Angel qui m'a adressé un sourire en apostrophant nos rameurs. Mais de nouveau, dans un passage mouvementé quelques mètres plus bas, notre pirogue a heurté quelque chose et nos deux rameurs sont tombés à l'eau. La pirogue s'est retournée instantanément et je me suis sentie aspirée dans les remous et noyée dans ma robe. À moins que je ne sois passée sous la pirogue... J'essayais de nager. J'avais peu d'air et j'étais empêtrée dans mes manches. Quelque chose m'a heurté assez violemment la tête et presque tout de suite un bras m'a hissée hors de l'eau. Je commençais à boire la tasse et, dès que j'ai senti l'air libre, j'ai aspiré avant d'être de nouveau entraînée sous l'eau. Je ne sais pas si j'ai pensé aux caïmans, aux piranhas. Je ne crois pas. C'était arrivé si rapidement. Je pensais au chargement. Je m'en voulais de ne pas avoir été capable de rester accrochée aux caisses lors du chavirage. L'idée de ces terribles bestioles m'est venue seulement quand je me suis retrouvée sur la rive, sauvée, et tenant entre mes mains une grosse racine comme si le fleuve allait subitement monter pour venir me rechercher. Dès qu'Angel m'avait sortie des remous, je lui avais crié que c'était bon, que je pouvais nager seule maintenant. Dans ma bataille contre la noyade, ma robe s'était mise en corolle autour de ma taille, libérant enfin mes jambes. Par sécurité, il s'était assuré que je m'accrochais bien aux lianes et que je pouvais me hisser avant de replonger vers notre chargement qui s'était détaché de la pirogue que d'autres Indiens, je le vis par la suite, avaient réussi à intercepter. Un peu plus bas, deux autres de nos compagnons de route avaient récupéré une partie de notre chargement, mais les caisses s'étaient ouvertes et nos réserves de manioc, de viande séchée, de sucre et autres ingrédients de base avaient été emportées par le fleuve. Après ce naufrage, une halte fut décidée. La rive était à cet endroit plus accueillante que les rapides qu'il nous restait à franchir.

J'étais trempée, les yeux dans le vague, encore secouée par la vitesse avec laquelle nous nous étions retournés, et très choquée par la disparition de Dymatoï, le deuxième de nos rameurs qui était passé directement sous l'eau pour ne jamais remonter. Angel s'expliquait avec les Indiens et refusait désormais que ce soit le même homme qui conduise notre pirogue. Il ne m'avait rien dit mais, avec quelques mots de portugais et le signe de la croix, le jeune Chua que je connaissais m'a signifié que son frère avait dû tomber sur un banc de piranhas... Je m'efforçais de Te prier, Seigneur. C'est là que je me suis rendu compte que j'avais perdu mon chapelet dans le fleuve. J'en étais triste, mais je pensais à ce jeune Indien qui ne devait pas avoir plus de vingt ans : ce matin, il était en train de ramer. Je me souviens qu'il chantait, et maintenant il est dans son éternité. Nous ne devons pas nous arrêter à nos misères. Je Te prie, Seigneur, d'accueillir son âme. Nous ne savons ni le jour ni l'heure. Veille sur nous. Je pensais aux sœurs de Gramat, comme si je pouvais leur envoyer un message pour qu'elles nous inondent de leurs prières. Tout se bousculait dans ma tête. Je me disais que j'avais eu peur dans ce village proche de Manaus où ces hommes voulaient nous tuer, mais j'étais bien plus terrorisée par Angel et ses bras qui se refermaient sur moi. Ce n'était pas la mort que j'avais crainte, c'était la trop grande vie de son corps contre le mien et les pensées qui en résultaient. Je le savais, maintenant que j'avais eu peur de mourir pour de bon, maintenant que j'avais été, au moment du naufrage, traversée par cet odieux regret qui me trahissait : jamais je ne saurais ce qu'était véritablement l'amour… On ne peut rien contre les pensées des derniers instants, n'est-ce pas, Seigneur ? On ne peut surtout pas les nier quand ces instants ne sont pas les derniers, qu'une sorte de résurrection nous prend en traître et nous met devant les yeux nos contradictions et nos mensonges intérieurs.

Lysange ne s'était pas sentie glisser dans le sommeil. Elle n'avait pas entendu la porte s'ouvrir. Ce fut l'odeur du café qui la réveilla et peut-être le sentiment d'être observée. Elle ouvrit les yeux, vit Tomas souriant et pensa immédiatement au réveil de la jeune sœur face à Angel. Elle avait encore sur les genoux le journal de cuir qui avait glissé sur le côté de sa cuisse. Confortablement calée sur les coussins, les jambes étendues sur un pouf, elle avait passé la nuit là, sur ce fauteuil de la bibliothèque marine. Tomas lui tendit une tasse et s'installa à côté d'elle, en silence. Elle but une gorgée et ne crut plus utile de s'excuser d'avoir lu le journal de sœur Madeleine, persuadée qu'il avait été laissé à son intention. Et que rien n'était un hasard. Ni l'absence qui lui avait laissé le champ libre, ni le fait qu'il la surprenne avant qu'elle n'ait fini de découvrir toute l'histoire. Elle fut la première à rompre le silence. C'est vous, n'est-ce pas ? Cet Angel en Amazonie. Cet homme qui trouble sœur Madeleine. Il ne répondit pas tout de suite. Il semblait naviguer dans son passé.

Sœur Madeleine, je préférais l'appeler Louise... Nous étions si jeunes. Elle était si belle. Je ne sais même pas si nous avions bien conscience de ce qui nous traversait. Vous savez, Lysange… Non, vous ne devez pas savoir. Le monde dans lequel j'ai joyeusement vécu n'existe plus, et celui dans lequel je suis poussé par ma longévité ne me ressemble guère. Je n'ai pas grand-chose à y faire et je n'ai plus l'énergie ni le désir de le changer. Il me reste donc l'attente d'une fin que je n'espère pas trop proche par je ne sais quel réflexe conservateur. Il me reste le souvenir… Il fit une pause en laissant son regard parcourir la pièce baignée par le soleil matinal. Mon sort n'est pas celui qu'a connu Louise, parce qu'elle avait la foi. Maintenant qu'elle a disparu et que je suis en vie, de quoi pourrais-je bien mourir ?

Si l'on en croit son journal, il semble que vous étiez assez dur avec elle, vous malmeniez son Seigneur. Avez-vous changé ?

Sur la croyance et la religion, je suis pire qu'avant. Et puis, si j'en voulais tant à son Dieu, c'était parce qu'elle lui offrait ce dont je rêvais. Son amour, sa dévotion, la consécration de sa vie sur l'autel de sa foi. Quelle foutaise ! Vous voyez, des années après, j'en suis encore tremblant de rage. Mais malgré les apparences je suis moins intolérant. J'ai perdu mon arrogance. Je ne bataille plus et ça ne m'indigne pas que les êtres humains croient en ce qui n'existe pas. Je pourrais même dire que Louise a réussi à me convertir. Aujourd'hui ma meilleure amie est une sœur de Guajará-Mirim, grâce à laquelle vous êtes là. Sœur Régina était très proche de Louise. À cette époque, celle du journal, je ne croyais même pas à une vie éternelle, une vie après la mort. Aujourd'hui, même si je ne mêle pas un Dieu à tout ça, je trouve que l'idée n'est pas si incongrue. Vous voyez, au bord du gouffre, on se rassure comme on peut ; on commence à négocier avec l'éternité.

Nous sommes tous au bord du gouffre, mais nous en avons plus ou moins conscience suivant notre âge et ce que nous faisons de notre vie, vous ne croyez pas ?

Je ne sais pas. À partir d'un certain âge, je vois la mort comme une sorte de pluie. On a l'impression de passer à travers les gouttes. Avec le genre de vie que j'ai vécu, je devrais être rodé. J'aimais le danger. Mais ce qui me paraissait drôle à braver à vingt ans me semble aujourd'hui un exercice de haute voltige que l'on m'impose alors que j'en ai passé l'âge et l'envie. Mais vous êtes jeune, vous êtes aimée. Cela se sent dans les vibrations de votre regard… Je ne parle pas seulement de cet homme que vous venez de rencontrer.

Je suis comme les autres. J'avance dans un monde que je n'ai pas choisi mais que j'essaie de comprendre. Je ne sais pas si je change quelque chose par mes choix en m'indignant, en exerçant mon métier de chercheuse, en allant sur tel chemin pour refuser tel autre. J'avance et, parfois, mon évasion, c'est d'oublier pour un temps, de ne plus vouloir écouter ce qu'on me dit du monde. L'amour est mon alibi. Je m'enfouis en son sein et je n'ai pas envie d'être ailleurs. Pour un temps, la peur s'éloigne et je jouis de la vie.

Vous avez encore le choix.

Vous croyez ? La plupart des gens agissent en ayant l'illusion de désirer ce qu'ils font, d'avoir de bonnes raisons. Moi aussi je prends des décisions, je donne l'impression d'aller sciemment dans telle ou telle direction, mais en réalité je sais très bien que je choisis un chemin pour découvrir en le parcourant les raisons de ce choix.

Vous savez ce que nous allons faire ? Nous allons préparer des œufs. Et c'est un choix assumé ! Ils ont été pondus ce matin. Et puis nous irons marcher et vous me poserez les questions qui vous brûlent les lèvres à propos de cette religieuse. Je ne pensais pas que vous trouveriez ce journal avant mon départ. Je l'aurais laissé, mais vous l'auriez lu plus tard, une fois que j'étais parti au Brésil. Où en êtes-vous de notre aventure ? Lui ai-je déjà brisé le cœur ou ça reste encore à venir ?

Elle a raison, vous êtes vraiment un sombre voyou ! Mais je ne vous poserai aucune question avant d'avoir fini ma lecture. Et pourtant j'en ai très envie. Vous avez fini par gagner, je le devine. Mais pourquoi vouloir que je le lise ? Pourquoi me laisser là une partie de votre vie ?

Je ne vous donnerai aucun indice. Lisez. Nous parlerons après. Et puis vous m'en direz un peu plus sur cet homme qui occupe vos pensées du matin au soir…

Lysange voulut protester, mais elle ne lut aucune ironie dans le regard de Tomas, plutôt une tendresse amusée. À ce moment de leur rencontre, Lysange sut qu'en marchant dans les dunes avec Tomas, elle lui raconterait la tempête qu'elle venait de traverser avec Pierre. Elle qui n'en avait parlé à personne voulait désormais entendre une voix faire écho à ses pensées. Et cet Angel devenu Tomas était l'homme de la situation. Parce qu'il avait aimé, parce qu'il aurait un point de vue masculin et qu'elle le sentait trop rebelle pour lui déverser des vérités convenues. Parce qu'il était plus vieux, qu'il avait souffert sans doute et qu'il comprendrait comment un homme qui a peur de l'amour pouvait fuir. Elle le sentait. Elle avait ignoré dans son histoire les failles et les manques de Pierre. Tomas, lui, saurait les voir et, si ce n'était les justifier, leur rendre une cohérence.

Comme lors de son précédent voyage, l'éloignement posait sur son cœur une sorte de baume apaisant. Elle qui avait cru que la présence de Tomas l'empêcherait de prendre possession du lieu. Dans le train déjà, elle s'était réjouie de retrouver le petit chemin dans la forêt, d'apercevoir le toit à peine visible entre les branches, puis la porte en bois brut. Elle aimait tout dans cette maison. Les volets épais qui une fois ouverts libéraient les immenses baies vitrées. La bruyère presque entièrement fanée qui prenait des teintes de bouquets séchés. La grosse table de ferme de la grande pièce et son tiroir à couverts qui coinçait et qu'elle n'arrivait jamais à ouvrir. Sa chambre aussi, sous la solide charpente dans laquelle se nichaient des couples d'hirondelles. Même les odeurs lui étaient devenues familières. Elle y avait ajouté des bougies parfumées au caramel qui s'emmêlait aux effluves de noisette des nombreux feux de bois. Sa salle de bains exhalait maintenant un léger parfum des huiles dont elle enduisait son corps. Fleur de lotus et de frangipanier. Tomas avait souri de la voir rapporter quelques affaires personnelles qu'elle voulait laisser là. Lui-même avait déjà rempli quelques cartons qu'il entreposait dans l'entrée en vue de son prochain départ au Brésil.

Chaque jour Lysange laissait l'air de l'Atlantique gonfler ses poumons, se déchaussait, enfonçait ses pieds dans le sable glacé de la plage au petit matin. Elle guettait les oiseaux, cherchait à repérer ceux qu'elle ne connaissait pas pour les décrire à Tomas ou l'interrogeait quand il était à ses côtés. Elle conduisait la voiture sous son regard amusé, cueillait des brassées de mimosas pour la maison. Il lui apprenait à couper du bois à la hache et riait de la voir s'acharner sur les bûches tout en comprenant ce qu'elle essayait d'achever.

D'heure en heure, elle apprenait à se confier. Et s'il ne lui apportait aucune réponse, il écoutait attentivement son histoire. Quand elle osait le regarder, après lui avoir fait des confidences, il lui semblait qu'il la considérait au-delà d'elle-même. Comme s'il avait une perception de son histoire qui lui échappait et dont il ne pouvait rien révéler. Lysange lui avoua sa tentation : si Pierre le lui proposait maintenant, elle abandonnerait tout pour le suivre n'importe où. Et pourtant elle était dotée d'une redoutable lucidité. Elle devinait que lui dire oui serait le meilleur moyen de lui dire non. Ils passeraient de l'autre côté de cette aventure impossible, ils élèveraient des murs là où il n'y avait pour l'instant que des nuées de brume. Elle était posée à cet endroit de sa vie, comme sur un promontoire d'où elle pouvait apercevoir l'horizon. Cela n'arrivait pas tous les jours. C'était ce qui lui donnait la certitude d'un amour impossible. Elle ne se résoudrait pas à le quitter et ne pouvait vivre sans lui. La nature de l'amour qu'elle lui portait l'effrayait. Elle en appréciait la force, comme on peut évaluer la vaillance d'un guerrier magnifique paré de ses atours. Elle essaya de décrire à Tomas cette sensation que donne la paix, mêlée à une passion sans faille. Elle sut en le nommant que c'était un amour irréversible. Mais l'esprit destructeur de Pierre pourrait bien le balayer. Elle en avait testé les attaches secrètes, perçu la perversité quand il avait essayé de l'entraîner sur la pente de la souffrance. Ce qu'elle avait été en cet instant-là, elle ne l'avait jamais été pour personne. Est-ce qu'un homme lui avait un jour offert sans qu'elle le sache ce qu'elle donnait à Pierre? Elle interrogea Tomas.

Ne sommes-nous jamais à égalité dans ce que nous apportons à l'autre? Et John que j'ai épousé parce qu'il déplaisait à mes parents, qu'était-il pour moi? Et moi pour lui? Je me suis mariée tôt. Je me suis mariée contre. Quand je l'ai rencontré, John était trop américain, trop insaisissable, trop riche ou trop pauvre suivant les années, trop amoureux, trop atypique. Et moi qui n'avais pas imaginé que mes parents focaliseraient leur attention sur un homme qui puisse me convenir, eux qui paraissaient si libres, si détachés de ce genre de préoccupations! Quand j'ai compris qu'ils n'approuvaient pas ma relation avec cet homme plus âgé que moi, j'ai opté pour la révolte sans cris. Je l'ai imposé. Je sentais que John était l'ennemi de mon père parce qu'il avait quinze ans de plus que moi et celui de ma mère parce qu'elle me trouvait trop légère et trop folle pour un homme aussi sage. Je lui avais asséné dans un jour de colère que John aimait en moi tout ce dont elle était dépourvue. Je n'ai rien précisé, pensant que la morsure resterait dans le flou de ma déclaration. Elle m'a regardée d'un air si triste que je l'ai aussitôt regretté.

Durant ce récit, Tomas ne la quitta pas des yeux. Puis il lui demanda si ses parents lui manquaient et elle en fut surprise.

Tout cela me semble appartenir à une autre vie désormais. Je me suis aperçue que tout un pan de moi avait disparu. Depuis que cet amour fou occupe mon cœur, mon corps et toute mon âme, le reste n'a plus de prise. Ce que j'étais professionnellement, amoureusement ou personnellement n'a guère plus d'importance. Cet amour envahit chaque parcelle de mon existence et, s'il n'y avait pas ces escapades en bordure de l'Océan et mes conversations avec vous, Tomas, que je connais si mal, ma vie se serait réduite à l'attendre. Toute mon existence a une saveur de passé révolu, et depuis peu est submergée par l'obsession de mon histoire avec lui. Ce qui m'aurait autrefois dérangée me laisse aussi froide que cet amour inconnu est brûlant. Je m'aperçois que la liberté est le mythe de ceux qui n'ont pas trouvé l'extase qui leur liera les poings et chevillera leur cœur.

Pour toute réponse Tomas eut ce geste étonnant. Il la saisit par le bras et l'embrassa sur le front dans une accolade de père réconfortant. Et puis il souffla comme un aveu, vous allez me manquer quand je serai au Brésil. Mais vous viendrez me voir, n'est-ce pas ?

Journal de sœur Madeleine

L'un des responsables de notre naufrage se tenait à l'écart et je n'arrivais pas à déterminer s'il était penaud ou perturbé. La navigation sur ces rapides exigeait une telle dextérité; j'aurais voulu qu'Angel fît preuve d'un peu d'indulgence, mais je sentais que mon intervention l'aurait exaspéré. Comme nous étions presque à la fin de la journée, Angel décréta que nous n'irions pas plus loin pour aujourd'hui. Nous allions passer la nuit dans cet endroit. Je T'ai béni, Seigneur, de m'avoir entendue. Pour rien au monde je n'aurais voulu remonter sur une pirogue et continuer à descendre le fleuve ce soir.

Oui, je sais. Ce que je repousse aujourd'hui sera mon angoisse de demain. Mais qu'importe, j'y gagne quelques heures de répit. L'un des Indiens qui se nomme Aytucue, je crois (je n'arrive jamais à retenir leurs noms et j'en suis souvent gênée), a fait miroiter à Angel la perspective d'une bonne chasse sur cette courbe de la rivière. À la tombée du jour, paraît-il, en se plaçant juste après les rapides qui nous ont entraînés, les pécaris peu méfiants viennent boire l'eau redevenue plus calme.

Ils ne semblent jamais s'énerver, ces Indiens, et ils sont d'égale humeur pour prendre les embûches de notre route comme les belles choses. L'hostilité de la nature ou celle des événements ne les troublent pas. Tout est quotidien, le pire des ennuis fait partie de la vie normale et souvent je les admire pour leur calme. Moi je crois en Toi, Seigneur, et, quand j'y arrive, je reçois les épreuves avec le courage que me donne la foi. Mais je dois l'avouer, depuis le début de ce voyage, je me suis sentie souvent découragée et pour me reprendre je me suis raisonnée. Je pensais, si je ne résiste pas au désespoir, je n'ai qu'à m'en prendre à moi-même pour mon peu de dévotion. Mais eux, comment font-ils ?

Je m'efforce toujours de me souvenir de mère Thérèse qui nous disait qu'elle voulait des religieuses ardentes et joyeuses. Quand elle voyait de la tristesse sur le visage d'une des novices, elle levait la règle du silence en prétextant que quelqu'un avait oublié d'ôter son bonnet de nuit. Je me remémore souvent les derniers mots de notre révérende mère sur les quais de la gare de Gramat.

Il te faudra renoncer à toi-même, être apte à faire n'importe quoi dans la clairvoyance de Notre-Seigneur et apprendre à te débrouiller avec tout.

Sa phrase se superpose soudain à celle que j'avais écrite, le soir de mes vœux, sur le mur de ma chambre, comme la déclaration que j'aurais à suivre désormais. Cette phrase, je l'avais trouvée dans le livre qui reprenait ce qu'avait dit le fondateur de notre ordre,

Pierre Bonhomme, « mon modèle sera Jésus-Christ, on se plaît à ressembler à Celui qu'on aime ». Alors je voudrais bien savoir qui j'aime et à qui je ressemble ce soir. Et la vérité me fait peur.

Tout à l'heure, juste après notre naufrage, j'étendais ma robe trempée sur les branches d'un buisson afin d'essayer de capter un peu d'air moite pour la sécher. Pour le soleil, il est inutile d'espérer, la hauteur de la forêt ne nous permet pas d'accéder au ciel. Angel s'est approché de moi. Je m'étais enroulée dans ce qu'il me restait de rechanges et j'avais, par-dessus mes jupons, collé une couverture fine car je n'avais plus rien de sec. L'une des caisses perdues contenait mes vêtements. Mais l'idée de cette disparition, en dépit des problèmes qu'elle risque de me poser, n'arrivait pas à entamer mon bonheur de n'avoir subi aucune perte dans notre chargement de médicaments. Je me rassurais en me disant que je trouverais bien de quoi m'habiller une fois arrivée à la mission et qu'en attendant, je laverais la seule robe qu'il me restait. Avec un peu de chance, nous arriverions avant que je me retrouve en tenue de Jane face à Tarzan ! Ce qui est amusant, c'est que c'est probablement le dernier film que j'ai vu dans un cinéma avec mes parents. À cette époque, j'étais loin de me douter que je serais un jour moi-même dans la jungle. J'en étais là de mes réflexions tandis que je regardais Angel venir vers moi. Il était souriant et je le sentais armé d'une intention que je n'arrivais pas à identifier. Une gêne mêlée de provocation. En tout cas, j'étais sur mes gardes. Il m'a tendu une chemise et un pantalon de toile avec une ceinture. Il a planté ses yeux bleus dans les

236

miens et il a commencé avec détermination. Écoutez-moi, ma sœur, à ce stade, et dans le ton de sa voix je sentais qu'il avait mûrement réfléchi à son discours, vous devez être raisonnable. J'ai haussé un sourcil car j'avais le sentiment d'avoir suivi ses exigences sans trop de caprices jusqu'à ce jour. Je n'ai pas l'intention de mourir pour vous récupérer chaque fois que nous franchirons un rapide. Je n'ai entendu aucune condamnation pour péché mortel qui oblige un religieux à garder son costume dans un cas de force majeure. Alors, pour le bien de notre expédition, je vous demande d'enfiler ce pantalon et cette chemise. Il me semble que vous nagez suffisamment bien pour ne pas avoir besoin de mon aide à condition que vous quittiez, provisoirement s'entend, votre scaphandre.

Seigneur, je ne sais pas ce qui m'a pris mais il avait mis tant de précaution pour faire sa demande que j'ai eu envie de le malmener un peu. Et si je refuse ? Il m'a semblé que ses yeux bleus noircissaient l'espace d'une seconde. Vous n'avez pas compris, alors je vais être plus clair. Ce que vous avez entendu comme une proposition est un ordre et, si vous n'êtes pas de mon avis, je vous mettrai moi-même ce pantalon et cette chemise. Je suppose que vous l'ignorez puisque c'est la première fois que vous venez à Guajará-Mirim, mais le patron de votre congrégation, dom Rey, est appelé « l'évêque sans soutane » par les indigènes. Je l'ai moi-même vu de nombreuses fois en bleu de travail, perché sur une échelle pour atteindre le toit d'une construction en cours.

Peut-être aurais-je dû refuser, Seigneur, mais je savais qu'il avait raison et que je serais plus en sécurité en m'habillant de la sorte. Je ne pouvais pas mettre sa vie ou celle des Indiens en danger et ils ne m'auraient pas laissée me noyer. Je lui ai répondu avec un sourire que je ne lui causerais pas de souci et que, tant que nous serions en pirogue, je laisserais mon habit de côté. Il a eu l'air soulagé par ma reddition et j'ai regretté de l'avoir poussé dans ses retranchements. Je me suis retirée derrière les toiles tendues autour de mon hamac pour me changer. Cela avait été plus facile à promettre qu'à réaliser. Je n'avais pas enfilé de pantalon depuis des années et mes jambes même cachées me paraissaient nues. La rugosité du pantalon me démangeait. Par bonheur, la chemise à carreaux trop longue couvrait mes hanches. J'ai vérifié trois fois qu'elle tombait bien sur mes fesses et que le pantalon n'était pas moulant. Puis je suis sortie le cœur battant de mon abri. J'avais les joues cramoisies et je devinais déjà qu'Angel ne manquerait pas de me faire une réflexion bien sentie pour saluer mon nouvel accoutrement. Mais ce fut pire encore. Il m'examina de la tête aux pieds avec un tel regard que l'écrire dans ce cahier me remplit d'une gêne plus grande encore que le moment vécu. À ma grande surprise, il est parti d'un grand éclat de rire. Pardonnez-moi, ma sœur, mais ce voile sur votre tête accompagné de ce magnifique décolleté, cela vous sied à merveille. Il fallait y penser. Je me suis aperçue avec horreur que, toute concentrée sur la longueur de la chemise dans mon dos, je l'avais enfilée comme ma robe de bure et l'avais laissée ouverte sur mon soutien-gorge. J'ai immédiatement scellé les boutons jusqu'au dernier en foudroyant Angel du regard. J'ai fait un effort immense pour être calme et je lui ai signalé que j'obéissais à sa demande pour des raisons pratiques. Je n'étais pas prête à endurer ses sarcasmes. Devant ma soudaine douceur, il a dû craindre que je ne réintègre ma robe et il s'est excusé puis a très vite changé de sujet. Ne vous fâchez pas. Il faut aussi que je vous dise une chose importante. Comme vous le savez, nous avons perdu des réserves de nourriture et nous devons veiller sur le reste de notre chargement. L'avenir nous dira si nous regretterons d'avoir encore nos médicaments en mourant de faim. J'ai protesté vivement en lui proposant de réduire les portions de nos repas. Et je lui ai rappelé que Toi, Seigneur, Tu nous viendrais en aide. Il a poussé un juron et m'a tout de suite interrompue. Épargnez-moi vos conneries de bénitier, vous voulez bien ? Si votre fiancé avait dû nous aider, il l'aurait fait depuis longtemps. Il n'y a rien là-haut, pas de paradis à gagner. Et en bas, pour la plupart des humains, c'est l'enfer ! Alors contentez-vous de vous demander si nous serons assez malins pour sauver le chargement et l'expédition. Nos Indiens portent et, même s'ils sont prêts à bouffer des chenilles, ils ont besoin d'énergie. Je suis en train d'essayer de voir avec eux si nous pouvons être hébergés dans une tribu d'Oro Wari, cousine de la leur. Des Indiens plus sauvages qui ne veulent pas être en contact avec les Blancs. Ce ne sera pas facile. Nous devrons être diplomates. Ce ne sera pas le moment de faire de l'évangélisation. Je lui ai demandé de quoi ils avaient peur. Angel a eu l'air étonné de mon ignorance. Les Indiens ont très bien compris qu'en étant en contact avec nous, ils contractent des maladies. Et la plupart des hommes blancs qui commercent ici avec des Indiens finissent par amener de l'alcool, des armes, foutent le bazar dans les traditions. Ils recrutent des *seringueiros* pour leur sale boulot, exploitent les hommes, maltraitent les femmes, quand ça ne finit pas en tueries ou en massacres de villages entiers. Il y avait probablement au moins trente mille Indiens par ici au début du siècle. S'il en reste quatre mille, ce doit être un grand maximum. Ce n'est pas une guerre. Il n'y a pas de perte chez ceux que les Indiens appellent les Wijam (les Blancs). Vous comprenez, ma sœur, c'est un génocide qui ne dit pas son nom. Alors évangéliser les Indiens, ça devient secondaire. À moins que ce ne soit une manœuvre cynique avant de les envoyer *ad patres*. Je ne savais pas quoi lui répondre. Ce n'était pas ainsi que j'avais envisagé ma mission.

Seigneur, je me sens si différente aujourd'hui et cela fait à peine quelques semaines que je suis partie. Comment ai-je pu tant changer en si peu de temps ? Dans ces habits, je me sens prise au piège. Il me semble que, dans ma robe, j'arrivais à cacher ce corps de femme et la transparence de mes sentiments envers lui. Et voilà que l'habit fait le moine maintenant… Décidément je ne m'épargnerai aucune sottise ! Mais je sens ses regards et parfois, sous cette ironie qu'il brandit comme une sorte de défense contre lui-même, je perçois quelque chose de plus qui me trouble sans que je sache ce que c'est. À ses moqueries, je réponds désormais du tac au tac et je défends mon apparte-nance à l'Église bec et ongles. Sous ces disputes, quelque chose se tisse dont nous ne sommes dupes ni l'un ni l'autre. Au moins cela occupe…

Notre voyage est pénible, chaud, difficile. Nous avons plus que réduit les rations. Nous avons perdu la moitié de nos vivres dans le naufrage et deux Indiens se sont enfuis avec de la nourriture. J'ai émis l'idée qu'ils allaient revenir. Angel est entré dans une rage folle et j'ai eu toutes les peines du monde à essayer de le calmer. Mais à ma grande surprise j'y suis arrivée. Il m'a regardée d'un air étonné et il s'est arrêté de tempêter en me faisant remarquer que j'étais plus résistante qu'il n'aurait cru dans l'adversité. Le mal est fait, gardez vos forces pour lutter contre la faim, lui avais-je suggéré. Mon endurance m'a-t-elle remontée dans son estime ? Je ne sais pas, mais il veille à ce que je ne manque de rien, quitte à prélever sur sa part. Je l'ai remarqué, même s'il le fait discrètement. Quant aux Indiens, j'avais raison. Ils sont revenus et apportaient de mauvaises nouvelles. Celles d'un massacre dans leur village, vers lequel ils nous ont entraînés. Il paraît que ces expéditions punitives sont courantes ; elles sont commanditées par les extracteurs de caoutchouc. La peur d'être fléchés les pousse à demander à leur patron d'organiser ces descentes durant lesquelles des groupes de Blancs s'introduisent dans les *malocas* (c'est ainsi que les Indiens appellent leurs maisons) et tuent ceux qui s'y trouvent, y compris les femmes et les enfants. Pourquoi font-ils cela ? Existe-t-il une raison valable à ce genre de massacre ? Habituellement, quand les Indiens découvrent qu'ils vivent près des Blancs, ils n'hésitent pas à dérober de la nourriture ou des objets en leur absence. Mais dans l'esprit indien, ces emprunts ne sont pas bien méchants. Certes c'est du vol, mais il faut comprendre, me raconte Angel, qu'ils explorent et s'approprient les objets de ceux qui viennent s'installer sur leurs terres parce qu'il y a des hévéas.

Le décalage entre ces menus larcins que me raconte Angel et le spectacle du massacre que nous avons sous les yeux me broie l'estomac. Tout est brûlé, les hommes et les femmes ont été abattus par balles. Il semble qu'il n'y ait qu'un jeune enfant qui ne soit pas mort. Il est resté immobile, bien que blessé, pour ne pas attirer l'attention.

Mais comment ai-je donc vécu jusque-là ? Le sang qui coule de la tête de ce petit garçon me réveille, me rend à une humanité dont j'ai ignoré qu'elle m'était lointaine. Je réalise avec effroi que j'ai vécu comme un pur esprit, dans le luxe cotonneux de ma vocation. Un amour exclusif pour Toi, Seigneur, dans lequel n'entrait aucune compassion. Je ne savais rien de la vie, ni du malheur. Cet enfant ensanglanté qui a mal et geint doucement entre mes bras me procure une douleur étrange. Comme si j'étais une mère bien plus qu'une sœur. J'éprouve cette souffrance aussi profondément que mon ignorance me révulse. Pourquoi m'as-Tu laissée dans ce rêve insensé ? Mais non, je suis injuste. Tu ne m'as pas laissée puisque je suis là, impuissante, démunie et que ma dévotion ne me sert à rien. Je tiens contre moi l'enfant en appuyant un linge sur sa tête pour arrêter l'hémorragie. Avant de s'éloigner pour chercher d'éventuels survivants, Angel a remarqué mon désarroi et m'a jeté un regard terrible plein de pitié et de mépris. Je ne saurais dire lequel de ces sentiments dominait tant son œil était noir. Mais peut-être ne s'adressait-il pas à moi. Peut-être que je me fais des idées et qu'il était tout simplement en colère de la situation. Un instant je me demande si l'enfant a assisté au massacre de ses parents et je sens des larmes inonder mon visage. Je m'essuie avec ma manche pour qu'on ne me voie pas pleurer.

La plupart sont morts, m'assène-t-il en revenant vers moi. Les Indiens qui nous accompagnent ne disent rien. Ils constatent et ne s'indignent pas. Maintenant que je les connais un peu mieux, je peux repérer leur rage et leur peine à leur attitude. Angel a une longue discussion avec eux. Nous ne resterons pas ici cette nuit et deux d'entre eux vont s'occuper des corps et leur rendre hommage selon le rite oro wari. Je voudrais les aider, les accompagner, mais en deux mots Angel m'explique qu'ils brûlent les corps, les mangent et que leurs célébrations mortuaires n'ont rien à envier aux nôtres et, surtout, que je ne leur serais d'aucune utilité. Je frissonne un peu en réalisant l'étendue de leur ignorance en célébrations religieuses et l'étendue de la mienne en matière de coutumes indiennes.

Nous allons partir vers le prochain village et nous emmènerons l'enfant avec nous. Nous y passerons la nuit et nous ferons route le lendemain avec, Angel l'espère, un peu de nourriture. À la tombée de la nuit les hommes ont rapporté quelques oiseaux que nous avons mangés en silence, après les avoir fait griller. Je les ai vus une fois cuits et j'ai espéré que ce n'était pas ces petites perruches colorées qui s'envolent des arbres et dont j'aime tant regarder les évolutions à la tombée du jour. Machujamai, que nous avions laissé parce que sa femme venait d'accoucher, nous a rejoints. Je ne sais comment un Indien réussit à se

243

déplacer tout seul dans ces cryptes végétales sans mourir. Il a rapporté de la farine de manioc qu'ils nomment ici *farofa*. Pour les Indiens, Machujamai est comme un prêtre chez nous. Il est sorcier et détient les secrets des potions. Seigneur, elles sont si étranges, toutes ces croyances qui toujours accompagnent les hommes de rites et de symboles. Je crois que Tu es là sous des noms différents. Le jeune Chua m'a parlé des coutumes indiennes. Après le massacre du village, je lui ai posé quelques questions. Ils croient en un dieu suprême qui a donné toute la vie sur terre ; le soleil, qu'ils appellent Tina, pour les éclairer le jour et la lune, Panawo, pour la nuit. Ils ont un paradis tandis que les méchants iront dans une *maloca* au fond de la mer où ils ne verront rien. S'ils mangent leurs morts, c'est pour être en communion avec eux. Et ils préfèrent tuer et manger des singes et des oiseaux qui sont pour eux de bons esprits. Vois-tu, Seigneur, à quel point nous ne sommes pas si éloignés ? Ils ont finalement un sens inné de l'Esprit saint. Ce que je me demande, c'est comment Tu as pu, jusqu'au fond de la jungle, prendre Ta place dans le cœur des hommes. Cachées dans cette immensité verte, des tribus farouches Te vénèrent et combattent des hommes qui sont eux aussi Tes créatures. Je me demande si la conquête des Portugais pourtant catholiques n'est pas une longue série de malentendus. Rien dans ce que j'ai rencontré jusqu'à maintenant ne raconte autre chose qu'une envie de s'enrichir dans un pays où curieusement la pauvreté est partout bien plus apparente qu'ailleurs.

Lysange avait longuement hésité. Quand elle avait quitté Bordeaux, avant qu'elle ne monte dans le train, Tomas lui avait tendu le cahier. Il avait été discret. Elle ne se souvenait pas de l'avoir vu emporter le journal quand ils avaient quitté le Cap-Ferret. Elle comprit sur le quai qu'il avait l'intention de le lui confier afin qu'elle puisse finir sa lecture à Paris. Elle tendit la main et chercha dans le regard de Tomas une explication. L'histoire de sœur Madeleine faisait partie de son voyage, de sa façon de fuir Paris, son amour devenu silencieux, le carnage insidieux de son âme. Il ne pouvait l'ignorer. Son insistance acheva de la convaincre. Je n'ai plus que deux semaines à passer ici. Vous ne reviendrez sans doute pas avant mon départ. Vous m'en parlerez quand je vous remettrai les clés, avant que je ne quitte la France. Lysange lui jeta à brûle-pourpoint, c'était elle la compagne que vous avez perdue, il y a peu de temps ? Tomas acquiesça. Puis il ajouta, avant que la mort ne me l'enlève, je l'avais déjà perdue pendant plusieurs années. J'ai été heureux. La vie m'a accordé une seconde chance. Le train arrivait. En montant les marches, Lysange lui cria, vous n'avez

245

jamais eu d'accent en français ? Tomas partit dans un grand rire qu'elle identifia comme étant celui d'Angel. Ma grand-mère était française, mon père parlait français. Ne changez rien, vous êtes bien comme ça ! Finalement vous lui ressemblez beaucoup. Dans le brouhaha des voyageurs qui cherchaient une place, elle se demanda ce qu'il avait voulu dire. Presque aussitôt, Tomas lui envoya un message sur son téléphone. *Je vous ai écoutée et j'ai beaucoup réfléchi. Ne restez pas sur cette soirée terrible avec Pierre. Même si vous avez peur, il a plus peur que vous. Essayez de le revoir, d'en avoir le cœur net.* Il n'avait pas osé lui dire en face ces mots-là, ou peut-être pensait-il à sa propre histoire. Avoir le cœur net, elle n'était pas sûre d'en avoir vraiment envie. Une fois assise dans le train, elle glissa la main dans son sac, caressa la couverture puis l'ouvrit et s'extasia à nouveau devant cette jolie écriture un peu effacée, ronde et bleue, qui avait traversé plus d'un demi-siècle et un petit bout d'Amazonie.

J'ai besoin de marcher. Je traverse Paris. J'évite les lieux où je suis passée avec toi, ceux qui mènent mes pas vers ton appartement. J'écoute la même musique, en boucle. La seule qui apaise mon cœur en lui murmurant qu'il est en morceaux. Cet air de tango ressemble à mon désespoir, j'y trouve de quoi assouvir ma rage. Il se déroule au rythme de ma progression dans la ville. Tout y est réuni. Le ton rauque de l'homme qui chante, les aigus des violons, les voix qui se propagent en parallèle dans des mélodies improbables. La plainte de cette musique argentine enlacée à la langue espagnole me permet de te fuir et, qui sait, de te haïr. Quand le morceau se termine, je suis sûre de ne plus vouloir de toi. Alors il recommence et précipite la chute de mes sentiments dans un gouffre dont on ne peut pas remonter. Je rentre chez moi.

Le désir de toi me reprend, me crucifie à ton corps, cœur arrimé au tien, offerte à cette impossible rencontre que je souhaite tout autant que je la redoute. Immobile, tremblante, je passe doucement ma main sur mes seins, je ferme les yeux et glisse sur la peau douce du ventre là où s'étend le manque. Je suis absente aux frissons, la surface de mon corps s'est endormie, mais tressaille à ton souvenir. Je ne sais plus sur quelle parcelle t'attendre. Mon amour s'est recroquevillé comme un animal malade. Je ne lèche plus les blessures, je les laisse suinter. Un semblant d'espoir me souffle qu'une histoire est encore possible, mais la raison m'impose de me sauver.

Et même s'il y avait une rencontre, voire une étreinte… Comment oublier ? Est-ce que le pardon vient avec les mots de l'autre ? Est-il déjà inscrit dans nos histoires comme un patrimoine génétique mystérieux qu'il nous faudrait louer ou détester selon les cas ?

Tant que je n'aurai pas plongé à nouveau mes yeux dans les tiens dans un face-à-face qui m'effraie, je ne saurai rien de la suite. Ce que je ressens me semble faux ou décalé. Tour à tour je me parle et tente d'être lucide. Cet homme a été fou, il peut l'être encore. Oui mais l'autre, cet être merveilleux qui est encore sur toute ma chair, imprimé, celui qui m'a poursuivie de ses rêves et qui est en moi comme enraciné.

Des mots que tout cela, des chimères, des remparts de paille. Contre les actes, ils ne valent pas grand-chose. Ils sont balayés, emportés par ce que nous faisons et qui dit mieux qu'un discours ce que nous sommes ou notre tentative de l'expliquer. Ah les mots, nos plus beaux atours ! Même quand ils nous dénoncent, ils se déguisent, se transforment, traduisent et sont infidèles. Je sais tout cela et pourtant j'aspire aux promesses, aux murmures de l'amour, à l'apaisement des retrouvailles. Et tout à la foi, je m'inquiète et m'interroge. Quelle fut cette force avec laquelle je me donnai après que tu t'es révélé dans ta cruelle dimension ? L'énergie du désespoir ? Une volonté d'affirmer que l'amour était vainqueur ? J'ai cherché l'apaisement de la bête dans un don d'amour total. Mais qu'a-t-il pensé, lui ? me dis-je. Je la fais souffrir et elle se donne plus fort encore. Intéressant, passionnant. À explorer...

Quand j'envisage l'histoire sous cet angle, la réponse est rapide, lancée comme une gifle. Il me faut abandonner ce chemin misérable qui emmène toujours plus profond, là où nous poussent toujours les exigences de l'autre, son aveuglement. Je dois m'enfuir pour ne plus être une plaie ouverte qui saigne.

Je repasse comme un film nos emportements, nos caresses, nos baisers. J'y cherche la faille ; peut-être dans ce mouvement du corps qui trahit les ombres de l'âme, mais je ne trouve rien. Je réalise que les mauvais moments que l'on vit avec un être chéri peuvent effacer complètement les emportements, les rires et délires, les palpitations, les évanouissements dans le plaisir. Mais comment fait-on pour que l'inverse devienne possible ? Pour que la haine, le désespoir, la peine, les ordures accumulées disparaissent dans un baiser ou une étreinte. Je sens poindre l'ironie. Ce que je désire a un nom. L'ardoise magique. En secouant la tête, on ne saurait plus rien de ce regard méprisant, de ce corps repoussé, de ces lèvres qui prononcent l'indicible. Le désamour sectionne le temps, le morcelle dans une impossible réparation.

Je tente d'apaiser mon envie de savoir. Existe-t-il encore une histoire ? Face à ton regard, il me faudra choisir. Y penser réduit déjà ma volonté de te fuir. Tout ne doit pas dépendre de toi. Il faut que je sache, moi aussi. Ce que je veux et surtout ce que je ne veux pas.

Elle est perverse, cette envie de me laisser glisser entre tes bras. Tout oublier pour qu'existe à nouveau ce qui a été là, si beau, cet amour posé sur un écrin de velours, cette éternité insensée. Tu me couvais d'un regard adorateur. Je t'aime infiniment, me disais-tu sans crainte. Et je le répétais, émerveillée que ces mots définitifs te viennent si facilement. Je ne te mettais pas en doute. Je te croyais. J'écoutais le mot s'étirer dans sa longueur : infiniment... À moins qu'il n'eût fallu entendre le mensonge de l'infini. Il y a quelques jours à peine, je me laissais aller à la rêverie, je suivais le cours vagabond de nos rencontres torrides. Je cueillais sur tes lèvres les baisers oubliés, je repassais durant les trajets en métro la course de nos mains empres-sées, mêlais langoureusement souvenirs et fantasmes. Je ne peux plus le faire. Comme si la bande du film s'était coupée. Je retiens mes gestes. Là où je pour-rais librement m'abandonner dans les caresses les plus osées demeure désormais un interdit. Ton existence est devenue une question. Ton amour passé, une invention que j'aurais imaginée dans un manque. Je suis perdue dans mes inextricables contradictions. Je tourne en rond.

J'ai passé cinq jours dans un silence total puis l'en-vie de te parler était trop forte. Mais rien n'est facile. Tout est calculé, réfléchi, timide, maladroit. Je ne sais pas où te rejoindre. Je ne sais pas si c'est la foudre ou une voix douce qui va répondre à mon appel. Même les excuses que j'ai espérées dans les premiers jours me paraîtraient aujourd'hui dérisoires, et pour tout dire décalées. Quand je t'ai aimé si fort et si soudainement, je me suis dit que rien n'était comparable à cet exil passionné. J'habitais en ce lieu qu'est l'amour, je respirais le désir, je le portais en moi et irradiait autour de mon corps, comme une traîne de mariée, l'éclatante blancheur de nos étreintes.

Ce que je ne m'autorise plus éveillée, mon sommeil s'en empare. J'ai dormi lovée contre toi et suis sortie de ma nuit dans ton odeur, noyée de tes baisers et de tes murmures. Mais ce n'était qu'un rêve. Et puis je me suis assoupie à nouveau et souvenue. Avec les jours qui passent, ma peine ne s'estompe pas. J'avance péniblement dans la folie de l'absence qui réduit à néant l'affront subi. Seule reste la brûlure d'être sans toi, dans ton silence hostile. Un jour, je le sais, l'amour s'en va, mais dans mes anciennes histoires ce fut toujours un constat résigné que celui de la rupture.

C'est un tout autre combat que je livre cette fois. Au moment fatal où ce que nous avons rêvé n'a plus d'importance, la réalité brise nos désirs de fiction. Est-ce possible, ce jour-là, de savoir ce que nous aurions pu vivre si nos fantasmes avaient été plus ardents ? Amnésiques du temps qui passe, oublieux de la mort qui vient, nous ne prenons pas garde à la beauté des instants. Nous voici flamboyants, fiers et éternels, promis à l'immortalité.

Je te l'avais dit lors de notre première séparation. En quelques jours tout avait pris de l'importance et j'avais peur de mourir avant de te revoir. Aujourd'hui cette question ne se pose plus et une autre plus insidieuse a pris sa place : et si je mourais de le retrouver ou de ne pouvoir vivre sans lui ? Et je sens que déjà mon âme négocie l'amour que je te porte.

Journal de sœur Madeleine

Je me suis éloignée du camp pour aller au bord du fleuve. Un peu effrayée par les bruits de la nuit, je faisais très attention aux animaux. Mais tout semblait calme et beau. La lune brillait et ridait la surface de l'eau d'étoiles argentées. Je n'avais pas revu Angel depuis le dîner au cours duquel nous avions eu une discussion un peu difficile sur l'évangélisation des Indiens. Je lui avais parlé du bonheur de transmettre la parole de Dieu. Ta parole, Seigneur, et durant notre dialogue, mais je devrais l'appeler « affrontement », j'avais senti son regard me brûler et, dans ma passion de lui dire ce qui m'animait dans cette mission, j'avais frôlé l'exaltation. À la fin du repas, il avait disparu. Mais tandis que je lavais mon linge dans le fleuve, sa silhouette s'est dessinée dans la nuit claire. Il s'est avancé vers moi et j'ai vu qu'il était ivre. Sans doute à notre dernière halte, les Indiens lui ont fourni de la *chicha*, cet alcool de maïs qu'ils consomment à toutes leurs fêtes. Je lui ai dit que je voyais bien qu'il avait bu. Il s'est encore rapproché et je me suis reculée. Vous empestez l'alcool. C'est bien possible, ma sœur… Ma sœur… Et il l'a répété plusieurs fois…

Et là, tout en l'écrivant je suis encore au bord du fleuve, mon cœur se remet à battre comme il l'a fait tout à l'heure. Je crois qu'il ne m'a jamais dit autant de mots à la suite, et c'était un monologue que je ne pouvais interrompre…

J'ai pris l'habitude de vous appeler « ma sœur », mais on ne s'aime pas entre membres d'une même famille, n'est-ce pas ? C'est interdit, non ? Je ne vois pas où il veut en venir en me disant cela. Il élève la voix, chuchote, puis crie à nouveau. Est-ce que c'est de ma faute à moi si je ne suis pas insensible au charme d'une femme affublée d'un voile, une religieuse qui a loupé sa vocation d'actrice de cinéma ? Non mais sérieusement ! Vous vous êtes déjà regardée dans une glace ? Non évidemment, ça doit être interdit, les miroirs, dans votre couvent. Quand je vous ai vue la première fois, je croyais à une plaisanterie. On se fichait de moi. Un bon copain allait sortir de derrière un arbre et me dire, tu l'as cru, toi, que cette jolie fille est une bonne sœur ? Elle était bonne ma farce, hein ? Avec son voile et sa robe en forme de sac à patates, n'est-ce pas la plus belle femme que tu aies rencontrée ? Et son regard bleuté presque transparent. Et cette bouche à se damner. Un enfer, cette femme-là. Mais non. La vérité est bien plus comique. C'est une vraie nonne, une envoyée de Dieu, ou de ce qu'il en reste. En vérité, une bonne sœur, une qui croit, qui prie et tout le tintouin. Je tends un bras pour qu'il s'arrête mais il m'évite et titube. Une religieuse comme je n'en avais jamais croisé. Une apparition à faire perdre la raison à un homme normalement constitué. Sûrement une cruche pour aider au réveil. Eh bien non ! Une femme de caractère ! Je ne sais pas où se loge Dieu là-dedans, mais elle a tout ce que j'aime. Du répondant, de l'humour et puis le reste. Une vraie femelle. Sensuelle, même quand elle marche dans la jungle. Voilà maintenant, vous le savez, depuis que vous êtes là, ma vie est un calvaire. Tout m'est insupportable. Moi, ma vie, la vôtre... Je vous ai fait goûter votre première mangue, vous en souvenez-vous ? Vos yeux fermés, votre bouche tendue et cette trace orange qui dégoulinait de vos lèvres que j'avais envie de mordre. Et votre rire. Il fallait que ce soit à Angel que ça arrive, une chose pareille. Tomber amoureux d'une nonne. Vous ne comprenez donc rien ? Ne me regardez pas avec ces yeux étonnés. Ce n'est pas la peine d'être en cheville avec le ciel pour être aussi aveugle. Je sais, vous l'avez épousé ce Jésus, mais vous n'allez pas me mettre en concurrence avec un type qui est mort il y a presque deux mille ans et qui n'a même pas consommé sa nuit de noces ?

Je ne dis rien, je suis pétrifiée par son discours. Je ne voudrais pas qu'on nous entende mais je réalise que personne ne comprendrait. Les Indiens ne parlent pas français. Ce n'est sans doute pas cela qui me fait peur. Il pointe son doigt vers moi. Je sais que vous m'aimez. Et je sais même que vous me désirez. Oh, ne faites pas l'innocente. Je vous ai tenue contre moi. Je ne suis pas fou. Je n'y connais pas grand-chose en nonnes, mais je connais un peu les femmes. Il doit bien rester une femme à l'intérieur de ce corps voué à l'Absent. Et même si j'imagine que vous êtes vierge, et vous l'êtes, n'est-ce pas ?… Ça me rend fou de sentir votre désir se coller au mien. Oui, je le sais, vous avez du désir pour moi. J'en mettrais ma main au feu. D'ailleurs ça ne serait pas difficile. Je n'aurais qu'à la coller contre votre peau nue…

Taisez-vous… Je suis un soldat de Dieu.

C'est la première chose qui m'est venue à l'esprit, sans doute pour me défendre, et ça ne lui a pas échappé.

Soldat ? Voyez-moi ça. En guerre donc ? Laissez-moi deviner… Vous êtes en guerre contre moi ou contre l'amour que vous me portez ?

Il s'est rapproché. Son visage est trop près du mien. Cette odeur d'alcool me fait suffoquer, je me sens abandonnée, vaincue, submergée par les sentiments que je lui porte. Je lui souffle tout bas :

J'aurais dû vous combattre depuis longtemps. Vous êtes comme la tentation. Vous êtes un démon.

Ravi de le savoir, mais en tout cas je ne suis pas moine. Je suis au-delà de la tentation et moi, je n'ai rien promis à personne. Alors si vous êtes la femme que j'aime et qui m'aime, je suis censé faire quoi ? Vous regarder vous arracher le cœur pour un Dieu qui n'existe pas ? Je le vois bien que vous vous tordez l'esprit avec ce qui se passe entre nous. Vous attendez que je fasse silence ? que je subisse sans rien dire votre manque d'amour pour moi ?

Je ne manque pas d'amour pour vous…

Ça m'a échappé, comme une déclaration, cette phrase a fusé et elle est suivie d'un long silence. Trop long. J'essaie de me rattraper.

L'amour, ce n'est pas seulement physique. Je peux vous aimer autrement…

Je me suis arrêtée dans ma phrase parce que ses deux mains m'ont saisie par les épaules et qu'il m'a poussée contre un arbre. Cette proximité est terrible. Je ne peux plus respirer. Sa voix est douce, maintenant il chuchote.

Vous avez raison. Non, vous pourriez avoir raison, mais ce n'est pas de cet amour-là que vous m'aimez et, si vous êtes un brin honnête, vous le reconnaîtrez.

Je me tais et mon silence crie mon aveu.

Je vous arracherai à Lui parce que vous êtes la seule qui m'importe.

Il s'est penché vers moi et je détourne la tête, il a chuchoté « Louise » en effleurant de ses lèvres le lobe de mon oreille. Aimez-moi, arrêtez de lutter. Comment connaît-il l'un de mes prénoms de baptême ? Ceux auxquels on renonce pour s'engager. Je murmure faiblement :

Je m'appelle sœur Madeleine.

Ce n'est pas celle-là que je désire. C'est Louise, ce nom que j'ai lu sur votre passeport pendant que vous dormiez. Vous ne serez jamais ma sœur. Vous serez ma femme. Je n'ai jamais aimé une femme comme je vous aime.

Et il répète mes prénoms, ceux que j'ai abandonnés depuis si longtemps. Il a l'air de les faire siens et je sais que personne ne m'a jamais appelée ainsi. Je ne peux même pas les écrire maintenant tant il les a prononcés avec fièvre. Ô Seigneur, Tu le sais, j'ai tenté l'impossible. J'ai hurlé dans un sursaut de lucidité :

C'est parce que les autres sont accessibles et consentantes que vous avez jeté votre dévolu sur moi. Parce que vous pensez que je suis naïve et impressionnable. Vous êtes attiré par la difficulté. Ce n'est pas moi que vous aimez, c'est l'idée de faire la conquête d'une religieuse. Je manque à votre tableau de chasse, voilà tout.

Pendant que je lui parle, j'essaie de me donner des raisons de le détester. Je me répète que seul mon voile l'a mis au défi de me séduire. Mais il ne dit plus rien. Ses mains ont doucement glissé sous ma chemise, ont atteint ma peau et cette caresse m'a transformée. Taisez-vous, vous devenez stupide. Vous n'imaginez pas à quel point votre statut ne pouvait que m'éloigner de vous. Je suis pétrifiée. Il faudrait le repousser, enlever ses mains, protester, m'indigner et je ne fais rien de tout cela. Je n'ai plus d'argument. Mon cerveau ne m'obéit pas. Quelque chose s'est vrillé dans les commandes. Quelque chose que je n'avais pas prévu est en train d'arriver. Comme si mon corps se mettait à chanter… Une douceur immense se propage à toute la surface de ma peau. Je suis comme irradiée d'un grand frisson qui s'infiltre. Mes jambes se dérobent. Je sens mes ouïes battantes, ses mains torturantes sont des soleils. L'instant me souffle que tout est beau et que je n'ai pas à m'excuser de Te renier, Seigneur. Ce que je vis là, c'est Toi qui me le donnes. Ça ne peut pas être autrement. Ce ne serait pas si merveilleux, si doux, si exaltant. La beauté de ce que je ressens me foudroie. Mon impatience est une douleur. Je suis muette, éblouie. Par la grâce, mais est-ce le bon mot, de ses mains douces, ses caresses se font miroir, réfractant l'évidence. J'accepte soudain la vérité. Moi aussi je rêve de lui parce qu'on ne peut pas diriger ses rêves, moi aussi je sens la brûlure du désir au creux de mon ventre. Me jeter en prière dix fois par jour n'éloigne ni la force de son regard, ni l'incandescence du mien. Écoutez-moi, Louise. Je ne vous raconte rien que vous n'ayez deviné. Vous êtes assez fine pour avoir senti que je ne suis plus moi-même en votre présence. Je pense sans rien lui dire, oui, oui, je vous écoute, mais ne vous entends plus. Je ne saisis pas les mots, seulement leur musique, le son de sa voix et l'enchaînement de ce qui me déploie et tisse l'indicible. Sa violente tendresse m'attire et me fait peur. Il me serre très fort. Vous me faites mal.

Vous aussi vous me faites mal, vous tenez mes tripes comme je tiens là votre corps. Je me réveille chaque matin comme si j'étais en sursis. Je manque d'air. Je saisis l'occasion au vol et lui assène, ah oui ? J'étais pourtant persuadée du contraire. Par la parole, comme dans un sursaut, je tente encore une échappée. Je me renie. Mais il n'est que douceur. Il susurre à mon oreille, vous voyez comme vous êtes cruelle et cynique. Comment lui dire que lui répondre est mon seul salut ? Parler avant qu'un silence ne s'installe, parler avant qu'il ne comprenne à quel point les sentiments que je contiens sont aussi dévastateurs que les siens. Et surtout ne pas lui laisser entendre le cri de ce corps déchaîné qui ne m'appartient plus. Faible entre ses bras, je sens mes lèvres attirées par les siennes dans la muette supplication d'un baiser. Vous m'entendez ? Ses mains ont saisi mes seins et c'est comme un réveil brutal, je le repousse violemment, je cours vers le campement et j'ai du mal à retrouver ma case. Je suis essoufflée, effrayée par ce qui vient de m'arriver. Je grelotte, je sanglote. À genoux, je Te supplie, Seigneur, de m'aider et soudain, miracle, Tu me sembles là. Alors que je T'appelle depuis si long-temps et suis devant un grand vide, cette fois je sens Ta présence et Tu ne me juges pas. Comme c'est doux, comme cela m'apaise. Je Te retrouve comme autrefois quand Tu m'appelais à devenir une de Tes filles. J'ai besoin alors de prendre ce cahier, de raconter ce que je viens de vivre et qui me fait trembler aussi fort en l'écrivant. Qu'ai-je fait? Une sœur qui se comporte comme la première prostituée venue. Mais je sens que ce jugement est ridicule. Je n'ai rien fait de mal. J'aime véritablement Angel et c'est la première fois que j'ose l'écrire. *Vous serez ma femme*, a-t-il dit. Il devait être sous l'emprise de quelque drogue indienne et ce village est empoisonné. Mais je sens que je ne pense pas ce que j'écris. Je cherche des responsables à ce qui nous inonde. C'est très étrange, je suis perdue, mais je sens que Tu ne m'abandonneras pas. Tu es là, Seigneur, n'est-ce pas? Je me suis engagée pour être Ta servante, mais que signifie la rencontre avec cet homme? Était-ce la tentation à laquelle je devais résister et cela voudrait dire que je me retrouve main-tenant bannie? Ou me suis-je trompée de voie en Te choisissant? Comme c'est difficile d'abriter dans un même cœur mon amour et mon remords. Et de quoi suis-je mortifiée? D'amour? Est-ce un si grand péché d'aimer? N'est-ce pas Toi, Seigneur, qui inven-tas ce noble sentiment, cette attirance pure et ce désir si brûlant dont j'ai ignoré l'existence pendant longtemps? Oui, je sais que je n'ai pas droit à cette histoire humaine, que je dois donner à tous en Ton nom, et ne pas être dans l'amour d'un seul. Surtout pas charnellement.

Je l'entends, mon Dieu, je l'entends qui marche tout près de mon petit abri. Je suis sûre que c'est son pas, il vient, il écoute à ma porte. Il doit percevoir mon cœur qui va sortir de mon corps d'un instant à l'autre. Et s'il frappe, que dois-je faire?

Je respire le plus doucement possible. Il me faut continuer à écrire dans ce cahier; cela m'apaise. Il n'insiste pas. Il s'éloigne et pourtant il sait que je suis là. J'ai peur, Seigneur. De moi surtout. Son éloignement est une souffrance. J'en suis mortifiée, mais... Je voudrais encore sentir son souffle sur le bord de mes lèvres, son baiser, ses mains entre lesquelles je sens que mon corps sort de son enveloppe. Quelle est cette attirance machiavélique que je n'avais jamais éprouvée? Comment se fait-il que ma peau semble se soulever et irradier entièrement la surface de mon corps en me menant au bord de l'évanouissement dès qu'il me touche? Cela ressemble à une magie que je me refuse à juger maléfique. Je ne peux pas imaginer que mon amour s'apparente à un péché. Il est magnifique et si émouvant. Il est une incarnation de quelque chose que je n'imaginais pas. La chair, je le sais, est un piège de la nature humaine et plus encore pour ceux qui se sont engagés à l'ignorer. Ceux qui, comme moi, ont promis chasteté et abstinence dans la vie religieuse. Comment se fait-il que ce que je ne connais pas puisse me manquer, me faire souffrir, me torturer, comme une lancinante douleur, et tout à la fois me donner l'espoir immense d'un bonheur inégalé ? Il faut que je le décide et que je m'y tienne. Je dois cesser de penser à lui, d'écouter mon corps et mon cœur. Je dois sauver mon âme toute dédiée à mon Seigneur. Voilà, je le décide et, si je sais que ce ne sera pas facile, cela me fait du bien de me dire que je vais y arriver. Que je ne vais plus laisser mon esprit s'affaiblir, que je vais mener ce combat spirituel. Et tout à la fois je le sens, je meurs de chagrin et réclame l'impossible.

Téléphone… Je bredouille, suis maladroite. Je le sais, recommence, me replie sur ma peur. La conversation est un fiasco. Je raccroche dans le désarroi de ta voix dure. Puis tu me rappelles et cette fois la musique est douce. Tu dis qu'on va se revoir, tu proposes. Je ne sais plus quoi répondre. Je me coupe, je ris même. Je n'ose y croire et, m'entendant te répondre avec une petite voix craintive, je suis effarée de l'amour que je te porte. Je te demande la permission de plonger mes yeux dans les tiens pour savoir où j'en suis. Je m'aperçois que je tremble, que j'ai dépassé l'endroit où je devais me rendre. Je raccroche et mon cœur bat plus fort qu'il n'est permis. Il va exploser et il n'y a pas de quoi. Je viens de signer le désir de revoir un monstre. L'aurais-je oublié ? La bataille s'engage en moi. Amour contre souvenir, mise en garde contre désir d'emportements. Je voudrais me calmer, m'empêcher de croire à ce qui va me renverser. Je voudrais affirmer que ce n'est pas vrai, que je ne peux pas marcher si facilement dans un revirement charmant, l'aubaine d'un retour si facile. Je voudrais perdre l'illusion de cette histoire trop belle que je me raconte. Je suis si naïve, je le sais et je m'en veux. Mais la joie n'est pas de mise quand elle s'accouple à la peur, elle prend une autre forme. Elle doit avoir un autre nom. Capturée par l'imminence de te revoir, une plainte animale me traverse. Et comment ne pas prendre ce chemin ? Va-t-il loin ? Est-il sans retour ? Qu'est-ce que je risque à t'aimer au-delà de ce que j'imaginais de donner un jour à un être ? J'écoute les murmures de mon corps. Il est d'un très mauvais conseil. Il tressaute, se cambre, crie au manque. En cet instant, si je n'étais que mon corps, je serais dans une radieuse indolence, oublieuse des trajectoires torturées de mon esprit.

Tout ce qui vient de m'arriver avec toi me change. Je suis dans une soirée, un cocktail organisé pour le vernissage d'un ami. Un homme que je ne connais pas me parle. Il me dit des gentillesses : ce que je dégage, ce que je suis. Ses mots se superposent aux tiens. Quelque chose en moi se révolte, des bouffées de refus m'envahissent, se dirigent contre lui, rampantes et malveillantes. Le poison s'est infiltré. Cause toujours mon beau, les compliments magnifiques je connais. Je sais comment ça se termine. Malgré moi, je suis en train de penser que ces douceurs que disent les hommes quand ils sont séduits finissent mal. Je le vois venir. J'ai compris ce qu'il advient de cette cascade de flatteries qui ne correspondent à rien. Juste à l'emportement qu'un homme éprouve devant une femme qu'il ne hait pas encore. Et là je comprends l'étendue du désastre qui est le mien. Je n'y crois plus. Je déteste les rencontres désormais, ces petits mots sucrés que l'on murmure et qui n'ont d'importance que sur l'instant. Je suis malheureuse face à cet homme gentil que je voudrais voir disparaître parce qu'il me révèle ma grande peine. Ton gouffre destructeur m'attire en son sein et le vide laissé par mon désir inachevé a fait son œuvre. J'ai envie de te dire ce que tu as détruit en moi, mais je me reprends en songeant que tu pourrais avoir le désir caché de me voir sombrer avec toi.

Puis un autre jour fait place à un sursaut de bienveillance. J'ai la conviction intime que je peux t'arracher à ce qui te broie. Faiblesse de ma chair enivrée ou élan du cœur. Je ne sais pas. Je vibre d'autre chose que de ce désir qui me dépasse. Je te parle en moi comme si tu pouvais par quelque communication secrète m'entendre. Je ne peux pas m'adresser à toi directement comme si j'attendais que le barrage se rompe. Que l'eau de mon amour t'envahisse. J'attends le pardon que je sais donner. J'attends ta peur de m'avoir perdue pour me rendre. Est-ce qu'un si grand amour où chaque jour conjuguerait l'infini peut fondre comme neige au soleil ?

Nous avons rendez-vous. Cela paraît simple. On s'égare dans un train, on s'étreint dans une gare. Mais pas en public. Ne pas se toucher ou juste du bout des doigts pour dire qu'on se retrouve, qu'on entrecroise nos désirs. Nous marchons et parlons vite. Il n'y a pas de place pour le silence. Trop dangereux. Nous nous racontons du bout des lèvres en faisant table rase d'un passé encombrant. Je pense au proverbe tibétain, nettoyer l'extérieur avec de l'eau et l'intérieur avec des mots. Voilà, il faut le dire pourtant. Tu me croyais perdue, je te pensais fou. Mais nous savons tous deux que nous avions raison et nous ne voulons pas en tenir compte. Pour que seuls règnent ces baisers balbutiés, cette fièvre retrouvée par notre contact, ces ébauches de brûlants désirs. Je sais dans ton regard les heures qui vont suivre. Je suis arrimée à ces retrouvailles inespérées. Je frôle tes mains, tes hanches ; mon corps attend sa délivrance. Murée dans le manque de toi, je sens que les barrières édifiées pour ne plus te rencontrer dans mes rêves sont en train de s'évanouir. Durant ce court trajet où les autres ne sont que des ombres, je n'ose pas affronter ton regard. Mon sexe brûle, mes seins se tendent vers tes mains. Je gémis si fort dans mes pensées que je rougis d'entendre cet appel que tu sembles percevoir. Tu souris, articules « je t'aime » sans son. Mes yeux glissent sur ton corps et, à mon tour, je souris. J'ai un moment de retenue en retrouvant ton appartement où semble inscrit le voyage infernal de notre dernière entrevue. Ces murs abritent les démons des moments où je pleurais sur l'écueil de ta voix d'étranger. Mais nous sommes si forts pour repousser ce qui nous dérange. Tu dois le savoir toi aussi, et tu m'entraînes dans ta chambre. Nos doigts s'entrelacent, une bretelle contre un bouton, nous échangeons notre effeuillage. Tu soupires, me manges de baisers, me mords, feules à nouveau et cherches sur mon corps ce qui aurait changé. Mais rien ne change quand on ferme obscurément sa mémoire pour ne goûter que le meilleur de l'autre. Je balance par-dessus bord mes dernières craintes, entrouvre les lèvres à l'insistance de ta langue, saisis avec gourmandise toute part de toi que je trouve à portée de mon désir. Et ce sont de petites phrases lâchées dans nos emportements qui font le reste : j'ai cru t'avoir perdue pour toujours. Mais tu as tout fait pour. Où étais-tu ? Oh… Tu as un geste vague pour signifier la folie de ton éloignement, ta plongée dans un profond ravin dont je sens que tu ne veux pas me parler tout de suite. Et ce fameux soir où un bourreau me faisait face, était-ce donc une victime ? N'est-ce pas toujours le cas ? Mais comment le croire quand on a la gorge étouffée par l'étau qui se resserre ? Jamais le présent n'a été si présent. Je ferme les yeux sous les caresses de ton amour retrouvé, je bois tes yeux, j'y cherche des raisons à ce qui fut, des promesses muettes que tout restera ainsi, enlacé. Chimères, mirages ? Tu es comme avant. Tendre, rieur, amoureux, tu me prends dans tes bras sans cesse, saute nu par-dessus mon corps pour aller chercher une cigarette. Reviens te blottir contre moi comme si l'absence de mon corps quelques secondes t'avait été insupportable. Tu m'en-laces, effleures ma peau en ayant l'air d'être traversé par des pensées secrètes, tu t'enroules autour de moi avec ferveur. Se pourrait-il que j'aie fait un cauchemar qui n'a jamais existé que dans mon esprit perturbé ? J'ai peur de tout gâcher en demandant pourquoi. Je ne parle de rien. Tu dis juste ta joie de me revoir, ton manque de moi. Comment savoir qui était cet homme qui avait pris ta place et me traitait de femme machia-vélique qui lui faisait peur ? Tu ne penses jamais à toi, tu guettes sur mon visage les jouissances que tu me donnes, tu m'emportes toujours plus loin. Mon plaisir t'illumine et semble être ton bien le plus précieux. Tes déclarations d'amour sont si vibrantes que les larmes m'aveuglent. J'en perds le souffle et le souvenir des mauvais moments. Nous nous quittons sur un sourire ému avec promesse de nous retrouver le lendemain. Tu occupes ma nuit, envahis l'espace. Je suis dans un désir renouvelé qui s'entremêle à des souvenirs lancinants de ta cruauté. On ne fait pas ce que l'on veut avec les songes. J'ai besoin de savoir, mais ne veux pas rompre le charme. Je ne suis pas tout à fait en paix.

Journal de sœur Madeleine

Ma révérende mère nous le répétait chaque jour, la vie est simple et nous la compliquons sans arrêt. Pourtant, disait-elle, il suffit de s'en remettre au Seigneur. Je le croyais moi aussi, que la vie était limpide. Est-ce que je la complique aujourd'hui ? Je m'en remets à Toi, mais ça n'a pas l'air de suffire pour la simplifier. Toi qui vois dans mon cœur, est-ce que je Te mens ? Est-ce que je me mens ? Où est le défaut qui fait de ma vie une existence de coupable ? Et ce que je me cache, est-ce clair pour Toi, mon Dieu ?

Les jours suivants ressemblent à une lente agonie. J'ai cessé d'écrire dans ce cahier, Seigneur. Je ne Te parle plus. Mais c'est moi que je fuis. Je subis la puissance de ces aveux qui me dévastent. Ils me renvoient à chaque ligne à la force de l'amour que je ressens pour lui. Je ne le regarde plus dans les yeux. J'obéis aux directives de la marche du groupe. Il n'a fait aucun commentaire sur la nuit de sa beuverie ou sur ses confidences. Depuis, je l'évite et, quand il s'adresse à moi, je baisse la tête et contemple le sol, ou je me concentre sur la nature, sur l'opulence de ses couleurs. J'y arrive si bien que parfois je ne sais plus ce qu'il a dit. Seul le son de sa voix grave reste en moi comme un écho qui se cogne à mon refus. Pendant trois jours, j'ai réussi à ne jamais croiser le regard d'Angel, mais aujourd'hui il a fini par siffler entre ses dents, regardez-moi merde quand je vous parle ! Et la fusion de cet échange m'a immédiatement transpercé le cœur. J'ai regretté d'avoir obéi. J'avais vu juste. Je ne sais pas dissimuler mes sentiments. Dans cet échange, j'étais tremblante. J'avais les larmes au bord des yeux. J'ai aboyé, vous êtes content de vous ? Alors il a souri et m'a répondu très doucement en séparant bien les mots. Il n'y a aucune raison que vous échappiez à ce qui nous arrive. Et comme il a insisté sur ce « nous ». Après un temps d'arrêt, il a ajouté que, si je m'interrogeais honnêtement, je pourrais m'autoriser à vivre. Il n'avait pas l'air de se moquer, mais il ne comprend pas grand-chose à l'infinie tristesse, à l'effroyable torture dans laquelle me plonge mon attirance pour lui. L'amour pour un homme m'est interdit. C'est ce qui rend ma position plus injuste et plus inconfortable que la sienne. Il est égoïste. Il n'a aucune conception de ce que peut être la foi, la pureté d'un engagement et la trahison que représente l'abandon d'une voie pour laquelle je me croyais (dois-je le dire au passé ?) choisie. Je garde ce cahier ficelé sous ma chemise. J'ai trop peur qu'il ne le trouve. Et si je devais disparaître dans les eaux troubles du fleuve, même après ma mort, on ne saurait rien de cette intimité. Je serais noyée, dévorée avec mes remords. Ce serait peut-être mieux.

Pourtant aujourd'hui, je devrais lui être reconnaissante. À la fin de la journée, il s'est approché de moi et m'a tendu mon chapelet. Celui que j'avais perdu lors de mon naufrage. Je l'ai retrouvé dans les affaires des Indiens. Ils ont dû le repêcher et le trouver à leur goût. Il ne faut pas leur en vouloir, ma sœur. Ils ignorent ce que symbolisent ces objets. Ils n'ont aucun sens de la propriété. Et je ne suis pas loin de leur ressembler, a-t-il ajouté. J'ignorais que les religieuses trimballaient à leur ceinture les symboles de la piraterie. Il a dit cela en me montrant la tête de mort qui se trouve au dos de Ton visage de la Passion, Seigneur. Cela m'a fait rire. Mon chapelet n'a rien à voir avec la piraterie. Ce crâne est fait pour nous rappeler notre nature de mortels et il est joint au visage du Christ souffrant qui est mort pour nous. Je n'ai pas pu m'empêcher de lui rappeler qu'il avait été effrayé par ce visage quand il était dans les fièvres de sa crise de paludisme. Formidable ! Entre les jours où je délire et ceux où je vous fais des aveux brûlants sous l'emprise de l'alcool, vous devez avoir une belle opinion de moi ! Il faut dire que nous n'avons pas grand-chose en commun, n'est-ce pas, ma sœur ? Faisons un pacte, voulez-vous ? Vous sauverez mon âme et je vous arracherai à votre religion mortifère. Je serrais mon chapelet de toutes mes forces. J'avais peur de faire éclater les grains entre mes doigts. J'étais si heureuse de l'avoir à nouveau que j'y ai vu une de Tes grâces, Seigneur. Tu n'allais pas me laisser seule dans les tourments de mon cœur. Et mieux encore, c'était Angel qui me le rendait, ce précieux symbole que j'avais reçu en prenant le voile. Quel plus beau signe pouvais-je espérer ? Je n'avais pas envie de lui répondre de façon désagréable. J'étais finalement heureuse que nous nous reparlions. Je lui ai fait mon plus grand sourire. Je prierai pour vous, je vous le promets, afin que vous connaissiez la joie d'aimer le Christ.

Priez, mon amour, je suis déjà totalement conquis par la servante de ce Dieu vénérable ! Pourquoi a-t-il fallu qu'il dise ce mot qui m'a immédiatement rappelé tout ce que je ressens d'illégitime envers lui ?

C'est à ce moment-là que les Indiens sont arrivés en poussant de grands cris. Ils rapportaient un énorme poisson et nous avions si faim depuis quelques jours que cette nouvelle nous a arrachés à nos provocations. Ils avaient pêché un *pirarucu* de deux mètres. Angel pensait qu'il pesait au moins quatre-vingts kilos. Il paraît qu'il en existe d'encore plus grands. J'ai compris pourquoi les Indiens avaient tous disparu du camp. Ils étaient mobilisés par cette pêche qui est très longue et dans laquelle il faut beaucoup de patience. Jamais je n'avais vu un poisson de cette taille. Il avait de grosses écailles gris clair et une tête qui ressemblait à celle d'un crapaud aplati. Tandis que les Indiens découpaient le poisson pour le faire griller, l'un d'entre eux s'est brusquement levé, s'est précipité vers un petit palmier en criant quelque chose. Aussitôt il a été rejoint par un autre et ils sont montés le long du tronc pour enfoncer un couteau à la base des tiges. Puis ils ont abattu l'arbre tandis qu'Angel m'expliquait que nous avions sous les yeux un *pupunha* dont on extrait le cœur de palmier. J'étais émerveillée, Seigneur, par Tes cadeaux qui allaient apaiser notre faim de plusieurs jours. Même les fruits si juteux que nous rencontrions et dont nous nous efforcions de ne pas abuser n'avaient pu combler nos ventres criant famine.

Les Indiens étaient fiers de leur pêche et heureux de manger à leur faim. Ils avaient enveloppé les filets du poisson dans de grandes feuilles de bananier – *moqueados* – pour les faire cuire. Et Angel m'avait fait remarquer avec malice que notre festin était assaisonné de *pimenta mata-frade*, piment tue-moine. Ils avaient sorti la *chicha* et Angel a tenu absolument à ce que j'en boive un verre, je devrais dire une feuille. Je n'avais pas envie de refuser. Cet alcool de maïs que préparent les Indiens est très important pour eux. Je ne sais si ce sont les difficultés de notre progression qui nous ont rapprochés, mais je les ai sentis attentifs à mon attitude. Ce n'est pas un peu d'alcool qui va me rendre soûle, me suis-je dit. J'ai donc accepté. Et Machujamai, celui que j'appelle notre sorcier, le chaman qui avait préparé la mixture pour soigner mon infection, est alors venu me parler; c'est lui qui prépare la *chicha* et il voulait savoir si le goût me plaisait. Puis, dans un portugais très approximatif, j'ai compris qu'il avait rencontré, il y a vingt ans, les premières sœurs de Notre-Dame-du-Calvaire; cela m'a réjouie. Un peu comme si je retrouvais un bon ami. Quelques heures plus tard, je ne sais pas si ma gaieté était due à l'alcool, mais je me sentais bien, tout au plaisir de discuter enfin avec cet Indien très respecté de notre groupe et qui ne s'adressait jamais à moi directement. Angel n'arrêtait pas de me regarder

en souriant, et même lui ne me paraissait plus si désagréable. Machujamai me racontait qu'il avait tout de
suite été intrigué par les sœurs. Il leur avait demandé
si elles passaient tout leur temps à prier et si elles
prenaient des bains. Elles lui avaient raconté notre
climat, ce sol froid et blanc. J'ai mis un peu de temps
à comprendre qu'il essayait de retrouver le nom de la
neige. Il s'était surtout lié d'amitié avec cette sœur qui
était morte ensuite de fièvres. J'ai pensé qu'il parlait
de sœur Augustin. Et là encore, Seigneur, il s'est passé
une drôle de chose et j'y ai vu un magnifique signe
de Ta présence. Tandis que nous parlions de sœur
Augustin, au moins une centaine de perruches colorées sont venues piailler au-dessus de nos têtes. Il y en
avait de toutes les couleurs. On les appelle ici des *peri-
quitos*, m'a expliqué Angel qui semblait aussi ravi que
moi de les observer. Et regardez ces deux oiseaux-là,
tout bleus, qui les ont rejoints mais ne sont pas tout à
fait pareils, ce sont des *sanhaços*. Vous connaissez tous
les oiseaux de l'Amazonie ? Il a ri. Vous n'avez pas
idée du nombre d'espèces d'oiseaux qui vivent dans
cette forêt. J'en connais une centaine par leur nom ;
mais c'est loin d'être la totalité. Souvent je connais
leurs noms indiens, parce que c'est à leurs côtés que
je les ai appris. Et les serpents ? Je ne vous l'ai jamais
demandé et nous n'en avons jamais vu jusqu'à maintenant, mais je suppose qu'il y en a beaucoup. Nous
en avons croisé quelques-uns que j'ai évité de vous
montrer. Celui qui terrorise les Indiens, c'est le *sucuri*.
On le trouve dans les zones marécageuses et il peut
faire neuf mètres de long. Il emmène ses proies au
fond de l'eau et les ingurgite en les broyant. Il est plus

impressionnant que dangereux pour l'homme, mais il peut avaler un chien entier sans problème. Je me trouvais à Guajará-Mirim le jour où l'un d'entre eux est passé quasiment entre les pieds d'une des sœurs et je crois qu'elle a mis des jours à s'en remettre. Il a une mâchoire très convaincante, mais il n'est pas venimeux. J'en ai déjà vu un régurgiter un petit hippopotame pour pouvoir s'enfuir. Là, Seigneur, j'étais sûre qu'il se moquait de moi, mais il n'a jamais voulu m'avouer que c'était faux. J'ai ri et je lui ai demandé d'arrêter de me prendre pour une idiote, mais il n'en a pas démordu. Je ne saurai jamais si c'était vrai.

En tout cas cette soirée m'a permis d'arrêter de me tourmenter. Tes nombreux signes, Seigneur, et les moments que nous avons passés ensemble ont été très heureux. Quand je suis partie dormir, je me sentais tout alanguie. Cette boisson doit quand même avoir quelques conséquences sur une femme qui ne boit jamais. Angel m'a proposé de m'aider à regagner mon hamac. Il riait de me voir si chancelante, mais cela ne m'a pas mise en colère. Je lui ai dit bonsoir et j'ai même béni sa nuit. Puis je me suis dit en m'allongeant avec plaisir dans mon hamac que ce qui était arrivé n'était pas grave. J'avais connu le délicieux et affreux tourment de l'amour, mais je n'avais commis aucun péché. Il fallait que j'arrête d'avoir peur de mes sentiments et que je me consacre désormais à ma mission pour Toi, Seigneur.

Cette nuit, j'ai rêvé de mon enfance. Cela faisait de nombreuses années que cela n'était plus arrivé. J'ai revécu les vacances avec mon père et ma mère quand nous allions à la ferme, que nous pêchions la truite dans le gave de Pau. J'aimais le goût du lait qui venait d'être trait, les mûres que nous ramassions par centaines en nous piquant les doigts aux ronces. J'ai repensé à ma mère quand elle parlait de ses petits élèves de l'école primaire. Elle leur envoyait des cartes postales, préparait des leçons de choses et cherchait tout ce qu'elle pouvait leur rapporter de nos escapades dans la montagne. Après ce rêve, je me suis demandé si mes parents avaient été malheureux que je prenne le voile. Je suis fille unique et mon engagement religieux leur a signifié qu'ils n'auront jamais de petits-enfants. Je ne sais plus si j'y avais pensé en prononçant mes vœux. Je fuyais le refus de mes parents que je devinais sans qu'ils l'expriment clairement. Quand j'arriverai à Guajará-Mirim, je leur écrirai une lettre, Seigneur, pour les remercier de m'avoir comprise et pour le leur dire : Je devine votre peine pour les enfants que je n'aurai jamais. Et je vous aime. Avec ce voyage, j'ai appris qu'il ne faut pas différer les sentiments, les tenir pour négligeables. Demain je crois que nous avons une longue journée de marche et de navigation et nous arriverons enfin dans un village.

Quand j'arrive chez toi le lendemain, je sens tout de suite que quelque chose a changé. Tu me sers un café, t'installes à l'autre bout de la pièce, me touches à peine. Quand je fais mine de m'approcher, tu m'enjoins d'être patiente. Ton visage s'est fermé, a retrouvé ce mélange de distance et d'arrogance qu'il avait lors de ta crise. Tu règles les détails de ton prochain départ en Irak. Tu me coupes abruptement dans notre conversation. Comme la première fois, je me sens déplacée. Je ne peux plus être naturelle. Un brusque malaise m'a empoigné l'estomac. La nausée aux lèvres, je m'aperçois que le corps a plus de mémoire que je n'aurais pensé. Je te revois, comme au soir de ta folie. Le souvenir de tes refus me claque aux oreilles et me souffle de partir. Le manque est terrible parce que tu es juste devant moi. Pendant une heure, tu te déplaces, souple et lointain. Tu es presque nu et seul ton corps semble ne pas avoir changé. Je suis là, perdue, respectueuse, tenue à distance par le souvenir du monstre qui dort et que je ne veux pas réveiller en m'approchant trop près. La dernière fois, j'ai, paraît-il, fait un faux pas. Je veux savoir pourquoi. Je veux

277

comprendre, quand tu dis que c'est moi qui n'allais pas bien, lequel de nous deux est fou ou lequel ment. C'est une torture de ne pouvoir me jeter dans tes bras, t'embrasser, me lover contre toi. Une mystérieuse attraction m'empêche de fuir, une fois de plus. Je suis la proie de ta douceur glacée. Tu me tiens entre tes griffes pour me soumettre sans me dévorer.

Pourtant, quand je m'éloigne de toi, je récupère au vol ma légèreté et je réfléchis à ce que tu viens de dire. Je vois ce qui est insensé dans ce que tu racontes en arborant un air sûr de toi. Je me récupère. Je comprends et ne me laisse plus emporter par tes inventions, mais je les respecte comme des alibis à ta distance. Je t'ai déjà éprouvé au fond de ton enfer et j'apprends vite. Tu te sers de tout ce que tu sais de moi. Tu es un être dangereux et me regardes comme si j'étais pour toi un péril. Mais c'est toi et toi seul qui génères ce sentiment. Je suis ton éponge. Je t'absorbe, je t'aspire, je m'imprègne et, à mesure que le poison s'infiltre, tu vas mieux et je vais plus mal.

Pour l'heure, je te regarde t'affairer pour régler les derniers détails de ton départ. Tes petites manies du terrain. Toujours des chemises, à cause de la blessure possible, du sang qui colle. Et puis tu n'aimes pas les tee-shirts ; les bandoulières des appareils photo te scient la peau du cou si tu n'as pas de col.

Au début je n'ai pas compris cette obsession d'être bien habillé et puis tu m'as raconté. Tu appartiens à la tribu de la presse internationale et, pour tout soldat étranger ou même pour un rebelle au fin fond d'une jungle, tu es donc un personnage respecté. Tu représentes le monde civilisé. Le chef des rebelles, dans n'importe quel pays, est impeccable. Si tu es un homme important, tu portes une chemise, sinon tu es un subalterne, un moins que rien. Ça peut te coûter cher. Je ne dis rien. Tu me décoches un sourire carnassier, mais tu as l'air angoissé. Tu te regardes dans un miroir. Je suis là, je t'aime, l'as-tu oublié ? Je pense à cette étreinte qui n'aura pas lieu et mon cœur est plein de rage. Me souvenir d'hier dans ce même appartement avec toi, presque un autre homme dont je n'ai aujourd'hui que l'enveloppe, me déchire l'estomac. Tu remplis une trousse de toilette. Je regarde tes mains que j'aime tant. Même quand j'ignorais ton métier, j'étais attirée par leur façon de se mouvoir dans l'espace. Je les imagine quand tu changes d'objectif, portant l'appareil vers toi pour regarder dans le viseur. J'y pense quand tu glisses une main derrière ma nuque pour rapprocher mon visage du tien, quand m'ayant embrassée tu passes un doigt sur mes lèvres. J'aime la gestuelle si particulière de tes phalanges, puissantes sans être grossières. J'aime la texture de la peau qui les recouvre, la façon soudaine dont elles se glissent en moi pour me préparer à te recevoir. Tu t'approches soudain comme si tu m'avais entendue penser. Tu les poses sur mes seins, parais un instant emporté par le désir. Je suis livide. J'esquisse un pauvre sourire. Tiens la revoilà, dis-tu en riant. Mais c'est toi qui me quittais, ne voulais plus de moi. Je n'en reviens pas de tant de mauvaise foi. Dommage, juste au moment où on doit se séparer. Ta désinvolture m'effraie. Je pense fugitivement que je ne suis plus rien quand je suis devant toi sans être aimée. Je suis au bord de l'évanouissement, perdue, abandonnée.

Je ne veux plus te voir et le décide brusquement, posée sur un coin de chaise de l'autre côté de ton bureau. Je me le répète pour en être sûre. Je suis chair, je suis femme, je suis arrachée à ton corps par ta bêtise et ton indifférence cruelle. Je ne suis plus rien et je ne viendrai plus chez toi. Je suis tout amour et ne veux vivre que cela. Mon corps est de velours ou de satin. Recroquevillé sur lui-même il ne vaut plus rien. Abolies, les résolutions de ma fuite en cas de récidive ! Ma seule réponse est un hurlement silencieux… que j'aurais dû laisser sortir.

Je pense à la maison de Tomas, au spectacle apaisant des dunes, à ce havre de paix qui soignera encore les blessures de mon cœur. Est-ce que je peux avoir un peu de courage ? Celui de partir avant toi, de claquer la porte pour te dire quand même dans ce geste ce que tu viens de faire. Vais-je une fois de plus céder à la torture de tes caresses, après avoir refusé celle de ton silence ? Recroquevillée sur ma peine immense, je sens que tu es là, j'habite mon corps. Vite, remonter des abysses. Les ondulations de mes hanches enroulent le temps dans la trajectoire du désir. Tu me lisses, me façonnes, abolis mes peurs sans les faire disparaître. Tu vas m'attendre, ma douce, dis-moi… Même ta voix me susurre l'imposture. Je suis anéantie par ma propre faiblesse. Tu es vainqueur sur toute la ligne. Tu m'étreins si fort avant mon départ. Aveuglée par des larmes qui n'ont jamais coulé, je m'éloigne de chez toi. Est-ce que je t'en veux ? Je ne sais pas. Je te crois ignorant des atermoiements de mon âme. Tu as cru que tu m'invitais dans ton intimité, tu ne l'aurais pas fait avec une autre. Tu ne l'aurais pas laissée te voir dans cet état. Tu ne connais pas la vie paisible, tu vis dans un monde en guerre. Tu es toi-même un guerrier, largué quand il rentre. Les enfants soldats du Liberia, les torturés du Rwanda, ces corps disloqués, ces chairs sanguinolentes, toute cette violence tu ne l'as pas découverte, n'est-ce pas ? Tu l'avais déjà en toi et c'est ce qui t'a permis de la supporter.

Tu es cet arbre parasite enlacé à la plante qui le nourrit. Tu ne la tueras jamais, tu la possèdes à petit feu, tu l'étouffes, mais elle ne doit pas mourir, juste vivre dans ta propre mort. Tu entrevois la lumière et tu t'évades un temps, en te glissant dans sa chaleur. C'est dans cette volupté où ton sexe se brise en moi, dans cette jouissance, ces fêtes joyeuses de caresses et de baisers que tu te baignes dans un bonheur dont tu te crois privé pour toujours. Tu as la permission de minuit, mais ne cesses jamais d'être le tortionnaire de ta vie. Tu remets le masque et reprends ta guerre. Et si tu en as la tentation pendant quelques heures, tu n'oses jamais prendre le large, monter sur un bateau sans destination, à la merci d'un vent léger et tranquille. Jamais tu ne te lâcherais au fil de l'eau douce, sur une pirogue sans rameurs. Ton monde à toi c'est la tempête, le gouvernail brisé, les voiles déchirées, l'orage, le ciel qui se cogne aux limites de la mer. Tout se soulève. On n'est jamais sauvé. Quand je comprends ce que tu vis sur cette terre dure et sans espoir, j'ai un peu moins mal à l'amour que tu ne sais pas donner. Je crois savoir où te rejoindre, aménager une île parfumée pour que tu t'évades. Là où tu attends la violence de ma réponse, j'aime et m'offre. Peux-tu me traverser sans que je souffre ? Saurai-je te le dire ou te le faire vivre la prochaine fois que nous nous verrons ?

Lysange se sentait cloîtrée dans une indifférence qui la désolait et contre laquelle elle ne pouvait rien. Elle n'éprouvait ni révolte ni envie de changer le cours de ce qui arrivait. Elle aurait pu continuer à être la même, mais les pensées qui la traversaient étaient baignées de cette passion bientôt rejointe par le sentiment d'une étrange paix. Cette contradiction était sans doute la question qui la tourmentait le plus. Là où elle aurait dû être emportée, immergée dans une folie, se tenait une force qu'elle sentait et respectait. C'était elle qui lui dictait des actes ou des attitudes qu'elle ne se savait pas capable d'accomplir. Ses tourments s'apaisaient dans des certitudes qui n'avaient jamais été les siennes. Mais peut-être l'avait-elle toujours su, qu'il existait quelque part en nous des capacités d'amour où nulle souffrance ne pouvait détruire les plus amoureux.

D'étranges rêves alimentaient ce flux de sagesse et faisaient taire ses résistances ou sa capacité cynique à ne voir dans son histoire qu'une rencontre sentimentale de midinette sur laquelle se fondaient ses illusions. Elle sentait que son histoire oscillait entre le sublime et le ridicule.

Elle se demandait pourquoi Tomas l'appelait, cherchait à savoir où elle en était de sa lecture, s'inquiétait de sa voix faible. Ils étaient devenus amis en si peu de temps. Il avait toujours un mot pour lui signifier qu'elle pouvait s'échapper le prochain week-end et venir dans sa maison. Mais elle ne voulait pas partir, elle profitait de la solitude dans son appartement parisien et sans l'avouer attendait un retour possible de Pierre. Chaque jour, elle parlait avec John et leurs enfants par téléphone. Ils lui racontaient en riant comment ils entraînaient leur père dans un New York qu'il ne connaissait pas. Elle se sentait loin d'eux et proche à la fois. Comme elle l'avait toujours été dans leur vie de famille. Elle ne voyait presque personne, allait seule au cinéma pour brouiller ses pensées, travaillait beaucoup pour la même raison : retrouver l'oubli que procurait l'obligation de se concentrer. Elle but un café avec une amie qui revenait du Québec, lui parla de son métier. Il y avait toujours dans le coin le plus reculé de la planète un Allemand qui s'était établi là, une communauté. Qu'est-ce qui disposait ce peuple plus qu'un autre à trouver dans l'exil des raisons d'espérer ? Son amie lui fit remarquer que, contrairement aux groupes qu'elle étudiait, la communauté allemande de Montréal avait immigré pour pouvoir recommencer sa vie à zéro afin d'oublier les atrocités de la guerre. Leur objectif n'était pas de reconstituer une communauté allemande fortement liée à leur patrie mais de se fondre dans la population. Les Allemands s'étaient donc éparpillés dans Montréal. Lysange avait déjà rencontré cela ailleurs, en

Amérique du Sud. Elle continuait à se passionner pour toutes ces questions. Puis elles échangèrent quelques évidences sur la vie. Une fois de plus, Lysange finissait par se dire qu'au fond, c'était avec les évidences qu'elle avait le plus de mal à être en accord. Pour l'heure elle éprouvait l'envie irrésistible de retrouver le journal de sœur Madeleine. Elle approchait de quelque chose qui cheminait aussi dans son histoire. Des réponses à ces questions qu'elle n'osait pas se poser. Cette lecture commencée dans la maison de Tomas lui était devenue indispensable. Parfois elle se penchait sur le cahier pour respirer son parfum de feu de cheminée, l'odeur de sa maison dans les dunes. Elle avait enfin trouvé quelque chose qui lui permettait d'endurer les longs silences de Pierre. De ses terrains de guerre, il n'envoyait rien. Pas un signe, pas un message. Il ne répondait pas non plus à ses mots doux. À chaque fois elle espérait, se disant que ce mot d'amour là, la tournure charnelle d'une phrase lui arracherait un aveu. Pendant quelques instants, immobile, étreignant d'une main son téléphone, elle guettait un miracle puis, de rage, elle l'éteignait. Elle avait reçu une carte postale de Tomas qui représentait les oyats dans les dunes au coucher du soleil. Au dos, il avait écrit : *Le plus grand obstacle à la vie, c'est l'attente qui se suspend au lendemain et ruine l'aujourd'hui.* C'était de Sénèque, extrait de son ouvrage *De la brièveté de la vie.* On savait déjà cela, il y a si longtemps !

S'il n'y avait pas eu le cahier, qu'elle lisait lentement pour mieux suivre sœur Madeleine sur son chemin ▯, cette attente lui aurait été insupportable.

Journal de sœur Madeleine

Le noir est total. Au début, quand les hommes m'ont capturée un peu avant l'entrée du village, je croyais qu'ils m'avaient emmenée seule. On m'a jetée sur le sol et le choc m'a assommée. Puis j'ai entendu la voix d'Angel. Vous êtes là ? Sœur Madeleine ? C'est la première fois depuis longtemps qu'il m'appelle ainsi. Je geins. J'ai une épaule douloureuse. J'essaie de me lever pour ne plus sentir ces petits graviers qui me transpercent la peau. Ne bougez pas et parlez-moi pour que je puisse vous rejoindre. Je suis là, dis-je faiblement. Il me rejoint et prend ma main. Nous allons explorer l'endroit. Je crois qu'ils nous ont enfermés dans une ancienne poudrière, me dit-il comme si cela pouvait me rassurer. Nous marchons avec précaution, il se penche de temps en temps pour toucher le sol. Jamais je n'ai connu de lieu plus sombre. Nous sommes dans les entrailles de la terre. J'ai l'impression d'être aveugle. Les yeux grands ouverts, pas une lueur ne filtre. Nous marchons tout droit pour découvrir les dimensions de la pièce. À l'odeur de moisi, nous pourrions croire que c'est un tout petit lieu dont le plafond est à quelques centimètres au-dessus de nos têtes. Mais c'est la profondeur des ténèbres de l'endroit qui procure cette sensation d'enfermement. Nous ne rencontrons aucun obstacle. En suivant les murs, Angel a évalué que nous sommes dans une pièce d'environ vingt mètres sur sept. Dans un coin de l'espace nous avons trouvé une sorte de lit fait de paille et de couvertures, vers lequel nous sommes revenus pour nous reposer et réfléchir. Installés là, nous émettons quelques hypothèses sur les motivations de nos ravisseurs. Angel croit qu'ils n'en veulent pas à notre chargement mais sont envoyés par des *seringalistas*. Peut-être ceux qui ont tué les occupants des *malocas* du dernier village. Les Indiens, qui n'étaient pas avec nous quand nous nous sommes fait prendre, ont sûrement disparu dans la forêt avec nos caisses. Angel me certifie qu'il n'y a pas lieu de s'inquiéter. Il est sûr qu'ils ont observé l'embuscade et qu'ils vont revenir nous chercher. Il a toute confiance en Chua, Machujamai et Paouiam. Peut-être dépêcheront-ils quelques frères pour nous délivrer. Je sens dans sa voix une tentative pour me rassurer. Je reconsidère cette mission, Seigneur, et je me demande si tout s'arrête là. Nous restons silencieux. C'est fou comme, dans le noir, les pensées de l'autre nous sont perceptibles. Et comme je saisis là tout ce qui se déroule entre nous sans paroles, je me dis que les aveugles doivent avoir cette perception si fine d'autrui. Angel rompt le silence. Quoi qu'il arrive, ne vous inquiétez pas, je négocierai et demanderai qu'on vous conduise à Guajará-Mirim. Je murmure que je ne veux pas partir sans lui et je devine son plaisir de me l'entendre dire. Il se rapproche et me prend dans ses bras. Vous sauvez une âme à convertir ou un corps encore trop fougueux pour disparaître. Je cesse de lutter. Les circonstances ont modifié ma façon de voir cette histoire. Je me laisse aller contre lui. Je goûte ses bras qui m'étreignent. C'est une plénitude de protection. J'ignorais qu'elle puisse être physique. Le ciel se referme sur moi. Malgré la situation incertaine, je ne me suis jamais sentie aussi bien. Les pierres de la poudrière ont gardé la touffeur de la journée tropicale. Ce n'est pas une cave, mais bien un bâtiment à moitié enterré. L'atmosphère est moite, dehors l'orage gronde. C'est la fin de la journée et bientôt la saison des pluies. Essayez de dormir, Louise. Il m'appelle de nouveau par mon prénom de baptême, celui qu'il semble avoir choisi. Je ne dis rien, je suis allongée dans ses bras. Il caresse d'une main mes cheveux, embrasse mes tempes, me murmure qu'il ne veut rien laisser échapper entre nous, puis m'arrache une promesse. Celle de ne plus bouger quoiqu'il fasse, de laisser ses mains débusquer ma peau sous les tissus qui la recouvrent. Le noir est plus profond encore. Sa voix m'enveloppe et me chuchote des douceurs. Mon cœur est un tambour. Je lui dis oui tout doucement pour la première fois, et j'ose lui révéler ce qui me tourmente. Je suis en train de commettre une terrible erreur, un immense péché. Est-ce que je suis possédée par un démon… ? Il rit dans le noir. Pas encore, mon amour… Je frissonne à ce mot et ne me sens plus le courage de résister à ce qu'autrefois, j'aurais appelé de l'indécence.

Le gouffre nous aspire et je suis nue dans ses bras. Je suis une sculpture de pierre qui s'éveille sous ses doigts, raidie par la peur, muette de désir et d'effroi. Le frottement vif de ses vêtements me surprend et avant que j'aie eu le temps de réaliser, submergée par ses caresses, je sens sa peau se coller à la mienne. Nous sommes nus l'un contre l'autre. L'interdiction et le sacrilège que représente cette évidence se fondent dans un ravissement qui me dévaste. C'est vertigineux. Nous roulons sur la paillasse. Il m'embrasse, explore mon corps tout entier et je ne suis qu'un long gémissement. Il arrache mon foulard, dernier rempart de mon statut de religieuse, passe ses doigts dans mes cheveux, broie mon crâne de ses deux mains comme s'il cherchait à en extirper ce que je suis. Deux barres de fer ont pris mon cerveau en étau et je suis incapable d'aligner des idées, de comprendre ce que nous sommes en train de vivre, de faire obstacle au désir qui m'emporte. Maintenant que je l'écris, je suis morte de honte, je n'ose plus T'appeler, Seigneur, mais tout est encore gravé à l'intérieur, tout ce que j'ai ressenti. Et cela je ne peux le renier. La beauté de ce moment est inoubliable. Mais j'ai peur. Il le sait. Il le sent. Il est d'une douceur qui rompt toutes mes réticences. Il ne me contraint jamais, respecte mes fuites, me contourne, m'enrobe. Mon corps existe et je le perçois pour la première fois. Je ne suis plus qu'une sensation. Des ondes de plaisirs inconnus me plient sous ses mains. Si l'amour est une science, alors cet homme est un savant. Tout ce que je pressentais se vérifie, et tout ce que j'ignorais est pire encore. Il me parcourt, m'invente, me révèle et les mots qu'il murmure donnent à son parcours d'explorateur des allures de serments. Nous naviguons dans un monde de sons et de sensations, privés de la vue ou du moindre contour de l'autre. Tout est étrange, irréel. Ses aveux m'effraient. J'ai peur parce qu'il se libère de tout ce qu'il ne me dirait pas si nous n'étions pas prisonniers. Et je tremble en réalisant que je n'aurais jamais eu cette chance si nous étions libres. Ce qui suit m'est impossible à raconter car je ne sais plus décrire le parcours de ses mains ou la folie de ce qu'il fait faire aux miennes. Le temps se dérobe et je cesse de me demander si l'on va nous surprendre. C'est la nuit, ce que je vis est l'amour pur et rare qui m'était interdit. L'idée me traverse que nous sommes déjà morts et qu'on nous avait caché ce paradis d'extase. Je souris dans le noir, mais ne peux rien dire. Les mots n'ont pas de sens. Pas celui que donne à ses gestes la lente mélopée qui s'échappe de mes lèvres. Au moment où je crois m'évanouir, il s'abat sur moi et je sens que je serai liée à lui pour toujours. J'écoute et je n'ai plus peur. Sa lenteur a tout d'une prière. Je n'ai pas vu venir la tempête qui soudain me saisit le bas du ventre, me déchire, m'arrache à moi-même et m'emporte au-delà des ténèbres. Il étouffe mes cris d'une main que je mords avec violence. Qui suis-je en cet instant ? Certainement pas celle que je croyais. Encore moins celle que je fus jusqu'à aujourd'hui. Les sons qui sortent de ma gorge et de la sienne me sont inconnus.

Mon corps est devenu fou, il se sépare de moi. À son dernier soupir, qui me semble celui d'une bête, l'ouragan qui m'a transpercée disparaît. Je tremble. Il a des sursauts comme s'il mourait. Dans mon souvenir se grave un parfum doux-amer, mêlé à l'odeur souterraine qui nous étouffe. Et je prends conscience de ce que je viens de faire, du pacte rompu. Je me revois Te vouer ma vie, Seigneur. Les larmes coulent sur mes joues, mouillent les siennes. Je t'ai fait mal ? demande-t-il doucement. Non, des ondes de plaisir me parcourent encore. Il est encore en moi sans y être. Une douleur, une reconnaissance, notre amour ne peut pas être un péché. Je pleure sur le serment saccagé, je pleure sur l'amour que je ressens pour lui, je pleure sur l'incertitude de l'avenir, sur les mensonges que je ne pourrai pas prononcer à mon arrivée à Guajará-Mirim. Je suis incapable de lui dire pourquoi je pleure. Je lui dois tant de bonheur au milieu de ma vie brisée. Je découvre qu'un destin ne se dirige pas en toute impunité. Tendre la main vers lui, le caresser doucement. Poser ma bouche au bord de son extase. Le toucher pour savoir que tout existe encore. Je souris de l'entendre soupirer. Quelle amoureuse suis-je devenue en quelques instants ? Le destin nous a privés de lumière et je n'aurais jamais pu faire l'amour avec lui si le hasard ne nous avait pas offert ce moment dans les ténèbres. La découverte de mon corps puis l'exploration du sien m'ont enlevé mes derniers scrupules. Si l'amour est aveugle, c'est à cela qu'il ressemble et non pas à un aveuglement. Et soudain je pense qu'il me faudra à nouveau croiser son regard si nous sortons de cet endroit et je serai incapable de le regarder droit dans les yeux après ce que nous venons de vivre. Et Ta lumière sur ma vie, Seigneur, où sera-t-elle désormais ?

Nous nous sommes rhabillés sans un mot. Nous avons conscience que cela pourrait nous causer de graves ennuis d'être surpris nus par nos geôliers. Déjà, je me demande si ce foulard qui couvre à nouveau ma tête suffira pour qu'ils me croient religieuse… Si je le suis encore. Une clé a tourné dans la serrure en faisant un bruit de prison moyenâgeuse. Tiré du sommeil léger dans lequel nous avons plongé, Angel m'a repoussée et s'est levé brusquement. Le peu de lumière qui s'infiltre par la porte ouverte est une agression mais la voix inquiète d'un homme nous a rapidement sortis de notre torpeur. Il parle portugais. Allez-vous-en, vite… Ils ne doivent pas savoir que je vous ai libérés. Dites à monseigneur que je n'y suis pour rien. Je n'ai pas tué les Indiens. Je ne suis qu'un *seringueiro* qui essaie de faire vivre sa famille. Je suis un bon chrétien, pardon, ma sœur. Il s'est approché de moi, s'est mis à genoux, m'a embrassé les mains. J'ai l'impression de ne pas être à ma place. Il s'adresse à une autre sœur qui est désormais morte. Parlez de João à Mgr Rey. Il m'a sauvé de la fièvre, il sait qui je suis. Partez tout de suite, Je n'ai que quelques minutes d'avance sur eux. Ils vont revenir… Que Dieu vous bénisse.

Nous avons couru, nous étions déjà loin. Je ne savais plus quoi penser de ce miracle. J'essayais de ne pas faiblir, je tenais la main d'Angel qui ralentissait le rythme et sentait que j'allais tomber. J'avais les jambes en coton. J'avais très soif et je me sentais faible. Nous étions libres et j'étais désormais attachée à un homme qui serait ma vie… Qui sera ma vie ? Deux jours après cette aventure, devant le miracle de ce récit que jamais je n'aurais imaginé faire à ce cahier, je ne sais ce que je dois penser. Seigneur, je ne peux pas considérer que je T'ai trahi. Ce sentiment amoureux si beau, c'est Toi qui l'as créé. Je serai toujours Ta servante. Pourquoi as-Tu décidé de me sauver et d'épargner l'homme que j'aime alors que je venais de renoncer à la fidélité de ma promesse de religieuse ? Comment ne pas prendre cela comme un signe de pardon, presque une bénédiction de notre union illégitime ?

Quand tu regardes le monde, tu crois qu'il est comme toi, violent et condamné. Tu oublies la grâce des contraires. Point d'ombre sans lumière, point de mal sans bien, point de violence sans douceur, point de naufrage sans sauvetage. Toujours du côté sombre, tu me voudrais scintillante pour nous accoupler. À mes manques tes pleins, à ton gouffre mes montagnes à ma fleur ouverte la dague de ton sexe. Nous sommes à la fois ce paradis et cet enfer où le brûlant côtoie le glacé, et toujours dans cette chair qui se partage en deux l'âme se croit obligée de choisir son camp. Pourquoi as-tu si peur d'être aimé sans faille ?

Je crois que je peux tuer le monstre qui te détruit même si tu veilles sur lui comme sur un mal nécessaire. Le temps s'étire indéfiniment sur l'horizon de notre amour qui ne veut pas s'enfuir. Je ne sais plus où je suis, mais maintenant je sais que je n'ai pas besoin de toi. Je sais que, pour aimer, il ne faut pas avoir besoin de l'autre. Un jour, on finit par le croiser, cet amour vrai dans lequel on donne sans compter, sans attendre, en s'oubliant totalement.

Je t'ai écrit et je ne t'enverrai pas cette lettre. Je crois au pouvoir des écrits que le vent porte à leur destinataire. Est-ce qu'une vie plus belle nous attend quand notre âme s'abandonne ? Je suis éblouie de le découvrir si tard : on ne souffre plus si l'on sait que notre amour pour l'autre ne peut être détruit. On s'en sort intact parce que notre avenir est soudain du présent, on n'est plus jamais cette petite chose rabougrie par le chagrin et le désir de revanche.

Tu me manques tellement ; je ne fais plus la fière. Durant ces journées qui s'écoulent sans que je voie tes yeux, je suis une automate. Je travaille avec acharnement, j'organise les travaux, annote les recherches de certains étudiants. Je coordonne mes actions, organise mes pensées, me regarde de l'extérieur pour avancer dans ma vie. C'est une façon de sentir encore ta présence dans mon existence. Jumelle de tes maux, je les partage à distance. À la charnière du vertige, un sanglot m'échappe, fait céder le chagrin retenu, nimbe mon horizon de nacre. Demain... Surtout ne pas penser à demain. Me dire que tout ira bien avec ou sans toi. Ne rien désirer, ne rien attendre, ne pas penser à ton corps. Regarder un autre chemin, choisir un autre ciel, aspirer à rejoindre cette maison qui devient de plus en plus la mienne. Se retenir de revenir sur des pas qu'on a déjà faits. Survivre enfin.

Au moment où je n'attends plus rien de toi. Juste parce que j'ai cessé d'espérer ou de désespérer, tu te montres, tu appelles. Tu veux me voir. Tu poses des baisers d'amour sur un plateau d'or. Et l'émotion de ce moment est si intense qu'elle me vrille sur place.

La ville m'étouffe… Je décide de reprendre le [...]
Quand je m'éloigne de toi, je mets à distan[...]
folies, mes désirs. Et puis l'Océan m'apaise e[...]
je l'avouer, Tomas me fascine avec son étrange caractère. Ses contradictions et ce que je perçois de révolte
dans son passé me donnent envie d'en savoir plus. Je
ne l'ai pas assez questionné sur son amour pour cette
nonne. Je me sens moins timide pour l'interroger
maintenant après avoir lu. Je sais que l'amour de la
petite nonne en est arrivé là. Je pressens l'effondre-
ment. Je suis bien placée pour cela. Je la considère
comme une petite sœur. Et puis là-bas je ne serai plus
une mendiante qu'un simple regard apaise. Je suis
perdue quand je suis trop près de toi. Se réjouir d'un
seul regard, ce n'est pas raisonnable. Est-ce que toutes
les femmes aiment ainsi ?

Je regarde filer le paysage par la fenêtre du TGV.
J'ai l'impression qu'il s'enfuit et que nous sommes
immobiles. Comme le temps qui me sépare de toi.
Je revois nos dernières étreintes brèves, presque
volées. Tu hébergeais une vague cousine, j'avais un
article à rendre qui traînait sur mon bureau depuis
une semaine. Nous dérobions par-ci par-là de courts
moments à nos emplois du temps pour prendre un
café, effleurer nos lèvres et nous laisser sur le bord
d'un trottoir dans un état de manque absolu. Mais ce
jour-là tu m'avais entraînée chez toi. Ivre de désir tu
m'avais prise debout contre la porte d'entrée. Nous
n'avions pas pu attendre plus longtemps. Tu m'avais
avoué dans un souffle que tu ne rêvais que d'un après-
midi entier pour m'aimer longuement. Je ne sentais

plus ta réticence, ta façon d'organiser nos rencontres, cette désagréable impression que tu te retenais de m'aimer. Tu étais comme avant, un avant que je ne connaissais plus. Ta voix avait perdu ce registre supérieur et cassant qui faisait descendre mon estomac dans une peur indicible. Je t'accordais à nouveau la même confiance, je me laissais aller entre tes bras. Je t'appartenais. Chaque parcelle de mon corps était à nouveau réceptive à tes caresses. Je riais, je me collais à toi, te disant que tu m'avais manqué, même si tu t'absentais pour une seconde. Je savais pourtant que tout était en équilibre sur le fil de ma mémoire. Ainsi je revivais ton amour, mais j'étais prête à fuir à la moindre alerte. J'avais pourtant senti ce changement dans tes gestes, ton regard, les gémissements que te procuraient mes caresses. J'étais décidée à ne plus laisser de place à la surprise, à mon envie de combattre tes démons par la douceur. Quand tu reparlais de tes contradictions, de ta souffrance ou de ce que tu devais régler pour être heureux, j'en profitais pour glisser deux ou trois mots sur l'impossibilité de devenir ta victime. Je voulais te garder, mon amour, et ne pas te laisser devenir mon bourreau. Je ne savais pas si c'était possible. Tu m'avais interrogée sur ta propre violence durant ce que j'appelais « le cœur de ta crise ». D'un air pensif, tu avais fait référence à la similitude de mon récit avec celui d'autres femmes que tu avais connues, laminées sans doute. Celles qui étaient parties. L'espace d'un instant, j'avais compris que tout marchait comme un cauchemar. Tu te perdais dans ta folie et ensuite tu n'en gardais rien, pas même le souvenir. Une fois sorti de ces tensions accumulées, tu étais serein et froid, parfaitement conscient de ce que tu devais faire pour te libérer. Et cette lucidité te rendait dangereux. Je n'osais plus mettre de mots sur ce que j'entrevoyais. Je laissais ton regard capturer le mien pour tenter de percer les mystérieuses pensées qui m'agitaient. Enjôleur, tendre, tu me traitais comme une gamine qui aurait eu des secrets. Il fallait profiter des bons moments. J'en avais le sentiment, l'intuition, la certitude. Je te laissais me parler de ta vie, de ce couple que tu n'avais jamais su construire, des pulsions qui t'agitaient quand tu étais sur ces terrains de guerre où finalement tu te sentais comme chez toi. Tu me semblais un insecte qui s'affole et cherche à échapper à ce qui l'attire. Tu étais un papillon dans une lampe. Mais peut-être étais-tu plus encore que cela, un tigre enfermé avec un agneau, un embryon d'homme amoureux que guettait l'avortement.

Je suis partie légère de chez toi, j'ai pris la direction de la gare Montparnasse ; j'ai acheté deux-trois bricoles pour m'habiller, un soutien-gorge blanc et le string assorti. Un petit pull pour le soir, un chemisier, un tee-shirt. Tout était simple. Un nécessaire de toilette. J'avais l'impression de désobéir, de faire une fugue. Et j'ai pris le train. J'ai appelé Tomas. Vous êtes sûr que ma venue à l'improviste ne vous dérange pas ? Je pourrais reprendre une chambre. Il a protesté. Vous n'allez pas recommencer. Je ne suis là que pour quelques jours. Vous êtes chez vous maintenant et j'habite votre maison, l'auriez-vous oublié ? Je lui ai répondu que j'étais contente de revenir. Il a dit qu'il viendrait à la gare pour me chercher. Il connaissait l'horaire. Moi non. Seulement celui de mon départ. Il a demandé si j'avais fini de lire le cahier. Je lui ai avoué que j'avais passé la faute de la jeune sœur, la première nuit d'amour, et que j'aurais terminé à mon arrivée à Bordeaux. Il n'a rien répondu.

J'ai raccroché et je me suis surprise à laisser venir les pensées qui me ramenaient vers toi, à n'en ressentir aucune douleur. J'ai aimé cela. C'était la première fois.

Journal de sœur Madeleine

L'amour, ce n'est pas juger, c'est donner à l'autre le confort de se récupérer quand il s'est perdu.

— Et depuis quand tu as des leçons à donner sur l'amour, toi ?

— En ayant Jésus pour époux, je n'ai peut-être pas eu de nuit de noces, mais j'ai de beaux messages qu'il m'a enseignés sur l'amour vrai.

— Et une faculté certaine à devenir une donneuse de leçons, une femme qui sait tout.

— Une femme qui sait tout, c'est un pléonasme, ça !

— Bravo, la modestie a quitté la douce sœur que j'ai connue.

— Il se trouve qu'il y a une sacrée différence entre une femme qui sait tout et un homme qui fait semblant de tout ignorer. Vous êtes ivre, Angel, méchant et méprisant. Vous faites du mal à l'homme que j'aime et vous me le montrez sous un jour que je ne désire pas connaître.

— Peut-être que tu t'es trompée d'homme, ma petite chérie.

— Je n'ai pas choisi un homme. Je t'ai aimé toi. Et je n'ai pas quitté le voile pour une tocade.

— Tu n'as pas quitté le voile, c'est bien là le problème…

— Parce que tu crois que je fais des allers-retours entre Dieu et la vie maritale ?

— Quelqu'un a parlé de vie maritale ?

— Tais-toi, Angel, tu me fais mal. J'attends un enfant de toi.

Trop tard. Il était trop tard pour retenir les mots que je n'aurais pas dû prononcer. Le silence qui les a suivis m'a paru interminable. Je n'aurais pas voulu lui apprendre cette nouvelle dans une dispute. Pas à ce moment-là. Je m'en voulais, mais j'étais à bout. Je crois que je la lui ai jetée au visage, sans même hésiter, sans pouvoir me contenir. Il a pris son chapeau et il est sorti. Un coup de poignard m'a traversé le corps. Lui, je ne l'ai pas revu jusqu'au soir. Une scène de théâtre. Voilà à quoi ressemblait notre dernier dialogue.

Je n'ai plus écrit dans ce cahier depuis notre libération, comme si ce journal appartenait à l'autre. Celle qui Te parlait, Seigneur, et Te disait avec toute son innocence les chemins de sa pensée. Je ne suis plus si naïve et je ne sais pas s'il faut le regretter. J'ai perdu le sens de ma vie, mais je sais encore pourquoi j'ai quitté la vie religieuse. Cher dom Rey qui m'avez tant apporté, et mes sœurs qui m'avez comprise et aidée. Jamais je ne les remercierai assez. Ils ont été si indulgents alors que j'avais été si légère. Et puis nous sommes partis… Comme j'étais heureuse de le suivre, d'en avoir fini avec mes remords et ma honte. Quelle erreur d'avoir pensé que ce serait facile. Que maintenant nous étions unis pour la vie et que plus rien ne pourrait me tourmenter.

Je me souviens d'un jour, dans la cathédrale Saint-Étienne de Toulouse. Un peintre verrier m'a expliqué que ces merveilles de couleur que je contemplais étaient les seuls vitraux d'origine de toutes les églises de cette ville. Il m'a montré avec toute son admiration le travail insensé de ces créateurs du XIVe siècle. Il m'a dit, vous voyez, dans ce dessin, chaque trait posé est un trait accepté. Dans un vitrail, chaque avancée est irréversible. Maintenant je l'ai appris, l'amour est un vitrail.

Mon Dieu, j'ai voulu goûter à l'amour humain et, comme toujours, Tu m'as laissée libre de mes choix. Quand je croyais que Tu étais le seul amour de ma vie et que je n'aimais les autres qu'à travers Toi, je n'ai jamais souffert. Comme cela fait mal, Seigneur, l'amour d'un homme. Il est si imparfait, si loin de Ta puissance toute bienveillante. Comme Tu as dû souffrir Toi aussi d'être si passablement aimé par Tes créatures. J'ai au creux de mon corps le malaise de l'amour que je lui porte et l'enfant. Et je sens qu'il n'y a pas de place pour un bonheur et un malheur si grands dont le même homme est l'artisan. Je ne peux même pas regretter de T'avoir abandonné, d'avoir laissé ce sacerdoce pour lequel je n'étais pas faite. J'attends un enfant. C'est lui qui me tient droite et me maintient dans cette vie que je vais maintenant donner. C'est lui qui panse mes souffrances d'amour. Il en est le fruit et j'en suis la fleur qui se fane dans une maigre espérance.

Et pourtant je ne cesse de l'aimer, cet homme qui dévaste mon cœur. Je le chéris de toutes mes forces,

301

en espérant qu'un jour, il aura moins peur. Sa lucidité sur nous n'a d'égal que sa force pour me fuir. Il sait ce que nous sommes ensemble et il veut s'échapper de ce que nous pourrions devenir. Et toujours cette peur qui fait obstacle à l'immensité du sentiment… Est-ce que l'amour peut un jour la réduire à néant ?

Il s'est glissé durant la nuit contre mon corps. Il a murmuré qu'il m'aimait, qu'il m'aimerait toujours, que l'enfant serait une fille et que nous la nommerions Lysange. Je l'ai serré contre mon cœur, mais au matin il avait à nouveau disparu. Il ne cesse jamais de disparaître, comme si la venue de notre enfant le faisait fuir.

Le journal s'arrêtait là. Lysange tourna la page et il n'y avait plus rien, pas même une trace de feuilles déchirées.

Lysange marchait sur la plage devant la maison de Tomas. Il préparait un thé. Je m'occupe de tout, avait-il dit. Vous n'avez pas très bonne mine ; allez donc admirer le soleil couchant. Il n'y a que ça qui guérisse de tout. Et vous, avait-elle demandé, de quoi vous a-t-il guéri ? Il avait soupiré. Oh moi, je ne sais pas ce qui pourrait me soigner. Deux ou trois vies de plus sans doute. Elle se dit que cet homme-là était le seul à la comprendre.

Pourtant, elle était arrivée à la gare dans un état de fureur incroyable. Elle ne lui avait même pas dit bonjour. Elle avait aboyé, vous me devez une explication sur cette histoire de Lysange. Est-ce qu'il y a un moment où vous allez vous décider à me dire la vérité ? Mais elle ne lui avait laissé aucune chance de répondre et avait continué à le malmener. Personne ne s'appelle Lysange. Je n'ai jamais rencontré une fille qui porte mon prénom, alors vous n'allez pas me jouer la scène du hasard. Il avait pris son sac pour le mettre dans le coffre tandis qu'elle montait dans la voiture. En mettant le contact, il avait simplement dit, non, ce n'est pas un hasard. Louise attendait un enfant qui s'est révélé être un garçon. Vous êtes Lysange, alors je vous ai écrit. Elle s'était sentie stupide. Voilà. C'était tout simple. Elle portait le nom qu'ils avaient voulu donner à leur enfant… Leur enfant qui n'était même pas une fille. Lysange était un prénom-souvenir trouvé sur la couverture d'un livre, qui avait donné envie à Tomas de lui confier sa maison. Elle n'avait plus dit un mot jusqu'à leur arrivée. Jusqu'à ce qu'il lui proposât d'aller admirer le couchant, seule.

Elle repensait à Tomas. À son calme quand elle était furieuse. Sans savoir pourquoi, elle se disait que, plus jeune, il devait ressembler à Pierre. Être cette tête brûlée, ce morceau de roc abrupt dont la chair était plus friable qu'on ne le pensait. Son surnom d'Angel était aussi dérisoire que la solidité de son Pierre.

Dans une impulsion soudaine, elle arracha tous ses vêtements et se jeta à l'eau. Elle n'eut pas le temps de la trouver froide. Fouettée par une vague, projetée dans la suivante, elle en sortit étourdie. Puis elle resta longtemps assise, face au soleil qui déclinait, enveloppée d'une serviette, écoutant le ressac des frissons comme une chanson douce que murmurait son corps pour l'apaiser ou lui être cruelle. Elle était dans un sommeil éveillé. Comme la plupart de ses nuits depuis qu'elle le connaissait. Mais elle ne percevait plus de la même façon ces balades enfiévrées. Elle les vivait pleinement ; puis elle ne savait plus si elles avaient vraiment existé ou n'étaient qu'un songe éveillé.

Elle se sentait mieux. Prête à s'excuser auprès de Tomas, curieuse d'écouter ce que ne contenait pas le journal. Elle était restée sur sa faim. Qu'était devenue Louise après leur séparation ?

Depuis le début de sa grossesse, nous nous disputions souvent. Elle continuait à culpabiliser d'avoir trahi le Seigneur, disait-elle. J'étais jaloux de ne pas réussir à capter complètement son attention. Je voulais que son amour pour moi efface désormais sa vie de religieuse, qu'elle exulte de ce que nous pouvions vivre. Je ne supportais pas sa souffrance, et surtout je ne la comprenais pas. Elle m'aimait, je l'aimais, nous allions avoir un enfant. Je voulais être aussi grand que son Seigneur, il le dit avec le mépris que lui inspirait sa jalousie d'autrefois. Et puis j'étais en pleine contradiction. J'avais du mal à me dire que j'allais désormais me ranger, ne plus être ce que j'avais toujours été, un être qui n'avait de comptes à rendre à personne. Alors je lui menais une vie d'enfer pour me prouver que j'étais encore libre.

À notre arrivée à Guajará-Mirim, elle s'est enfermée pendant des heures avec dom Rey. J'ignore ce qu'ils se sont dit mais, quand elle est sortie de la pièce, elle avait un grand sourire et, en me voyant, il a levé les yeux au ciel. Elle n'avait pas remis sa robe de religieuse pour arriver à la mission, mais cela n'avait choqué personne.

Les aventures que nous avions vécues faisaient l'admiration de toute la communauté et les sœurs l'avaient beaucoup félicitée de son courage, d'avoir rapporté les médicaments, mais elle ne voyait pas les choses exactement de cette façon. Son abandon de la vie religieuse l'avait remplie de culpabilité. L'évêque avait fait le nécessaire pour qu'elle soit libérée de ses vœux, mais à ses yeux rien ne pouvait racheter sa trahison, pas même son amour sincère.

Quant à moi, si je n'avais aucun regret de l'avoir arrachée à Dieu, j'étais un peu gêné de l'enlever à la communauté de dom Rey qui en avait tant besoin. Sur ce point, il a rapidement réglé les choses. Il est venu vers moi et, devinant mes scrupules, m'a cité une phrase de saint François de Sales que je n'ai jamais pu oublier : « En la galère royale de l'amour divin, il n'y a point de forçats, tous les rameurs sont des volontaires. » Il faut qu'elle le vive, cet amour, puisqu'elle vous aime, alors je vais vous marier. Ce fut comme une sorte de pardon qu'il m'a accordé en considérant que répondre à l'amour qu'elle me portait était pour Louise la meilleure des solutions. Et puis il nous a mariés. Ensuite nous avons tenté de vivre ensemble à Manaus. La venue de cet enfant me terrifiait. Je n'étais jamais là quand elle avait besoin de moi. Je faisais n'importe quoi, je sortais avec des filles, je rentrais ivre et je l'aimais comme un fou. Mais je l'aimais mal et je ne pouvais jamais répondre à son amour. Il était si pur, tellement immense. Elle me pardonnait. Pendant un temps… Sa naïveté avait fait place à une redoutable lucidité. J'étais si roublard, si peu habitué à partager.

Lysange se taisait. Elle sentait que Tomas n'avait jamais raconté cette histoire. Il cherchait ses mots, s'arrêtait souvent, la regardait comme pour puiser dans ses yeux le courage de continuer.

À la fin d'une violente dispute, elle a pris un sac de voyage, l'a rempli et… elle a claqué la porte. Vu sa force de caractère, je lui donnais trois mois pour réapparaître. Je me disais qu'elle allait bouder et puis revenir pour la naissance de l'enfant. Il n'était pas imaginable de voir ce grand amour se tarir. Pauvre innocent ! J'étais loin de la vérité. Pendant tout ce temps, elle se cachait dans une fazenda pas très loin, à dix kilomètres de la ville où j'habitais désormais seul. Sans doute attendait-elle que je vienne la récupérer. Je ne sais pas trop. Elle n'a jamais voulu en reparler. Ce que je n'avais pas compris était l'essentiel. À tout moment de sa vie, Louise se sacrifiait pour ce qu'elle croyait être le plus important. Elle avait quitté ses parents pour dire oui à Dieu, elle avait quitté son Seigneur pour moi, elle me quittait pour que son enfant soit heureux. Je ne l'ai compris que trop tard. Dans cette fazenda, un homme l'aidait, l'accompagnait, avait la douceur et la patience dont j'étais dépourvu et surtout, chaque jour, il en tombait plus amoureux. Elle était enceinte, vulnérable et elle m'en voulait. Il fallait donner un père à son enfant et tout ce qu'elle supportait de moi par amour serait impossible à vivre avec son bébé. Il l'a emmenée en France pour qu'elle accouche auprès de ses parents, et bien plus tard, à la naissance de son deuxième enfant, le sien cette fois, il l'a épousée. Votre père, ajouta-t-il, songeur. Puis il sauta de son siège.

Allez, pommes sarladaises ! Ce soir, je cuisine Sud-Ouest. Vous savez qu'une patate périgourdine est à peu près aussi facile à attraper qu'un bébé caïman. Un peu moins rebelle à l'épluchage sans doute.

Mais que venait-il de dire ? Lysange resta immobile. Une sorte d'enclume tomba à l'intérieur d'elle-même. Elle fut certaine d'avoir mal compris. Elle s'était mise à penser en accéléré. Alors son frère aîné était le fils d'Angel, et sa mère aurait été une religieuse au début de sa vie et ses enfants n'en auraient jamais rien su ? Son père ne lui aurait rien dit ? Tout cela était impossible.

Elle fixa Tomas qui semblait absorbé par le choix des pommes de terre à éplucher. Puis il leva enfin les yeux vers elle, preuve qu'il lui laissait le temps de prendre la mesure de sa révélation. Lysange balbutia. Ma mère s'appelait Anne. Oui, je sais. Elle s'appelait Anne, Marie, Louise. Et moi, c'était ce troisième prénom que j'adorais. Celui qu'elle ne voulait plus entendre. Je crois même qu'elle a essayé de l'enlever de son état civil après notre séparation. Elle me l'a dit plus tard. À nouveau tout se bousculait dans la tête de Lysange. Ce troisième prénom, elle s'en souvenait maintenant, mais il n'avait jamais été autre chose qu'un mot écrit dans un livret de famille. Et un élément troublant lui revint soudain. Ses parents étaient mariés civilement et, dans son imaginaire d'enfant, c'était son père qui aurait refusé de se marier à l'église. Là, elle découvrait que c'était sa mère qui ne pouvait pas épouser son deuxième mari religieusement.

Je n'arrive pas à le croire. Vous ne l'avez jamais revue ? Tomas se saisit de l'épluche-légumes et prit son temps. Après la naissance de Vincent, ils sont revenus vivre au Brésil. Mais à l'époque je n'en ai rien su. Puis vous êtes née, et cette fois ils sont repartis pour de bon. Je crois qu'entre-temps, le père de Louise était mort et qu'elle ne voulait pas laisser sa mère trop seule en étant si loin. Quelques années plus tard, je suis venu à Paris. J'ai réussi à trouver votre adresse. Vincent devait avoir une dizaine d'années. Je vous ai observés dans un parc en train de jouer au ballon avec Louise. Et je vous ai même redonné la balle quand elle s'est perdue. Je partais, elle a roulé devant moi. Je ne voulais pas qu'elle me voie. Je ne sais pas ce que j'espérais, mais c'est l'inverse qui s'est produit. Je l'ai trouvée belle, troublante. J'étais tellement malheureux de l'avoir si bêtement perdue. Je suis reparti au Brésil anéanti. Pendant quinze ans, j'ai bourlingué, connu d'autres femmes sans jamais les aimer et, surtout, sans leur faire d'enfants. Un jour, j'ai reçu une lettre d'une des sœurs de la mission qui me disait gentiment que je devrais passer les voir dès je pourrais. Je trouvais son invitation étrange. J'avais gardé un contact très lointain avec cette sœur Régina. C'était elle qui m'avait appris le mariage, puis le départ de votre mère. Pour soulager ma douleur, elle m'avait confié une lettre que lui avait écrite votre mère. Je l'ai gardée sur moi pendant longtemps. Elle expliquait son amour pour moi, sa fuite, sa culpabilité envers Dieu. Elle parlait de la douceur de cet homme qui lui donnait sa vie et l'aimait comme peut-être je n'aurais jamais su le faire. Elle disait aussi à quel point elle chérissait notre fils et cette petite fille, sa petite merveille qui portait le prénom que nous avions décidé ensemble. Somme toute, elle ne nous avait donné que six mois pour échouer. Ce n'était pas beaucoup dans la vie d'un amour qu'elle croyait éternel. Je n'étais jamais retourné à la mission après que sœur Régina m'avait confié cette lettre.

Là, Tomas interrompit son récit pour surveiller attentivement la cuisson de la graisse d'oie et verser quelques patates dans la poêle. Lysange fit un geste d'impatience qu'il ne remarqua pas. Après avoir ajouté du poivre, il continua. Intrigué par l'invitation insistante de sœur Régina, je suis revenu à Guajará-Mirim, et quand je suis arrivé j'ai vu Louise, au milieu de la cour. Elle parlait avec un enfant indien. Elle était revenue pour les aider. Je l'ai reconnue tout de suite. C'était merveilleux et terrible. Je ne savais pas qu'elle était veuve. Votre père était mort depuis un an. Elle a levé la tête et s'est précipitée dans mes bras. Elle a sangloté pendant au moins une heure. Et ensuite nous ne nous sommes plus quittés. Tomas parut soudain s'absorber dans sa cuisine. L'évocation de leur étreinte au milieu du jardin de la mission après tant d'années de séparation l'avait bouleversé. Il revoyait ces années heureuses avec Louise.

Lysange repensa au cahier, à cette écriture ronde et docile qui lui était inconnue, au sentiment magnifique et douloureux que sa mère portait à Angel, donc à Tomas, à toute la proximité entre elle et cette nonne. Elle eut envie de pleurer sa mère comme elle ne l'avait jamais fait à sa mort. De son vivant, elle ne lui avait rien raconté de sa vie intime. Et maintenant, tandis qu'elle était bouleversée par un homme lui révélant sa vraie nature d'amoureuse, elle se demandait si elle aurait osé lui parler de son histoire avec Pierre. Des bribes entières du journal lui revenaient et Lysange s'efforçait de voir désormais la vie de la jeune nonne comme étant celle de sa mère. Mais cela lui semblait impossible. Et surtout cette nouvelle mère qu'elle n'avait jamais rencontrée paraissait détenir les clés de son désarroi. Puis, tout de suite après cet attendrissement, une bouffée de colère lui monta à la gorge. Elle apostropha Tomas avec violence. Pourquoi n'a-t-elle rien dit ? Elle m'avait appelée Lysange en souvenir de vous, non ? Pourquoi ce silence ? Quand mon père était vivant, je peux éventuellement comprendre, mais quand vous vous êtes retrouvés, pourquoi m'avoir laissée penser qu'elle habitait chez une amie ? C'était vous l'amie brésilienne, non ? Tomas la regardait sans rien dire. Il surveillait la cuisson et goûtait. Il la laissa multiplier ses questions, s'énerver des mensonges, retrouver petit à petit des souvenirs qui lui confirmaient la trahison de sa mère. Quand elle s'apaisa, et une fois qu'il lui eut tendu un verre de vin, il lui raconta à quel point Louise se sentait coupable d'avoir caché ce grand amour à ses enfants, à Vincent surtout qui n'avait jamais rien su de son vrai père. Soudainement, une idée vint à Lysange. Vincent était allé au Brésil juste avant son accident. Elle aurait dû l'accompagner, mais elle avait été obligée de se rendre à un congrès à Bruxelles. C'était leur premier voyage ensemble depuis que leur mère s'était exilée.

Tomas lui confirma qu'il avait bien rencontré Vincent pour la première fois lors de son voyage au

Brésil. Ils avaient beaucoup parlé et Vincent ne lui en voulait pas. Il avait eu un père. Il avait été heureux et surtout, il avait devant lui le spectacle du bonheur de sa mère, sa joie d'avoir retrouvé son amour. Il l'adorait et s'était beaucoup inquiété pour elle quand elle était devenue veuve. Vincent avait décidé avec sa mère qu'il ne fallait rien dire à Lysange avant qu'elle ne vienne au Brésil, qu'il la préparerait doucement. Il avait promis de lui parler et puis il y avait eu l'accident. Il n'avait pas eu le temps.

Si elle avait pu venir avec lui, elle aurait rencontré Tomas lors de ce voyage et appris la vérité aux côtés de son frère. Elle chercha dans sa mémoire ce qu'il avait bien pu lui dire après ce voyage, mais elle ne se souvenait de rien de marquant. Il lui avait paru très heureux d'avoir revu leur mère, mais aucun indice ne lui revenait pour raconter un trouble quelconque face au secret de sa naissance. Tomas la regardait avec tendresse. Louise disait souvent que la femme que vous étiez pourrait comprendre notre amour fou, mais elle avait peur de la petite fille. Elle pensait que vous seriez révoltée par le mensonge envers son mari, par l'infidélité de son cœur qui n'avait jamais cessé de battre pour moi. Et pourtant elle aimait votre père. Elle était heureuse avec lui. Je n'étais pour elle qu'un souvenir lancinant, un amour impossible.

Lysange regarda Tomas et, malgré son désarroi, elle comprit qu'il était celui qui avait le plus souffert. Après avoir revu Louise et ses enfants quelques minutes dans un parc lors de son voyage en France, il avait affronté durant des nuits d'insomnie ce qu'il avait perdu. En rencontrant son fils devenu adulte, il avait cru qu'il aurait le droit de rattraper un peu cette vie non vécue, un passé qu'il aurait voulu partager. Mais pour clore le tout, la mort l'avait privé d'un peu d'avenir avec ce fils retrouvé. Pour Louise qui avait vécu cette perte comme une vengeance du ciel, tout était devenu irréparable.

Vous savez, Lysange, toutes les familles ont des secrets. Ainsi je vous ai dit que je connaissais fort bien l'histoire de la communauté allemande du Paraguay. J'ai appris très tard, à l'âge adulte, que mon père avait enlevé ma mère à cette communauté de fous. Elle était née en 1896 à Nueva Germania, dix ans après que ses parents avaient choisi de suivre Elisabeth Nietzsche et le Dr Forster. Contrairement à d'autres familles allemandes, les parents de ma mère poursuivaient ce rêve d'une nouvelle Allemagne pure. Ils étaient soudés par un antisémitisme forcené et ma mère souffrait de cet enfermement. Elle ne parlait presque pas espagnol, seulement l'allemand et le guarani, mais n'aspirait qu'à une chose : fuir. Promise à un cousin d'une de ces familles qui, pour ne pas se mélanger aux mulâtres, se mariaient entre elles, ma mère s'est enfuie avec mon père. Comble de la honte, un Allemand juif qui avait atterri là au hasard d'un voyage, parce qu'on lui avait dit qu'il y avait des compatriotes qui pourraient l'accueillir. Elle n'avait que vingt ans quand elle l'a suivi en Allemagne, parce qu'il avait de l'argent pour rentrer. Vous comprenez mieux, je pense, pourquoi ils ont fui le nazisme quelques années plus tard. Pourquoi ne m'en ont-ils pas parlé tout de suite ? Je l'ignore, mais mon enfance a été marquée par cette mère dure qui malgré sa fuite avait gardé les séquelles d'une enfance terrible. Lysange était ébahie par son récit. Elle se souvenait de son passage à Nueva Germania. De ces témoignages arrachés aux habitants, de ces longs silences, des descendants dégénérés qui ne voulaient pas qu'on colporte le malaise de cet exil tragique. Elle avait été éberluée par ces filles et fils de colons blonds qui connaissaient à peine leur histoire, mais lisaient encore la Bible en allemand, à haute voix, avec un accent *plattdeutsch*.

Vous voyez, tout ça n'a plus d'importance aujourd'hui. La vie qui passe finit par se diluer dans le temps qui reste, lui dit-il en lui souriant.

Après le repas qu'ils mangèrent en silence, d'un commun accord ils sortirent sur la dune et se dirigèrent vers la mer. La nuit était remplie d'étoiles et un croissant de lune se reflétait dans les vagues. Le sable crissait sous leurs pas et la musique légère des criquets emplissait l'espace.

Vous savez, Lysange, le mal qu'on fait à une femme, la blessure qu'on inflige à son sentiment même si cet amour est au-delà de vos espérances et des siennes, eh bien, ce mal est irréversible. Je vais vous raconter quelque chose. Bien des années après que Louise m'eut retrouvé, un soir au Brésil, en rentrant de la ville voisine, j'ai eu un souci avec ma voiture. Je n'avais pas pris la route principale, mais une piste que j'aimais pour sa beauté sauvage. Je n'avais aucun moyen de réparer ni de prévenir et, vu l'endroit et les kilomètres qui restaient, ce n'était pas prudent de quitter mon véhicule. Je me tourmentais de n'avoir aucun moyen de joindre Louise pour l'avertir, mais c'était dangereux de risquer une longue marche avec les bêtes sauvages qui rôdaient dans ce coin-là. Je n'étais pas armé. Au matin, quand je suis enfin rentré, elle était en train de faire ses valises. Pas une parcelle de son esprit n'avait plaidé en ma faveur. Elle n'avait pas cru à des difficultés, à une panne. Empoisonnée par le souvenir de ses attentes blessées, Louise avait imaginé que j'étais redevenu comme avant. Elle en était mortifiée, écrasée de douleur. Je la regardais, silencieuse, prostrée, et j'étais si triste de ne pas avoir su la rassurer assez pour que, des années après, elle ait à nouveau confiance. Il n'y avait rien à dire. Nous sommes restés collés comme deux oiseaux blessés pendant de longues heures. Officiellement, elle était convaincue de m'avoir pardonné. Mais nous avons découvert ce jour-là que, quoi que je fasse, il était impossible qu'elle arrive à effacer tout à fait mon offense et qu'elle puisse retrouver cet amour pur et confiant qu'elle me portait autrefois.

Est-ce que cette fois-là ne pouvait pas lui prouver que vous aviez changé ?

Nous n'avons jamais eu l'occasion de le vérifier, mais je crois que nous n'y tenions pas. Il y a quelque temps, je suis tombé sur un dessin, de Sempé je crois. Il montre un bonhomme au sommet d'une montagne. Il tient une petite pancarte qui dit, je ne suis pas rancunier, mais j'ai la liste. C'est très humain tout ça, et tout aussi humain de vouloir se persuader de l'inverse. Lysange soupira. Il y a bien des humains qui doivent y arriver. Je ne sais pas. Des moines…

Mais votre mère était une sainte. Elle m'a aimé comme presque aucune femme ne peut aimer un homme – il s'arrêta et la regarda en souriant –, comme vous peut-être vous aimez ce Pierre qui occupe vos pensées. Lysange rougit, mais ne releva pas.

C'est si étrange pour moi de vous entendre parler d'elle, raconter son amour pour vous. Et plus encore d'avoir lu ce journal. Rien de ce que je sais d'elle ne va vraiment à l'inverse de ce que vous dites, mais tout de même. Je l'ai vue toute ma vie avec mon père. Mesurée, toujours sage dans ses sentiments, ne dépassant jamais le chaste baiser sur le front, la joue ou le bord des lèvres. Ils avaient l'air d'être de grands amis, je pensais qu'elle était de la race de ces femmes bien plus mères qu'épouses. Alors cette amoureuse ardente m'interroge, me trouble, me dérange peut-être.

Vous ressemble ?

Il insista et cette fois Lysange n'esquiva pas. Je ne sais pas. Peut-être. Ma relation avec John est plutôt douce.

Mais pas celle avec Pierre, n'est-ce pas ?

Est-ce qu'aimer l'autre plus que soi ne fait pas de vous une esclave ?

Peut-être pas. Votre mère était la femme de ma vie. On pourrait dire que c'est elle qui m'a le plus aimé au début, mais étais-je le plus libre ou elle la moins heureuse pour autant ? Elle qui était la moins aimée des deux, n'était-elle pas transfigurée par ce don d'elle-même ? Je le dis sans ironie. Elle n'est pas partie pour elle mais pour l'enfant qu'elle portait. Je me suis beaucoup perdu, mais je l'ai follement aimée moi aussi. Il n'y avait rien de calme dans cet amour-là. Même la tendresse de notre fin de vie ensemble était agitée. Elle me perturbait. Elle me mettait en danger.

Elle savait toujours débusquer ce que je ne voulais pas voir. Elle m'a laissé de quoi penser...

Ils avaient marché jusqu'au phare et Tomas s'était brusquement arrêté. Lysange, interdite, s'aperçut qu'une larme roulait sur sa joue. Elle prit sa main et la caressa doucement. Il s'était assis sur un petit muret qui se trouvait au bord de la plage, voûté, soudain vieux. Alors elle le serra contre elle en le berçant comme un enfant. Il se laissa aller doucement quelques instants puis se redressa comme si elle l'avait pris en traître et se remit debout. On rentre ?

Sur le chemin du retour, il se mit à rire.

J'ai cru que j'avais fait une terrible erreur quand vous êtes arrivée ici et que j'ai vu à quel point vous lui ressembliez. Au téléphone déjà votre voix m'avait troublé. Mais les expressions, les gestes… Tout était terrible lors de notre première soirée. Son anneau d'or à votre main droite. Tout me replongeait dans une mélancolie si intense. Un autrefois que je croyais perdu à jamais. Et puis c'était joyeux aussi, j'étais en plein rêve, presque rajeuni. J'ai vécu comme jamais auparavant ce que les Brésiliens appellent la *saudade*. Cette tristesse particulière qu'ils mettent dans leurs chansons d'amour. Intraduisible en français. La nostalgie mélancolique ou la mélancolie nostalgique d'un temps qui ne reviendra plus jamais. Lysange lui demanda doucement s'il regrettait encore de l'avoir rencontrée. Plus maintenant, non. J'étais content de découvrir d'autres aspects de Louise que je ne connaissais pas. Cette mère que vous avez eue. Vous savez, je ne l'avais jamais vue mère. Et quand je l'imaginais, c'était celle d'un garçon que, dans mes pensées, je prenais pour mon rival. Et puis elle nous manque à tous les deux. Vous savez, Lysange, je désirais vous donner cette maison que j'avais achetée pour elle quand j'ai compris qu'elle voulait rentrer en France. Vous étiez l'enfant de son mari. Elle vous avait nommée Lysange par fidélité à notre amour. Et il ne reste que nous. Non, je ne regrette rien. Surtout pas maintenant. Nous parlerons d'elle. Il hésita. Me laisserez-vous être un peu votre père, ma presque fille ? Lysange fut émue, troublée par sa demande. Elle se demandait si un jour son père avait su que ce prénom, qu'il prononçait avec tendresse, appartenait à l'histoire de sa mère et de cet Angel. Et Tomas n'était-il pas en train de revivre la sensation de revoir son amour de jeunesse ? Il comprit alors ce qui lui traversait l'esprit. Je ne vous confonds pas avec elle, rassurez-vous. Si vous étiez ma fille, vous lui ressembleriez tout autant. Il fallait juste que je m'habitue à votre existence, que l'on s'apprivoise. Elle repensa encore à son prénom, à cette relation si belle qu'elle avait eue avec son père, à la vie qui lui offrait un second père au mépris de cette évidence : c'est dans l'ordre des choses de devenir un jour ou l'autre orphelin. Elle pensa à cette mère qui n'avait jamais parlé, jamais avoué qu'elle avait épousé la religion puis l'amour fou. Elle déroula le fil de sa propre vie dans laquelle, à peu de chose près, elle avait récrit l'histoire à l'envers. La douceur des choses puis l'amour. Pierre lui manqua soudain. Comme si elle était coupée de sa propre respiration. Tomas se tourna vers elle. Dans ses yeux encore embrumés brillait un brin de malice. Dis, Lysange, tu ne veux pas que l'on se tutoie ?

Ils revinrent vers la maison de bois et Tomas entreprit de la faire rire. Vous savez, l'âge donne de grandes leçons sur l'amour. Ainsi j'ai appris que les femmes seront toujours les grandes martyres de notre amour inconsistant; elles souffrent de ce qu'aucun homme ne pourra jamais leur donner. Comment être à la hauteur de ces êtres qui nous consacrent quatre-vingt-dix pour cent de leurs pensées et de leur vie? Lysange riait. C'est ainsi que vous nous voyez? Mais ma chère, aucun jeune homme ne peut avoir idée du gouffre qui s'ouvre devant lui quand il est aimé d'une femme qu'il croit chérir plus que tout. Ce n'est pas ainsi que je vous vois; c'est à la fin de ma vie que je finis péniblement par vous comprendre un peu. Aucun être normal, si ce n'est une femme, ne peut s'engloutir ainsi dans l'amour sans y perdre la raison. Une femme qui aime, c'est une Amazonie à elle toute seule. Et vous qui venez de finir le journal de sœur Madeleine, vous avez vu quel genre d'enchevêtrement féroce cela peut être.

Dis-moi, Tomas, tu n'avais pas dit qu'on devait se tutoyer?

Juste quand je renonce en me disant que cette histoire n'a aucun sens, te voilà dans le rire à nouveau et le regard plein de désir. Prudente je badine, je ne laisse rien voir de ma surprise. Je reste distante, légère, te frôle sans y prendre garde. Mais tu tends la main, me caresses tendrement, me coules des mots doux au creux de l'oreille. Ai-je bien entendu ? Tu m'aimes et je te sauve la vie ? Je suis muette devant cette déclaration soudaine. J'attends le faux pas. Je me suis habituée à payer ta douceur de quelques sournoises réflexions glissées de manière anodine.

Quelques jours s'écoulent, mais rien ne change. Tu insistes, m'envoies des mots. Tu sèmes l'envie de ce qui fut et qui a l'air de renaître, ce que je ne voulais plus envisager pour ne pas vivre dans l'ombre d'un désir sans suite. Enfin je dis oui. Je dois te rejoindre. Je me le promets, je me le jure. Je ne revivrai pas l'humiliation d'une rencontre avortée, d'une étreinte triste, d'une gêne ligotée par la peur de hurler. Je monte le petit escalier de bois en colimaçon, le cœur battant. La porte s'ouvre et je n'ai pas le temps de respirer, tu me prends dans tes bras, me serres, m'embrasses, m'entraînes. Ta langue semble lécher sur tout mon corps les plaies de ces longues semaines de souffrance. Je bois tes paroles. Je n'ai pas cessé de penser à toi. Il fallait que je revienne, que je te le dise, que je te pénètre. Dis, mon amour, dis-le-moi que tu ne m'en veux pas. Je bois tes paroles, tes aveux, tes excuses, tes explications chaotiques dont je me fous qu'elles soient vraies parce que tu les fais exister avec tant de force et de fièvre que je les crois. Tes cris d'amour m'étranglent. Tu te donnes, tu me prends, tu me donnes, je te rends. Tout est une découverte. Chaque parcelle de ton corps semble avoir repris sa place. Je ne sais plus si je t'ai quitté ou si je suis seulement partie pour respirer avant de te laisser m'étouffer de cet amour sans borne. Je le savais, je le savais. J'en pleurerais de joie. Lucidité, innocence, pureté au moment où je n'y croyais plus. Je ne sais pas qui remercier. Je te retrouve, la peur s'est évanouie, j'entrelace mes doigts aux tiens, je t'appelle, t'accueille. Je suis une femme déployée dans la lumière de ton désir. Mon corps danse de nouveau en harmonie avec mon âme silencieuse. Que se passe-t-il en toi ? Qu'as-tu vécu qui t'ait ramené à moi avec autant de force ? Quelque chose m'échappe dont je ne veux pas connaître les raisons. Ton cœur s'est ouvert et saigne l'indicible.

Je crois que tout s'effrite en moi. Une démolition de la moindre pensée cohérente a pris place. Différentes idées s'entrechoquent et s'annulent. C'est une cohabitation impossible. Je pense tout et son contraire. Chaque nouveau sentiment est une déflagration qui ne tolère pas la précédente. Je te retrouve enfin, mon amour. Je t'ai perdu tant de fois dans ces silences.

J'ai vécu ces profonds désirs suivis d'espoirs fracas-
sés, montagnes d'incompréhension qui ont aveuglé
mon horizon. Sur ma peau, imprimée à l'envers, j'ai
ta peau, tes ombres et cette nudité opaque qui plonge
nos nuits dans l'ivresse. Rien ne peut arrêter le chant
de mon cœur meurtri dans cette folle aventure qui
ressemble à une forêt amazonienne. Moiteur, touffeur, tes yeux brillent et se teintent de cette lueur
étrange de prédateur. Je sens ton souffle, le feulement
de tes jouissances, et le long de mon dos descend ce
frisson intime que j'ai reconnu dès le début quand
nous étions encore des inconnus. La litanie d'amour
qui défile dans ma tête m'étourdit. Je suis un bout de
bois. Je perds pied. Je n'ai plus ni appétit ni sommeil.

Le temps est bien plus long s'il se divise dans des
tâches qui m'entraînent loin de toi. Je t'envoie des
pensées en imaginant ton pas léger presque dansant
dans des rues inconnues. Je te vois avec tes appareils
photo en bandoulière. J'aperçois ton regard, ce que tu
captes de la vie et ce que tu veux nous donner d'une
scène que tu as comprise et découpée pour en faire
une histoire, pas exactement celle qui était là mais une
autre encore. Là où j'observe des populations avec
des chiffres et des données objectives qui me renvoient à des obligations de conclusion, tu tranches,
transformes, encadres, diminues, modifies tout en
amplifiant certaines situations. Tu donnes à voir et je
veux faire comprendre. Je suis dans le nombre et toi
dans le singulier qui porte l'histoire des autres.

Tu m'as dit une fois, j'écris avec de la lumière et
j'habite dans l'ombre. Je ne sais pas pourquoi, mais

j'ai pensé que tu me disais quelque chose sur ta vie, quelque chose d'étrange que je ne pouvais pas comprendre. Quand je te vois, j'oublie les questions qui me taraudent quand nous sommes loin l'un de l'autre et pourtant je sais que ce sont des questions essentielles, celles qui me permettraient de dévoiler une part du mystère que je sens en toi. Elles me font si peur que le simple fait de te les poser pourrait t'éloigner de moi à tout jamais. C'est ce que je me dis quand nous sommes ensemble, alors je me tais pour préserver ces moments de bonheur fragiles et fugitifs.

Les questions que je ravale se retournent contre moi. Je suis pleine de mots. Ceux que nous n'avons pas prononcés. Je déborde d'hypothétiques réponses qui pourraient toutes marcher. Je crois que je deviens folle, je parle à haute voix comme si je semais ces interrogations pour que tu les trouves. Qu'un jour enfin tu me répondes à tout ce que je ne t'ai pas demandé. Y a-t-il d'autres vies dans lesquelles nous nous sommes croisés, aimés, haïs ? Que réglons-nous ensemble ici-bas ?

J'admire ceux qui croient en ce quelque chose que je ne posséderai jamais. La certitude d'un sens, d'un au-delà, d'une raison d'être en ce moment même en amour avec celui-là et pas un autre. Ton dernier mot d'amour disait « je t'aime infiniment », et puis plus rien… Le néant total depuis quatre jours. Et je me dis malgré moi que tout recommence. Oh bien sûr ils ne sont rien, ces quatre misérables jours. Mais la douleur me reprend et me vrille l'estomac. Ton silence ajouté à d'autres silences m'oblige à m'accrocher à l'infini pour survivre et tenir contre tes profondeurs. Tu cultives

une fois de plus ton absence comme un jardin véné-
neux qui m'empoisonne. Que te procure ma peine
que tu dois deviner ?

Mais cette fois je me suis trompée. Ce n'est pas
un mot qui est venu, c'est toi. Tu m'attendais à la
sortie du centre de recherche. J'avais dû t'en donner
l'adresse un jour, je ne sais plus. Je glisse une main
vers ta joue. Tu me caresses l'épaule. Un frisson me
parcourt. Tu me souris et saisis ma taille. Tout s'est
fait à mon insu. En quelques pas, nous rejoignons un
café, je suis reprise par cet envoûtement qui me lie à
toi. La déflagration de l'absence, mêlée à la chaleur
moite du lieu. Je cherche des raisons là où il n'y a
que des déraisons. Je t'éloigne pour te regarder et le
désir qui déferle en vagues et soulève ma poitrine me
ramène à toi. J'étouffe un cri rauque qui, étranglé,
t'appelle dans l'ombre. J'aperçois ton sourire. Je sais
que tu sais. Tu jubiles d'être indispensable à la survie
de mes rêves d'ivresse.

Le temps s'éloigne, je ne sais plus le jour ni le
mois ni l'année, je vis au rythme des battements de
mon cœur, du sang qui s'élance dans mes tempes et
parcourt mon corps en signalant son passage dans
chaque veine. Je découvre des muscles, des liga-
ments que je ne connaissais pas et qui se mettent à me
signaler leur présence. De cette histoire commencée il
y a trois mois, je ne sais pas dire si elle fut longue ou
courte. Je te connais depuis toujours. Je me réveille
moite et trempée de sueur. J'ai de la fièvre.

Depuis plusieurs jours, l'orage menace et n'éclate
jamais. Paris est écrasé d'un voile de pollution. J'ai

l'impression que le temps se met au diapason de mes états d'âme. Chaleur, étouffement, moiteur de l'air, nuages noirs. Tout va exploser. Je me suis réfugiée dans ce petit jardin qui est mon carré d'évasion. Sur cette petite surface, la terre a ses droits. John veille les fleurs et les plantes en vrai Britannique et, quand il emmêle ses doigts aux plantations, il en sort des merveilles qui ont l'air d'avoir poussé seules. Sous la pergola, je tire une table et une chaise en bois et mon bureau est là. De là je contemple l'espace de vie qui fut le nôtre jusqu'au départ de nos jumeaux pour New York.

Et maintenant, si je ne peux imaginer d'abandonner ce qui me lie à toi, je ne suis pas aveugle pour autant. Tu ne sais pas ce que tu présentes à celle que je suis. Quand je te disais qu'il n'y avait nulle place pour toi dans ma vie, tu n'as entendu que ta fierté de t'y être frayé un chemin et d'avoir remporté une victoire comme on enlève un trophée. Tu n'as pas compris le sens réel de ce qui était dit. Que la vie que tu mènes génère un comportement de fou. Je ne vais pas recommencer le chemin comme on s'embarque pour un nouveau voyage et je ne te vois pas installé comme un deuxième compagnon, l'un pour l'amitié, l'autre pour les folies du corps et le cœur qui palpite.

Quand tu m'as dit, il y a un mois, d'un ton rageur, nous ne ferons pas notre vie ensemble, je percevais un regret, une plainte, un reproche cynique mais jamais un simple constat. Ne t'est-il jamais venu à l'esprit que tu étais la seule raison de mon refus et de ma peur ? Personne ne m'aurait reproché de partir aujourd'hui que mes enfants étaient loin, de quitter mon couple qui n'en était plus un depuis longtemps.

Je suis attachée, perplexe, envoûtée et sans solution. Je me contente de vivre chaque minute de cet amour sans faille que je te porte et dont le sens m'a échappé depuis longtemps. Il m'est difficile de me séparer de la peur de vivre cet amour si fortement ancré en moi. Alors je navigue à vue en pleine contradiction. Je me rends compte que mon amour absolu est une insupportable offrande à ta souffrance intérieure. Je pourrais être balayée sous n'importe quel prétexte ; tu te servirais de mon refus de tout abandonner pour justifier ton propre détachement. Mais j'ai suffisamment de lucidité pour sentir que, si je plaquais tout pour te suivre, tu ne ferais que fuir. Tu es trop coupable, trop embarqué dans ta litanie de souffrance, trop détruit par les coups assénés sur tes ailes pour t'envoler un jour. Tu resterais cloué au sol avec de belles raisons qui ne changeraient pas grand-chose à l'affaire. Je suis devenue une autre à ton contact. Je me suis arrachée à ma vie sereine sans pour autant la quitter. Je peux choisir de vivre jusqu'au bout ce qui m'emporte vers toi. Je n'ai rien à perdre sinon toi, et tu as tout à y gagner, pour peu que tu lâches ta douleur pour devenir un homme réalisé. Mais peux-tu changer le scénario dans lequel tu rejoues à ton insu les scènes d'une perversité transmise ? Tu deviendrais alors guerrier fort et épanoui, un indestructible au cœur tendre prêt à aimer une femme qui ne serait pas moi. C'est bien connu, on ne peut pas rester avec celle qui vous sauve d'une mort certaine. Elle est le souvenir même de ce qu'on ne veut plus savoir de son passé. Mais cela aussi, je l'accepte et j'arrive à en rire.

Comme il faut du temps pour nommer les choses sans se tromper d'histoire, découvrir le roman de son propre destin en prenant une certaine distance. Ce qui devrait me tourmenter, ce n'est pas de savoir ce qui est en train de m'arriver dans cet amour insolite, mais pourquoi je tiens tant à le vivre au-delà de ce qu'il peut m'apporter. Alors je t'écris une longue lettre que je glisse sous ta porte et que tu pourras relire dans l'avion puisque tu m'as laissé, il y a quelques heures, ce message laconique… *Je pars demain, très loin, pour un mois. Je t'appelle à mon retour. Ne t'inquiète pas, dans le pays où je me rends, ce n'est pas la guerre. Je ne te fuis pas, je vais me chercher. Je t'aime.*

En quittant ton palier, ton escalier, puis ta rue, je me sens légère. Je sais que John est rentré de New York. Il va me raconter sa quinzaine avec les enfants, nous irons dîner au bord de la Seine, et puis nous rentrerons doucement dans notre appartement et nous boirons un thé dans le petit jardin. En t'aimant pour toi, en m'offrant sans condition à cet amour exigeant et sans avoir besoin de tout ce que je désirais auparavant dans mes aventures, j'ai compris qui est John et comment il m'aime.

Tomas traversa l'aéroport avec son sac à dos. Il avait enregistré ses bagages et souriait en pensant à Lysange, à sa joie de petite fille quand il lui avait remis la clé de sa maison. Et puis son regard plus grave quand elle avait ouvert le coffret pour y découvrir le chapelet de sœur Madeleine. Elle avait saisi la tête de mort en ivoire et l'avait retournée, très émue. Il était fier d'avoir réussi à résister au désir de suivre Louise dans la mort. Il se revit au bord de cette chute vertigineuse, prêt à sauter ce fameux jour où il avait finalement renoncé au suicide. La sœur Régina l'avait ensuite convaincu de terminer ce qu'avait voulu Louise, révéler son secret à sa fille. C'était elle qui lui avait remis son ouvrage avant qu'il ne quitte le Brésil. Tenez, cela vous fera un prétexte pour la contacter. Il se souvint que c'était dans la bibliothèque de la maison de bois qu'il avait lu le livre de Lysange sur les exilés. Il avait cru s'ennuyer, mais l'avait finalement trouvé distrayant, avant de lui envoyer cette lettre recommencée vingt fois pour l'inviter. Comme le temps avait été long avant qu'elle ne l'appelle enfin. Il prit plaisir à se remémorer les moments passés ensemble, leurs promenades dans les dunes, leurs discussions sur les oiseaux, les arbres, l'amour et la vie. Il se félicita de ne plus avoir envie de mourir en pensant qu'il avait maintenant une fille adoptive. Il monta dans l'avion, se retrouva seul puis fut rejoint par un homme qui s'installa à ses côtés. Très vite ils conversèrent agréablement et se présentèrent. Tomas, Pierre.

Tomas eut un sourire en pensant que c'était encore un clin d'œil de Lysange, cette coïncidence du prénom. Puis il demanda à l'homme s'il connaissait le Brésil. Et Pierre en souriant lui répondit qu'il avait déjà voyagé dans ce pays qui était idéal pour y oublier une femme, une femme proche d'un ange, ajouta-t-il. Tomas se tortilla sur son siège. Vous ne seriez pas photographe par hasard ?

Pas du tout ! Mon domaine, ce n'est pas l'image, mais le son. Je fabrique des enceintes.

Tomas saisit le magazine de la compagnie devant lui alors que l'avion commençait à rouler. Pierre sortit de sa poche une lettre, l'ouvrit et commença à la lire. Tomas résista, s'obstinant alors à regarder par le hublot, puis il n'y tint plus et tourna la tête vers la missive. Son regard fut accroché par la fin de la lettre, *cent soixante-quinze mille huit cents secondes se sont écoulées sans savoir si ton baiser est encore posé sur le désir de nos corps enlacés. Mystère dont la résolution ne m'intéresse déjà plus. Et pourtant je t'aime encore.* Suivait un prénom, qu'il ne parvint pas à lire.

Et si vous ne parvenez pas à l'oublier ? demanda-t-il à brûle-pourpoint à son voisin. Pierre sembla réfléchir un instant. Son visage était grave. Dans ce cas, je reviendrai la chercher et je la garderai toujours comme un trésor, je suppose.

Ne tardez pas alors, lui souffla Tomas, parfois la vie réserve bien des surprises.

L'auteur tient à remercier :

La tribu d'amour qui a supporté pendant de longs mois sa traversée de l'Amazonie.

Hubert Nyssen pour ses conseils doux et si pertinents.

Christine Lebœuf, fée de la maison du Paradou.

Françoise Nyssen, Jean-Paul Capitani et Alzira Martins pour leur amitié pleine de sourires.

Evelyne Wenzinger, éditrice vigilante de la collection « un endroit où aller ».

Régine Lemeur, Anne-Laure Foundoulis, Frédérique Lescent et Frédéric Bernut, lecteurs impitoyables de la première heure.

Yves Lecat, pour sa lecture à haute voix de la dernière version.

Les passionnés de sa maison d'écriture qui accompagnent les romans quand elle ne peut plus rien pour eux.

Patrick Robert, Francis Apesteguy pour leurs mots et leurs images.

Sœur Régina et les sœurs de Notre-Dame-du-Calvaire.

Dom Geraldo (Mgr Verdier), évêque de Guajará-Mirim depuis 1980.

Christian Dutreuilh, Paul Verdier et sa douce femme.

Les lecteurs et les libraires dont la bienveillance est un cadeau de chaque jour.

Les lycéens et leurs questions dangereuses sur l'écriture.

Note de l'auteur :

Si l'histoire de sœur Madeleine est pure fiction, les références historiques de la mission de Guajará-Mirim sont vraies. Cette mission existe toujours ainsi que le couvent de Notre-Dame-du-Calvaire. Les sœurs de Gramat apportent soins attentifs et éducation aux enfants en Amazonie, aux Philippines et au Viêtnam.

Les musiques qui ont accompagné vingt-deux mois d'écriture :

Toxic, Yael Naim, album *Yael Naim*, Tôt ou Tard, Warner Music France, 2007.

Prélude et fugue n° 2, Bach, par Hélène Grimaud, Deutsche Grammophon, 2007.

Get Around Town, Revolver, album *Music for a While*, Delabel Hostile, EMI Music France, 2009.

Tell Me, Cocoon, album *My Friends All Died In a Plane Crash*, Sober&Gentle, 2007.

On my Way, Cocoon, album *My Friends All Died In a Plane Crash*, Sober & Gentle, 2007.

Le Temps du conteur, Yaron Herman, album *Variations*, Laborie, 2006.

Ose Shalom, Yaron Herman, album *Variations*, Laborie, 2006.

Naïve, The Kooks, *Inside In Inside Out*, Virgin Records, 2006.

Liebesleid, Joshua Bell et Paul Coker, album *The Romantic Violin*, Decca Music Group Limited, 2004.

El Tango de Roxanne, Ewan McGregor, Jose Feliciano et Jacek Koman, album *Moulin Rouge*, UMI, 2001.

Lo Dudo, Agnès Jaoui, album *Canta*, Tôt ou Tard, 2006.

L'Obstinée, Le Trio Joubran, bande originale du film, *Le Dernier Vol* (Gaumont), Universal Music, 2009.

Kherumvimskaya pesn (Cherubic Hymn), Chamber Choir Lege Artis, album *Dmitry Bortniansky (Sacred Music, Selected Works)*, Cugate Ltd, 2005.

Raconte-moi, Stacey Kent, album *Raconte-moi*, Token Productions, EMI Music France, 2010.

La Vénus du mélo, Stacey Kent, album *Raconte-moi*, Token Productions, EMI Music France, 2010.

Trans Clytus Gottwald Litanei D343, Accentus, album *Transcription 2*, Naïve, 2006.

Le Chercheur d'or, Arthur H, album *Adieu tristesse*, Polydor, 2005.

Ballad of a Sad Young Man, Hugh Coltman, album *Stories from the Safe House*, UMSM, 2008.

Symphonie n° 29 en la majeur, K. 201 : Allegro moderato, Mozart, Orchestre radiosymphonique de Berlin (RSO) et Lorin Maazel, Via Classic, 2009.

Le Livre de Poche s'engage pour
l'environnement en réduisant
l'empreinte carbone de ses livres.
Celle de cet exemplaire est de :
350 g éq. CO_2
Rendez-vous sur
www.livredepoche-durable.fr

PAPIER À BASE DE
FIBRES CERTIFIÉES

Composition réalisée par Belle Page

Achevé d'imprimer en janvier 2015 en France par
CPI BRODARD ET TAUPIN
La Flèche (Sarthe)
N° d'impression : 3008892
Dépôt légal 1re publication : février 2015
LIBRAIRIE GÉNÉRALE FRANÇAISE
31, rue de Fleurus – 75278 Paris Cedex 06

39/6673/4

ABOUT THE A

George G. Gilman was born in 1936 in what was then a small village east of London. He attended local schools until the age of fifteen. Upon leaving school he abandoned all earlier ambitions and decided to become a professional writer, with strong leanings towards the mystery novel. He wrote short stories and books during evenings, lunch hours, at weekends, and on the time of various employers while he worked for an international newsagency, a film company, a weekly book-trade magazine and the Royal Air Force.

His first short (love) story was published when he was sixteen and the first (mystery) novel ten years later. He has been a full-time writer since 1970, writing mostly Westerns which have been translated into a dozen languages and have sold in excess of 16 million copies. He is married and lives on the Dorset coast, which is as far west as he intends to move right now.

The Big Gunfight

George G. Gilman

NEW ENGLISH LIBRARY
Hodder and Stoughton

**for
Robert R. Rice Sr.
for sparing the time to
read me between catching fish!**

A New English Library Original Publication 1987
Copyright © 1987 by George G. Gilman
First NEL Paperback Edition 1987

British Library C.I.P.

Gilman, George G.
   The big gunfight.—(Steele; 42)
   Rn: Terry Harknett   I. Title   II. Series
   823'.914[F]   PR6058.A686/

ISBN 0-450-40228-2

Printed and bound in Great Britain for
Hodder and Stoughton Paperbacks, a
division of Hodder and Stoughton Ltd.,
Mill Road, Dunton Green, Sevenoaks,
Kent (Editorial Office: 47 Bedford
Square, London, WC1 3DP) by
Cox & Wyman Ltd, Reading, Berks.

1

There were four men in the Golden Gate Saloon that brightly sunlit and pleasantly warm mid-morning in early April. The one who owned it and was tending bar, the horse rancher who had settled on the old Sanderson place north of town and the two who were strangers to Providence.

Harry Krim, owner of the small and spartanly furnished place, asked nervously of his only local customer who sat at a table close to the bar counter: 'Tell me, Mr Steele? Ain't you never been a drinkin' man?'

Adam Steele set down his half emptied coffee mug on the table top and rolled it between the palms of his gloved hands, answered evenly: 'I was once.'

'But you lost the taste for liquor?' The forty years old, broad shouldered and pot bellied man wearing an undershirt and a leather waist apron leaned his elbows on the bartop as he pretended mild interest in the exchange he had begun.

Steele, a little older, a lot leaner and with long ago greyed hair that showed not a trace of the shade of red it had once been—a match for the colour that Krim's still was—replied: 'In Mexico.'

'Hell, in Mexico, drinkin' nothin' but that tequila rotgut that's more like the taste of kerosene than any damn thin' else, I reckon it'd be easy for a guy to give up the booze. For good and all. If he wanted.'

This was said, in a tone of harsh and almost vehement cynicism, by one of the two young men in their mid-twenties. Who sat at the table by the window near the batwinged

5

entrance which Steele preferred to use whenever it was vacant. But the tall, well built, good looking, dark haired and dark eyed strangers to town were well established at the table when he entered the saloon some ten minutes earlier. With a threequarters empty bottle of Krim's best bourbon on the centre of the table and each with a shot glass in front of him. And from the glaze in their eyes and the dull crimson colouring that showed through the weather burnishing of their cheeks, Steele had guessed that the bottle was full when they began that morning's drinking session.

Because of their drunken state, the Virginian had made allowances for the way the pair looked at him when he pushed between the creaking batwings. Just as he also understood the reason for Harry Krim's unusually effusive greeting of an infrequent customer who hardly ever was good for more than the profit on a cup of coffee: and seldom bought a drink for anyone else—unless you counted a sarsaparilla for Billy Baxter.

The two young men, their dark-hued Western style clothes stained with the sweat and dust of travelling long open trails and their faces haggard with the weariness of the miles covered from their last stopover to this little Californian town in the timber, were drunk. And it was plainly their intention to get drunker. Which could mean trouble for the worried Krim, who was ill-equipped to deal with it: because he had little experience of the kind of trouble that might erupt this morning. Whereas Adam Steele—who seemed on first impression to be no more than a quiet-spoken, mild-mannered, almost diffident man—had more than once since reaching Providence something over a year ago shown himself to be extremely capable of taking care of himself in times of trouble. Himself and anyone else who was wise enough to ally himself with the Virginian when the line was drawn.

Steele did not consciously register an impression of what the two strangers thought of him as he directed a single, almost imperceptible nod toward them before he went on by their table and responded with a more pronounced motion of his head to Harry Krim's prattling greeting.

'How you doin' this mighty fine spring mornin', Mr Steele? Billy not with you today? Always a pleasure to see you folks from a little ways outta town. So it'll just be a cup of coffee, right? Black and unsweetened and strong enough to paint a barn good as creosote?'

Steele took a seat at the table nearest the far end of the bar counter that ran threequarters of the length of the wall to the right. One of just seven unmatched tables in the plank-floored, timber-walled, undecorated saloon that was the least prosperous business in this quiet, straitlaced town in a timbered river valley cutting through the western foothills of the Sierra Nevadas. He took his seat as Harry Krim withdrew, gratefully, into the rear of the building to bring Steele the coffee he wanted. And rested his rifle across the table top.

An unusual rifle: an elderly .44 calibre Colt Hartford revolver action weapon with a rosewood stock that was fire-scorched and had an inscribed gold plate screwed to its right side. And, apart from the rifle being such a quaint model, it was also strange, the two young men were likely to consider, to see somebody toting a rifle of any kind into the saloon of a small, quiet country town. Particularly a man like this one. Attired in creased and dirtied-up work clothes of hard wearing fabrics—a check shirt with a kerchief at the open neck, pants, a Stetson on his head, unspurred riding boots on his feet and buckskin gloves on his hands. Clothing a frame that was little more than five and a half feet tall, built on lean lines. A man with a time- and care-worn face that was in process of changing from nondescript handsomeness into the kind of cast women were apt to term distinguished.

Had it not been for that fancy rifle that had seen better days, he would have looked like the out-of-town small farmer or rancher that the bartender's words had suggested he was. But that Colt Hartford that he carried canted easily to his left shoulder . . .? Instead of packing a sixshooter in a gunbelt holster . . .?

But even before Steele had lowered himself onto the chair

7

at the distant table, the two men who had ridden in from much further out of town had overcome their curiosity about the new customer. And one of them was topping up the shot glasses. This the shorter, more broad shouldered of the pair, who had a thin moustache and a deep cleft that was slightly off centre of his chin. His round eyes with yellow-tinged whites had studied Steele with something akin to anxiety in back of mild interest for those few moments when the newcomer pushed between the batwings and bobbed his head a fraction of an inch. The other man—clean-shaven, tight-lipped and slit-eyed—had made a rapid study of the Virginian with a brand of almost sneering arrogance. That both challenged Steele and warned him it would be unwise to pick up the invisible gauntlet that had been tossed down.

Since then, the two men at the table between the entrance and the only window of the saloon had spoken in low tones that did not carry to the rear of the room. Where Steele sipped the coffee delivered by Krim, and the bartender pretended interest in the latest edition of the Providence *Post-Despatch*. But he was obviously preoccupied with what he feared might happen in the immediate future rather than gripped by reports of past events which Huey Attrill had printed in his newspaper. For he directed many surreptitious glances toward the two young strangers. Who now sipped their drinks slowly as they engaged in the low-toned talk and occasionally vented short gusts of raucous laughter. Which caused Krim to flinch and peer openly toward them, like he thought the sudden burst of obtrusive sound signalled the start of the violence he was sure was imminent.

It was after one such intrusion on the quiet atmosphere of the saloon that Krim abandoned the subterfuge of reading old news and put the *Post-Despatch* under the bartop: and posed the question about Steele's aversion to drinking alcohol of any kind. And the Virginian's response drew the tequila comment from the most dangerous looking of the two strangers—the one with the arrogant manner who was obviously the dominant member of the partnership.

Steele said evenly: 'I've drank some whiskey that's been as

bad as the worst kind of tequila, feller. Back in the times when just to be drunk was what I drank for. When what the liquor tasted like didn't matter.'

'And now you never have no reason to get drunk as a skunk, uh?' the clean-shaven man asked, his thin-lipped mouth and narrowed eyes starting to form into the basis of a sneer again. 'Never have nothin' to celebrate? You must lead a friggin' dull life, I figure?'

The Virginian was content to allow the exchange to end there. Was not about to tell this drunk that the last time he took a single shot of whiskey was the day the woman he had married died. Or that he had lost his taste for liquor many years earlier, after doing nothing but drinking and passing out for almost a month in a Mexican village called Nuevo Rio as he strove to forget he had killed his best friend.

The man with the cleft chin was just as anxious to finish this line of talk. Directed an apprehensive glance toward Steele and then reached for the bottle as he urged: 'Hey, Joel, what the man does or don't do ain't none of our business.' He vented a hollow laugh and took the stopper out of the bottle. 'You and me sure have plenty to celebrate, so let's get to doin' just that? What d'you say, good buddy?'

Joel looked on the point of ignoring the advice of his friend: seemed set to follow up on the provocative opening he had started. And maybe if there had been one more drink inside him he would have fully shaped the sneer and rasped an insult designed as bait for trouble. Which without doubt would have given him the spur he needed to go for the Remington with the ivory butt plates that nestled in the tooled leather holster slung from the left side of his bullet-heavy gunbelt. But he was still at that stage of inebriation where a man of his naturally belligerent type hovered on the line between hearty happiness and sullen ill-humour. One drink removed from the point where it would not be possible for him to draw back from the brink of aggressive bad temper.

Now, the sound of that vital drink being poured and the eager voice of his friend urging him to take it were enough to

9

delay the setting off of the time bomb that was Joel's penchant for starting trouble. A brand of trouble he was confident he could handle: and relished handling.

'Sure thing, Cowp!' he agreed with a happy grin that totally negated his arrogance and probably made it easy for him to attract almost any woman he chose. 'Let's you and me show the people of this one horse town how to have some fun, uh?'

Steele was able to finish his cooled coffee at a swallow while Joel made his pronouncement and Cowper topped up both glasses: nervousness and inattention to what he was doing causing some of the good bourbon to spill over the rims.

Harry Krim was equally afraid, and his frown suddenly came close to showing dismay as he looked at Steele, who put some pennies on the table to pay for the coffee as he rose. He blurted: 'You leavin' already? Hey, why don't you sit awhile and——'

'Billy should be through loading my order over at Mitchell Cody's store by now, feller,' the Virginian said.

'How are thin's comin' along out at Trail's End?' Krim asked, a note of desperation in his voice as he switched his agitated gaze between the two men at the table by the door and the Virginian who was starting toward the batwinged entrance, the rifle canted easily to his shoulder. 'The nig... Arlene, she says you folks are really gettin' the place into fine shape?'

'I don't reckon a woman who's the sister of a preacher is given to lying,' Steele said. 'So that'll be her honest opinion. Be seeing you next time I'm in town, maybe.'

Joel had raised his brimful glass. In his right hand. Held it level with his slightly parted lips for a couple of seconds, like he was proudly displaying the rock steadiness of his hand despite the large quantity of liquor he had tipped down his throat. Said in a mocking tone of forced decorum: 'Here's to you, Mr Cowper Love, the best buddy a man could have. And here's to Joel Shumaker, the fastest gun in these here United States of America. Ain't that right?'

10

Then he tipped down the drink in one swallow. And a broad grin became fixed on his face as his eyes flicked along their sockets while his head remained rigidly still. His gaze shifting from Love, who took just a sip at his drink and coughed, to Steele who was advancing on the doorway, seemingly pre-occupied with events far removed from the abruptly tension-filled atmosphere of the Golden Gate Saloon.

Then the fresh shot of whiskey hit Shumaker's stomach and reacted with the liquor already there, to erupt acid bile into his throat. The grin was still-born and he banged the empty glass back down on the table so that he was able to clutch at his throat with both hands.

'Goddamn rotgut!' he managed to force out through clenched teeth. Then screwed his eyes tightly closed as he concentrated on keeping the bitter-tasting moisture that sounded in his voice from spewing out across the table.

'Hey, that's the finest Kentucky sippin' whiskey, mister!' Harry Krim countered, and sounded genuinely insulted at the slur cast upon the best line of his stock in trade.

'Joel!' Cowper Love squealed. And was certainly genuinely afraid of what he knew was about to happen. He dropped his glass, which bounced and rolled in a circle to spill more liquor over the table. He kept hold of the near empty bottle.

'You givin' me a friggin' argument, jerk?' Shumaker snarled. Swallowed the bile and snapped open his eyes. Powered upright with enough force to knock his chair over backwards. And instinctively, with the smooth speed of unthinking habit, adopted the gunfighter's stance. Slightly stooped and partly sideways on, his left hand close to the ivory decorated butt of the holstered Remington.

'Oh,' Krim murmured in a strangely defeated tone of voice that lacked any hint of fear now. Like he simply acknowledged he had lost the argument and that was an end to it. Or he may have felt safe that the slow-moving Adam Steele was between himself and the unpredictable young drunk he had rubbed up the wrong way: and been aware he

11

could duck down behind the bar counter if lead started to fly.

'Does it matter that much?' Steele asked. And stopped alongside the angered Shumaker.

The young man snapped his head around to face the Virginian as Harry Krim ceased to be a potential target: did bob down out of sight in back of the bar counter as Steele stepped out of the line of fire.

'What?' Shumaker demanded thickly as his friend began to rise from his chair.

Steele flicked a gaze at the moustached man and knew that right now the only threat Love posed was to his partner. So he looked again into the sweat-sheened face of the man who was itching to go for his Remington. Drawled: 'Getting hurt over how good a bottle of bourbon is or isn't?'

Shumaker straightened up from the gunfighter's crouch. The heat of reckless rage cooling as a smile of pure pleasure spread across his face, haggard with fatigue and bloated by liquor. He challenged: 'Sounds to me like I'm bein' called. Don't it to you, Cowp? So I figure me and this pint-sized guy with the fancy rifle should step out on to the square and ... Shit, that ain't fair!'

Steele had swept the Colt Hartford's barrel away from his shoulder. Swung it through a short arc: to halt the move when the muzzle rested against the centre of Joel Shumaker's forehead. He still held it one-handed as his thumb cocked the hammer and he explained evenly: 'Reckon I'd be real stupid to face up to the fastest gun in the United States in a fair fight, feller.'

Shumaker was rigid with tension again now, his face an ugly mask of resentment bordering on hatred as he accused; 'Why, you cheatin', sneaky, friggin' sonofabitch!' Then his glittering eyes darted across their slitted sockets and he commanded: 'Get him, Cowp!'

Love started to squeal: 'This is crazy, Joel——'

But he was interrupted by the crack of a bullet exploding from the muzzle of the rifle. The report amplified by the close confines of the saloon's walls and the degree of fear-honed tension that gripped the hot air which suddenly reeked of black powder smoke.

Then liquid erupted from the gaping mouth of Joel Shumaker: but not blood. Instead, a foul-smelling mixture of whiskey and the part-digested food he ate for breakfast. The vomit splashed down his shirt front to the floor as his hat, dislodged from his head by the bullet, bounced off the smoke-blackened ceiling.

But he was not so sick to his stomach that he failed to be aware of what was happening beyond the bounds of his misery. He saw the gloved thumb cock the rifle's hammer again as the Virginian took a step backwards, to cant the barrel of the weapon to his shoulder. And he went for his revolver. But he was not so fast on the draw while his mind was under assault by rage and humiliation and he was physically weakened by nausea.

So Steele had ample time to swing down the rifle over a greater distance than before. Intent upon blasting a bullet at the hand fisted to the ivory-plated butt of the Remington.

But Cowper Love made a faster move: though not for the Colt in his holster. Instead he used the empty bottle as a weapon. Smashed it violently into the top of his partner's bare head. Hard enough so that it shattered and Shumaker was unconscious on his feet, then corkscrewed to the floor. Where he became an inert heap amid the myriad shards of smashed glass. Then blood oozed from his cut scalp, trickled out of his hair and down over his sweat-beaded face.

Steele sloped the rifle to his shoulder again and eased the hammer forward as shouting voices, shrill with shock, sounded out on the sun-bright square that was downtown Providence.

Harry Krim rose slowly to his feet, his round face more pallid than usual with the trauma of what had happened in his saloon. He opened his mouth to speak but was unable to utter more than a strangled groan as he saw the blood-run head of the man crumpled up on the floor.

Cowper Love looked from the neck of the bottle still fisted in his hand, to Steele. He was not able to see his fallen friend because the table blocked his view. Horror was more deeply inscribed on his face than that of the saloonkeeper, but he was able to find his voice to mutter in croaking tones: 'Oh

13

God, I hit him so hard! I could've killed him!'

Steele shook his head and glanced down at the unconscious man who was breathing heavily through his mouth now his throat was cleared of vomit. And the Virginian's expression as he raised his eyes to look at the gulpingly afraid young man conveyed his distaste for the evil smell that rose up from the sodden shirt front of Joel Shumaker.

'He'll live, feller. Have a worse than usual hangover though, I guess.'

Love dropped back onto his chair and allowed pent-up breath to whistle out between compressed lips. Then muttered: 'Just as long as he wakes up, mister. I figured it was better to slug him than have you two shootin' each other?'

Steele shrugged and made to reach for the batwings. But halted the move as a man appeared on the outside of them. It was Harlan Grout, who ran the town livery stable. Wide-eyed with eager curiosity, he asked:

'Is he dead?'

'Drunk is all, feller,' Steele told the ruddy complexioned, stockily built man who was one of the Golden Gate's best customers. Then he pinched his nose between a thumb and forefinger as he added; 'And not so much the dead as the stinking kind.'

2

The liveryman backed away from the threshold of the saloon and turned to yell the news: 'It's all okay, folks! One of the strangers got fallin' down drunk is all! No harm done!'

Steele pushed out between the batwings and immediately sensed the undercurrent of resentment that his appearance caused to intrude upon the relief which Harlan Grout's excited announcement had triggered. Then all but one of the dozen or so people who had been about to converge upon the Golden Gate turned to continue with their interrupted business.

The man who did not do so was Sheriff Leonard Fallows. He had a duty to investigate the firing of a gun within the town limits and the grim set of his face as he strode purposefully from his office, across in front of the *Post-Despatch* building toward the Golden Gate was a tacit signal of his determination to do just this.

It was a rough-hewn, element-burnished face with a black moustache bushier than that of Cowper Love and eyes as coal black as those of Adam Steele. The face of a man of fifty-two years of age who was six feet tall with a lean build starting to run to fat. A neatly dressed, happily married man who was naturally even tempered when he was allowed to lead a quiet life. A man who took his peace-keeping job seriously. A man who did not at all like Adam Steele.

For the day the Virginian rode into Providence there was bad trouble. And later, after he had established himself out at the old Sanderson place, he was involved in more

15

violence. Which had engendered resentment in the minds of many local citizens in addition to Len Fallows. Some of those people who disliked Steele operated the businesses housed in some of the buildings which lined three sides of the town square. Others had been patronising the stores when the gunshot exploded. So it was not just on the grim face of Fallows that the Virginian had seen he was being prejudged as the cause of this new disturbance, despite what Harlan Grout had yelled at his fellow citizens.

Now everybody else—those who felt justified in damning him on principle and a few who accepted him with open minds—were headed back to attend to their own business. And when Harlan Grout pushed open the batwings, eager to grasp this opportunity to take another morning drink, just the lawman glowered at Steele with much the same expression as the Virginian had displayed when he grimaced down at the foul-smelling Joel Shumaker.

'You know somethin', Steele?' Fallows asked.

The Virginian halted and turned to look quizzically toward the taller, older man when he paused outside the batwings. And saw the sheriff gesture with his head diagonally across the square at the haywagon with a pair of geldings in the traces parked out front of Mitchell Cody's feed and seed store.

'Sheriff?'

'When I saw you and Billy drive into town earlier, I got a bad feelin' deep down inside. Kinda like the way some old-timers figure they know when it's gonna come on to rain because a joint starts to ache or a corn to jump, you know?'

Steele shook his head. 'No, feller, reckon I don't know. But I do reckon any peace officer worth his pay ought to feel bad when he's allowed a swollen-headed kid gunslinger into this town to get trigger-happy drunk.'

Fallows' darkly hued features briefly showed he was disconcerted. But he recovered in a moment and was looking tough again when the anxiously frowning face of Cowper Love appeared above the closed batwings and the young man confirmed:

16

'Joel's drunk as a skunk, sheriff. And I know he's gonna be mean as a riled-up rattler when he comes round. Mean at anyone who happens to be in his sight. And that includes me. So if you'll lock him up until he's sober and feelin' a little more like——'

'Damnit, don't tell me how to do my job, son!' Fallows snarled. And forced Love to back away hurriedly from the threshold of the Golden Gate as he swung toward the batwings and thudded them flying open.

Then Steele made to continue on across the square, but paused once more. Looked over the shoulder the rifle did not rest against when Love stepped on to the threshold of the saloon again. Hooked his hands over the doors to halt their creaking swing and said gravely:

'Only fair you should know, mister. It's most likely Joel will come lookin' for you when this scrape is over and done with. He shot dead Jay Lomas down in Yuma in a fair fight just the other day. And everyone figured Lomas was the fastest there was. That's the reason we were celebratin'. Ain't likely Joel would want it to get known he let go a man that shot his hat off his head.'

'I'm grateful for you telling me that, feller,' Steele said. 'Leaving town now.'

Love grinned his relief and nodded. 'Be best.'

'My place is the Trail's End spread. Anyone will tell your buddy how to get out there. If he wants a hole in his head to match the one in his hat.'

The smile on the young man's face slowly altered into a solemn frown as Steele amplified his response. Then the Virginian completed his unhurried walk from the north east to the south west corner of the square. Sensed the melancholy eyes of Cowper Love watching him until Fallows snapped something at him and he withdrew into the saloon.

Then just Billy Baxter and Mitchell Cody showed overt interest in the Virginian. The two men standing in the bright sunlight at the front of the roofed sidewalk before the feed and seed store. Cody's store was one of five in the row along

17

the western side of the square. Opposite the stores was a stage line depot, the town bank, Grout's livery stable and the boarding house run by the Knights. The school and the town meeting hall, along with the law office, newspaper building and saloon, lined the northern side: the start of the trail to Broadwater and beyond flanked by the frame-built hall and the granite law office which incorporated a single cell lock-up.

There were no buildings visible on the south side of the square. For it was thickly timbered, except for what a stranger would assume to be the start of a trail that curved away into the trees. In fact, this was the northern extent of Main Street which cut a meandering course through the woodland to the flanking rows of houses and the steepled church at the southern fringe of Providence about a mile away. Other houses dotted the curves of Main Street here and there along its forested length, and an occasional rural side road cut off to lead out toward scattered farmsteads and ranches on the richly soiled bottom land of the Providence River Valley.

If anybody out along Main Street had heard the gunshot in the saloon, they had not been made sufficiently curious to come to see the reason for the single report. And the people in all the buildings on the square save the saloon had evidently lost interest in this minor disturbance to the morning routine of their town. It was only to be expected that Adam Steele had a hand in starting the trouble, but Len Fallows was now firmly in control of the situation . . .

Billy was looking satisfied with the work he had done to raise the sweat that beaded his face and stained his shirt, while Cody expressed concern as he glanced up from a sheet of paper which, Steele guessed, was the bill for the sacks of supplies Billy had loaded on the wagon.

Billy Baxter was a thirty-year-old man cursed by a congenital defect to go through life with the mind of a child of six or seven. He was slightly built, but much stronger than he looked and, provided he was supervised, he made a good job of simple chores. He had a homely face with a slack-

18

jawed mouth and bulging eyes, the skin badly scarred by acne.

Mitchell Cody was a man of over sixty, perhaps was even seventy or more. He was tall and always had been painfully skinny: the kind of man, it was said, who had looked at death's door with sickness for as long as anyone could recall. In a way, the emaciated old man was of a kind with Steele: a loner who did not enjoy socialising, and mixed with his fellow citizens only when the need to earn a living enforced this.

Thus, he would care nothing about the latest trouble, just as he had been indifferent to the earlier eruptions of violence which had taken place since the Virginian came to Providence. Now he was merely anxious that his paying customer should accept the prices he had charged and agree the total shown on the bill. So he could withdraw into his aromatic store and Steele and the mentally deficient Billy Baxter could be on their way to wherever they wanted.

Steele would have preferred every citizen of this town to be so inclined.

'Oh my, I thought the worst when I heard the shot over to the saloon, boss!' Billy blurted excitedly. 'And I think Mr Cody, he was a little wor——'

'You got no idea what I think, boy!' Cody cut in sourly, watching the Virginian check over the itemised account.

'I'm happy,' Steele told the gaunt old-timer as he dug some bills from a hip pocket and handed them to the storekeeper.

Then he climbed up on the high seat of the wagon and lodged the Colt Hartford between two sacks in the back. Billy quickly scrambled up after him: like an eager child proudly demonstrating he could achieve this without adult help.

Across in the far corner of the square, Sheriff Fallows emerged from the saloon carrying Shumaker's gunbelt and hat. Behind him came Cowper Love, slightly stooped under the limp weight of his unconscious partner. Neither of them paid any attention to the wagon which Steele steered into a tight turn. Headed on to the start of the north trail beside the law office that still smelled faintly of fresh paint from when it was refurbished after being almost destroyed by fire. But within moments they were clear of town and on the open trail, their nostrils filled with the scent of pine trees and the rich fragrances of good country coming to spring life.

Although Billy's mind was lacking in so much that was taken for granted by normal men of his age, he did possess an innate instinct for understanding the moods of those of his fellow men he had known for some time. And this morning he sensed that Adam Steele—never the most talkative of men—did not wish to be bothered with conversation during the trip between Providence and Trail's End. His boss was not mad at him, Billy knew. Maybe was not mad at anybody or anything. He just wanted to be left quietly alone with his thoughts. And Billy, who admired the Virginian almost to the point of hero-worship, respected the need. So the half mile trip between town and the place where the trail closed with the Providence River was completed in verbal silence.

And Billy was as happy not to talk as Steele was content with the silence. Perhaps both men in diverse ways feeling a sense of satisfaction with their own lot on this brightly warm, early spring morning. Both with much more than just this latest minor upset behind them: for each in his time had lived through far more traumatic experiences and survived to reach a stage which he considered an acceptable compromise on his life's ambition. Steele was through with being a saddletramp, drifting from one brush with violence that was none of his business to the next: to put down roots in a piece of country on which in a little over a year he had laid the foundations of a fine stud ranch. While Billy, for the first time in his less than enviable life, had a regular job for a man who never took advantage of his weakness of mind and allowed no one else to push him around.

In truth, both would have preferred it if it were not necessary to have contact with outsiders: except for Arlene Forrester, of course, but then the black woman was really one of them. But until such time as that ideal could be achieved, the town of Providence with its mixture of many

20

different kinds of people could be worse. For it was never the people of Providence who sparked the trouble for which the Virginian was held to be the catalyst: always strangers did that. The drunks this morning. The bunch from Oregon when the law office and its lock-up almost burned to the ground. And the three sadists who caused the bad trouble for Clay Murchison when Adam Steele first rode into Providence.

And now...?

What about the man beside the canted-over wagon stalled across the fork where the Timber Creek spur to the old Sanderson place cut off the main trail?

Well, Billy thought, if he was looking for trouble, he'd come to the right man in his boss.

For his part, the Virginian eyed the broken down wagon with equanimity as it first came into view. And his impassive expression altered only slightly to reveal mild curiosity when he heard a faint cry of alarm which sounded like it came from a woman.

It was an enclosed wagon with rigid sides and roof, open at the front above the sheltered seat. And probably with double doors at the rear, he guessed. Drawn by a single horse between shafts. The kind of rig, of less than rugged construction, that was designed for smoothly paved city streets rather than roughly rutted country trails. It was once brightly painted in red, white and blue but the elements, the miles travelled, and neglect had dulled and flaked the colours. The only relatively new paint on the wagon was the garishly yellow lettering on the listing side panel which proclaimed:

MARVIN MAKEPIECE
PURVEYOR OF
PROF. JOB'S ELIXIR OF LIFE

The wagon was leaning lop-sidedly to the left because its offside rear wheel had collapsed, several spokes splintered and the rim buckled. Marvin Makepiece, if this was the man,

21

was in process of going the right way about fixing the crippled wagon. He had first lightened the load by removing a stack of wooden crates from in back. Now was using a stout pole as a lever and a rock of about the right size as a fulcrum.

But even if he had the weight and strength to raise the rear corner of the wagon up off the ground unaided, he would need another pair of hands to shove two crates, already stacked one atop the other, underneath. To block up the rig so he could get the hub of the smashed wheel off the axle and fit the spare wheel that lay nearby.

But the only extra pair of hands readily available before Steele and Billy came down the trail aboard the haywagon belonged to the woman who had uttered the strangled yelp of alarm. And because she was stark naked in the Providence River several yards distant she would not have rushed across to lend a hand even if the man did manage to raise the wagon corner up off the ground at what, Steele thought, was probably the latest of many attempts.

For stretched seconds after the full-figured, naturally red haired woman had vented the cry and bobbed down into the water so that just her head showed above the fast flowing surface, the man continued to strain and groan as in vain he shoved down on the end of the lever. Totally engrossed in the chore, and maybe hearing a pounding in his ears that masked the woman's voice and the clopping of hooves and rattling of wheelrims that accompanied the approach of the haywagon.

Then he was unable to struggle any longer against the massive odds without taking a rest, and he straightened up from the stoop over the lever. First heard the woman who now yelled a warning at him, perhaps coherently: or maybe it was just the frantic gesturing of her arms that caused him to wrench his head around. To look away from the distraught redhead toward the wagon that continued to make an unhurried, trundling approach along the trail.

Billy, after three or four wide-eyed double-takes at the woman with just her head and shoulders above the surface of

22

the sun-sparkling river, finally gasped: 'Hey boss. Before she ducked herself under, I think I seen that lady in the river . . . I think I seen her naked as the day she was born?'

'Not exactly,' Steele drawled lightly, 'but I know what you mean.'

Billy, who had maybe never even seen a picture of a woman without her clothes on, continued to stare fixedly at what remained to be seen of this real life one. Clenched and unclenched his fists and pushed out his tongue from a side of his mouth. This a sign of his intense concentration as he tried to recall how she had looked before she ducked her nude body into the water that was no more than two or three feet deep at the Timber Creek ford.

Steele might have focused his smiling-eyed attention in the same direction had not the man beside the wagon abruptly reacted so frenziedly to the situation. First roared at the woman to cover herself, then whirled around and raised his arms to wave them furiously: to demand that the approaching wagon turn around and go back, or at least halt.

When the Virginian made no move to comply with the aggressively pantomimed order, the enraged man whirled and plunged out of sight at the rear of the wagon.

The woman shrieked: 'What are you doin', you jerk? To hell with that! You're a crazy sonofabitch, Marvin! Just you bring my clothes over to the stream bank, Goddamnit!'

She had evidently decided to take a bath and had undressed inside the crippled wagon while Makepiece was working on the preliminaries of replacing the broken wheel. But it was not her clothes he brought out of the rig to take to her. Instead, a Winchester. Which he aimed at the haywagon for a number of tense moments. Then angled high at the sky, thudded the stock into his shoulder and squeezed off a shot.

Steele, a curse rasping through his gritted teeth, had already started to haul on the reins as the rifle was aimed toward him. Was jamming on the brake lever when the shot cracked out. Thus the wagon was at a standstill, the pair of snorting horses some hundred and fifty feet short of

23

Marvin Makepiece when the final echo of the gunshot rolled into infinity. And in the ensuing stillness the sound of the repeater's action being pumped sounded incredibly loud against the gentle rippling of the river.

Billy rasped: 'Oh my, boss, why's he actin' this way?'

Makepiece, who had his rifle aimed at the pair on the seat of the haywagon again, was of an age with Billy Baxter. He was a sandy-haired, freckle-faced, bright-eyed, weakly handsome man with a broad-shouldered, thick-waisted, stocky build. Before he started to work on raising the wagon he had been neatly dressed in a pale grey suit, white vest and shirt, black bootlace tie and derby. Now the hat, jacket and vest were tidily piled on the wagon seat and his shirt sleeves were rolled up. He still wore the tie but his collar stud was out and the neckline of his shirt gaped wide. The shirt and his face were smudged with grime from when he had cleaned off his dirty hands or wiped his sweaty flesh.

Earlier he had looked faintly comical as a physical weakling struggling with a chore that was obviously too much for him. Now, with a rifle in his shaking hands he looked dangerous. His voice, also trembling with nervousness now that he did not have to shout over a long distance against loud competing noise, compounded the concern in Steele's mind that Marvin Makepiece was as likely to fire the rifle by overanxious accident as grim intent.

'Hey, you two, listen to me! The lady doesn't have any clothes on, you hear? I want you both to turn and look the other way while she gets out of the water and comes over to the wagon! If you don't do that, I'll make sure this was the last time you ever got to see a lady without any——'

'Marvin, you jerk!' he was interrupted. 'For frig sake see if they'll do what you want before you start makin' threats you won't follow through on!'

'Who says I won't follow through!' he snarled, angled the rifle skywards again and triggered a second shot.

This as Steele shrugged indifferently and turned from the waist to peer out over an expanse of grassland toward the eastern flank of the valley. Told Billy, who shuddered and gasped in response to the rifle shot: 'Look away, uh? From what I saw, she's not so much, anyway.'

'Sure, boss.' He imitated Steele's half turned attitude. 'But I have to take your word for her not bein' so much. I ain't seen too many like that, good or bad.'

'Never knew any woman worth getting shot for, Billy. For looking at her, anyway.'

'That's fine!' the patent medicine drummer yelled. 'You just stay like that! All right, Hannah. Come on over to the wagon. If I even think either of them is going to turn and see you, I'll——'

'Aw, quit it, for frig sake!' she cut in. And made wading sounds getting out of the water. Then she started to breathe hard, her bare feet slapped at the ground and she twice vented a groan when she stepped on a sharp piece of rock as she made fast time to the privacy of the wagon. A door slammed and the guardian of her modesty instructed in a relieved tone:

'All right, you two, you can face front and be on your way now.'

Steele released the brake lever, clucked to the pair of geldings and gently flicked the reins. This as Billy ruefully eyed the shallow area of river where he had glimpsed the naked Hannah. And the abruptly docile Marvin Makepiece sat on the fulcrum rock, rested the rifle across his lap and took out a handkerchief to mop the sweat off his thickly freckled face. He seemed to be peering into an unseen middle distance or perhaps his eyes were closed, until he was aware the haywagon had come to a halt again: the two geldings in its traces level with the single animal between the shafts of his rig.

Then he powered up to his feet and vented a cry of alarm. Tried to whirl around and bring the Winchester to bear on the grinning Billy and the stoic faced Virginian. But tripped over his own feet and was pitched to the ground when he crashed backwards into the two stacked crates.

'Hannah!' he shrieked.

The redhead appeared at the open front of the wagon: just

her top half showing above the seat's backrest. Clothed from neck to waist in some kind of lace-trimmed white under-garment that fit her still-wet torso tightly enough to contour every mound and hollow of the full body they had so recently seen naked. Then they had seen from a distance that she was five feet two or three inches tall and about fifteen pounds overweight. They could now see at close quarters that she was around thirty, with a heart-shaped face that was a long way from being beautiful. But there was in her bright and clear blue eyes and in the slightly pouting set of her lips a certain tomboyish charm. Her unblemished skin perhaps looked more pale than it actually was because of the vivid auburn colour of her hair, which was cropped short and was maybe absolutely straight only because it was still sodden from her bathe in the river.

Billy's happy grin became sheepishly foolish as he looked away from the man struggling to his feet and gazed at the woman. As Steele tipped his hat and inclined his head toward her before he started to swing down from the wagon. Then froze as Makepiece ordered:

'Hold it! Or I'll blast a hole through that smug looking face of yours, mister!'

Hannah craned her neck to see where he stood, the rifle aimed, and accused wearily: 'Marvin, you're a jerk!'

'I told you men to be on your way!' The drummer's voice and expression were hard.

'Can't do that, fella,' the Virginian answered flatly as the woman withdrew into the wagon and made sounds of getting dressed. Cursed as she discovered that more haste made for less speed.

'You sure as hell can't if you don't stay up on the wagon, mister!' Makepiece countered. And threw the rifle up to thud the stock against his shoulder once more.

Steele corrected with a sigh: 'I can't be on my way because your wagonload of snakebite cure is blocking it.' He nodded toward the spur trail that forked off beyond the lopsided rig, forded the river where Hannah had been bathing and curved north west alongside the narrower, shallower Timber Creek. 'My place is up that way.'

'Oh,' Makepiece grunted, troubled.

'Crazy friggin' jerk,' Hannah muttered from within the wagon.

'And from what I saw,' Steele went on wearily, 'unless there's more weight than you've got on the end of the pole, you're never going to get the new wheel on the axle.'

The obvious truth of this reasoning left Makepiece nonplussed. He kept his rifle aimed in a rock steady grip, but the hardness drained out of his face, and his eyes got a haunted look.

'Shoot, mister!' Billy Baxter exclaimed, voicing a euphemism that as a rule was as close as he got to a curse.

Steele growled: 'Damnit, Billy, you ought to think before you say that sometimes!'

The exchange gave the woman time to finish putting her clothes on. Then she emerged from the rear of the wagon wearing a shapeless long-sleeved grey dress of some homespun fabric that hardly hinted at the kind of body it covered. She came to stand beside the disconcerted Makepiece and told him in cajoling tones: 'Come on, Marvin. You've done your knight in shinin' armour routine to protect my honour. And it looks to me like these two really are just a couple of country boys who want to get home from a trip to town?'

'That's right, Miss Hannah,' Billy was quick to confirm. 'Me and the boss just been to Mr Cody's store to get supplies of——'

Steele completed his climb down from the wagon and cut in: 'Come on, lend a hand, Billy.'

Looking miserable, Makepiece nodded, sighed and dropped the rifle to his side. Held it, one-handed, pointed at the ground. While the pent-up strain the woman had been under abruptly found release in a harsh, mirthless laugh.

'It started to buckle a couple of miles out of Broadwater,' Makepiece explained, seeking an outlet in talk for his own tension. 'But I figured it would hold to Providence if I took it easy.'

'You want to shove those crates under the rig after we've levered up the wagon, lady?' Steele asked.

'Sure, sure. I wanted to help Marvin but he's an independent sonofa... Anyway, while he was gettin' things ready, I figured I'd wash off some sweat and dust.'

'Fine,' Steele said disinterestedly, and took his place at the lever. Gestured with a hand to where Billy and Makepiece should stand beside him. Tacitly questioned if they were all ready then growled: 'Okay, heave.'

Hannah was not dumb. At the first attempt there was just enough leverage to raise the wagon corner one crate high off the ground. She didn't need to be told to position just a single crate. Then, with a minimum of words exchanged, the rock was moved closer, weight was put on the lever and Hannah lifted the second crate of rattling bottles to push it securely into place atop the other as soon as there was space.

Steele signalled to Billy that they were through and should climb back aboard the haywagon. But Billy remained on the ground, pretending to watch Makepiece changing the wheel although he spent more time covertly looking at the woman. She was uncomfortably conscious of his bug-eyed attention but she attempted to disregard it as she pointedly ignored Billy to look up at Steele and said:

'I'm Hannah Wynter. Just hitchin' a ride with Marvin. He says the saloon at Providence don't have no entertainment? You boys bein' from around here, you'd know about that for sure?'

Steele replied evenly: 'Most of the time the only entertainment in the Golden Gate is watching the local liveryman think he sneaks in there to do his secret drinking.'

She curbed her irritation at the sardonic response and explained: 'See, I'm a singer and dancer. Do you figure there's a chance——'

'All fixed!' the drummer announced in a taut tone of voice that conveyed the strain he was still under. 'Get aboard, Hannah. Pretty soon you'll be able to find out for yourself if there's any job for you in town.'

'You sing and you dance, lady?' Billy blurted, and his surreptitious carnal interest in the woman suddenly switched to innocent, childlike excitement. 'I surely would come to Mr Krim's place and see you if——'

28

'Get the hell outta the way, stupid!' Makepiece snarled. His anger born of humiliation because of his earlier mishandling of the situation was now compounded by resentment at the interest the mentally retarded man had been showing in the woman. 'You think a lady with Miss Wynter's class would want to have a crazy creep like you come leer at her?'

He hooked a hand over Billy's shoulder and spun him around, out of the woman's path. She had started to be agitated by Billy's scrutiny of her but now smiled her relief. While Billy was suddenly scared as Makepiece's ill-humour expanded to demand release and he squared up to throw a punch at the blotched, bug-eyed, slack-mouthed face.

Steele reached for his kerchief and jerked it free. Leaned out to the side and seemed to throw it away. But this was no ordinary neckerchief to keep out the cold of winter and soak up sweat in summer. It was designed as an oriental weapon of strangulation, with pieces of lead sewn into diagonally opposite corners, and the Virginian retained a grip on one of these weighted corners. As with a whipping action he directed the opposite corner toward the rump of the horse in the shafts of the other wagon. So that the ball of lead within the silken fabric hit the animal with the sharply painful effect of a bee sting.

The animal reared, snorted and lunged into a bolt. Just for a moment the wagon was on only three wheels, then the fourth crashed to the ground as the offside rear corner of the rig was dragged clear of the improvised jack. The crates toppled and some of the bottles within them smashed, spilling out the cloyingly sweet-smelling liquid.

Hannah Wynter gasped and Marvin Makepiece cursed as they whirled away from Billy to peer through the billowing dust at the departing wagon, its double rear doors swinging open and banging closed as it hurtled at a galloping pace toward Providence: leaving its driver, passenger and freight at the fork of the trail. Then the drummer's hat, vest and jacket were strewn through the settling dust as the rig rocked and pitched over the rough surface.

'Billy, get the rifle!' Steele ordered evenly. And drew the

attention of all three people to him.

The woman was first to move, making to whirl around and lunge to where the Winchester lay on ground dampened by the powerfully aromatic elixir. But she checked her intended action when she saw Steele turn from reaching into the back of the haywagon and aim the Colt Hartford at her, his gloved thumb clicking back the hammer.

'Get their rifle, Billy,' Steele reminded the dim-witted man, who abruptly recovered from the shock of what had happened and did the Virginian's bidding. 'Fine, come up here with it.'

He kept the Colt Hartford aimed in a single-handed grip at the enraged Makepiece and the now resigned Hannah Wynter as he hung the thuggee scarf back around his neck. Then, after Billy was seated beside him, he took the repeater and returned the Colt Hartford to the rear.

The drummer's wagon had been hauled out of sight by then, into the timber where the trail and river swung away from each other. And Makepiece directed a globule of saliva at the ground. This after he had switched his gaze to Steele and saw the Virginian pump the action of the Winchester to eject shells from the magazine and send them spinning to the ground.

'Thanks for all your lousy help,' he said bitterly. Then, to the woman: 'You stay here and make sure no one steals my stuff while I go bring the wagon.'

'Yeah, thanks for sweet frig all!' she said with a glower at Steele as he started the haywagon into a turn toward the fork that was no longer blocked, and Makepiece set off in the wake of his runaway rig. Then she sat down hard and slumped into an unladylike posture on one of the undamaged crates. And shared an equal portion of rancour between the departing back of Marvin Makepiece and the two men on the wagon seat.

'Just wanted to get your wagon out of my way, ma'am,' Steele said evenly as he drove on past her.

'If you get to sing and dance at Mr Krim's saloon, I'll be sure to come see you, lady,' Billy promised eagerly.

The woman grimaced and told him sourly: 'I figure you seen more than enough of me already, creep!'

'It's just a little old town, Miss Wynter,' Billy went on, still excited. 'So if you get to work there we're sure to be seein' you around, even.'

'I sure as hell got no inclination to lay eyes on either of you again, ever!' she snapped.

Steele tossed away the emptied Winchester and it landed amid the smashed-up debris of the broken-down wagon and its sudden departure. Shrugged, grinned and drawled: 'We'll see.'

3

The three and a half thousand acres of the old Sanderson place was almost ready to be stocked with a small string of brood mares and high quality stallions. There was just one final stretch of boundary to be fenced at the north west corner of the property over beyond High Point Hill. And a gate would have to be hung across the spur trail where it ran off public and on to private land to the south.

But before this the first spring sowing had to be completed in the crop field beside the creek at the side of the house. So the Virginian and Billy Baxter spent what remained of the warm, sunny morning on making a start to getting the newly purchased vegetable seed into the ground. The greens and potatoes, onions and beans, sweetcorn and squash, the lettuce, radish, cucumbers and tomatoes that would contribute to making the spread self-sufficient and the man who worked it independent of many of the town stores.

The second crop field, across the final stretch of spur trail that ended at the yard bounded on the other three sides by the house, the barn and the corral, was already sown with barley after the harvest of a fine crop of wheat.

As usual when they worked alongside each other on a shared chore, Billy laboured harder than Steele: still as eager as ever to impress upon his employer that he could do what was asked of him with speed and efficiency. Steele knew it was no longer anxiety to keep his job that compelled the slow-witted man to act this way. He had long since been able to stop constantly reassuring Billy he could go on working at

Trail's End for as long as he wanted: or as long as Steele was able to run the spread.

Maybe sometimes Billy forgot such assurances, but mostly he had a different ulterior motive for wishing to be seen to do the best he could at whatever job he was given. For Billy still lived in Providence, in a room in the stable out back of the house of the Reverend and Mrs Marlow. He had lived there since long before Steele rode into this river valley. Lived rent free while he did all kinds of menial chores and odd jobs for the townspeople for whatever handfuls of loose change they elected to pay him. But since he had started to work regularly for the Virginian, Billy had hankered to live at Trail's End.

Not because he would be materially more comfortable. Steele was not prepared to make space for him in the single-roomed house so he would have to bed down in the larger building that was a combined barn and stable. Just as the only other hand Steele had hired on had slept out there before the men from Oregon showed up. So the living conditions at the spread would be no better than at the Marlow house next door to the Providence church. Worse maybe, because Mrs Marlow doubtless provided the lodger in the stable with the occasional treat and comfort which was unlikely to be forthcoming on a working stud ranch.

But the mentally deficient man would simply feel better living at Trail's End. Because he would regard himself at home. For when he was a deprived and slow-witted orphan child, the happiest time of his unhappy young life had been when he came to the spread and was taken care of by the Sandersons . . .

At one o'clock Steele called a meal break and they ate some cold cuts and pickles at the pine table in the parlour area of the timber and fieldstone shack's single room. Food that had been prepared yesterday by Arlene Forrester, another under-privileged citizen of Providence who worked for Steele: came out three mornings of every seven to take care of most of the household chores.

As they ate it was obvious Billy was anxious to talk:

33

maybe about any of a number of subjects. But Steele was able to convey tacitly that he preferred to eat in silence, and once again Billy realised the message that was being silently given him and respected the Virginian's wish.

It had been a bad morning for Steele. First the trouble at the saloon with Shumaker and Love and then the run-in with the redheaded entertainer and her over-protective travelling companion. On top of this he did not want to be badgered yet again on the subject of just why Billy could not sleep in the barn: so that he could start work earlier in the morning, go on later in the evening and avoid the back and forth trips between town and the spread...

Steele ate fast, eager to get back to work in the fields and occupy his own and Billy's time with physical chores. So that Billy had little opportunity to think up new approaches to his constant grievance. And Steele himself had a better chance to reject his own bad feelings on the matter.

For he had to admit to himself there was no good reason to deny Billy Baxter what he wanted. Outside of his personal preference to be on his own: as alone as he had been when he was drifting down those seemingly endless trails that ultimately led him to this appropriately named place. Beyond this he had just the single irrational objection to granting this poor, hero-worshipping simpleton the desire that would complete his happiness. This had been Billy's home before the Virginian came. And even after it ceased to be such when the Sandersons left, it was the place where Billy used to run to in troubled times: whenever he did something very wrong or was falsely accused of major wrongdoing.

Because of this Billy was an unwittingly admonition to Steele that Trail's End did not belong to him. He had simply discovered the run down, neglected, long-abandoned spread and seen its potential as the near perfect answer to a dream. So he had fixed up the house and barn, weeded, ploughed and planted the crop fields, fenced the corral and the boundaries. started to live here and to make plans for the future. Wi.hout legal title to all these acres of gentle rolling, outcropped hillocks, lush pastureland and stands of timber to which claim had been staked by the Sandersons long ago. Thus was Billy Baxter a cause of nagging concern in how he every now and then reminded Steele that the Sandersons or their heirs could at any time show up on the much improved Trail's End spread and lay claim to it...

After an hour of afternoon work in the crop field, Steele left Billy to complete the sowing while he went to the barn. Started to fix the holes in the roof shingles opened up by winter storms. Later, he called an early end to the working day and they saddled up their horses and took a ride round the boundary line. Steele made the excuse that he wanted to check none of the old or recently erected fencing had fallen or been broken down: whereas the ride was really an attempt to rid himself of a feeling of frustration.

Just a few chores were left to be done on the place, then all would be ready. And he could not delay any longer the time to bring in the livestock. A few hens and a milk cow, maybe a hog. But, of prime importance—the whole reason he had worked so hard on the place—some horses to breed from. Which would cost real money. He had already spent a large slice of the stake of ten thousand dollars he had deposited in Ethan Brady's bank when he first decided to settle here at Trail's End. And maybe there was not enough left to stock the spread the way he wanted. Which would mean getting into debt... Something that went against the grain. Always assuming, of course, that a bank would loan him cash when he had no collateral.

The line riding completed, Billy having proudly demonstrated how well he could ride since he had first taken lessons after he came to work on the place, they had some coffee at the house. Then Billy went on home astride the gentle mare that had by usage become his as a right.

While the dinner Arlene had cooked for him yesterday reheated on the stove, Steele did a little more patching of the barn roof as the red sun dropped out of sight. Then he ate the pot roast and potatoes with cold apple pie for dessert. Carefully washed and dried the dishes and went to bed. Did a little reading, but instead of the catalogue issued by the

California Horse Breeders' Association which he had intended to study—to make a list of nearby stud ranches to visit—he took a book from a shelf under the window near the bed. It was one of many volumes that had come as part of a collection of household chattels he purchased from some disenchanted homesteaders when he started seriously to look for a place of his own to settle down. This one was by a British woman novelist he had heard of in his days as a student, the privileged son of a rich Virginian plantation owner. Her name was Jane Austen and the title of the book struck him as appropriate to his relationship with many of the people of Providence: *Pride and Prejudice*.

After the print on the page had begun to blur he was able to remain awake for long enough to turn out the lamp. Did not need to check that the Colt Hartford was close to the bed. It had never been a part of his plans when living a settled down life that he should sleep with a rifle near to hand, like he invariably had done when he was drifting the dangerous trails. But the visitors from Oregon who had arrived at the dead of night had taught him a harsh lesson on the folly of putting all the old ways behind him.

Arlene Forrester rode out to Trail's End with Billy early next morning. She was a woman of more than sixty years of age who probably worked longer hours than any man or woman in Providence, cleaning and washing and cooking for many families there. She was short and heavily built with a round, polished face beneath tightly curled, jet black hair that had not a strand of grey in it.

This morning she had brought her eighteen-months-old nephew with her. Carried him in a pouch slung on her back, Indian fashion: a baby Steele had unwittingly delivered into her care after he found little Zachery Petrie peacefully sleeping, a few feet from where his mutilated mother lay dying.

Since then, Arlene had needed to work even harder than before to earn more money to feed the extra mouth. As often as not she took the baby with her when she went to work: sometimes because no one was available to look after him for her while she was away, but mostly because she simply enjoyed having him with her. Which was seldom a problem, since Zachery had inherited the family strain of happy-go-lucky good nature that was innate in Arlene herself. And the overweight black woman with such a vast appetite for hard work was never so content as when she had the baby with her.

But this morning was different. She was preoccupied with worry that caused a frown to crease the shiny black skin of her fleshy face and she did not sing any snatches of her favourite gospel songs after she entered the house, settled the baby and began to prepare breakfast on the stove Steele had lit earlier.

While she took care of this, Billy led the two horses into the stable, unsaddled and enstalled them. And the Virginian fooled with Zachery in the crib that was left permanently at Trail's End. Made the baby laugh, which was not hard to do since from the first time the Virginian came across him near his blood-splattered mother, Zachery Petrie had decided it was funny just to look at Adam Steele.

But while he amused the chortling baby, he sent several inquisitive glances toward Arlene, busy in the kitchen area of the room. He knew that she was not unaware of his questioning attention, and eventually she sighed heavily and started to explain:

'That trouble you had with the stranger that got drunk in Harry Krim's saloon yesterday, Mr Steele?'

'It was nothing,' he told her evenly.

'The stranger, he ain't through with makin' trouble, I heard tell.'

'I told his buddy where I lived.' Steele rose from beside the crib and moved to sit at the circular pine table as Billy came into the house. 'If Joel Shumaker brings his kind of trouble here, I reckon I can handle him.'

Arlene shook her head and the bright grin on Billy's face was displaced by a melancholy frown which matched that worn by the black woman. 'It ain't that, Mr Steele. I never heard much about you and him. Exceptin' you had a run-in with him. Before Sheriff Fallows tossed him in the lock-up. Then you had some more trouble with that painted-up hussy and the medicine peddler...? Billy tells me?'

She started to show confusion, like she was worried she could not draw the two threads of her story together. This as Billy brightened and nodded his head vigorously. Eagerly started to explain:

'I told Mrs Forrester about what happened that made the mess of broke glass out where the spur forks off the trail, boss. How you and me——'

'Hush, Billy,' Arlene chided absently as she set down two plates of ham and grits. Then went to bring a third. Took down three cups and filled them with coffee as she said: 'I ain't sayin' there's gonna be any more trouble for you, Mr Steele. But it looks like things is brewin' up in town. See, that young man got let outta the lock-up just when the medicine man rolled in on his wagon with that woman.' She took her place at the table before she made to go on: 'Well, it seems she——'

'Her name's Miss Hannah Wynter, ma'am, and she's gonna sing and dance in the saloon,' Billy mumbled hurriedly, his mouth full.

'Shut up, Billy,' Steele told him without rancour. And Billy nodded sagely, then continued to enjoy his breakfast.

Arlene continued: 'This painted woman and the young man that was drunk and got tossed in the lock-up...? They're old friends from over in Texas or the territories someplace.'

'Shoot,' Billy whispered.

'Good friends, Arlene?' Steele asked indifferently.

'Uh?' She emphasised her indignation with a toss of her head. 'Well, they is close enough to be sharin' a room at the Knights' boardin' house, Mr Steele sir. Brazen as you like. Not givin' that——' she snapped her fingers '——for what anybody thinks about such a sin. Least of all Blanche Knight. And Tom Knight, he's not about to lay down the law to that young whipper-snapper after what he seen him to do to the medicine man.'

38

Arlene was genuinely concerned at the tense situation which had developed in Providence since the strangers had arrived in town. But, too, she was a woman privy to information unknown to her listeners. As such she was naturally inclined to derive enjoyment from commanding the knowledge and to relish releasing it in a way designed to keep her small audience on tenterhooks. But on this occasion her pleasure was diminished, because Billy Baxter did not have the intellect to sustain interest in any subject for long and Adam Steele was his usual impassive, unimpatient self.

'It figures the drummer would take exception to Shumaker stealing his ladyfriend, Arlene,' the Virginian said evenly. 'Same way it figures a feller like Shumaker wouldn't take no for an answer from him: if the redhead was for saying yes.'

Now Arlene nodded, but with less enthusiasm than Billy. 'I didn't see what happened, Mr Steele sir. Just heard that this Shumaker went right on up to the painted woman and held her tight in both his arms and kissed her! And she never even blushed nor nothin'! Right out on the town square there! In broad daylight! With the children comin' outta Miss Attwood's school and a whole bunch of women headin' home from the stores!'

'What did Makepiece do, Arlene?'

'Who do?'

'The medicine peddler off the wagon.'

'Oh, yessir. Well, sir, he let out a yell and he went for the other man, fists flyin'. But this Shumaker, he knocked him down. And then he had his friend hold him down while he poured bottle after bottle of the stuff off his wagon down his throat.' She began to shake her head. 'And all the time this was happenin', the painted woman, she was laughin' fit to bust. Laughin' and yellin' some real unladylike words, I heard tell.'

'Yeah, she can curse sure enough,' Billy said knowledgeably.

'Len Fallows didn't take a hand in stopping it?' Steele

asked, and for the first time showed a flicker of more than polite interest in Arlene Forrester's account.

'No, sir Mr Steele. He couldn't, on account of he wasn't there when it happened. He'd gone on home to eat after he let that drunk man outta the lock-up. And he didn't get back to his office until after the ruckus was over. After Shumaker had told the medicine peddler to get outta town and don't never come back. On account of if he did, he'd kill him for sure. And the medicine peddler, he'd left. After he said as how Shumaker would be sorry 'cause he'd fix for some guys to come make him regret what he'd done. And Shumaker said he wasn't bothered because he was the fastest gun out this way. On account of he'd shot stone dead the man that used to claim to be that. Could be some real bad trouble brewin' up in town, sir.'

She had been speaking faster by the moment as she moved toward the climax of her tale, and she was breathless as she paused.

Steele shrugged. 'Maybe, Arlene. But the sheriff's had plenty of warning, seems to me.'

'Surely he has, Mr Steele sir. But ain't nothin' he can do. Shumaker, he got drunk but he's done his time in the lock-up. He gave the medicine man a bad time, but the medicine man didn't stick around long enough to make no complaint. All that Shumaker is doin' right now is sinnin' against the good Lord by sharin' his bed with the painted woman without benefit of matrimony. And that ain't no reason for the sheriff to run him outta town.'

Steele shrugged again. 'Well, it seems to me like Tom Knight should kick the pair of them out of the boarding house. If he doesn't like what they're doing under his roof.'

The black woman pulled a face that tacitly took the Virginian to task before she rebuked: 'Hey now, Mr Steele sir. You know Tom Knight is mouse afraid even of his wife. And so it ain't likely he'll stir up no trouble with a man that he seen take another man's woman off him that way. And a man, to boot, that reckons to be the fastest gunslinger in these parts.'

'You're right, Arlene,' Steele agreed flatly. Finished his coffee and rose from the table. 'I'm grateful you told me how things are in town. Want you—and you, Billy—to see you don't get mixed up in any of the trouble if it gets started.'

The negress asked, unable to look her employer in the eye: 'You ain't got no plans to take a hand in what's happened, sir?'

The Virginian was briefly tempted toward anger. But managed to keep his expression stoic and his voice steady when he told her: 'Already had my share of problems with Joel Shumaker and Makepiece and Hannah Wynter. Far as I'm concerned, they're over and done with. And, far as I know right now, I've got no reason to go into town for some time yet.'

He turned toward the door.

Billy shovelled another forkful of food into his mouth and asked: 'Mrs Forrester, did you hear if Miss Hannah Wynter is gonna sing and dance at the saloon?'

Arlene, crestfallen that her account of the town's troubles had produced such a negative response from Steele, frowned at the eager man and growled: 'I don't know nothin' about that, boy. Just know I seen that painted-up hussy and it don't surprise me none she's the kind that flaunts herself for the entertainment of any bunch of men that have the price to watch her doin' it!'

To Steele, Billy said: 'About stayin' out of trouble, boss?'

The Virginian paused at the doorway. 'How's that, feller?'

'Be wrong of me to go see the lady if she's working for Mr Krim at——'

'Be wrong? I'll say it would be wrong, boy!' The black woman was angry as she began to gather up the dirty dishes from the table. 'You stay outta that saloon for any reason, you hear? I find out you been in there anytime except with the boss to have yourself a sarsaparilla, I'll paddle your rear!'

Lots of people were influenced by his slow-wittedness and the effect this had on his personality to call the fully grown Billy *boy*. But since Arlene had known and felt an empathy toward him for almost all his life, it was never an intentional

41

slight from her. Maybe she would even try to beat his butt like she would a child who had misbehaved, if the mood took her: but it would not be any part of her plan to humiliate him.

'Let's get to work, Billy,' Steele instructed and the smiling man hurried to comply, his mind instantly void of everything they had talked about over breakfast.

In a placatingly rueful tone, Arlene said: 'I know it ain't because you're afraid of that young whippersnapper in town, Mr Steele sir.'

Billy went on out into the brightly sunlit yard and the Virginian held back in the doorway to reply with a sardonic grin:

'If Joel Shumaker comes out here, I reckon I'll be able to do to him what he did to Makepiece.'

She was confused: 'How's that, sir? You mean steal that painted woman off him and——'

He winked at her as he turned to move off the threshold. Replied flatly: 'No, Arlene. Give that kid who thinks he's tough a taste of his own medicine.'

4

For the rest of the day, and two and a half that followed, Steele was easily able to disregard the portents of trouble in town. Arlene spoke of it just once, at a later breakfast time, to report that it all seemed to have simmered down.

Shumaker and Hannah Wynter were still sharing a room at the Knights' boarding house, but outside of this outrage against small town morals they were behaving as well as Cowper Love, who also had a room at the Knights' place. All three of them drank at the saloon, but never to excess. Hannah Wynter had asked Harry Krim if she could perform for money at the Golden Gate but neither she nor Shumaker had taken offence when he turned her down. In fact, the only rumblings of discontent on this score, the aggrieved Arlene Forrester told Steele, came from some local men who felt the saloonkeeper should allow the full-bodied woman to liven up his place with some entertainment.

Then, on the third day as the Virginian rode in for the noon meal after stretching the final strands of wire along the property line beyond High Point Hill, a single gunshot cracked out across the spread. Putting a flock of birds to flight as it disturbed the tranquillity of the bright, warm day. The distant report came from the direction of the house in the south east corner of the ranch. And Steele was curious rather than concerned as he heeled his mount into a canter: angled slightly away from the shortest way, to head up a rise. From the crest of this hill he would be able to see the area of the house, the barn and the corral.

But then, with a sudden change of demeanour, he demanded the horse to lengthen stride to a gallop. For more gunshots sounded. Rapid fire from a sixshooter, he guessed. Then another. Like two gunmen were fanning their firearms. As he heard this, the look of mild curiosity that had replaced impassiveness on Steele's face at the sound of the single shot was abruptly swept away by a grimace.

A Frontier Colt was kept on a shelf in the barn. One shot fired into the air by Arlene or Billy when Steele was gone from the house was a signal to tell him he was needed back there. Needed for any reason at all, be it emergency or not. He had never instructed that the revolver should be emptied in any circumstances. So there had to be an emergency now, and it was highly improbable the Colt in the barn was one of those fired.

He reined his mount to a rearing halt at the top of the rise, in the partial cover of a jagged outcrop of granite. By then the gunfire was ended. But the trouble for Billy Baxter—and doubtless Arlene Forrester—was not. He saw Billy at a distance of some four hundred yards. Billy and two strange horses that were still saddled. While he sat his own saddle and ran a calming hand down the neck of his snorting horse.

His lean-hewn face was impassive again, the coal-black eyes and line of the mouth conveying no hint of how he felt about the scene in the distance. Not anger, nor anxiety, nor hatred, nor sorrow, nor resentment, nor despair. All of these he maybe experienced deep down: but only for a part of a second.

He no longer felt the need to conjure up images of why the gunfire had sounded. Could now see in part how the situation stood: and chose not to hold on to any more imaginary pictures of how it might have been when the shooting exploded. For that might tempt him to reckless action and it was vital he did not surrender to such an urge: when he could see only part of the real picture.

He swung smoothly out of his saddle and led the horse back down the rise on the blind side from the house. Left the well-schooled animal there with the reins hanging down to the ground. Slid the Colt Hartford out of the boot and then started toward the house in a wide half circle, using the cover of timber and brush and long grass. Endeavoured to compensate for the extra distance of the broad detour with speed.

To his ears the area of the house, the corral and the barn had been quiet since the last of the gunshots cracked out. Probably there had been talk, but none of it was loud enough to carry across the narrowing distance to reach him.

He closed with the yard from in back of the barn, advancing over the final distance along the bank of the ten-feet-wide Timber Creek. The gentle rippling of the water served to mask the soft sounds of his booted feet as he took long strides over the lush grass.

No sounds came from within the big barn but he could hear the low murmuring of voices from the house beyond.

Then he reached the front corner of the barn a few feet from the bank of the stream and the rear corner of the house. At a spot where, nine months ago, he had saved Billy Baxter from being hacked to death by a pain-crazed axe-wielding man.

Today Billy was on the far side of the yard, forced up against the corral fence, his arms stretched out to the sides and tied at the wrists and elbows to the top rail. Because of his height he either had to bend his knees or slump from the waist: and he was slumped from the waist, his legs splayed and his head hanging forward so that his chin rested on his chest.

The two saddled black geldings roamed freely in the corral, but stayed well clear of Billy. And for one awful moment Steele thought the animals were skittishly nervous in the presence of recent death. But suddenly Billy's skinny form was racked by a sob that shook him from the top of his head to the feet of his splayed legs. It was a sound and movement of total despair: which served to jerk the Virginian back from the brink of impulsive reaction, and he began to think logically again.

Despite the barrage of gunfire there was not a spot of

45

blood on Billy's patched and dirt-stained dungarees. But then he did a double-take at the softly weeping man lashed to the corral fence and saw where the bullets had been aimed: at the hard packed, dust powdered ground between Billy's legs. And now Steele saw a clearer image of what had happened in the yard while he was galloping his horse up the blind side of the hill. Pictured the hapless, terrified, dim-witted man's body wrenching and jerking as he snatched his feet up off the dirt: forced to perform a macabre dance to keep clear of the flying bullets which thudded into the dirt within inches of him.

'. . . for a nigger, ain't that right, Clyde?' a man said inside the house, some twenty feet and a stone wall away from where Steele stood. The voice was shrill, youthful, Southern.

'That surely is the truth, Jerry,' Clyde answered and he was from the same part of the country. Also young. 'I don't reckon I've tasted grub as good as this since I left home.'

'I heard tell your mom was a fine cook,' Jerry said conversationally.

'She surely was, pal.'

'Damn shame you felt the need to kill her before you left home, Clyde.'

'Well, I gotta admit I didn't have nothin' against my Mom, Jerry. It was Pa I couldn't take to. I figured that if I was gonna leave home like he ordered me to, well . . . I wasn't gonna let my friggin' old man have all that fine grub mom cooked up and I wasn't gonna have.'

They broke up into laughter and then there were sounds of them eating, noisily. Before Arlene rebuked tensely:

'A boy shouldn't talk that way about his parents, even in fun.'

'Nigger, who says I'm funnin'?' Clyde snarled viciously. 'I shot my mom stone cold dead, fatso! So you better know for sure I won't think twice about puttin' a bullet in that there black-assed piccaninny, you understand?'

Arlene pleaded tearfully: 'What more d'you want from us? You're eatin' our food and I done told you the bossman is away for a long time. You done scared poor Billy outta what

46

little mind he's got. There just ain't nothin' else we can do to make you——'

'You've got a short memory, nigger!' Jerry snarled. And there was the sharp crack of a hand against flesh. Then the sound of Arlene catching her breath against the threat of tears. Which caused Billy to snap up his head and glare with helpless hatred at the front of the house. 'We told you, we know there's cash money in a place like this. Just gotta be. And if you don't tell me and Clyde where it's hid, we're gonna send the black-assed itty-bitty baby to that big crib in the sky. Ahead of you, then the half-wit. Before we take the friggin' trouble to rip this dump apart and find out for ourselves where the money is hid!'

When the blow was struck Steele had started across the gap between the end of the barn and the rear of the house. His gloved thumb had cocked the hammer of the rifle he carried angled across his chest. Then he halted: when Billy made to let his chin drop onto his chest, and he saw the face of the man tied to the fence. Saw the firing of the guns around Billy's feet had been just a part of his torment. First they had beaten him, so that his right eye was almost closed by bruised flesh, both his cheeks were cut and discoloured and there was dried blood on his lips.

As Steele paused to take in what had happened, again needed to make a conscious effort against powering into rash and unthinking action, Billy caught sight of him. And began to vent a sound that at first Steele thought was an extension of his weeping: but then he realised Billy could maybe be convulsed with hysterical laughter. Was either sinking deeper into a slough of despair, or was soaring to the heights of joy. Whichever, was in the grip of delirium triggered by his glimpse of Adam Steele. Whether he knew he was seeing the Virginian in the flesh or feared it was just a figment of his imagination.

In terms of what Steele had it in mind to do, the precise nature of Billy's emotional state didn't matter right now. The man's outburst and the responses it generated from Arlene and the two intruders within the house served the Virginian's purpose. Masked the tell-tale noise he was bound to cause as he made his next moves toward ending the ordeal of Billy and the the black woman.

The house had a flat roof which sloped from the more elevated front to the rear, where the overhang of the eaves shed rainwater clear of the wall. Steele slid the Colt Hartford onto the roof. Then, by going up on to his toes he was able to get enough purchase with his forearms and elbows to heave himself off the ground. He hung there for a moment, before he hauled himself up so that his waist was level with the lip of the roof. Then pulled himself completely onto the timber planks with pitch sealing the cracks between them.

Sweat beaded his every pore by now, but though it seeped into his eyes and the salt moisture blurred his vision this was not yet a problem. Of greater concern was the way the breath rasped noisily out between his gritted teeth, and how the roof timbers creaked as the eaves took his full weight.

But Billy was still causing a bawling diversion, even though he had ceased to vent either joy or misery when the Virginian went from sight behind the house. He was yelling disjointed phrases now, but was too frenzied for what he was saying to be coherent. But clamorous noise was all Steele needed and Billy was certainly supplying that: too, the people in the room beneath him still screamed and yelled and snarled as he snaked on his belly up the shallow incline of the roof timbers. Fisted the stinging sweat out of his eyes now that it became important for him to see clearly.

Arlene kept calling upon God's help, running through the whole gamut of His names: from her favourite *Lord, oh Lord* to *Jesus* to *the Almighty* to *Creator of all things*. While Clyde and Jerry used the more obscene curses to emphasise their demands to know what was going on, snarled at Arlene and each other for being in the way to the door, or threatened to start blasting at anyone and everyone unless *that crazy half-wit quits hollering*. And mixed with all this pandemonium, Zachery Petrie began to make his presence heard: venting a high-pitched howl of infant ill-temper at being disturbed.

It was a little after high noon now, shadows at their shortest. And since the house faced west Steele's shadow was not cast in the hard packed surface of the yard as he reached the point, above the open doorway, where he could peer directly down over the front of the roof.

There was just time for a passing glance toward Billy. To capture a fleeting impression of the man, on his feet now, his knees bent, as he struggled frantically to tear free of the ropes that trapped his arms to the corral fence: his bug eyes staring out of the discoloured, swollen flesh toward the now empty area between the corner of the house and the barn. Where he had seen—or thought he had seen—Adam Steele before the man he regarded so highly disappeared suddenly from sight. Abandoned him, Steele thought was what Billy was thinking as he spared a look at the beaten face of the simpleton: for in the man's eyes was a look of depthless, abject despair, as they spilled tears that coursed down over the punished flesh toward the slack mouth which worked frenetically to voice incoherent pleas he was certain would not be answered.

Then a man lunged out over the threshold of the house, with a second one close on his heels. Skinny men, young, and dressed western style. Wearing gunbelts with revolvers in the tied down holsters. Hatless right now. The one at the front blond, the other one brown-haired with a circular bald patch on the crown of his head.

Both came to a sudden halt, shaken by confusion at the way Billy was acting. As Arlene, who had begun to croon to the baby to placate him, interrupted the lullaby to accuse caustically:

'You've sent poor Billy clear outta his poor, benighted mind!'

The balding man was directly below Steele and, like his partner in front, he wrenched his head around as he draped a hand over his holstered gun. The both of them staring at the corner of the house, which was where the babbling, weeping, man, still struggling to be free, was gazing with unblinking intensity.

The Virginian used the bald spot as a target. Gripped the

Colt Hartford one-handed around the barrel and thrust it down, like he was spearing a fish with a harpoon. And the end of the butt crashed onto the top of the man's head with a sickening, bone crunching sound. Had time to glimpse the crimson ooze out of the split in the shiny scalp as the man gasped and began to crumple. Then he jerked the rifle up and swung it round to bring the stock to his shoulder. At the same time rose into a kneeling attitude.

The first man out of the house suddenly froze every muscle except for those of his neck and his right hand: had obviously heard the sounds behind him and sensed they did not augur well for him. Turned his head slowly and first grimaced down at the man on the ground. Then expressed fear as he looked up at the man who was kneeling on the roof, aiming a rifle at him. All the while his gun hand, seemingly with wilful motives of its own unconnected with the turmoil in its owner's brain, clenched and unclenched: like his flexing, dirt-grimed fingers were considering the odds of drawing the revolver from the holster and getting off a shot before the rifle blew a hole in the centre of his sweat-drenched face.

Then Steele growled tautly against the diminishing sounds of Billy's babbling, the baby's crying and Arlene's prayer of thanks for deliverance to God: 'Right, now, feller, I reckon you can't even recall if you reloaded. After you had your fun with Billy?'

Just for a moment the man looked confused, as if he realised he genuinely could not remember. Then he swallowed hard and stilled his right hand as he looked down at his partner and complained in the southern-accented, shrill-toned voice that named him as Jerry: 'Shit, you maybe killed Clyde... All that blood, man!'

Steele replied evenly: 'And that was with the wrong end of the rifle. Just think how sure it'll be that you'll be good and dead if I have to squeeze the trigger.'

Jerry gulped again. Abruptly thrust his hands high in the air and slowly swung his legs around so that he completely faced Steele. He was of medium height and build, maybe as old as twenty-five or as young as eighteen. Unwashed and unshaven for a couple of days. He had deep set, bright green eyes and a jutting jaw that gave him something of an arrogant look even when he was as frightened as he was now. Steele thought he looked like an archetypal young bully, temporarily lacking the back-up help that fired his sadistic aggression. He asked tremorously:

'What d'you want me to do, mister?'

'Mr Steele sir, is there somethin' I can help with?' Arlene called.

'The Virginian answered: 'Kid, I want you to drop your gunbelt. Arlene, I reckon Billy would be grateful if you'd get a knife and go cut him loose.'

Jerry immediately did as he was told in a way that suggested he had been in similar situations before. He made no hurried moves as he reached down and used his left hand to unfasten the holster toe ties and then the belt buckle. So that his gun hand was never within four feet of the butt of his Smith and Wesson Russian.

When the gunbelt hit the dirt, Arlene came out of the house, empty handed, and gingerly sidled her heavy body around the crumpled form on the threshold. Then she glanced up at Steele who had gestured with the rifle for Jerry to back away and was making moves to come down off the roof. There was a wan grin on her face that spoke a thousand words of gratitude, relief and maybe many other heartfelt emotions. Before she sank on to her haunches and proved she still had her wits about her despite all that had happened. She had not forgotten to bring a knife to cut through Billy's bonds: she knew where to get one. First unbuckled Clyde's gunbelt and wrenched it free with a vicious tug from beneath the limp, slightly built form that probably weighed less than that of Jerry. There was a knife in a sheath at the back of the belt and she slid this out as she moved away from the house toward the corral. Stooped and gathered up Jerry's gunbelt, too. Said over her shoulder to the Virginian:

'They reloaded their guns, Mr Steele sir.'

Then she caused Jerry to flinch away from her and utter a

51

groan of horror as she gestured with the knife toward his crotch: laughed and, for the first time since he had known her, Steele heard her utter a crudity of which her preacher brother Elroy in Kansas would surely have disapproved.

'What's the point, white trash? Someone like you ... Who picks on a poor boy like Billy, and an old black woman and a baby ... Seems to me he ain't got no balls anyhow!'

The sweat beads on Jerry's face gleamed like tiny bright jewels in the sunlight as he trembled. And he almost leapt off the ground when Steele jumped down to the yard, covering him with the rifle levelled from his hip now.

'What you plan to do with us, mister?' the worried man asked and glanced at Clyde who was still breathing shallowly in deep unconsciousness.

'From what I overheard of the talk in the house just now, seems like you and your partner have eaten the food meant for me and my help?'

At the corral fence, where she worked dexterously to cut Billy's arms free of the ropes, Arlene interrupted her low-toned talk to the quietened man. Confirmed sourly: 'Right, Mr Steele, sir. There ain't hardly nothin' left of it.'

The Virginian maintained a fixed gaze into the apprehensive eyes of Jerry. Then saw them fill with horror as he told the blond-haired young man: 'I hear human meat tastes pretty good. Long as it's fresh killed.'

Jerry gasped and looked sick.

Arlene said reflectively: 'I heard tell of that, too. And I guess that one won't take long to cook up. Seein' as how he's in somethin' of a stew already.'

She chortled with laughter as she freed Billy. Had to help him as he lowered himself to sit on the ground.

Steele grinned without warmth in his eyes as he took a step closer to Jerry, who started to tremble again, his face draining of colour to a point where he looked on the verge of passing out.

'You're ... You gotta ... gotta be kiddin', mister. Ain't you kiddin' me, mister?' He was stammering and the fear that gripped him so tightly emphasised the accent that placed his origins in Alabama or Georgia. 'You would ... you wouldn't, would you?'

Steele said evenly: 'No, feller.'

Pent-up breath whistled out between Jerry's compressed lips: then terror was for a moment back in his green eyes when the Virginian added:

'Not in a stew.' He smacked his lips. 'Reckon the recipe for your kind would be southern fried chicken.'

5

They were Jeremiah Sharpe and Clyde Garrett and they were heading for Providence to bet on and witness a shoot-out between Joel Shumaker and another fast gun named Jack Andrews.

This was the gist of the account the frightened blond-headed young man gave for the reason he and his partner left their usual stamping ground in the south western territories to come up to the Providence River Valley. This after Arlene Forrester had helped the shocked and silent Billy to the house, taking him in through the rear door because he made it plain without need to speak that he did not want to get anywhere near the two men who had mistreated him so cruelly.

Steele had simply posed the bald query: 'What are you two saddletramps doing here?'

And Sharpe had rushed headlong into the explanation, while the Virginian, the rifle canted to his shoulder, leaned his back against the wall near the open doorway and the unconscious Garrett. Apart from the unobtrusive sounds the black woman made as she bathed the beaten face of Billy and the buzzing of hungry flies feeding on the fast-congealing blood of Garrett's wound, the frightened man's voice was all that disturbed the peace of the Trail's End spread on this sunny and warm afternoon. Sharpe did not relish the quietness. It honed his fear, so he endeavoured to fill the silence with the sound of his own voice. And perhaps because of the turmoil in his mind, he did not realise when he started to repeat himself and to inject unrelated inconsequentials into the explanation.

'See, Jack Andrews who usually works over Kansas way, he reckons he's faster than any of the gunslingers down in Texas or out in the far west. Kansas is where Clyde and me first lit out for when we left our home town of Waycross Georgia. Some years ago now. When we was hardly outta school. Well, like I was a-sayin', mister, Andrews, he had it in mind to go up against Jay Lomas who was claimed to be the fastest on the draw out this way and——'

Steele needed time to settle his jangling nerves: to pull back from the impulse to put a bullet into the fast-talking Sharpe and the helplessly unconscious Garrett. But whenever the desire to kill the men lessened in intensity, his mind was again filled with a vivid image of Billy Baxter: tied to the fence, his face an ugly mass of bruises and cuts and crusted blood. Less starkly outlined—blurred because he had not seen it in reality—was the same basic scene. But now the man with the mind of a child snatched and jerked his feet out of the way of the barrage of bullets. Billy screamed, and Arlene pleaded and the two sadists laughed.

But gradually, as the skinny blond yammered out his story, the clarity went from Steele's mind pictures. And eventually the dust that he saw exploded by the impacting bullets merged with the drifting black powder smoke from the revolver muzzles: to veil totally the imagined scene and blanket completely the sounds of violence.

'Shumaker is staying at a rooming house in town, feller,' Steele cut in on the man at length.

'Uh?' His flow interrupted, Sharpe was confused.

'So what were you and Garrett doing here at the Trail's End spread?'

Sharpe's fear heightened again, for the intrusion of the other man's voice, allied with the cold impassiveness of the Virginian's face, had the opposite effect to the sound of his own. He was dumbstruck for stretched seconds, and then Arlene Forrester answered from within the house:

'They just rode in bold as brass, Mr Steele sir. Said they

55

wanted to see you. Knew your name. I never liked the look of them. When I told them to turn right around and ride off the place, they went crazy. Pulled their guns and held them to each side of poor Billy's head. Said they'd shoot him if I didn't tell them where you was. I figured it was best to tell them you was gone away for a long while.'

Despite his fear, Sharpe grimaced at the lie which had laid the foundation for the trap.

'I reckoned you'd be headin' in for the noon chow pretty soon and it'd be better if they didn't know that, Mr Steele sir.'

'Look, it wasn't——' Sharpe started.

'That was smart, Arlene,' Steele told the black woman.

'Then they started in to ask for money. Wouldn't believe you keep your cash in Mr Ethan Brady's bank in town. They tied Billy to the corral fence and beat up on him. They knew he ain't like other men in the head and they figured I'd tell them where the money was hid to keep them from hurtin' him too bad. Just wouldn't believe there ain't no money here. Then they said the beatin' up of Billy had made them hungry for the grub they could smell cookin' in the house. But first off, before they started in to eat, they fired off their guns at poor Billy's feet. I figured all that shootin' would bring you home. Then they said they'd kill little Zachery if——'

'Sure, Arlene, I heard them say that,' Steele said as he straightened up from the wall, the earlier compulsion to take brutal revenge against the two sadistic intruders now almost negated.

Sharpe pleaded shrilly: 'We wouldn't have done that, mister! We ain't killers. That stuff about Clyde shootin' his ma dead ain't true. Just tough talk. We roughed up the half-wit, I gotta admit, and——'

'His name's William Baxter,' Steele said.

'Uh? Oh, yeah. Well, we wouldn't have shot him. Nor the nig ... Nor the coloured lady and the little kid. Makepiece, he just said to stop by here and raise a little hell.'

'I'm grateful to you,' Steele said.

'Uh?' Sharpe was experiencing perplexity more than fear now.

56

'How's that, Mr Steele sir?' Arlene asked, even more intrigued than Sharpe.

The Virginian said to the man: 'I don't care why you're headed for Providence. And if a feller named Andrews is going into town gunning for Shumaker, it's no business of mine. Knowing who sent you here to stir up trouble is a piece of information I appreciate having. He pay you?'

The sweating man, his hands still above his head, nodded vigorously. 'Sure he did. See, it was Makepiece who sent out the wire from the telegraph office in Broadwater. Sent it to Andrews. But the word spread, about Shumaker bein' in some one-horse California town claimin' to be the fastest gun around. And me and Clyde and a whole bunch of other guys heard about it. And figured to come watch the showdown, stake a little money on it maybe. Stopped over in Broadwater last night and run into Makepiece. Known him from way back: he hauls his ass all over, peddlin' that stuff that's supposed to cure everythin' except lead poisonin'.'

He forced a laugh, but curtailed it when it failed to crack Steele's impassive mask. Went on: 'Well, Makepiece, he said it was worth some bucks to him if we'd stop by this place on our way into Providence. Raise a little hell to get back at the people here for somethin' wrong you done to him. Give us ten dollars apiece and said he wouldn't mind if we took any spare cash we found.

'Hell, mister, wasn't no one supposed to get killed. Makepiece said there was just a hick farmer and a half-wit...' He swallowed hard. 'There was just a guy named Steele and his hired hand on the place. No one was supposed to get hurt too much. But it surely does look like Clyde might die. He's been out a long time, and there's a whole lot of blood in his hair.'

Steele glanced down at the crumpled Garrett, who showed no sign of regaining consciousness. Most of the top of his head was crusted with dried blood, but his breathing was as regular as it had been from the start.

From behind the grim-faced Arlene at the doorway, Billy Baxter said sullenly: 'I wish he was dead. Shoot, I wish the both of them was stone cold dead, boss.'

'Hush, Billy,' the black woman said sympathetically, turning away from the threshold to drape an arm around the shaking narrow shoulders of the man who had suffered worst at the brutal hands of the intruders. 'You come help me fix up some more food for us. And leave Mr Steele to take care of what needs to be done outside.'

To emphasise she wanted no part of whatever was to follow, and intended Billy should not be involved either, she made to close the door. But Steele reached out his free hand to hold it open, asked:

'You want to pass out our callers' belongings, Arlene?'

'What?'

'Their guns and belts, and their hats are maybe inside, too?'

'You're gonna give them back their guns?' she criticised.

Steele nodded. 'Broken most of the ten commandments in my life. Some more times than others. Never did steal anybody else's belongings, though. That I can recall.'

'Whatever you say, Mr Steele sir.' She was disgruntled, then anxiously resigned as she warned: 'But you take care you know what you're doin', you hear?'

Steele brought the rifle down from his shoulder and gestured with it toward Garrett as he said to Sharpe: 'You want to haul your partner across to the corral and hang him over his horse?'

'You really are just gonna let us go, mister?' He was mistrustful.

'I sure as hell don't want to have you stick around, feller. And from how you were acting before I showed up, I reckon you must be too tough to make good eating. So if I kill you I'll have to bury you. And there's enough work to be done around here without adding to it.'

Sharpe held back for a moment or two more, until he realised he had no alternative but to trust Steele. Then he moved fast: dropped his arms, stepped forward, stooped to take hold of Garrett under the armpits and dragged him across the yard.

Arlene waited until the man's hands were occupied, then

58

passed out the gunbelts and hats. Complained reproach-fully: 'It seems like you is lettin' them off real easy, Mr Steele sir.'

'Boss, ain't there somethin' else I can do?' Billy wanted to know. 'Instead of helpin' with fixin' the grub? That ain't man's work.'

Steele took the gunbelts and hats, then gestured with the rifle. 'The hill out there beyond the lower pasture, Billy? With the rock on top?'

'I see it, boss. Rocktop is what we used to call it when I lived out here with Mr and Mrs Sanderson.'

'So let's still call it that. You want to take a walk over there and bring back my horse? I left him on the other side of the ridge.'

'I sure would like that, boss.'

The exchange used up a little more time during which Steele's mind was not totally free to dwell on how he would have handled this situation in days gone by.

Billy, eager to show he had recovered from his ordeal and could be useful again, started off at a run. And for a moment Sharpe was startled by the sudden stir of hectic activity. But did nothing to call for an instinctive response from the Virginian. Then he saw it did not involve him and he swung open the gate and dragged his unfeeling partner into the corral.

Steele said to the disconcerted black woman: 'You know I'm trying to be a law abiding citizen these days, Arlene.'

She shrugged her fleshy shoulders and muttered: 'What-ever you say, Mr Steele sir. But them two surely should pay somehow for what they done to the boy, is my opinion.'

Steele moved away from the house, the Colt Hartford in a one handed grip, his other arm burdened with the gunbelts and hats. As Arlene closed the door, he told Sharpe: 'She's sister to a preacher in Kansas.'

'So?' Sharpe countered as he finished draping his partner over a horse. His confidence had started to return and he almost sneered as he growled; 'What's that to me?'

'When she's taken the time to think about it, she'll recall

some of what the Good Book says against killing people.'

Sharpe shook his head, confused. 'You sure don't strike me as the religious kind, mister.'

'Want you to know: if you try to slide one of those rifles out of a saddleboot, or use one of these revolvers...' He tossed the gunbelts and battered Stetsons into the gateway, '...I won't waste even a second in thinking about whether vengeance should be mine or the Lord's.'

Jeremiah Sharpe, earnestness replacing arrogance, shook his head as he came tentatively forward. Slowly lowered himself onto his haunches to pick up the gunbelts and hats. Promised: 'No more trouble, mister. You beat us hands down, fair and square, and I sure ain't gonna get sneaky now the fight's over and done with.'

'Not now nor any other day?'

'Right.'

He put on his hat but did not buckle a gunbelt around his waist. Then he took care not to get on the blind sides of the horses to Steele as he stowed both gunbelts in a single saddlebag and fixed Garrett's hat on the bloodied head using the chinstrap.

'You reckon your partner will feel the same way?' the Virginian asked. Watched Sharpe swing astride his horse, then take up the reins of the gelding with Garrett draped over it.

The other man shrugged, answered with a grimace: 'I dunno, mister. I can just talk for myself. Clyde, he can be one mean sonofabitch when he's a mind to. And I figure it'll be a long time before he forgets the kind of crack on the head you give him here.'

He heeled his mount toward the gateway and the second horse responded to the jerk of the lead rein. Steele stepped to the side, the rifle still aimed, as he warned evenly:

'Tell him not to carry a grudge. Or it could be I'll have to rethink my decision to let the Lord take care of vengeance.'

Sharpe sneered: 'I don't know nothin' about all that religious stuff, mister. And nor does Clyde. We don't believe in none of that.'

'Heathen white trash!' Arlene said forcefully in the house.

Steele drawled: 'As a rule, I reckon a man's beliefs are nobody's business but his own. But I want you to believe I'll kill you or your partner if either of you even look the wrong way at me or Arlene or Billy in the future.'

'That I believe, mister,' Sharpe said resolutely. 'Can I go now? If you've finished preachin' to me?'

Steele gestured with the rifle for Sharpe to ride across the yard and on to the track between the crop fields that led to the spur trail. Said: 'I'm through preaching to you, feller. You better see to it I don't have to start preying on you.'

6

Billy Baxter was gifted with that brand of guile that is often a
child's compensation for being backward: an actual child of
six or so or a man with the mind of such. Thus did he make
capital out of his injuries, to manipulate Adam Steele into
allowing him to stay at Trail's End for a few nights.

The Virginian was aware his sympathies were being
played on, but he did not let Billy know he knew. Which gave
the simple minded man much pleasure, while Steele was
easier in his own mind to have Billy out at the spread instead
of in Providence. Where there was to be a gunfight that was
attracting the dregs of frontier society to town: and Billy was
already known to at least two of the unwelcome visitors who
would consider him an enemy.

He would have had Arlene to stay, too, along with
Zachery, until Providence got back to normal. But it had
worked out she was not going to be anywhere near town for a
couple of days, anyway.

Steps were being taken to secure the future of the baby
who would not be a baby for long. His elderly aunt, by illness
or accident, might one day find herself unable to take care of
the child. Ultimately, of course, she would die. And the
Reverend Marlow's wife and the other women who tended
the infant from time to time when Arlene was working might
not be so amenable when Zachery was older. Particularly as
Zachery was black.

Arlene had faced up to the problem some months earlier
and wrote to her brother Elroy, whose unwed daughter had

been Zachery's mother. Elroy had responded that out of Christian charity he would try to do something for the baby boy he refused to acknowledge as his kin. And he had arranged for a childless black couple of his acquaintance to consider taking Zachery. But when they reached Broadwater the wife had broken her ankle as she stepped down from the stage. So Arlene was going to take the baby to the couple there, and stay over in Broadwater for two or three days. Assessing for her own peace of mind that the prospective foster parents were suitable, while the couple decided if Zachery was what they wanted.

Thus, after Jeremiah Sharpe rode away with Clyde Garrett slumped over the horse on a lead line, the daily chores at Trail's End were made heavier by the absence of Arlene: and Steele's nightly routine was disturbed by having Billy stay on the place.

No other trouble came to the spread, and by the evening of the third day the Virginian had adapted himself to the changed pattern of his life. And, he had to admit, it was not such a hardship to have the slow-witted man close at hand for twenty-four hours each day. For Billy continued to call upon his well-developed sense for what was required of him whenever they were alone in the house, the chores done. He had quickly learned to be respectful without subservience, to stay quiet when Steele was reading, not to ask more questions when it was apparent that the Virginian had said as much as he intended on a subject, and he no longer considered certain household chores beneath him because he was a man and the black woman who usually took care of them was away from the spread.

On the evening of the third day, Billy went as usual to bed down in the barn: from the outset he had refused Steele's offer to sleep in a bedroll on the floor of the house. And Steele took his turn at doing the dishes: no longer needing to do so as a lesson by example to Billy. It had been a long, hard day working in the hot sun. To dig another stretch of trench from the creek toward a natural depression which Steele planned as a storage tank against the possibility of the watercourse drying up in time of drought. Both were weary, and Billy, with his empty, untroubled mind was sure to be asleep moments after he settled down on the bed of haybales he had made for himself in the barn. And, Steele thought as he began to unbutton his shirt, it would not take him long to drift into deep sleep tonight.

But then he paused: listened intently. Recognised it was hoofbeats he had heard. So quickly doused the single lamp that was lit in the house. Reached for his rifle which leaned against the wall near his bed. Moved to crack open the front door, his mind filling with a sharply defined image.

He knew there were several horses heading along the spur, the beat of their hooves on the hard-packed ground the only sound to disturb the still, brightly moonlit night. And as they slowed from a canter to a walk he cursed himself softly for a fool. Blamed his bone-deep fatigue for flooding his mind with the image. A bunch of grim-faced gunslingers: Sharpe and Garrett, Shumaker and Love, with Marvin Makepiece and Hannah Wynter riding with him, along with other shadowy forms of men unknown to him.

Which was crazy!

Everyone knew just Billy and he were at Trail's End. Which did not justify the kind of revenge-bent bunch he envisaged. Who would anyway not make such an unfurtive approach to the place.

But as he saw movement against the timber that bordered the southern side of the spread, shadows on shadows, he nonetheless thumbed back the hammer of the rifle.

Moments later he counted six horseback riders with, bringing up the rear, a buggy drawn by a single horse. It was the rig he recognised first: the black and blue phaeton of Thadius Mackay, the town doctor. Then he realised just how tense he had been as he heard the breath whistle involuntarily out between his gritted teeth and compressed lips.

He began to put names to the riders who were now moving their mounts very slowly long the track between the crop fields. Vulnerably illuminated in the glittering light of the near quarter moon, and perhaps sensing that they were being watched from the darkened house. Maybe regretting the decision to come calling on a man who had no reason to like many citizens of Providence.

Fred Kenway was among them: sixty years old, the squat-bodied, red-faced, grey-haired owner of the town's hardware store. Alongside him rode Roland Decker: the Providence butcher who was a couple of years younger, a stockily built man with a round, almost bald head on a short neck. Huey Attrill owned and single-handedly ran the Providence *Post-Despatch*: a mild mannered man of slight build and angular featured. The other riders were Harold Archer, Ethan Brady and Joseph Marlow: respectively the grocery store owner, the banker and the Protestant preacher. All three in the same late fifties to early sixties age group as the others. Along with Thadius Mackay, who presumably drove his own buggy, these men represented most of the backbone of respectable society in Providence.

Only Decker had actually said to the Virginian's face that he considered him a feckless gun for hire who was beyond redemption. But the others had, from time to time, let it be known with only a shade more subtlety that they held no brief for the man regarded as a trouble-maker trying, in vain, to settle down.

Steele eased the Colt Hartford's hammer forward as he opened the door wide and stepped over the threshold. Swung the weapon up to his shoulder in the familiar manner as his face became impassive: his cold eyes and the firm line of his mouth revealing nothing of what he thought about this late evening visit. Behind the mask, in fact, he was considering the possibility, triggered by the presence of the Reverend Marlow, that they were out here because Billy Baxter had forsaken the preacher's stable for the Trail's End barn. But just why...?

His emergence from the doorway with the rifle at his shoulder caused a sudden heightening of nervousness among the group. And there were even a few moments when some men seemed about to rein their mounts to a premature halt.

Certainly the buggy slowed appreciably as the driver tightened the reins.

But then Joseph Marlow called, his voice pitched loud enough to be heard above the clatter of hooves: 'We have come to request your help, Mr Steele. Please listen to what we have to say?'

It was the first time the Virginian had seen the preacher at close quarters. He had a tall and lean, strong-looking frame. Affected a pencil-line moustache on a face dominated by strikingly deep-set eyes beneath bushy brows. At a first, snap impression Steele thought he might get to like the clerically garbed Joe Marlow better than any of the suited and derby hatted business and professional men with him. Which was not a fair conclusion to reach in the present circumstances, he allowed: since none of the others had ever felt it necessary to ask for his help.

Then he heard a woman's voice and revised the judgment, for he already liked one of the group. This was Miss Lavinia Attwood who spoke from out of the moon-shadowed interior of the buggy.

'I'm certain you will give us a fair hearing, will you not, Adam?'

The spinster who was the local schoolteacher, was something over fifty years of age. Tall and thin and sharp-featured. She was the only member of the Providence establishment who had accepted the Virginian for what he once had been and was trying to become.

'If it doesn't take too long, ma'am,' Steele replied as the riders halted in a tight-knit group some twenty feet away. And the fat, florid-faced, Thadius Mackay, sweaty as ever, drew up the buggy alongside them. 'We've had a hard day working and need to get some sleep.'

'Yes, Adam, I can see you look tired,' Miss Attwood said solicitously as she climbed out of the buggy, elegantly upright.

'Ain't we all?' the squint-eyed Harold Archer growled sourly, and rubbed his stiffened right leg that caused him to walk with a limp. 'It sure seems like a long time since I got a decent night's sleep.'

66

'Shut up, Harold!' Mackay rebuked.

'Right,' Huey Attrill augmented. 'We agreed the Reverend Marlow should do the talking, did we not?'

There was some mumbling of agreement with this and a few heads bobbed. Steele sensed that Billy had been roused from sleep and was watching anxiously from the barn. He asked:

'You want to step into the house, feller? And maybe you, too, Miss Attwood? It's not big enough for everyone.'

'Our request is simple, sir,' the preacher countered. 'It hardly merits we dismount our horses to make it?'

There was a query in his tone and expression. And as Steele shrugged and inclined his head to acknowledge he was prepared to accept the premise, he scanned their faces. Saw everyone was as weary as Archer had claimed and as worried as Marlow sounded.

'There's trouble in town, sir. Trouble we are certain is going to get worse before the situation improves of its own accord. I... We understand some of the participants are known to you?'

Steele consciously forced himself not to anticipate what was going to be asked of him as he replied evenly: 'I know a gunslinger named Shumaker is waiting in Providence for another of his kind, named Andrews, to reach town so one of them can prove something.'

'Just that would be bad enough, sir,' Marlow said, shaking his head morosely.

'To think Providence should be the scene of such lawlessness?' Ethan Brady said sadly. He was fifty-seven or -eight. Short and flabby. Pale faced and grey-haired. With a nervous habit of often mopping at his brow with a balled-up handkerchief that seldom got damp because he hardly ever sweated.

'Please, Mr Brady,' the schoolteacher said with a trace of impatience as she gestured toward the preacher.

'I'm sorry,' the banker whispered.

Marlow went on: 'The prospect of witnessing two men meeting with the object of shooting each other dead has attracted people of the worst sort to Providence.'

'He knows that!' Decker put in forcefully. 'That's why he's keepin' Billy and the old black woman and the baby out here out of the way, I figure.'

Some of the others attempted to cut in on him, intent upon allowing Marlow to be the sole spokesman. But Decker was too impatiently angry to be silenced. He pressed on:

'Steele doesn't want his sleepin' time wasted. And we sure as hell don't want to waste any more time than we have to while our women-folk are without our protection in town. Fact is, Steele, we're here to ask you to take a hand in the trouble. Before the trouble gets outta hand.'

'Mr Decker, please!' the preacher implored.

But Lavinia Attwood interrupted: 'Well, at least it has been said!' Her sharp-toned voice cut across and silenced the chorus of agreement with Marlow. 'This is a situation lacking in the social niceties. And Mr Decker has certainly dispensed with them. What he did not add, Adam, is that the townspeople do not expect you to do this without reward.'

'I was gonna get to that——'

'Please be quiet, Mr Decker,' the schoolteacher broke in, and only the *please* kept it short of insulting. Then in a tone that was not too dissimilar, she told Steele: 'One thousand dollars is offered.'

There was a moment of silence. Before Billy was heard to blurt: 'Shoot!'

'Pledged to be raised by public subscription, Adam.'

Steele asked: 'Has Len Fallows lost control in town?'

'Fallows is a——' Fred Kenway started in a tone that suggested he was going to finish with an obscenity.

Thadius Mackay wriggled his massive bulk out of the buggy and bellowed against a chorus of indignant voices: 'Len Fallows is Len Fallows! He's an aging small-town sheriff without experience of handling the kind of riffraff that have descended upon Providence! The kind who've turned the Knights' place into a virtual bordello! Who get drunk all the time! And start fights in the saloon with monotonous regularity! And then demand I patch up their injuries for them! The kind who make our streets unsafe for women and children to frequent!'

As the doctor took up a resolute stance alongside her, arms akimbo, Lavinia Attwood agreed: 'Precisely, Adam! Nobody blames Mr Fallows. He simply does not have the experience to deal with such debauchery and violence on this kind of scale.'

'And it ain't that any of us are so scared of the scum we got in town!' Roland Decker proclaimed vehemently. 'But it ain't no use any of us standin' up to be counted, only to get shot down right off!'

'No one has been shot as yet,' the Reverend Marlow hurried to explain, and his stentorian preacher's voice stilled the others. But there was a simmering anger in the silence. 'No one has even been physically hurt—except some of the strangers themselves, as Dr Mackay has said. But it can only be a matter of time before some innocent citizen takes exception to the bad behaviour and a short temper is lost with tragic results. Blanche or Tom Knight perhaps? Or Mr Krim at the saloon? Or Harlan Grout? His livery stable is being used without payment by those unable to be accommodated in the already overcrowded boarding house.'

'A thousand dollars, Steele,' Fred Kenway reminded coldly.

Steele asked in a similar tone: 'Is that so many bucks a head to kill them? Or is it payable when I run all of them out of town single-handed?'

A chorus of protest burst forth. And Lavinia Attwood rebuked across it, in the manner she probably used to upbraid a student she knew was being purposely obtuse:

'Do not pretend to me that you are stupid, Adam Steele! A thousand dollars to do what you can to prevent any further tragedy happening in our town. Which is your town, also, if you will admit the inevitable truth to yourself. How you accomplish it is up to you. We aren't asking for any impossible miracles. We—and a great many more people who could not come here tonight—have done all we can. Simply by making this approach to the only man we know we think might be able to help us to help ourselves.' She moderated her tone and shrugged her thin shoulders. 'But if he's not prepared to leave his safe haven out here in the peaceful countryside ... Well, that is his decision. We cannot even threaten to withhold help if ever he should be in need on his own account. For we all know him to be the kind who never requires help. That he would rather die than show he needs it. But we are not so self-sufficient as that ... So arrogant as to ...'

Her voice tremored and trailed away. And she swung round angrily to climb back into the buggy. Thadius Mackay was slower, delayed more by indecision than his bulk. But then he saw Joseph Marlow take up his reins and the other mounted men do likewise. Despondency took a hold on the group as anger faded.

'My, oh my,' Billy Baxter rasped in the barn. Ended the brief silence that came to the night after the visitors were ready to leave but each was reluctant to make the first move: waited hopefully for one of their number to voice a clincher that would sway the Virginian.

Steele said: 'I'll sleep on it.'

It caused an abrupt easing of tension. Then the preacher promised, his voice a little husky with emotion:

'We will do all we can to help, Mr Steele.' Hardened his tone to add: 'Within reason: as God-fearing and law-abiding citizens, you understand?'

The Virginian nodded.

Roland Decker growled: 'The reason we came out here, Joe, is because this man's a law unto himself.'

'Please, Mr Decker,' Lavinia Attwood murmured. 'Mr Steele has offered us hope. We must not question his——'

Steele grinned mirthlessly, his teeth gleaming in the moonlight, as he drawled: 'It's my experience, in the kind of situation you have in Providence, there's only one law that applies.'

The schoolteacher asked sorrowfully: 'Do you mean the law of the jungle, Adam?'

He shook his head, raking his hard-eyed gaze over the group of elderly men. 'No, ma'am. That means just the survival of the fittest. I mean do unto others before they do it to you.'

7

When the Virginian rode to within sight of Providence at about ten o'clock the next morning, his mind was fully made up: no longer prey to self-doubt over what he was doing. So it was clear to wonder idly if he would have sensed that all was not as it should be in town had he not had visitors the evening before.

As he advanced down the timber-flanked north trail, he thought there was about the usual amount of smoke rising from many stove chimneys to form an insubstantial dark pall in the almost cloudless sky above the tree tops: given off by fires allowed to burn low after the town had breakfasted, smouldering for a while before they would be fuelled up to cook midday meals.

Then, as he held the gelding to an easy walk between the meeting hall and the law office that still smelled of fresh paint, his first impression was that there was not so much different to be seen on the town square. It appeared that about the usual number of people were doing business at the stores on the west side. As far as he could judge at first glance, all of them were citizens of Providence. The same as those on foot and a few on horseback or wagons who entered or left the square by way of Main Street. None of the horses which waited with docile patience at hitching rails and posts carried any accoutrements to suggest that it belonged to a saddletramp come to town for the wrong reasons.

And everyone seemed to eye him in much the same way as they always did when he came to Providence: which did not perturb him. Always they half expected him to be the cause of trouble and today the majority of them doubtless knew that he had been approached with an offer of financial reward to do precisely that.

From out of the schoolhouse beyond the meeting hall drifted the ordinary sound of many young voices reciting their times four table. And as he tugged on his reins to put his back to this sound, another commenced ahead of him. This a regular, dull thudding that came from somewhere in the back of the building which housed the local newspaper: Huey Attrill was printing the latest edition of the *Post-Despatch*, and since it was Thursday, that was as it should be.

What was a little unusual, but would not have been worthy of particular note had the delegation not visited him last evening, was the absence of Len Fallows from his law office. Steele saw this as he leaned from the side of his saddle to peer in through the curtained window at where the empty chair stood behind the uncluttered desk. Maybe the sheriff had simply gone home for a cup of coffee with his wife.

It was also unusual for the depot of the San Francisco and Central California Stage Line to be closed up at this time of day. Particularly since tomorrow would be the third Friday of the month, which was when the Concord coach called at Providence, turned around and headed north again. Usually, Jo-Anne Morrison and her son Michael kept the depot open every weekday morning for people to bring in freight or mail for the stage.

Also, Harlan Grout's livery, which was to the other side of Ethan Brady's bank from the stage line depot, normally had its big double doors open on such a fine, warm day.

And, too, there was normally much activity in and around the boarding house across the alley from the livery. The bustle usually created by the overweight Blanche Knight if it wasn't one of Arlene Forrester's days to lend a hand with keeping the building spotlessly clean, inside and out. And the frenetic industry of the fastidious woman was usually accompanied by shouted threats and commands for her hapless husband to get his share of the chores done before he

72

sneaked off to the saloon. This fine morning, not only was the front door and all the windows in the two-storey facade of the rooming house tightly closed: there was also an air of grubby neglect hanging over the clapboard building.

Two horses were hitched to the rail out front of the Golden Gate. Steele recognised one as he swung down from his saddle, hitched the reins of his own mount to the rail and slid the Colt Hartford out of the boot. It was the piebald gelding that he had once needed to borrow off an out-of-town farmer named Abe Steiner. It wasn't until he pushed through the batwings and saw the five customers bellied up to the bar counter on the right of the small room that he realised that the other horse at the rail was also familiar. It belonged to Len Fallows.

Standing to one side of the tall and lean, bushy-moustached lawman, Tom Knight was taking advantage of the absence of usual chores at the boarding house to fit in some additional drinking. He was fifty; a narrow-chested, pot-bellied man with a round face pierced by too-small bloodshot eyes and dominated by a nose that was blue veined by liquor.

The ruddy complexioned, stockily built twenty-eight-year old Harlan Grout was on the other side of the sheriff. Beyond him was the short and wiry, black-bearded, pipe-smoking farmer, Abe Steiner. Beside him, another out-of-towner named Clay Murchison.

Harry Krim was immediately across the bar from his patrons who with one exception were drinking whiskey. He had never run a particularly neat place, but he always made some kind of effort to clean up before he opened for a new day's business. This morning, and maybe some earlier ones, the chore had consisted of using a rear corner of the saloon as a garbage dump: where the wreckage of two tables and five chairs and a quantity of broken glass had been tossed and swept into a heap.

'So they bought your high priced rifle, uh?' Fallows greeted aggressively, turning just his head when he heard the creak of the batwings.

The Virginian shifted his impassive gaze from the pile of

73

debris and countered: 'I told them I'd sleep on their proposition, sheriff.'

'We had another fight in here last night,' Krim explained grimly. Then with an uncharacteristic deference that welcomed the Virginian and probably meant he had pledged a contribution to the reward money, he asked; 'You want some coffee, Mr Steele?'

'Sounds good,' Steele said as he moved to sit at his usual window table that the last time he had been in the Golden Gate had been occupied by Shumaker and Love.

'I'm with you, Mr Steele,' Harlan Grout assured and his slurred voice made it plain that the shot of whiskey he tossed down was the latest of many this morning. He straight away poured another from the half empty bottle on the bar.

'Me, too,' Tom Knight blurted, then hurried to qualify: 'Though I ain't so sure I can take what you'd call a practical hand. I mean in a shoot-out nor nothin' like that?'

On a cloud of expelled tobacco smoke, Steiner said: 'I'll pay my share good as anyone else, but me and Rose, livin' way out of town at Mission Farm like we do, I don't figure to get mixed up in no shootin' neither.'

Krim emerged from the back with the cup of coffee and growled; 'Guess we oughta be real grateful the meanest man in the valley puts up a couple of bucks.'

Steiner scowled.

'If you were the kind that took advice, Steele, that's about all I'm fit to give,' Clay Murchison offered morosely. The sixty-year-old, once powerfully built and now wasted man lived far to the south of Providence. On the side of a valley in a situation Steele had at one time briefly coveted. A former railroad company policeman, drunk and wife beater, he was now something of a recluse who came infrequently to town for essential supplies. Only sometimes did he have a single glass of beer in the Golden Gate, and he had to use both hands to lift it.

'Maybe I need some right now, feller,' Steele told the man whose hands were first crippled by arthritis then mutilated by having nails driven through them.

'Hold your damn horses, all of you!' Fallows thundered. Whirled round so that the small of his back leaned against the top of the bar. He glared at Steele, his dark eyes as shiny as the star pinned to his shirt front, but clear: so he had taken one, or maybe two drinks at the most. 'I'm still the damn law in this town! And I'm not going to have anyone else do my job for me while I'm the sheriff!.

Steele nodded to the saloonkeeper as he set down the cup of coffee on the table. Then said evenly to Murchison: 'Was going to ask you: what do you reckon are my chances of doing what's wanted of me? Since it seems everyone in town knows what's been asked of me. Friend and foe alike?'

The hollow-cheeked, bright-blue-eyed face spread with a grimace as he answered: 'If that's the case, and you ain't God, best you get outta town a lot quicker than you rode in.'

'Mr Steele, none of the strangers knows nothin' about what you been asked to do,' Harry Krim assured anxiously, his voice huskily low as if to emphasise the secrecy he was talking about.

'That was the idea, anyway,' Fallows said sourly, and it was clear he had to make a considerable effort to keep his anger in check. 'But people talk. Rumours start out of nothing.' His tone and expression had become cynical. 'And what you have here is really something!'

He returned his steady gaze to the Virginian after glowering at the other men in the saloon. 'Since you're not God, Steele, best you do like Mr Murchison advises. And leave me to handle the town's troubles my way, by due process of law.'

'What way is that, sheriff?' Steele asked, his tone conveying a genuine interest in the response.

'That's no business of any out-of-town squatter who...' Fallows suddenly recognised he was about to lose his temper and elected to curtail what he was saying.

Steele said evenly: 'Sheriff, the main reason I'm here is that last night Lavinia Attwood persuaded me that Providence is as much my town as it's the town of the people who live here, between the square and the church.'

'Damn right. Murchison growled.

Tom Knight disclosed: 'Len's goin' up to Broadwater, Steele. The sheriff there has two regular deputies. And there are some tough youngsters around Broadwater who'll maybe jump at gettin' sworn in and gettin' into a scrap.'

'If I don't get any help from the Broadwater peace officer, I'll telegraph Sacramento,' Fallows muttered. For the first time he looked worried, which acted to emphasise the lines of fatigue on his rough-hewn face that Steele had not noticed earlier. 'Maybe they'll have the army come lend a hand if there's nothing else for it.'

Steele nodded and said: 'I reckon that would have been a fine idea, sheriff.'

'*Would* have been?' Harlan Grout slurred. Then swayed, blinked rapidly and spilled most of the drink he lifted to his lips.

Krim took the bottle away from the liveryman as Murchison answered on Steele's behalf:

'Figure the man means it's too late for that now. Take time for any law type or military kind of help to reach Providence. The wire should have been sent days ago.'

'Damnit, days ago nobody knew it was going to be trouble this bad!' Fallows snapped.

Krim directed a baleful glare toward the heap of wreckage in the corner, said bitterly: 'They sure enough didn't.'

Fallows muttered wearily after he turned to the bar and finished the heeltap of liquor in his shot glass: 'But it's happened and I guess I'd best start for Broadwater while things are quiet.' He turned again, to glower at Steele and warn: 'Any use me telling you not to start anything while I'm gone?'

The Virginian shrugged. 'Maybe now you're doing something, the people who hired me will reckon there's no longer a job for me.'

Fallows looked once more as if he was about to lose his temper. But again he made the effort to control it. Said tautly: 'Just bear this in mind, mister. If there's trouble while I'm away... Bad trouble... The kind that gets people

76

killed ... If I find out you started it, you better be one of the fatal casualties. Because, if you're not, I'll place you under arrest. Charge of murder.'

'Hey now, Len, the townspeople have asked——' Krim started.

There were some sounds of agreement from the others before Steele cut into silence the surge of noise. Said evenly:

'Point taken, sheriff. Can tell you, if the town stays as quiet as it is now, then I sure wouldn't want to stir anybody up.'

The lawman vented a sound of disgust.

Krim growled: 'Don't be fooled, Mr Steele.'

Murchison said: 'He ain't fooled, is my opinion.'

The saloonkeeper went on: 'The town's always this quiet this time in the mornin'. When the hellraisers are sleepin' off the liquor and the sore heads they got the night before.'

'That, and the high time they've had with their women,' Harlan Grout said bitterly, and maybe a little enviously.

Tom Knight took a watch out of a vest pocket, moved it back and forth until the dial came into focus and said dully: 'Comin' up eleven now. So it's nearly time when they'll stagger out of my place and Harlan's livery. Start in to drinkin' again.'

Abe Steiner smacked his lips and said good humouredly: 'So there's a bright side for one of us, uh? If they don't actually pull the saloon down around your ears, Harry, you'll get pretty rich.'

'The richest man in the graveyard is what I'll be,' Krim complained. 'Dead of livin' on my friggin' nerves from worryin' about——'

Steele had often glanced out through the window beside his table. There had been intermittent activity on the eastern side of the square ever since he had arrived in town, as customers went into and came out of the bank. Now it was movement out front of the livery and the rooming house up beyond the bank which captured his attention as he told Krim: Looks like the morning rush is about to get under way, feller.'

Harlan Grout said morosely: 'So I'd best go take care of the horses that are supposed to be my only concern.'

Knight sighed. 'And Blanche'll want me to help clean up' after our guests, who I figure make as much mess as their damn horses do.'

'Time I was off,' Steiner said. 'Lots to do out at Mission Farm.' Which was the truth because the farmer put in little work on his fields while he spent most of his time tinkering with machinery.

'Just bear my warning in mind, Steele,' the lawman reminded as he moved to follow the procession of Grout, Knight and Steiner who filed through the batwings. 'If I get back here and find——'

The doors were suddenly stopped from swinging as a pair of hands hooked over their tops. And Joel Shumaker said brightly:

'Hey now, sheriff, you ain't leavin', are you? The first time I meet up with you in the saloon and have a chance to buy you a drink?'

He pushed in between the doors and raked the saloon with mistrustful eyes to check fleetingly on the other three occupants of the Golden Gate. Spread a smile across his good-looking features as he returned his gaze to the stone-faced lawman and completed: 'Repay you for your hospitality when I was your guest the other day?'

'I've got business elsewhere,' Fallows said curtly.

'How you doin', Steele?' Shumaker asked of the Virginian, and pointedly ignored what the lawman had said.

Steele shrugged: 'Right now that depends on you, I reckon?'

'Uh?' Shumaker was momentarily perplexed, then grinned and waved a dismissive hand. 'Hey, man, I was way outta line. I get like that sometimes when I'm drunk. Cowp told me what happened: how he had to slug me with the bottle and all. I got no hard feelin's if you don't?'

'None, feller.'

Fallows said sourly: 'If you two bosom buddies are through renewing old acquaintances, I'll get about my business.'

The grin still firmly fixed Shumaker stepped to the side of the doorway and gestured for the sheriff to go on out of the saloon. Called across to Krim: 'Just a beer for me, bartender! And another for my ladyfriend who'll be here soon as she's through makin' herself beautiful for me!'

Fallows was scowling over his shoulder at the high-spirited Shumaker: not watching what he was doing as he thrust a hand at one of the batwings. The door swung violently outward and a woman gave vent to a cry of pain, then cursed:

'Frig you, mister!'

'Look what you're doin', crud!' a man snarled. 'You near knocked the lady off her friggin' feet!'

'*Ladies* don't frequent saloons!' Len Fallows countered, and pushed on out between the batwings.

Shumaker had halted to look back, out over the tops of the doors. And his smile darkened to a frown as he rasped; 'Oh shit, it had to be Roache.'

There was the unmistakable sound of a fist cracking into a face: then a groan. And suddenly the doors swung inwards. Thrown open and crashed against the flanking walls by the fast-moving figure of the lawman: who was powered into an ungainly backward stagger by the impact of the blow.

Shumaker, good-humoured again, said sardonically: 'And it seems some men just can't stay out of them.'

8

Len Fallows, blood on his face, crashed backwards into a table, sprawled across it, then dropped hard to the floor. Rage and pain carved a grimace on his moustached face. But the tone of the inarticulate sounds venting through his gritted teeth signalled frustration as he clawed to pull the Frontier Colt out of his tied-down holster.

Roache stepped into the saloon: a six-feet-four inches tall, broad-shouldered, thick-waisted man of forty or so. With a square face under a shock of curly black hair. His furiously blazing eyes were of the palest blue and he had a mouthful of misshapen and darkly discoloured teeth, revealed between thick lips drawn back in a snarl as he halted on the threshold of the Golden Gate. His right hand went instinctively for a revolver, until he recalled he was not wearing a gunbelt.

The Providence sheriff had folded a fist around the butt of his Colt by then: and was about to draw it from the holster as he started to rise into a sitting posture. Used the back of his left hand to wipe the blood away from his split lower lip.

But Joel Shumaker was considerably faster on the draw. And the ivory-butted Remington was levelled, hammer back, as he whirled and took a step toward the enraged Fallows: who was unaware of this second threat as he started to snarl at Roache, spraying blood droplets.

'Hold it right there! You're under ar——'

The muzzle of Shumaker's revolver prodded him in the side of the neck to silence and freeze him. He moved just his eyes along their sockets, shifting his angry gaze from the

80

suddenly grinning Roache. On the periphery of his vision saw the slit-eyed, dark-haired, personably smiling young gunslinger drop to his haunches beside him.

Shumaker reached forward his free hand to grasp the wrist of Fallows' gun hand and said evenly: 'Don't want you to hold it, sheriff. The gun, that is. Want you to let go of it. On account of Dave Roache, he ain't armed.'

'He's under arrest for——' Fallows tried to argue. But he broke off when Shumaker pushed the Remington harder into his neck, forcing him to crane his head down on to his left shoulder.

As this happened, the lawman moved his eyes to find Steele, and after a moment his expression changed from pleading to reproach. Which was when Roache wrenched his head around to glower down at Steele. Perhaps saw the Virginian for the first time. And reached out with both hands toward the Colt Hartford that lay across the table.

Steele slammed down his empty cup, curled a gloved hand over the frame of the rifle, thumbed back the hammer and turned the gun so that it was pointed at Roache, his finger hooked to the trigger.

Harry Krim exclaimed: 'Hot damn!'

Clay Murchison shook his head sorrowfully.

Len Fallows looked like he was about to smile, until Joel Shumaker warned:

'I'll blow his lousy head off, Steele! If you take any hand in this!'

The Virginian was conscious of people out front of the saloon, peering eagerly in over the batwings and through the window. But he continued to ignore every other aspect of his surroundings as he gazed fixedly into the fear-contorted face of Roache: and kept the rifle aimed at the big man's big belly. Said evenly: 'Sheriff'll have to take his chances, same as me. For the record, I'm taking no hand in his quarrel with this feller. But this feller should know, if he tries to get his hands any closer to my rifle, he'll be leaking blood. Back and front, at this range.'

'Shit,' the saloonkeeper whispered and wiped some sweat

81

off his sheened face as Murchison vented a soft sigh.

A forced, hollow laugh ripped out through Roache's ugly teeth and the rigidity drained from his frame as he dropped both hands to his sides. Said: 'Hell, I was just concerned you might have been a buddy of the sheriff, mister!'

Steele eased the hammer of the rifle forward and drawled: 'I just have the one friend, feller.'

Fallows was as much affected by the easing of tension as anyone else. But as the sheriff began to relish the sense of relief, Shumaker signalled the diversion did not mean his ordeal was yet over. He withdrew the threat of the Remington and slid it back in his holster. But as soon as his left hand was free, he used it to snatch the Colt out of Fallows' grasp, after his right had jerked the lawman's gun hand upwards.

'Here, you give that back!' Fallows demanded, hauled himself to his feet.

Then again smiling Shumaker backed away from him and the lawman stared at him as he up-ended the Colt, half cocked the hammer, thumbed aside the loading gate and clicked the cylinder around so the shells slid out into the palm of his hand.

'Joel?' Roache queried, as perplexed as Fallows.

Shumaker went to the bar and dropped the unloaded revolver and the ejected bullets on it. With his back to everyone except Murchison and Krim, he asked; 'What about that beer, uh?'

Then turned, shrugged his shoulders and explained: 'If one smack in the mouth is enough to satisfy Dave Roache, fine. The sheriff can come get his gun, reload and go about his business. But if a man insulted my woman the way he mouthed off about Polly Drake ... Well, I'd see to it he got worse than that. Don't matter she's a whore.'

Harry Krim had drawn two glasses of beer and now he set them down beside the revolver and shells. There was a look of dread on his face as he glanced at Steele, and derived no hope from the impassive Virginian. This as Clay Murchison finished his beer, shook his head and turned away from the

82

bar to head for the doorway. Which was temporarily not blocked, for Roache had moved away from the batwings to advance on Fallows. Who stood his ground and raised his fists, used one to wipe a smear of blood off his mouth.

But then Murchison's exit was barred again, as the outside watchers crowded in. Most of them strangers to Steele. A dozen men ranging in age from the youthful Sharpe and Garrett to a skinny, grey-haired man pushing seventy. All, like Shumaker and Roache, attired Western style. Many, like Roache, looked a little hung over. A few had some brawling scars. The four women, who included Hannah Wynter, were all about thirty. The redhead, although her face was painted and powdered as heavily as the others and she wore a tight fitting dress that closely contoured her full body just as they did, was the least sluttish looking of the quartet. The two blondes and the brunette looked, dressed and moved like whores who were not ashamed of what they were.

Hannah flashed Steele a bright smile, Sharpe's nod was less friendly and Garrett directed a threatening glower at the Virginian: but allowed himself to be shepherded past the window table with the press of people.

Clay Murchison shook his head ruefully and growled; 'Seems like you don't have to be God, Steele . . . yet.'

Then he pushed out of the now crowded and noisy saloon as the new customers demanded service from the harassed Harry Krim or yelled at Roache to make the sheriff pay for bad mouthing Polly Drake. She was the shorter, plumper, scarlet-dressed blonde: who was leading the raucous chorus for the big and ugly man to force Fallows to eat his words and apologise.

For several seconds, Steele was unable to see the two men who were the main focus of attention. For they were surrounded by the crowd of newcomers, all of them on their feet. While he remained seated at the table, gloved hand still draped over the frame of the Colt Hartford. Then Shumaker came over from the bar, Hannah Wynter at his side, each carrying a glass of foaming draught beer. And the gap that was opened up for them did not close. So when the grinning young gunslinger and the equally happy redhead sat at either side of Steele, they all three had an unobstructed view of Fallows and Roache, face to face some twenty feet away.

The lawman still had his arms raised, hands tightly clenched in the classic stance of the prizefighter. Blood still oozed from his split lip, but it did not look as if he had been hit again. Nor was there any sign that he had landed a punch on the bigger, heavier man who was younger by at least a dozen years while he had been forced to back up slowly by the relentless advance of Roache.

Roache had his back toward the table between the window and the doorway, but the three who sat there could see that he was convulsed with silent laughter. For his broad back was quaking, certainly not from fear.

Then, as the shouting died down and the faces of the watchers were wreathed by grins of anticipation, Shumaker took a deep swallow of beer and yelled:

'Hey, Dave!'

The man turned from the waist, curiosity displacing laughter.

'Quit gigglin' like a crazy little kid and get to it, uh?'

There were raucous shouts of agreement and Roache started to swing around, jerking up his right hand clenched in a fist. But Fallows struck first. Launched a crisp and vicious left hook powered with every ounce of strength he could summon from the depths of fear and rage and humiliation. It crashed into the side of Roache's jaw, with enough force to spin him back round again. This time there was shock and rage on his face. Which expanded when he saw Shumaker was roaring with laughter and he realised he had been set up by the young gunslinger for the sucker punch.

Then Fallows leapt on the broad back of the scowling man, curled an arm around the front of his thick neck and thudded a fist into his kidneys. It hurt Roache badly, and he cried out, staggered forward and dropped hard to his knees: taking Fallows with him.

The larger part of the audience roared their approval: just one voice raised against the overwhelming chorus of encouragement for the underdog suddenly on top. This was the shrieking cracked soprano of Polly Drake, howling a string of profanity at Fallows. Then she snatched a glass from the skinny old-timer and threw the beer full into Fallows' face. Lunged clear of the reaching hand of the snarling man she had robbed and hurled herself on the back of the Providence sheriff.

Shumaker rocked on his chair and thumped the tabletop with the heels of his fist in excitement. Yelled at Steele and the woman beside him: 'How about that, uh? That big sonofabitch would've laid him out flat with one friggin' roundhouse if I hadn't took a hand! And that wouldn't have been no fun at all, uh?'

The overweight and out of condition Roache, still dazed by the blow to the jaw and in pain from the kidney punch, was tipped sideways off his knees by the combined weight of Fallows and Polly Drake. Then suddenly found himself released from the armhold at his throat. This when Fallows' cry of pain shrieked louder than his own as the whore sank her long fingernails into the lawman's cheeks: dragged the clawed hands downwards to tear bloody strips of flesh off his face. Forced Fallows to use both his hands to free himself of her talons.

Blood spurted from the deep wounds. Some sprayed into Roache's face as he wrenched his head around to see what was happening. And the ghastly sensation of another man's blood, warm and sticky on his skin, acted to horrify a reaction from Roache. He pushed himself on to his knees and swung a fist at Fallows' head. But Polly, whiplashing backwards to avoid the side-swipe that Fallows aimed at her, brought her face into the path of Roache's punch. Her nose burst and she was instantly and soundlessly unconscious. Slumped limply forward across the lawman, who had no time to roll clear of her hundred and sixty pounds; before Roache half rose, extricated a foot from beneath himself and crashed it into Fallows' side.

Steele was aware of demanding eyes staring at him and flicked his cold gaze away from the brawl. To find Harry Krim tacitly pleading with him. But his impassive face again offered the saloonkeeper no kind of hope, before he switched his attention back to where the grinning Clyde Garrett was dragging the unconscious woman clear of the brawling men.

Roache rose to his full height and Fallows heaved against a table to haul himself on to one knee. Got no further before a clumsy but effective right cross from Roache pitched him full length to the side. Knocking over chairs and tables and scattering several of the yelling watchers.

Now Roache's big body was quaking with uncontrollable laughter again, as he savoured the first sweet taste of certain victory in the making: advanced with shuffling steps to where the gasping Len Fallows lay, half under a table, fingers clawed at the floor as he struggled to summon the strength to get up. Unable to see Roache, but surely sensing that the big man was closing in to finish him.

Then the clamour lessened, as grins faded and eyes flicked between the beaten man on the floor and the victor who stood over him. There was a kind of dread in some of the eyes, eagerness in others. Sadism: and something akin to sexual lust. There was killing in the suddenly tense, ugly atmosphere of the Golden Gate Saloon.

Steele again closed his fist around the frame of the rifle on the table. And knew Joel Shumaker shot a hard glance at him as he dropped his left hand to drape the ivory-plated butt of the holstered Remington. Then the Virginian did a double-take toward the frightened looking Krim, who had his hands under the bar. It was only at the second glance Steele realised the sheriff's Colt and its bullets were gone from the bartop. Krim did not look up from reloading the revolver.

Now there would have been total silence in the saloon, but for the inane giggling of Roache and the ragged breathing, occasionally interrupted by a despairing groan, of Fallows.

Roache swung his head slowly from side to side. Far enough in one direction to look toward the window table. He stopped giggling then, to display a cruel grin that was perhaps intended to be shared with Shumaker—or maybe was meant to convey he considered he had triumphed over the young gunslinger as well as the lawman. Next he looked at the rear corner of the saloon, where the detritus of last night's brawl was heaped: and sank down on his haunches beside the suffering, bloody-faced Fallows.

'What's he gonna do, Joel?' Hannah Wynter rasped softly, sensing the mounting evil in the air.

Roache fastened a grip on Fallows' jacket collar and demanded: 'You gonna say you're sorry, crud?'

The sheriff needed to take several shuddering breaths before he was able to croak disjointedly: 'You're under... arrest for... for impeding a peace off... officer in the exe——'

'I asked polite, crud!' Roache cut in coldly. And abruptly wrenched the much lighter but far from slightly built lawman out from under the table. Maintained his hold on the coat collar with one hand as he hooked his other under the back of Fallows' gunbelt. 'Now I'm gonna get tough with you. Wilbur, want you to haul that table and them chairs outta the way for me!'

Wilbur was the skinny old-timer who had quickly overcome his ire at having his beer stolen. The most sadistically interested of all the watchers as he did what was asked of him, giggling and drooling saliva.

And then it became clear what Roache intended should be the fate of Len Fallows.

'God Almighty!' Harry Krim forced out of his shock-tightened throat. Splayed one shaking hand on the bartop while the other remained out of sight below.

'You won't say you're sorry, you'll be a sorry sight, crud!' Roache roared. Crouched, getting ready to scuttle toward the debris-littered corner of the saloon. Dragging Fallows, belly down, across the floor. To launch him head first into the pile of shattered glass.

'Joel..?' Hannah Wynter gasped.

Several more of the saloon's patrons stared toward the

young gunslinger with anguished expressions that conveyed that they, also, thought Roache was carrying his grudge too far.

But it was Steele who acted. Slowly stood up, raising the Colt Hartford from the table to slope it to his shoulder. The move drew all eyes save for those of Roache and Fallows toward him. And brought a new brand of silence to the Golden Gate: harder, more brittle, permeated with the threat of being shattered by explosive violence. For stretched seconds, both Roache and Fallows remained detached from their surroundings and the new turn which events had taken.

The lawman was perhaps so disorientated by the beating that he failed to be aware he was in imminent danger of being hurled with mutilating, perhaps blinding effect, into the heap of razor-edged, needle-pointed shards of broken glass. While the man who planned to punish him so severely seemed to be totally enwrapt in the pleasures of anticipation. Until Steele said evenly:

'If nobody stops this, the town's going to need a new sheriff.'

There was a long second of silent perplexity, before Jeremiah Sharpe growled:

'It sure enough will.'

Then Wilbur demanded more harshly: 'And?'

Out of the corner of his eye, Steele saw that Harry Krim looked ready to bring Fallows' reloaded Colt into sight above the bartop.

'So friggin' what?' Clyde Garrett snarled.

The voices penetrated through Roache's pleasure and he looked round in confusion, as Steele abandoned his attempt to estimate how many of the eight openly armed men in the saloon, including Shumaker, might back Krim and himself. For the count was academic. He was committed, come what may.

Somebody rode on to the town square from off the north trail, and the Virginian was briefly side-tracked by the thought it might be Billy Baxter. Or Arlene Forrester who was due back from Broadwater today. He said:

'I reckon I'm next in line for the job, is what.'

'That should bother anybody here?' Shumaker asked, outwardly good humoured in expression and tone as he looked up at the standing Steele. But the Virginian knew the young man was deadly earnest behind the facade as he weighed up the situation, undecided on the line to take.

Steele thumbed back the hammer of the rifle but kept it casually sloped to his shoulder as he replied: 'If I was the Providence sheriff, I wouldn't allow a showdown gunfight in town, feller. With big money bets on who wins.'

'Joel?' the shaken and confused Roache posed.

And from the way Fallows was struggling to quieten his breathing it seemed he may have recovered sufficiently to sustain an intelligent interest in the exchanges.

The rider on the square headed toward the north east corner and Shumaker eased the Remington half way out of the holster. Said in the same unruffled tone as before:

'Cowp Love's up in Broadwater runnin' an errand for me, Steele. So he ain't around to swing no bottle at me this time. Won't be no trouble at all for me to take care of the new sheriff . . . If it turns out the old one ain't in no shape to do the job no more?'

Clyde Garrett offered eagerly: 'And if you need any help, Joel, you count on me, you hear?'

Then the Georgia boy was suddenly nervously sullen as Shumaker shot an insulted glare at him.

'This is a small and peaceable town, feller,' Steele said. 'On the whole the people who live here are peace-loving and decent. But how much maiming and killing of their own kind do you reckon they'll take before they're stirred up into going to war?'

Harry Krim brought his hidden hand out from beneath the counter and rested the revolver butt on top. Held it loosely, hammer uncocked, as he promised: 'If you and Len go, Steele, I'll make it three. Be enough of us, do you figure?'

Shumaker listened to the expectant silence for a few moments. Then said evenly as he pushed the Remington fully back in the holster: 'Three's my lucky number. Turn the man loose, Roache.'

'But, Joel, you said——'

'Jack Andrews ain't here yet. It's when he gets to town I'll maybe need a little luck.' He shrugged. 'If he happens to be twice as fast as they say he is.'

'But the crud ain't said he's sorry for hittin' Polly with the friggin' door, Joel!' Roache complained in a whining tone of disappointment.

Shumaker continued to grin faintly at his sardonic boast. While the second blonde went to crouch beside Polly Drake who was making sounds of coming out of unconsciousness. She accused the big man:

'Damnit, Dave, you hit her a whole lot harder than he did! With your friggin' fist!'

A chorus of voices disagreed with or went along with what the blonde claimed. And Shumaker's mercurial temperament underwent another sudden change. The smile became a scowl, he took a gulp from his glass and spat the beer across the table. Snarled at Hannah Wynter:

'This lousy stuff tastes like horse piss! Get me some whiskey, woman!'

She argued: 'But, Joel, Andrews could show up at any time. You need your head clear and your hand steady if you're gonna——'

'Just friggin' do like I tell you!' he roared. Banged the heel of his hand on the tabletop in a rage as he glared around the saloon and no one held his gaze.

The newcomer to town swung out of his saddle and hitched his reins to the Golden Gate's rail.

Roache let go of Fallows and unfolded painfully to his full height, muttering curses under his breath.

The redhead almost leapt out of her chair to do Shumaker's bidding.

Steele trailed her to the bar and reached for the lawman's gun which Krim had set down when he moved to bring a bottle of whiskey and a shot glass for the woman.

'Thanks, feller,' he said as he picked up the revolver. Showed no sign that he meant he was grateful for anything other than the Colt.

People moved reluctantly out of his path as he crossed to

where Roache stood towering over the lawman, glowering malevolently down at him. The big man with the clear blue eyes and the decayed teeth that gave him bad breath also towered above Steele. And he looked like he was not about to step out of the Virginian's way. Until Cowper Love half pushed through the batwings and glanced at the evidence of yet another fight in the Golden Gate with just a passing interest. Before he located Shumaker and reported:

'Wire came into the Broadwater telegraph this mornin', Joel. Andrews plans to be in Providence before nightfall.'

The announcement triggered an expectant hush in the saloon, as the events of just moments ago were instantly forgotten. And all attention became focused upon Shumaker as Steele stooped to push the Colt into the holster where it belonged. Then dropped on to his haunches so he was able to get an arm under Fallows' broad shoulders.

'Hold that whiskey!' Shumaker ordered, and the grin that spread across his face this time had an obviously manufactured quality. Like he was not a very good stage actor who self-consciously realised his limitations as he sought to create an impression of confidence. He rose from the table and crooked a finger at Hannah Wynter. 'Come on here, woman. You're right about the liquor bein' no good for me. What I need right now is some of Blanche Knight's fine food in my belly. And after that, a little of somethin' sweet for dessert.'

Amid the laughter, Cowper Love recognised for the first time that it was the sheriff who was hurt and that Adam Steele was helping Fallows to get up off the floor. He also spotted Polly Drake being helped by the other blonde, and asked of anybody as Shumaker and Hannah Wynter made to leave the saloon: 'I miss somethin' special?'

Then he grimaced as he saw the gory gouges down Len Fallows' cheeks, as Shumaker told him:

'A little woman trouble is all, Cowp. She don't look it right, now, I guess, but at the right time that Drake dame really can come up to scratch!'

He vented a gust of laughter as false as the grin had been,

91

draped an arm around the waist of the redhead and steered her out of the saloon, As Love came in and joined the other men who crowded to the bar, lighting cigars and cigarettes and yelling for refills of their glasses. While the brunette went to help the blonde with the bloody-nosed, weeping and cursing Polly Drake.

Roache shook his head and complained to Steele in an embittered tone: 'That crud never did say he was sorry.'

'And he never got to arrest you, feller,' Steele replied. 'So that kind of makes you even, maybe?'

Roache came back aggressively: 'Shit, I never done nothin' to get arrested for!'

'This feller's the law around here,' Steele said as he got the dazed, disorientated sheriff on to his feet.

'I know that! So friggin' what?'

'So take a look at him,' the Virginian answered. He half turned so that the glowering Roache could see just how close Len Fallows was to collapse. 'It sure looks to me like you and your ladyfriend broke the law.'

9

Harry Krim shot a helpless glance toward Steele as the Virginian half carried Fallows across the saloon and out through the batwings. And Steele nodded his understanding of the man's predicament. He had a business to run and protect.

Only briefly did the Virginian reflect that it had been his intention not to mix in other people's troubles while he left his own business to take care of itself.

Just Joel Shumaker and Hannah Wynter were in sight out on the square: arms around each other's waists as they strolled toward the rooming house. But Steele could sense eyes watching him through many of the windows that looked silently out upon the sunlit scene as the day neared noon. And it was natural, of course that the citizens of Providence should be anxiously eager to discover the outcome of the latest disturbance in the saloon. Which had ended with the emergence of the laughing gunslinger and the painted woman.

Then it was possible to detect gasps from many throats as the Virginian and the lawman were recognised: Fallows obviously injured and able to stay on his feet only with the help of Steele. Two men known to be antagonistic to each other.

But Steele gave no sign he was aware of being watched as he concentrated upon supporting Fallows, across in front of the now quiet newspaper office building to the law office.

As he pushed open the door and half dragged the lawman

inside, he heard other sounds of the town coming to life. More doors opening and closing; voices raised above the level of whispers; children, immune to the concerns of their elders, yelling, laughing and catcalling as they spilled out of the schoolhouse for the midday break. Perhaps set free of the classroom a little earlier than usual, for Lavinia Attwood would be as eager as anyone else to learn what had happened at the Golden Gate.

Strangely, the inside of the law office did not seem to smell so strongly of the fresh paint that had been applied since the time the building was set on fire and a man died. But maybe this was because it was masked by the stink of beer and blood and the sweat of high tension that emanated from Len Fallows.

The office had also been re-furnished since the fire. But nothing had been changed in the cell section which took up a third of the building's floor area beyond a wall of bars. There were the same three cots in there, along with three buckets. Even the walls had not been repainted and still carried the blackened scars of the fire. For the law and order budget in Providence was not generous and few people ever got locked up in the town's gaol. And those that did, it was ordained, did not merit more than the bare necessities.

The barred door was not locked and Steele hooked it open with a foot, hauled the almost totally exhausted, heavily breathing lawman inside and spread him out on his back on the centre cot. For several seconds, Fallows savoured this relative comfort. And while he did so, summoned the strength and collected his thoughts to speak for the first time since he muleheadedly insisted on not apologising to Roache and instead tried to arrest him.

He forced out hoarsely: 'It really hurts . . .'

Steele put in dispassionately as the lawman paused to catch his breath: 'I reckon it does, sheriff. I'll have someone go bring Doc Mackay here and——'

Fallows' burnished, rough-hewn, thickly-moustached face was scarred by three blood-encrusted gouges down each cheek, a swollen lower lip and a right eye that was almost

94

closed. And the punishing blows he had taken to the body were causing him to fight for breath while he struggled against giving outlet to groans of pain. Most men would have been able only to express a constant grimace of suffering in such a condition. But Fallows showed a savage scowl of rage as he snarled:

'Listen to me, damnit!' He sucked in a deep breath of bad smelling air and then his uninjured eye lost some of its fire as he explained: 'It hurts me to tell you this is what I'm saying... But... but, thanks, Steele.'

The Virginian answered: 'You're welcome.' Then, before he turned away from the man on the cot, he lightly touched Fallows' shoulder with a gloved hand and qualified: 'Let's say it's one you owe me?'

The injured man sounded as tough as ever when he agreed: 'I'll go along with that.'

Steele started out of the lock-up. The front door of the law office was still open and he halted when the slightly built Huey Attrill stepped tentatively over the threshold, a pencil in one hand and a sheaf of papers in the other.

'I'm holding back distribution of the latest issue of the *Post-Despatch* for any late news——'

He broke off and uttered a small cry of indignation as he was elbowed aside by the thinner, taller Lavinia Attwood who flounced in off the square. The woman's school-ma'amish glare acted to silence the protest that was starting to form on his lips, before she turned dismissively away from the newspaperman to announce:

'I realised the sheriff was injured, Adam, so I took the liberty of sending one of the older boys to bring Thadius Mackay. Is there anything that can be done meanwhile to ease Mr Fallows' discomfort?'

She spoke on the move. And maybe would have barged Steele aside in the same way as Attrill had not the Virginian stepped clear of the cell doorway before she reached it. She grimaced and gave a gasp of shock at the sight of the bloodied, bruised and torn face of the sheriff. Spun on her heels and rapped out:

'If you have some fresh water and clean cloths in your office, Mr Attrill, I'd like you to bring them. If not, procure what is needed from elsewhere. Quickly, please.'

'But I'm holding——' Attrill began.

'Hold your tongue and move your...'

Steele, and maybe Attrill, also, thought the sometimes sharp tongued but invariably decorous woman was going to say *ass*. But before she could do so, the newspaperman hurriedly turned and thrust the tools of his reporting trade in a pocket as he scuttled out of the office.

Then, as the Virginian moved to the sheriff's new desk and wearily lowered himself into the new chair behind it, Fallows wriggled into a half slumped attitude with his back propped against the wall. Said in a complaining tone:

'I appreciate you sending for Thad Mackay, Lavinia. But I don't want to have you fussing over me before he gets here. I'm fine for awhile and——'

'You'll just be quiet and rest your tongue as well as your body,' the schoolteacher rebuked. Then swung around and strode toward the open door through which came a rising volume of voices to signal that curious townspeople were converging on the law office. She was about to slam the door shut in the concerned faces of her fellow citizens when Fred Kenway demanded to know:

'What happened to the sheriff, woman?'

Harlan Grout asked, less forcefully: 'Is Mr Fallows okay, Miss Attwood?'

And Harold Archer growled: 'Is that Steele feller in one piece?'

'Do you think Mrs Fallows oughta be here?' a woman suggested solicitously.

The sheriff groaned: 'Oh, hell. Not Molly. Not yet!'

'Certainly Molly should know what's happened to her husband!' another woman insisted.

'Lavinia!' Fallows pleaded.

The schoolteacher shot a sympathetic glance at Fallows then glared out through the doorway. And this expression on her sharp-featured, lightly powdered face, allied with the way she pulled her thin body rigidly erect, acted to silence many of the questioning voices. So she was able to make herself heard clearly without need to shout as she explained the situation concisely.

'Mr Fallows has taken a severe beating. But it is my considered opinion that he will survive. Mr Steele seems not to have a mark on him. The doctor has been summoned. The sheriff has expressed a wish his wife should not see him for awhile. Now, shall we all go about our business?'

She closed the door without violence against a rising volume of objections. But no one attempted to get into the law office as she put her back to the doorway and folded her arms. Then, after a moment, her face lost its grim look as she shifted her questioning from Fallows to Steele and back again as she murmured: 'But who can blame them for wanting to know? I have to admit I am as curious as any of them.'

'Thanks, Lavinia,' Fallows said with a deep sigh of relief. And began to breathe easier as he told her: 'It could have been a lot worse than it was in the saloon. That many men of that type, and whores, together in a small town where not much happens . . . It's like a heap of powder waiting for the fuse to be lit. Unless there's some excitement every now and then . . . Well, I was today's excitement. Something was made out of nothing.'

The door opened a little and Miss Attwood whirled, ready to be angry. But it was Huey Attrill who slid in through the gap, with a bowl of water and some cloths. While the door was open, Steele glanced out and saw there were fewer people on the square now. Kenway, Archer, Ethan Brady and some women. The nucleus of last night's deputation plus some well known gossipmongers eager for subject matter.

The schoolteacher took the stuff from Attrill who showed he was not about to be shut out again. He closed the door and fixed a determined expression on his face as he took out his pencil and notepaper.

Fallows said with a grimace as the equally determined woman entered the lock-up: 'Town saw Steele haul me out of

Harry Krim's saloon and into here, Huey. Guess it must have seemed to them like they were seeing things. But you can write it up in the *Post-Despatch*. I'm real grateful to him. If it hadn't been for Steele taking a hand in the Golden Gate, I figure I'd have been in need of the undertaker and the preacher instead of Miss Attwood and Thad Mackay.'

It did not come so hard for him to speak of his gratitude now. And it was Steele who seemed disconcerted as he responded to the enquiring glance of the newspaperman:

'A brawl that was getting ugly, feller. Krim and me managed to take a little of the heat out of what was happening. Then Shumaker's partner showed up to end the whole thing.'

'That snotty young gunslinger'll likely be as grateful as me, Steele,' Fallows said, pushing away the ministering hands of the woman for a moment. 'Last thing he wants is any big trouble that could queer the gunfight he's got planned.'

'Right,' the Virginian agreed. 'And I reckon Shumaker was starting to worry about that. Not sure if he could keep you from getting killed, maybe. But then Love showed up. With the news that Andrews is due in Providence before sundown.'

'Shit!' Attrill said, scribbling fast. Then: 'Oh, sorry, Miss Attwood.'

'Sonofabitch!' the lawman rasped. Next snarled: 'Ouch,' when the woman expressed her disapproval of the bad language: swabbed harder than necessary at his blood-crusted cheek.

Harlan Grout's ruddy complexioned face showed at the barred, unglazed window of the lock-up and the liveryman asked: 'You know what I think?'

Lavinia Attwood gave him a withering look and accused: 'Whatever you think, Harlan, we all know it will be influenced by the effect of over-indulgence in whiskey.'

Grout pulled a face for a moment, then countered as he shook his head: 'I figure we all oughta keep outta trouble. Let things take their natural course. After the showdown, all these people will move on out and everythin' will get back to normal.'

There was a chorus of disagreement from the small ɡ
of people still out front of the law office. Before Fallo
added his weight to the argument.

'Harlan, once a town get a reputation for letting
gunslingers and women of ill-repute and that kind of scum
run wild on its streets and in its public places... Damnit,
Harlan, no! Damnit, Lavinia, let me up from here so I can
get on up to Broadwater and——'

The door was flung open and Lavinia Attwood swung
round aggressively. But curbed her intended reaction as the
ugly Faith Kenway announced:

'Just to tell you people, Doc Mackay is headin' in off Main
Street.'

She backed away, leaving the door open as Steele rose
from the lawman's chair. He was now feeling satisfied he was
in full control of himself after several minutes of being
detached from his surroundings. During which he had only
half listened to much that was said while he concentrated
upon calming his jangled nerves. And came to terms with
putting his life on the line for no reason—outside of
community spirit.

'Where the hell are you going, Steele?' Fallows wanted to
know, and again knocked the schoolteacher's hands aside.

'To figure out a way of stopping Providence getting the
kind of reputation you just spoke of.'

'I'm still the law around her, mister!'

Steele nodded. 'You're also an experienced prizefighter,
from what I saw. But you were outweighed by the feller who
went up against you.'

Fallows divided a one-eyed glare between Steele and
Lavinia Attwood. Then grimaced, shrugged and growled
grudgingly: 'I get your drift, mister. And there's no doubt I
have to say you're right. Me and the sort of men who'd agree
to be deputised in this town aren't any match for the kind of
scum I just tangled with. That's why I'm hoping for some
help from the Broadwater sheriff. With some extra weight to
back me up—legal weight—I figure...'

The sound of the doctor's buggy rolling to a dust-raising
halt outside the law office was heard through the window of

99

the lock-up. And as the dust drifted in and floated on the sun-bright air, Len Fallows' attitude reverted to challenging defiance.

'What I told you before still goes, Steele. You step outside the law, you'll get treated the same way as any of these hard men who are already causing more than enough trouble in this town!'

'Adam?' Lavinia Attwood said.

'Ma'am?' he answered absently from the doorway.

'You're remaining in Providence for awhile?'

'Sure.'

'I'm living in the schoolhouse while the boarding house is filled with these ... with the new people. If you'd care to join me for lunch..? Nothing special—cold, in fact... I'd welcome your company. Since Thadius Mackay is here to attend to Mr Fallows, I can leave immediately.'

The lawman said sardonically: 'While you've got him in school, Lavinia, maybe you'll be able to teach him some sense?'

She rose and turned away from the man whose beaten face was now cleaned of dried blood. Replied: 'You must surely know, Leonard, that I was one of the main instigators of the approach to ask Adam Steele for help?'

'Sure I know, but what's that got——'

'You have admitted that, but for Adam's intervention at the saloon, you could well be dead. So it would seem the good sense of certain individuals in this community has already been put to the test? And achieved a rather high pass mark?'

Huey Attrill considered this a sharp enough comment to make a note of it. This as the loudly dressed, heavily sweating Thadius Mackay halted on the threshold. Asked of Steele who blocked the doorway:

'What's this I hear about you and Len Fallows joining forces? Real glad to hear you've forgotten your differences and——'

The Virginian stepped aside and ushered the overweight doctor inside. Glanced fleetingly at the scowling lawman as he answered: 'Reckon that's an uphill struggle, doc. And it could be one grade we don't make.'

10

The Providence schoolhouse had just a single large classroom, distinctly sub-divided into three sections by the dimensions of the desks and chairs at which the students of various age groups sat.

At one end of the room was a high, lectern-style desk with two blackboards on easels to one side and one on the other. A large, freshly laundered and slightly motheaten Stars and Stripes was pinned to the wall behind the desk and blackboards.

On the other three walls were scattered a selection of colourful pictures painted by Lavinia Attwood's students, with no apparent discrimination—to Steele's untrained eye—for the well executed landscapes and portraits against those produced by less talented hands.

Set into the wall at the rear of the large room were two doors. One was open so that inside could be seen shelves lined with books, jars and cartons, and storage closets.

The grey haired, angular faced, extremely erect woman used a key to open the other door. Ushered her rifle-toting guest into a room that had obviously been used as a bolt-hole from lesser trials and tribulations long before her stay at the Knight boarding house became untenable. It was a bright, comfortable office-cum-study-cum-parlour, furnished with a large desk, expensive when new, two well padded armchairs, a pair of straight-backed chairs and a number of crowded bookcases, a highboy and other items of furniture normally found in private houses. The carpet on the floor was of the same quality, age and well-cared for appearance as much else in the room.

Just two piles of tattered looking sheets of paper—probably the efforts of children at a written exercise—on the centre of the desk, and a curved-handled length of bamboo cane standing in a corner beside the cold fireplace provided the only obvious clues to the fact that the room was in a schoolhouse.

As fastidiously neat and tidy about her living and working quarters as she was in her personal appearance, Lavinia Attwood carefully removed the papers and her own writing materials from the desk top and then covered it with a white linen cloth before she took the makings of a meal of bread, cheese, pickles and preserves from a highboy.

Explained as she did so that since her move out of the boarding house the desk also served as her bed at nights. With just one pillow and two blankets—no mattress—to lie on, she allowed that it was not the most comfortable of places to sleep. But it was better than remaining amid the noise and debauchery that regularly featured at the boarding house.

There were occasions when the schoolhouse was not far enough removed from the saloon, the livery stable and the Knights' place for her to get a peaceful night's sleep, but she refused to leave. Even though she had been offered a place to stay at the Marlows' house and any number of rooms at the houses of various students.

But she was worried that even more 'new people' would crowd into Providence, a town which did not have the proper facilities for such a large influx of transient strangers. What if she and her students arrived for the day's lessons to find the schoolhouse taken over for accommodation by brawling drunkards or, worse, prostitutes plying their disreputable trade..?

Steele had said hardly a word while he and Lavinia Attwood made for the schoolhouse, the Virginian leading his horse which he hitched to one of the wrought-iron gates in the front wall of the yard. Then had merely spoken an occasional acknowledgement as she chattered about their surroundings when she led him through the classroom and into her inner sanctum. Likewise as she urged him to make himself at home while she prepared the desk for the meal and then spread out the food.

As they ate, the Virginian thought that, had he not been so preoccupied with the problems he had invited upon himself by agreeing to take a hand in the town's troubles, he might have realised much earlier that the woman was nearing the end of her tether. For, he had always considered, Miss Attwood was the kind of reliable individual who would remain cool, calm and collected in almost any situation. And so she had seemed this morning—for as long as she kept herself occupied. But now there was nothing left to do—nobody in immediate need of her help—she seemed in grave danger of having her self-confidence destroyed. Was starting to show a side of her nature that perhaps people who had known her for longer than Steele had never suspected she possessed.

She did not know she was talking too much, nor that she was doing this to keep at bay the danger of panic.

Steele said evenly, as he finished a piece of bread, fresh-baked by Harold Archer this morning, spread with home-made strawberry preserve: 'Easy, Lavinia.'

She abruptly ended her fast-spoken, low-pitched diatribe against those sections of the community who lived at the far end of town or were scattered far and wide over the valley. People who considered that they were far enough removed from the centre of the trouble to turn their backs on it and close their ears to it. She asked: 'Pardon, Adam?'

She met his steady-eyed gaze, then peered down at her plate where the food was hardly touched. Raised her eyes again, quizzically but with perturbation in back of them. Steele showed a quiet smile and told her:

'I bet you that, back in the law office awhile ago, you almost told Attrill to move his *ass* out of there?'

His voicing of the word did not offend her and for a few moments she was thoughtful as she cast her mind back

104

across thirty minutes or so. Then a slight flush came to her cheeks and emphasised the dusting of powder on her wrinkled skin as she recalled the circumstances and knew he was right. Asked: 'Does it have some relevance to what we are discussing now, Adam?'

Steele told her: 'We're not discussing anything. You're talking. And, I'm sorry, I haven't been listening too closely, until just now. Want to tell you something I reckon you already know. Nobody's any good to anybody else if they're scared witless.'

Her colour deepened as embarrassment became anger. 'Really, I do not make a habit of allowing myself to——'

'That's just it, ma'am,' he cut in flatly. 'Your kind don't make a habit of giving in to panic. When you do, it has a bad effect on other people who aren't so strong as you are. Oh, hell!' He shook his head, rose from the table and snatched up his rifle and hat. 'I'm hired on as a thousand dollar trigger finger, lady! It's no part of that job to lend a sympathetic ear to somebody on a talking jag. The Reverend Marlow's more qualified to do that.'

He started for the door, where he paused to look back at the schoolteacher, whose frowning face no longer expressed anger. Said: 'The preacher'll probably be able to give you better advice than I can. At least he'll use prettier words. All I can say is, keep a grip on yourself and don't let people weaker than you are see how much this situation has gotten to you. I'm grateful for the food, Miss Attwood. It's always good to have the inner man well fed. Then all I have to worry about at times like these is my strength of purpose.'

'Adam!' the schoolteacher called sharply as he turned to reach for the door handle.

He looked back at her again and saw that her colour was still high. But there was now an expression closer to a tentatively humorous smile than a frown on her thin face as she chided:

'I thought we had got past the stage of Miss Attwood. And ma'am. And lady and such terms?'

He nodded, and agreed lamely: 'I reckon we have. I guess I

forgot that while I was thinking too much.'

'So you'll call me Lavinia again? Since we are still friends? After all, you've once more proved yourself a good friend to me: telling me what you have. Now I'll be better able to guard against making an utter fool of myself in front of others who are less understanding?'

Steele nodded again, then showed a wan smile as he replied: 'You talked too much and I've been wasting too much time thinking.' He glanced around the comfortable, peaceful room. 'I reckon it was better for both of us to find that out in a place like this.'

'Quite. So you remain Adam and I Lavinia?' She brightened her smile and it triggered a similar expression across his face.

Before he said: 'You being a schoolteacher, and me being the kind I am, I guess we both get called worse names than the ones we were given?'

11

The Virginian lodged the Colt Hartford in the crook of his arm as he pulled on the tight-fitting buckskin gloves while he crossed the yard from the schoolhouse to the gateway where his horse was hitched. Then he canted the rifle to his right shoulder as he unhitched the gelding from the gate and took hold of the bridle.

A clock within one of the line of stores along the western side of the now deserted square chimed a single note. He had been too preoccupied with his thoughts recently to pay attention to the passing of time since he had hauled the almost unconscious sheriff out of the saloon. But he judged from the length of the shadows cast by the bright sun of early afternoon that the chime signalled either one o'clock or a half after one.

Whichever, and it was of little consequence, the commercial section of town was at this time lethargically quiet as the square basked in the warmth of the spring day.

Along the row of stores, just the premises of Roland Decker and Harold Archer had closed doors. Which perhaps meant they were shut for lunch. Or maybe it was simply to assist in keeping the flies off the meat and away from the groceries. The feed and seed, hardware and dry goods stores were apparently open for business, but they did not seem to be doing any business.

On the north side of the square, Thadius Mackay's buggy was gone from where it had been parked an hour or so ago and the door of the law office was firmly closed. If Huey

Attrill did intend to include an item about the fight at the saloon in today's newspaper, he had already taken care of it, was still working on it or he would do it later. The press in the *Post-Despatch* building was silent.

The bank and the stage line depot looked closed, while the double doors of the livery stable and that in the shadowed porch of the Knights' boarding house were open—and from them emerged a hum of conversation. Likewise, there was low, even-toned talk within the saloon.

This indistinct, unobtrusive buzz was the only sound to compete with the slow footfalls of booted feet and clop of hooves as Steele led his mount across the square from the schoolhouse yard toward the livery stable. They were the only two living creatures in sight, unless the flies the gelding flicked his tail at were taken into account.

The Virginian knew he was being watched: from the window of Lavinia Attwood's room at one end of the schoolhouse, certainly, and maybe from one or more of the stores in back of the roofed sidewalk that ran along their fronts. But, too, he sensed at least one pair of eyes was studying him from over on the east side of the square toward which he was heading. Although he could not pinpoint the position of the watcher, he was certain that there was hostility in the scrutiny: hostility maybe portending danger.

But he did not entirely trust this instinct. The gunslingers and saddletramps had good reason to dislike him and be suspicious of every move he made. For he had shown that he was not afraid of them, as so many of the townspeople were afraid. And, also, he had proved himself to be out of a similar mould to themselves.

Would any of them make any aggressive move against him out here on the open square in broad daylight? After Joel Shumaker—the man who was the reason they were gathered here in Providence—had made it so clear so recently that he sanctioned no more trouble in this town now that Jack Andrews was due in?

Or, Steele reflected as he swept an apparently nonchalant gaze about him, had one or more of the strangers to town gotten up enough Dutch courage in the Golden Gate to ignore or forget the reason that they were in this quiet small town where usually so little of any note ever happened.

Then he did a double-take.

Down at the sign in the dust ahead of him as he crossed the end of the north trail, between the meeting hall and the law office. On such a well-trampled area of ground there was a confusion of tracks left by booted feet, hooves and wheelrims since the last strong wind of winter had manifestly disturbed the dust. But even eyes less attuned by a suspicious mind to search for tell tale signs would likely have spotted what captured Steele's attention.

Since first he, then Cowper Love, had ridden into town off the north trail earlier in the day, a four-wheeled rig drawn by a single horse had been driven onto the square. And steered toward the mouth of the alley between the livery stable and the rooming house. Which was perhaps of importance, or maybe had no significance in terms of Steele's present concern over what could be an imagined danger. As his muscles bunched involuntarily and he strained his ability to maintain the facade of a neutral expression on his slightly sweat-sheened face.

He glanced in through the half-curtained window of the law office, then peered between the bars into the lock-up. The place was empty and he found himself thinking momentarily of what Arlene Forrester—who cleaned the building—would have to say if she saw the bowl of dirty water and the heap of bloodstained rags that had been left on one end of Fallows' desk.

Then a couple emerged noisily from the batwinged entrance of the Golden Gate. The raven-haired whore and a man with buck teeth and bushy sideburns of unequal length whom Steele remembered seeing in the saloon earlier. They were both drunk, the man more so than the woman, and he would have collided with the saloon's now horseless hitching rail had not she steered him clear at the last moment. They both caught sight of Steele at the same time, and the whore showed a lopsided grin, while the man scowled, leaned heavily on her and slurred:

'Well, if it ain't the party-poopin' hick farmer, Maybelle!

Nosy-parkerin' in other folks' business again, are you, mister?'

Maybelle jerked him around, to turn his back to Steele, and began to urge him toward the rooming house. Glanced anxiously over her shoulder to explain: 'Latimer don't mean nothin' by it, honest. I guess, even, he's too damn drunk to know what the hell he's sayin'?'

She grimaced as he staggered and she needed all her attention and strength to keep him on his feet. Then she vented an indignant yell at him, when he dropped one of his hands to take a clawed grasp of her ample rear.

There had been a slight fall in the volume of background talk when Latimer's harsh-spoken challenge signalled possible new trouble. But it was immediately resumed at the same level as before after Steele failed to take issue with the drunk.

Then the Virginian angled to the side so that he could peer in over the batwings. A half-dozen heads turned toward him, including that of Harry Krim who looked a lot less anxious than when Steele had last seen him. The saloonkeeper nodded and grinned and gestured an invitation for Steele to step inside. Where the atmosphere, layered with smoke, smelled of a strong mixture of burning tobacco, cheap perfume, liquor and sweat.

The uninjured blonde whore was in there, drinking alone as she waited for one of the male patrons to get drunk enough to find her attractive. But only the aged Wilbur was doing any serious drinking, and he looked close to passing out. While the other three were engaged in a seemingly sober card game.

The tables and chairs overturned in today's brawl had been set upright again. But the debris from the previous night's fight was still heaped in the corner.

'Harlan Grout is at his livery, feller?' Steele asked.

Krim nodded, and the pause the query had brought to the saloon was at once ended by talk at the card table. And then, as Steele swung away from the saloon doorway, the buzz of conversation from inside and elsewhere was masked by the sound of a wagon started into motion. From over in the south east corner of the square, between the livery stable and the rooming house. Where the recently arrived rig had gone.

Steele started to look in that direction, but was distracted by the opening of the door of the stage line depot. The stockily built figure of the liveryman emerged.

'Did I hear you tell Harry you were lookin' for me, Mr Steele?' he asked, a little nervously.

He had apparently been having lunch with the Morrisons for he was still chewing on something as he wiped a trickle of grease off his chin with the back of a hand. Then he swallowed and dropped his hand, to reveal a worried frown on his ruddy complexioned face with its small, hooded brown eyes and sharply hooked nose.

'Right, feller.'

Grout nodded vigorously. 'Your horse, is it?'

'Sure thing. You have a vacant stall for him?'

Immediately Grout was easier in his mind. He nodded some more and came forward quickly: and Steele recalled how, in the saloon this morning, the liveryman had offered his help. It seemed Grout had since had second thoughts about this.

'I'll squeeze the animal into my stable for you, Mr Steele. Here, I'll take him. Anythin' you wanna get outta your saddlebags?'

Steele surrendered his horse and rocked the Colt Hartford slightly away from his shoulder and back again as he drawled, 'No, feller. Reckon I've got all I need right now.'

The liveryman clucked to the horse and tugged on the bridle in a manner that suggested that he was eager to get the gelding and himself into the stable just as soon as possible. But Steele did not think that Harlan Grout could sense any threat in the warm, still air. He was simply relieved that it was only his professional services the Virginian needed and he was anxious to start supplying what was required.

He prattled as he moved away with the horse; promising he would give the animal a good grooming while he was in the livery. Free of charge, since he was trying to cut down on

111

his drinking and it was easier to stay out of the saloon if he kept himself occupied.

'I'm grateful, feller,' Steele told him.

'Be my pleasure,' Grout replied like he meant it. Then he gasped: 'Oh!'

This as he raked his gaze from the Virginian to the slow-rolling wagon and back. And his smile of relief was briefly frozen: then was transformed into a puzzled frown.

The wagon which had come out into the open from between the livery and the rooming house was familiar to Steele. Brightly painted red, white and blue long ago: but these colours had dulled over the years on a vehicle which was more suited to city streets than western trails. Fairly recently, yellow paint had been applied over the faded colours, to letter a sign on the side panels which proclaimed Marvin Makepiece was hawking a patent medicine concocted by a certain Professor Job.

The snappily suited, necktied, derby-hatted drummer was driving the wagon. Along a different line from the one he had followed when he had entered town. Now headed for the start of Main Street: maybe to try selling door-to-door to the townspeople in the timber and the farmers and ranchers out in the valley. Or maybe looking to do business in other towns south of Providence. Or maybe neither, since the man had only just arrived in this part of town.

But Steele quickly rejected consideration of issues which might or might not be of consequence. Forced his mind to become a blank as he watched the rig. Knew the freckle-faced, sandy-haired, broad-shouldered and thick-waisted drummer directed a series of sideways glances toward him. Also knew, despite the distance, that Makepiece was sweating, his eyes were blinking frantically and his Adam's apple was jiggling.

For perhaps as long as ten seconds, Steele's expression remained neutral while his mind stayed blank, as he tested his own responses. Prepared to let the frightened man drive out of town, free and clear, without punishment for the trouble he had caused by hiring Sharpe and Garrett. For

112

maybe past troubles should be allowed to stay in the past, unavenged, while later and more serious ones threatened.

But then, in an involuntary move, Steele's right thumb cocked the hammer of the rifle. Which stayed sloped to his shoulder in a tighter grip than before. As his mind was suddenly no longer blank: and he saw an image from the past that was much more sharply defined than the scene before him now. Of Billy Baxter tied to the corral fence at Trail's End, screaming as a barrage of bullets forced him into a dance of terror.

Silently screaming. While the guns in the hands of his sadistic tormentors made no sound as the bullets exploded from their muzzles.

And because of the utter soundlessness of it, the image seemed to stand out with a greater degree of stark clarity.

'Drummer!'

In the moment he yelled the word, Steele felt he was on the verge of insanity: for he was not even sure that he had spoken it aloud. Thought it could have been a part of the same silent tableau that was being played out in his mind.

But then that moment was gone: just as the picture in his mind was no more, as Makepiece snapped his head to the side. To stare fixedly at the Virginian after the stream of blinking glances. And mere fear had suddenly become terror.

Steele snapped the rifle down from his right shoulder and brought up his left hand to fist it around the barrel. Levelled it from the hip toward the man on the wagon seat who for one moment considered taking an insane action of his own. Was on the point of cracking the reins and yelling at the horse in the shafts to demand a gallop. Until realisation of the indisputable spread across his sweat-sheened face: if he did that he was dead.

So he hauled on the reins, kicked the brake lever to lock the wheels. Then flicked his gaze toward a point behind and above the stalled wagon.

And Steele suddenly knew that his instinct for impending danger had been right this time. He had not simply been the object of faintly interested curiosity by a bunch of hard men and of trepidation by the medicine drummer. People wanted him dead.

Marvin Makepiece ... sure.

And somebody else: whoever was hidden up on the roof of the rooming house, waiting for the drummer's appearance on the square to spark a reaction from Steele.

'Oh, my sweet ...' Harlan Grout exclaimed in a strangled tone. And his gaze flicked to a point to Steele's left. So the Virginian added a third to his fast-growing list of men who were a part of the plan to sucker him into a gunfight he could not win. To catch him out in the open, in a situation that made him as responsible as his enemies for his own fate.

The Colt Hartford was cocked and aimed: at a man who was not a professional gunslinger and who did not even have a weapon in his hands right now. While up on the boarding house roof and off to the side behind him——

'Watch out, Steele!' Grout yelled. And whirled away from the horse, pointed a shaking hand to where the third man had shown himself between the corners of the saloon and the stage line depot. Then the door of the bank began to open and the liveryman hurled himself toward it. And a shriek of mixed alarm and pain was vented by Ethan Brady as the banker was knocked flying into his premises by the frightened man.

Not for the first—or maybe the hundredth and first—time during his life, Adam Steele was convinced he was moments from violent death.

In this instance, if two gunmen were backing Makepiece, why not a whole bunch of others? Including Shumaker, even? For if a troublemaker was shot down making trouble, then that maybe placed the killing outside of the fast gun's edict?

Instinctively Steele swung round, to hurl himself to the ground on his side. Reacting as fast as he ever had in a move based upon long experience.

Marvin Makepiece had a Winchester but he did not have a hand to it at the moment.

Someone was supposed to be on the boarding house roof, primed to cover the drummer. But he had to fire over some distance and, anyway, Steele could not see him.

He knew, from the degree of fear that had been on the face and in the reaction of Harlan Grout, that the man to the side was in plain, terrifying sight and just a few feet away: maybe his revolver out of the holster and aimed.

It was Jeremiah Sharpe. The skinny, blond, twenty-year-old with the deep-set green eyes who mostly had an arrogant set to his face. But he did not look arrogant now. He looked like a scared and shaking kid who seemed for part of a second to be paralysed except for that uncontrollable trembling of his every muscle after his hand fisted around the butt of the Russian in his holster.

'I didn't want no——' he started to excuse.

But then his voice dried up as he applied every iota of concentration to drawing the revolver out of the holster. And knew he had failed. For the hammer of the gun was back, but the muzzle was not quite clear of the leather when the rifle of the man on the ground was fired. Blasted a killing bullet into the left side of the narrow chest of the man who was not a fast draw. Who doubtless knew his limitations very well and perhaps had been trying to say he had wanted no part of what was happening. Had been persuaded against his better judgment by his stronger-willed partner.

Was hit by a high calibre bullet fired at short range on an upward trajectory: lifted off his feet and hurled backwards. The revolver slid down in the holster as he let go of it. To bring up both hands to where a black hole in his shirt front was beginning to seep blood. Which suddenly spurted as his heart pumped a final time. Then spurted again, when he landed heavily on his back.

Steele did not clearly see Sharpe's body slam into a spreadeagled attitude on the rock-hard ground. He received just a blurred impression of it. In the same fuzzy way that he saw other aspects of his surroundings as he wrenched around his head, then his body and lastly the Colt Hartford. While he struggled to get to his feet.

115

Indistinct faces above the batwings of the saloon. Others at the window of the stage line depot. Two figures at the doorway of the bank. Marvin Makepiece on the wagon, half turned toward him, bringing up his arms in front of him.

Then, with total clarity, the Virginian saw the familiar form of Joel Shumaker. Standing in a part crouch, the ivory-butted Remington in a double-handed grip—but not aimed at Steele.

The young gunslinger stood, rock steady, some ten feet away from the base of the steps of the boarding house porch. The revolver thrust high as he swung his head from side to side in a short arc, searching for a target.

Then the Remington exploded a shot. And a moving shadow showed on the square as an extension of the static shadow of the house roof: a shadow which threw itself upwards and flung out its arms to the sides, crosslike.

Steele shifted his gaze from Shumaker to the man on the roof. Recognised the skinny Clyde Garrett, with blood gouting from a neck wound, a bandage covering the bald area of his hatless head, as the unfired rifle sailed away from a lifeless hand. Close to death, the shot man stumbled against the chimney behind which he had been crouched, bounced off it and plunged into an almost graceful dive from the roof.

Shumaker tracked the limp body down with the Remington, the revolver re-cocked. Then turned just his head to look toward Steele: in time to see the Virginian swing the rifle away from its aim at him. Next, as the dead weight of Garrett thudded to the ground in a billow of dust, he turned his head even further: to peer over his shoulder at the wagon.

Just as the Colt Hartford cracked out a second shot. And Marvin Makepiece took the bullet in his panic-stricken face as the drummer got his Winchester levelled at Steele.

The shot tunnelled into the cheek, beneath one of the bright eyes, and sent the snappily garbed man sprawling backwards across the seat of the wagon as his rifle clattered to the dusty ground.

The horse in the shafts of the rig made to bolt: but the

braked wheels were dragged only a few dust-trailing yards before the animal abandoned his instinctive struggle.

The Virginian's gelding, unhindered after Harlan Grout plunged into the cover of the bank, galloped toward the far south west corner of the square, tossing his head and whinnying with fear.

Shumaker looked from Garrett's body close to where he stood, to the wagon on which Makepiece was slumped, to Sharpe sprawled a few feet away from Steele. Was grimly silent as he began to extract the spent shellcase from his revolver, then gave a curt nod of satisfaction before he said:

'What could be called waste-not-want-not shootin', I guess, Steele? Three bullets, three dead men.'

The Virginian thumbed aside the loading gate of the Colt Hartford and spread a flint-eyed grin across his face as he replied: 'Yeah. Reckon now no one's in any doubt about what kind of real mean killers we are.'

12

Voices began to sound from many directions but most of them were stilled when Shumaker, after pushing a shell into the empty chamber and sliding the Remington into his holster, announced:

'That wasn't nothin' personal, you people!' He swung his head slowly to look around the square, making it plain he was addressing himself to everyone within earshot. 'I took sides on account of I can't abide bushwhackin', and Steele was set up to get bushwhacked by Clyde Garrett, Jerry Sharpe and that piece of shit Makepiece! Guys like that, they get guys like me a bad name!'

Somebody in the livery vented a ragged guffaw. The man was obviously not in a position to see the expression of hard set earnestness Shumaker wore. And the gunslinger snarled in response:

'You think I'm makin' a friggin' joke about what I do, shithead? You figure that, you step outside that lousy stable and we'll see who's gonna get the last friggin' laugh, you hear me?'

Steele's horse had finished his gallop and there were stretched seconds of brittle silence on the square. Until a man called from within the livery:

'Gee, Joel, I didn't mean nothin' by it, honest I never!'

There followed another few moments of the same kind of high tension stillness during which, perhaps, many of the apprehensive watchers did not even dare to breathe aloud. Before Cowper Love called genially from an open upper storey window of the rooming house:

'Okay now! That's the curtain raiser over and done with! Figure Joel'd like to see the arena cleared of the trash before the main event takes place?'

'That's right,' Shumaker responded to the implied query. And his slitted eyes glinted as his thin lips parted to display a sardonic grin with which he completed another imperious survey of the facades of the buildings lining three sides of the square. Then looked levelly at the Virginian as he claimed: 'I want you to know, I didn't know a damn thing about this until I smelled a rat: and saw that instead of a rat, it was that piece of shit Makepiece I was smellin'. Ridin' his wagon, large as life.'

'Large as life is a well chosen bunch of words in your case!' the fleshy Blanche Knight proclaimed caustically from the doorway of her boarding house. 'The way you and your kind think death is such a small thing!'

Shumaker needed to work hard to broaden his grin as a mask for anger while he advanced on the steps at the top of which the heavily built woman stood. Then he countered with cruel sarcasm: 'If that's so, lady, the size of you, I figure you'll live for ever.'

He went up the steps without a backward glance across the square on which three newly dead men were sprawled. While Blanche Knight backed away from him into the house, cursing her hapless husband for a weakling and a coward who never took her part when she was insulted.

'I'm sorry, Mr Brady,' Harlan Grout blurted, and started to brush the banker's suit jacket where it was dusty from his enforced fall to the floor of the bank.

'Never mind!' the pale faced, grey haired little fat man snapped, urged the liveryman away from him and mopped at his face with a handkerchief. 'What's a little dirt—and a few minor bruises, I'm sure—compared with mass slaughter on our streets?'

Grout mumbled more apologies to the incensed banker, then said to Steele: 'Sorry I let your horse go and ducked outta the way of the shootin'. But I never had no gun.' He shrugged. 'I'll go bring him back. And make sure I give him an extra good curry, uh?'

Steele nodded as he completed reloading the Colt Hartford. Replied: 'I'm grateful you did the right thing, feller. A winded horse is better than a bullet in the back, I reckon.'

The low-pitched buzz of desultory discussions of apparently mundane matters had re-started in the saloon, livery and boarding house after the diversion of a shoot-out which had left three men dead on the sun-baked, dusty surface of the town square. But there was a harsher, more insistent tone to the voices that sounded from the stores. As people began to come on to the square from Main Street, and gave vent to their shock at the scene of carnage there.

Ethan Brady growled in a tone of mild rebuke that gradually became more pronounced: 'I'm very much afraid I'm beginning to feel we made a mistake in approaching you for the only kind of help that you seem able to offer, sir.'

His reproachful gaze shifted pointedly from Steele to the bodies of Sharpe and Garrett, to the wagon on which a third corpse was slumped and back to Steele. But before the Virginian could respond, the door of the stage line depot creaked open and Michael Morrison answered the banker in sour tones.

'How'd you like somebody in some other line of business to tell you how to run a bank, Mr Brady?'

'Don't interfere in what's none of our concern, son!' his mother advised anxiously.

Morrison was a short, ineffectual-looking, confirmed bachelor of something over thirty who was often the butt of humour because of how he usually always did as his mother told him. But now he ignored what she said as he stepped out of the depot and offered: 'You want me to see about the corpses, Mr Steele? Put them in the meetin' hall for now?'

Providence did not have its own undertaking business. Usually, Billy Baxter earned a few cents for digging graves in the cemetery beside the church on the south side of town. But two brothers came up from Broadwater to take care of the

120

skilled side of the business when necessary.

Steele nodded. 'Why not?'

'Hey, I'll give you a hand,' Harry Krim said eagerly and pushed out through the batwing doors of his saloon, prepared to let it take care of itself for awhile.

'And count me in,' Harlan Grout hurried to add. 'Just as soon as I've put Mr Steele's mount in the livery.'

Shaking his head sadly, Ethan Brady interrupted his patting at non-existent sweat to sigh and say: 'I thought it was just that benighted Baxter man who hero-worshipped you, sir. But it seems that so long as you continue to stir up the dirt, you won't have any difficulty getting sycophants to help sweep it under the rug, so to speak?'

Steele told him: 'You know the kind of money I've been promised, Mr Brady. I'll just say that if I was paying it, I sure wouldn't want the man who was getting it to waste his time on street cleaning.'

The banker vented another doleful sigh before he turned to go back into his premises. Mrs Morrison remained on the threshold of the stage line depot for a few more moments: like she thought the mere sight of her skinny frame there might lure her son away from the unsavoury chore he had elected to do. Then she directed a withering stare that spoke a volume of ill-feeling for Steele before she whirled and slammed the door behind her.

The Virginian, a lip-chewing, pensive expression on his faintly sheened face, started away from the corner of the square where Morrison and Krim were trying to keep their eyes averted from what they were doing, as they lifted the limp corpse of Jeremiah Sharpe off the ground by the ankles and armpits.

As he moved unhurriedly toward the line of stores, he pointedly avoided meeting the no longer eager gaze of Harlan Grout, who passed close to him leading the runaway gelding.

And he found he felt unconcernedly conscious of the fact that, despite the new way of life he was seeking to establish in the Providence River Valley, he nonetheless had to allow

121

that he had much more in common with the guntoting strangers who treated violent death so lightly than with the people who were his fellow citizens.

Fellow citizens with more or less fixed ideas, who could mostly be sub-divided into two groups and a centre section which often overlapped and sometimes merged with either of the main bodies of opinion.

In one clearly defined group were those like Harlan Grout, Harry Krim, Michael Morrison and a few more who were prepared to accept a violent solution to a violent situation, and even take some kind of hand in it once they could see no alternative.

In the other sub-division were Len Fallows, Abe Steiner and Mrs Morrison and, Steele was ready to think, maybe the majority of Providence people. These were against meeting force with force on principle, because they did not regard an eye for an eye as being an Old Testament tenet to which they could subscribe: whatever the situation.

Then there was the floating middle ground of opinion, represented by Ethan Brady, Huey Attrill, Roland Decker and maybe most of the storekeepers: people who either swayed in the currents of their own changing minds or went along with what the majority thought. They were anxious to see action taken against the unwelcome visitors to town, but most clung to reservations about the ways and means. Perhaps some even condoned violence: provided it took place where they did not have to look upon its effect. To watch as bullet-riddled corpses crumpled to the ground and flies settled in the wounds to forage on freshly spilled blood before it soaked into the parched ground. While drifting black powder-smoke polluted the clean country air and reached acridly into the nostrils of the most elevated noses.

When he had sunk his roots deep enough into the soil of the Providence River Valley to be accepted as a solidly respectable member of the community, in which group would he be numbered, he wondered. Should a similar circumstance be repeated in the future?

None, of course. For he had already reached the

conclusion that while he might well change his way of life he could never alter the kind of man he had become. So he would always stand apart from his fellow citizens. Much like Lavinia Attwood..? Who had no place in any of the sub-divisions. And neither was she aligned with him. For most of the time she remained as a kind of wise kibitzer, unwilling to voice an opinion unless invited: or she felt urged to do so by the weight of her own highly personal feelings.

She was standing in the gateway of the schoolyard now, but did not offer even a tacit judgment on the shootings as Steele glanced toward the tall, slight figure that would perhaps have appeared frail were it not for the customary rigidity with which she carried herself. As they looked briefly at one another, her angular features expressed much the same degree of preoccupation as did the lean face of Steele. Their gazes remained locked for long enough to allow an exchange of messages: for each to ask and respond to a question, perhaps. But there was no such communication between one loner and another before Roland Decker appeared at the doorway of the Kenway Hardware store to accuse:

'Well, it's a start, I suppose, Steele. But it appears to have had a very limited after-effect!'

The schoolteacher brought a hand out from behind her back and began to clang the bell that signalled that afternoon lessons were about to commence. Some children were among the group drawn by the trio of gunshots to hurry along Main Street and onto the square. Many un-accompanied and others in the custody of worried mothers who were reluctant to release them. Some of the students without their parents immediately responded to the bell, nervously eager to put their backs to the scene of the aftermath of violence. But a few found it difficult to tear their fascinated or horrified gazes away from the inert, fly-infested body of Marvin Makepiece on the wagon seat and Clyde Garrett's crumpled corpse out front of the boarding house.

'How's that, feller?' Steele asked of the aproned butcher.

123

And stepped up onto the sidewalk. Did not allow himself to be disconcerted by the way people shuffled to the sides to give him unimpeded access to the doorway of the hardware store.

Decker, his short neck red and his bald dome beaded with sweat, answered: 'Been just perfect if that display of fancy shootin' had scared all the strangers into packin' up and headin' out of Providence, is what I think. But if you didn't have the help of the gunslinger maybe ..?'

He shrugged his fleshy shoulders and there were a few nods and grunts of agreement. Also a competing body of vocal sound that belittled the suggestion. But this, it seemed to the Virginian, could have been as much a criticism of his part in what had just happened as a comment upon what the butcher had said. He drawled:

'Nothing's ever perfect in this world, feller.'

'Very true,' a woman agreed. 'In a perfect world——'

'We wouldn't need the high priced services of a man like him!' another woman completed acidly.

A man growled: 'Wouldn't ever have needed *his* kinda help ... If our duly elected officer of the law had stirred hisself earlier. Whole thing would've been in control by now!'

Steele stepped inside the Kenways' hardware store, and the talk that filtered in off the shaded sidewalk was a mixture of comment purposely spoken loud so that he could not avoid hearing it and near whispers that maybe the speakers half wished him to hear. Until a woman he thought he recognised as Amelia Decker said:

'I hear tell Len's laid up at home and the doc's forbidden him to set foot outside for a day or more. Let alone take a ride up to Broadwater.'

This was totally unexpected news to many and heralded a barrage of questions from people who had previously thought that the sheriff's absence from the scene was on account of him being out of town.

'Saw the whole thing, Mr Steele,' the elderly, squatly built, red faced and grey haired owner of the store said as he came out from behind his counter. 'Looked to me like it was a matter of them or you. Just like that cocky young gunfighter said!' He slammed the door against the buzz of excited talk outside. Then lowered his voice to ask: 'What can I get you?'

Steele told him: 'I have some time to kill, and some hair that needs cutting.'

Faith Kenway did barbering for men and women, working in a partitioned-off section at the rear of the store. She now appeared in the archway that gave access to this area, and pre-empted her husband's intention to speak.

'I guess Fred was about to tell you I didn't hold with the idea of takin' up a collection and hirin' you, mister.' She was an extremely homely woman, with tiny eyes and a disproportionately wide mouth set in a craggy face. Without doubt she was the ugliest female in Providence: but also was the most good natured. She went on: 'A person—especially a woman—is entitled to change her mind. Opinion now is that if our lawman has let us down, then we got to get what we can. And if you're the best we can get right now, then I'm for you. Whichever way you figure to handle things. Step right inside, young man.'

Her husband growled: 'Women!'

The Virginian shrugged toward him without smiling and went through the archway to take a seat in the cool, quiet room that was the depth of a store away from the heat of the sun and the discordant chorus of talk on the square.

It was only as the woman took his hat to hang it up for him and then placed a crisp white cape around his shoulders that Steele recalled the last occasion he had been in Faith Kenway's barbering parlour. That was at a time when he had been torn between taking two courses of action to deal with trouble that had involved him at a far deeper personal level than now. When his hiring on of Chadwick Drabble out at Trail's End had led directly to violence in town.

Today was totally different. There was no choice to be made, for he had already committed himself. Even before the shootings of a few minutes ago, when he had been able to take care of the personal issue. Fate had conspired to give

125

him such an opportunity: to have Marvin Makepiece, Clyde Garrett and Jeremiah Sharpe lying cold and getting colder in the meeting hall. Squared away, neat and tidy.

Just as clear cut in his own mind was the decision he had taken after sleeping on the proposition the delegation of townspeople had put to him last night. He was committed ...

And so it had been a pointless exercise to catalogue the pros and cons of his fellow citizens' opinions of him. As he crossed the square from the scene of the violence to this peaceful back room where an ugly faced woman carefully clipped his iron grey hair that had not turned that colour on account of worry...

Any doubts he may have had to consider in such a situation as this had been resolved in the inner sanctum of another woman. When he had spoken to Miss Lavinia Attwood about maintaining her habitually unruffled demeanour, come what may...

Whether one or a score of men backed him by doing more than picking up the dead off the streets of this town, he had to walk the unswerving line in the manner he had spoken of to the schoolteacher...

If he hoped to live in peace—and at peace with himself—out at Trail's End.

'You feelin' better some now, young man?' Faith Kenway asked.

'Ma'am?' he countered automatically. But immediately registered the query she had posed while his thoughts had been far removed from his surroundings: as he saw his reflection in the mirror on the wall in front of him—rather than hazy images which had been coming and going across a far away middle distance.

'I'd say you came in here with somethin' heavier than long hair on your mind,' she replied. 'And it's my experience that cuttin' hair off the outside of a person's head don't often make too much difference to what's goin' on inside. Not never when it's a man.'

Steele developed his expression of quiet satisfaction into a smile. Realised he must have been frowning when he first sat

126

in the chair before the mirror. He told the woman: 'Reckon there's no better place than a barber's chair for a man to do some serious thinking, ma'am. Long as the barber isn't one of the kind that thinks every customer wants to have his ear bent while his hair's cut.'

'My pleasure, Mr Steele,' she said as she removed the cape. Took care not to spill hair trimmings on his shirt and pants even though they were still dusty from when he went to the ground at the start of the gunfight. 'Glad to give you my ten cent service. Especially since you didn't want me to look into your future while I was doin' it.'

Faith Kenway did not take seriously the belief by some Providence citizens that she had second-sight. It was said that some women visited her parlour as much to seek her guidance on their future as to have their hair attended to.

'But I reckon you have an opinion about mine?' Steele suggested evenly as he handed her the dime. Then picked up the Colt Hartford from where it leaned against the chair, and turned to take his hat off the peg.

'Don't need to be a teller of fortunes to make a pretty good guess at that, young man,' she replied, a sorrowful look on her unlovely face. 'And it wouldn't take long to tell: on account of unless you get some help—or you get real lucky—you ain't got too much of a future. If you plan on doin' what certain folks want you to do.'

From the store through the archway, which had not drawn any customers since Adam Steele had been seen to come into the building, Fred Kenway growled: 'That woman maybe don't do much talkin' while she's cuttin' hair, Steele. But she sure does make up for it when she's finished.'

His wife gave Steele a serene smile that acted to detract from her homeliness, as she said: 'Don't pay any attention to what's claimed for me seein' into the future, young man. If I was gifted in that way, I guess I'd have foreseen the man I was goin' to marry would end up a storekeeper and I'd need to do barberin' to keep body and soul together.'

'What's that, woman?' Kenway muttered without rancour from near the doorway of the store.

'I was gripin' about not bein' married to a rich man, you old coot!' Faith countered, with only mock disdain. Their marriage was considered by outsiders to be an extremely happy union.

Kenway opened the door on to the shaded sidewalk and the dazzling, sun-bright square beyond. Growled good naturedly: 'Only thing that keeps me from being rich, I figure, is being married.'

He vented a belly laugh: but then his mood underwent an abrupt change. This as he swung on to the threshold, blocking the way to the Virginian. Steele and Faith saw the change of manner at the same time. It was the woman who spoke.

'What now, Fred?' she asked anxiously as she hurried on ahead of Steele to cross the store.

'He's one crazy sonofabitch!' Kenway rasped cryptically through gritted teeth.

And had no need to explain what he meant. For by then he was flanked by both his wife and the Virginian. All three of them cracked their eyes against the brilliance of the afternoon sun. Along with a rapidly rising number of people on the three built-up sides of the square. Which was now cleared of all signs of the recent violence: to an extent that even the bloodstains had been obliterated by kicking dust over the fast-dried patches after the corpses and the patent medicine wagon had been removed.

At first glance it seemed that just Huey Attrill was moving on the otherwise deserted square. He had, as usual on a Thursday, set up a trestle table outside the doorway of his newspaper office. Stacked on it was a pile of the latest edition of the *Post-Despatch* near a slotted-top box for the honest citizens of Providence to leave their nickels when they took a newspaper. Attrill was now astride his elderly mare, on his back a satchel bulging with copies of the newspaper for distribution among the townspeople who subscribed for house delivery.

But the way the newspaperman abruptly reined in his mount and expressed surprise signalled that he was not the reason for Fred Kenway's curse.

Thadius Mackay's black and blue phaeton was moving sedately off the end of Main Street on to the square. But it was not the town doctor who held the reins of the single horse between the shafts of the four-wheeled buggy. For he was the passenger, looking irritable and uncomfortable as he sat hunched beside Sheriff Fallows: glowering directly in front of him in a manner that suggested he felt he might lose control of his temper if he allowed his attention to wander for just a moment to left or right.

Similarly, the lawman also peered unwaveringly ahead: like he felt he might weaken in his resolve should he fail to maintain this fixed stare into the middle distance, for despite the scars of the beating on his face an expression of resolute determination was clear to see.

Fallows held the vehicle on a perfectly straight course from the end of Main Street toward the beginning of the north trail until, at a midway point across the square, the heavily sweating Thadius Mackay spoke a monosyllable to him. And he responded at once without a spoken reply or shifting his steady gaze: hauled on the reins to bring the horse to a halt.

'Len, just what on earth is going on?' the newspaperman asked apprehensively, and made to swing down from his saddle.

Fallows did not need to look at the obese man whose buggy he was driving, obviously with permission granted grudgingly. For the way the rig tilted and then levelled up again showed when the doctor climbed out. Then the reins were slapped against the back of the horse and the buggy started off at the same measured pace as before.

'Damnit, Thad!' Attrill snapped angrily at the fat man who stood, sweating and quivering, on the centre of the square: scowling toward the rear of the departing vehicle. 'Just what the hell is happening?'

There was a chorus of backing for a response to this demand from some quarters. While elsewhere the strangers to town watched with either half amused interest or turned away with total indifference to get back to what had occupied them before the arrival of the phaeton distracted them.

Fred Kenway yelled across the babble of inquisitive background talk: 'Come on, Thad? We all want to know what's——'

Mackay raised his shaking arm and pointed a trembling finger toward his buggy as it went between the law office and the meeting hall. And complained in a strained voice: 'That man's in bad shape. He quite possibly has a cracked rib that could well break under the least strain. And should it break it could puncture a lung with dire consequences!'

'So why didn't you stop him from——' a woman began.

'He's the sheriff around here, damnit!' Mackay raged, his temper suddenly lost as he whirled to face the area from which the criticism had been voiced. 'So his word is law! I'm merely a doctor! I can do no more than advise! I'm here to make that clear, you hear me? If Len Fallows kills himself as a result of what the fool is doing, it is no responsibility of mine! I've warned him of the danger and he has chosen to——'

A gunshot cracked across the rising shrillness of Mackay's voice and brought a premature end to the tirade. And in the shocked silence that crowded the square in its wake the out-of-sight buggy was heard to come to a halt. As both the doctor and the newspaperman stared fixedly for stretched seconds at the hole, beneath a puff of exploded dust, that had been blasted into the ground some six inches to the side of one of Mackay's feet.

Then they and everyone else switched their attention toward an open window of an upper storey room of the Knights' boarding house. Where Joel Shumaker stood, naked above the waist, beside Hannah Wynter who had wrapped a blanket around her body. There was still smoke wisping from the muzzle of the scowling young gunslinger's Remington when he began to snarl into the taut silence:

'Hey, you people! I was told this was a quiet town!'

Roache yelled up at the window from out front of the

livery stable: 'Joel, that crazy sheriff they got just left to go to Broadwater!'

The buggy out on the north trail was heard to start off again, without haste. And the scowl on Shumaker's handsome face became a smile as he shrugged and answered:

'That's no loss, man.'

'But, Joel——' the overly tall man with the light blue eyes and discoloured teeth began to protest.

'On account, Roache, that as a peace officer, he wasn't doin' such a good job of keepin' the peace in this town! Peace as in quiet, you people! While I'm gettin' myself ready to go up against Jack Andrews, that's what I want!'

He swept his dark-eyed gaze back and forth between their slitted lids so that his glinting eyes were directed at every part of the square. Then he completed: 'You understand that? All I want is a little peace and quiet!'

Somebody in the Golden Gate Saloon drawled: 'We can all see you've already got yourself a little piece, Joel!'

'Disgusting!' a woman on the sidewalk out front of Archer's Grocery shrieked, highly shocked. 'Just how disgusting can some men get?'

Cowper Love appeared at another window of the rooming house, the smug Maybelle at his side: both of them fully dressed. He toyed with his thin moustache and his yellow-tinged eyes glinted with happiness and maybe liquor as he called across the square: 'Seems to me, that depends on how disgustin' their ladyfriends allow them to be!'

Maybelle giggled and moved a hand behind Love's back. Low down. Love let out a whoop of pleasure and then slammed the window closed. A moment later, after another scowling survey of the square, Shumaker followed his example.

Then the sweating Thadius Mackay kicked ineffectually at the ground where the warning bullet was buried, cast a final embittered glance out along the trail where the buggy would no longer be in his line of sight, turned unsteadily and strode purposefully toward the saloon.

As Huey Attrill, looking disgruntled because his hissed

131

final questions were ignored by the fat man, clucked his horse forward to resume his delivery round.

'Well,' Fred Kenway muttered, solemn-faced as he shook his head. 'Maybe he left his move a little late, but now we know Len Fallows has sure got guts.'

His wife countered with a sigh: 'What that man's got is somethin' else that's cracked outside of a rib. Like his head!'

'Mrs Kenway, Mr Kenway,' Steele murmured as he stepped out of their store and put on his hat.

The handsome and statuesque, youthful-looking, middle-aged Amelia Decker said from the entrance of the meat market immediately next to the hardware store: 'It seems now, perhaps, that your services will not be required after all, Mr Steele?' She sounded and looked apologetic.

'Nonsense, Amelia,' a woman unknown to Steele argued. 'The sheriff, in my opinion, is going far too little, far too late.'

'That sure is right,' a man in patched dungarees agreed. 'What we just seen was nothin' more than an empty gesture, I reckon.'

'Damn right,' Harold Archer said. 'And it'll need a damn sight more than a gesture to rid Providence of the troublemakers.'

Roland Decker glared at Steele's back while the Virginian stood on the lip of the sidewalk, apparently staring into space. 'You got anythin' in mind, mister?' he demanded grimly. 'To earn that big money we've said we'll pay you?'

Steele said absently: 'I'm thinking about it, feller.'

'Thinkin', damnit? Seems to me that's what Len Fallows did for too damn long!'

'Decker!' Fred Kenway warned sternly.

'Think about this, mister!' the irate butcher snapped, his short neck redder than ever. 'The town hired you, so the town can fire you. And since you ain't done hardly any damn thin' to——'

'Roland!' his wife hissed anxiously, and tugged at his arm.

Steele turned just his head, so that he could see all the people gathered along the sidewalk. And they were able to see how his coal-black eyes gleamed with an icy coldness.

Then, like Joel Shumaker a few moments earlier, he raked a gaze over the other sides of the square. Included in this scrutiny a group of people who were nearing the end of Main Street, anxious to discover the reason for the latest, single gunshot in this area of their town.

Finally; he peered into the middle distance, and his tone matched the glint in his eyes as he said flatly: 'There's one way I'd like to be fired, ma'am.'

It was Faith Kenway who started to protest: 'Young man, I'm sure you'll——'

Steele interrupted: 'With more enthusiasm.'

13

Steele stepped down from the sidewalk and started to recross the square. For a few moments he could hear the hiss of low-voiced talk as some of the citizens of Providence puzzled over the meaning of what he had said to Amelia Decker and Faith Kenway, while others came to terms with the knowledge that it had been a barbed strike at them and their town.

As he walked slowly in the hot sun, he absently rubbed a gloved thumb up and down on the inscribed gold plate screwed to the right side of the fire-scorched stock of the Colt Hartford. And for a few seconds eyed the facade of the rooming house where now the only sign of life was in the hallway beyond the porch that at this time in the afternoon had no shade. Here, the full-bodied, fat-faced, sour-natured Blanche Knight was vigorously sweeping a cloud of dust out into the sun-bright air: wielding the broom with frenetic, angry strokes—like she felt she could eradicate the moral stain along with the plain and simple dirt providing she worked hard enough at the chore. So that her boarding house would be as respectable and as scrupulously clean as it always had been until a few short days ago.

As he angled toward the livery stable, some of the newcomers from the houses in the timber advanced on the stores or the saloon, while others made to return to their homes and work. And Steele's mind became host to two images of the slit-eyed, tight-lipped Joel Shumaker: during those moments after the end of the gunfight when he had reacted to Blanche Knight's taunt about his view of the cheapness of human life, and then when he had responded to the loud, righteous anger of Thadius Mackay. The deep scowls and the shallow smiles, the fast-shifting tones of his voice and the way his dark eyes darted their gaze this way and that. All of which showed, Steele was convinced, that the young gunslinger was scared.

Which was no big thing, considering what he was trying to achieve. Probably he had been just as afraid while he waited to go up against Jay Lomas. And the one, two or maybe twenty-two gunfighters, each with a reputation as a fast draw, he had faced before that Yuma showdown, as he purposefully went about gaining a fearsome reputation of his own that named him second to none.

But had the circumstances ever been quite like they were today, as Shumaker waited in the boarding house room? Trying to ease the tension of the wait with the company of a woman as he wondered nervously about how fast on the draw was Jack Andrews. Knowing that no matter how good his mind imagined the man from Kansas to be, he would not back down: get out of Providence before Andrews reached town. For in his own way, Shumaker was as committed as Adam Steele to do what had to be done—and it mattered not at all that a townful of people were awaiting the outcome of their decisions. It was for their own future peace of mind: and any other considerations were no more than unimportant side issues.

This was not a pointless train of thought. For having concluded that Joel Shumaker was not about to be frightened into running, it followed that his fear was likely to have an effect on him when he faced Jack Andrews. Would it hone his reflexes and make him faster on the draw, accurate with the shot? Or would it slow him so that maybe he had no opportunity to fire? After the single report, or maybe two gunshots, had cracked out, who would be sprawled dead in the dust and who left standing?

Shumaker, filled with renewed confidence after enduring hot hours of energy-sapping fear? But still the same man, with whom Steele had some kind of tenuous link forged during an earlier gunfight. Or Jack Andrews? A total stranger and therefore an unknown quantity.

Which one would be the more likely to leave town immediately? Make the decision that would surely influence the rest of the strangers who hungered for greater excitements than Providence offered—except at a time when a gunfight between two fast draws was imminent.

But, Steele realised, he was examining just one possible aspect of the future and how Joel Shumaker's state of mind might influence it. How would it be if Jack Andrews was not allowed to reach town?

'Mr Steele?' Fred Kenway said tautly as he fell in beside the Virginian.

Steele looked at the slightly breathless storekeeper, then briefly over his shoulder to where just a half-dozen men and women waited in the shade of the sidewalk. As Kenway went on:

'Is there anythin' we can do? Those of us that are willin' to lend some kind of a hand, that is?'

Steele answered: 'You can accept my resignation, feller.'

They both halted as Kenway gasped:

'What? Why, man?' He stared hard at the Virginian, like he did not believe he had heard correctly.

Steele told him evenly: 'I never ask anyone to do what I wouldn't do myself. Right now what I plan to do is whatever I can to make this town a fit place to live in. But this town can't afford to pay anyone else a thousand bucks to help me, I reckon?'

'You mean . .?' Relief spread a wan smile across his florid face.

'Yeah, that's what I mean.'

Kenway swallowed hard. 'You still didn't answer my question, Steele. Not in the way I mean, anyway?'

'Just have people stay away from the strangers as much as they're able while I'm out of town: don't do anything to rile them.'

'While you're out of town? Where do you plan on goin'?'

'After Fallows.'

'Broadwater?' His perplexity was expanding.

'I don't think the sheriff's going to Broadwater, Mr Kenway.' Steele squinted in the general direction of the sun that was close to midway down the south western dome of the cloudless sky. He added: 'Jack Andrews plans to get to Providence before nightfall.'

'Shit,' the storekeeper growled, and remained where he was for a few moments. Then he nodded, spun around and headed back toward the line of stores.

Steele continued on across the square and sensed only the watching eyes behind him. Maybe a single pair followed his progress from the schoolhouse, but he did not even glance in that direction to see if Lavinia Attwood was briefly neglecting her students.

Now, after Shumaker had issued his edict for peace and quiet, it seemed that none of the strangers were worried about further trouble from the townspeople or the out-of-town rancher who had claimed to be next in line to be sheriff. For that office was still filled by an incumbent.

'Somethin', Mr Steele?' Harlan Grout asked eagerly, from just inside his livery where he was completing the curry of the Virginian's gelding.

From deeper inside the stable came the sounds of regular breathing and an occasional snore as perhaps a half dozen men slept off the effects of morning drinking.

'My horse, feller.'

'You're leavin'?' He sounded perplexed and looked a little afraid.

'That's right.'

'But I thought——'

'You're good at what you do, Harlan,' Steele cut in evenly, and eyed the highly sheened coat of the freshly groomed horse. 'Leave the thinking to other people, uh?'

'And the yakkin' for some other time?' the elderly Wilbur complained from somewhere at the back of the stable beyond the reach of the sunlight that shafted in through the open double doorway. 'Or get the hell away from here, so

137

you don't spoil no more of my beauty sleep.'

'You know what I don't think?' the familiar voice of Roache growled.

The Virginian peered into the depths of the stable that had ten stalls down each side and a tack room and storage area at the rear. Only three horses were in sight above the timber sides of the stalls.

'I don't think you oughta leave town, that's what,' the man with the dull teeth and bright eyes said.

Then came the unmistakeable sounds of the hammer of a sixshooter being thumbed back. And a very wet spit from the area of the stable where Steele knew Wilbur was bedded down, across the central aisle from the stall occupied by Roache with the cocked revolver. Before, from elsewhere, a man warned grimly:

'Joel said he didn't want no more ruckus, Dave.'

'He's got things on his mind, Slater,' Roache countered, and rose up in the stall. The woman who shared his sleeping quarters vented a cry of pain as she was awakened by him stepping on her, then she cursed when he kicked her and snarled: 'Shut up, Polly.'

The noise roused other sleeping men who quickly curtailed their growling protests when they saw Roache had his gun aimed toward Steele and Grout in the brightly sunlit doorway. Then Roache lowered his voice after snarling the order at the whore, to continue what he was saying before the interruptions.

'If Shumaker didn't some of the time have his mind between the legs of that red-headed dame and most of time on how fast Jack Andrews is gonna be, he'd have figured it out the same as me.'

He paused and darted his gaze rapidly from side to side, so his attention was diverted from the apparently nonchalant Steele for just a part of a second. His aim with the gun did not waver as the smug look began to slide off his face, until a man brought the smile back by responding to the cue. Asked:

'What's that you've figured out, Dave?'

'Simple, lunkheads! Shumaker's buddy said this mornin' that Jack Andrews figures to be in town by nightfall, ain't that right? So I figure that half-assed lawman I oughta have killed at the saloon this mornin'... He's fixin' to meet up with Andrews out on the trail, ain't he?'

'Hey, that's right!'

'Damn!'

'Shit!'

'Sonofabitch, why didn't we see that?'

'On account of you ain't so friggin' smart as me!' Roache snarled across the rising volume of talk, his harsh tone not altering the self-satisfied expression on his face. 'And if you hadn't all been goofin' off asleep, you'd have seen this pint-size punk that acts so big. Over on the other side of the square, havin' a cosy little pow-wow with a bunch of the other no-hopers that live around here.'

Harlan Grout directed a surreptitious glance at Steele. And his anxiety was eased when he saw that the Virginian was totally unmoved by the insults.

Roache went on: 'Then you'd have seen him havin' another nice quiet talk with one of them old coot storekeepers. Right on the middle of the friggin' square where anyone with eyes could see 'em. See how the old coot was down in the mouth, then happy as the cat that got the friggin' cream. And anyone who wasn't short in the head could work out, when the punk here plans on leavin' town, that he might be about to lend a hand to the guy he stopped me from finishin' off this mornin'? What do you think of that, dumbos?'

'Hey, that's real smart, Dave,' Polly said, eager to get on the right side of the man again as she got to her feet. And showed her badly bruised face and her naked shoulders and breasts above the stall partition. She grinned until she recognised Steele: needing to squint against the bright sunlight that made the Virginian and Grout and the horse little more than dark silhouettes in the doorway. Then she scowled as his presence reminded her of the fight in the Golden Gate. Before Roache snarled at her:

139

'Cover your friggin' tits, woman! Unless you want I should take up a collection—pay part of what I'm payin' for a look at what you got!'

She gave what was left of the scowl to him as she sank out of sight.

A man guffawed and growled: 'Now I seen what it is that whore's got, I don't reckon I'll bother——'

'Hold it!' Roache snapped. 'And the rest of you, keep your friggin' mouths shut! Listen!'

It was several seconds since Steele had first heard the sound that triggered this abrupt new command from Roache. For he had the advantage of being on the threshold of the livery, better placed than anyone else to hear sounds from outside the building. Shortly afterwards, Harlan Grout who stood just a few feet away, had heard the same thing. But he saw the warning glance Steele directed at him just as he was about to call attention to it. Now it no longer mattered, and perhaps it never had.

A clopping of hooves as a number of horses—maybe as many as a dozen or even twenty—approached town along the north trail at an unhurried pace. At first, just the jingle of harness counterpointed the sound of hooves hitting the hard-packed dirt. Then Steele and Grout were the first to hear a third component sound as Wilbur started to complain:

'My ears ain't what they used to be! What're you guys hearin' that——'

Roache snarled: 'If you don't shut your damn trap, McVay, I'll tear out your tongue so you'll be as dumb as well as deaf, you old bastard!'

When he had finished the threat, the riders on the north trail were close enough for all the sounds they were making to be heard in the depths of the stable. So everyone knew that there was a wagon of some kind in the group.

The same sounds were heard elsewhere around the square and now, once again, people emerged from many of the buildings. The stores, the saloon, the stage line depot, the bank and the rooming house. While all but one of the men

140

who had been sleeping in the livery—and the hastily dressed Polly Drake—crowded toward the doorway. And Dave Roache cursed as the line of fire from his levelled Colt to Adam Steele was frequently blocked by the press of people eager to see if new violence was set to explode on the main square of this quiet town.

Then ten men rode into sight on horseback. There had been eleven when they started out, but now there was a riderless horse hitched to the rear of Thadius Mackay's phaeton.

The doctor, standing out front of the saloon, rasped in a strangled tone as he saw the familiar vehicle roll on to the square between the law office and the meeting hall: 'That's my buggy, damnit!'

The man whose horse was tied on at the rear was driving the rig while Len Fallows was slumped in the passenger seat, wedged into the corner, his head lolling down on his blood soaked shirt front.

When the lawman and the condition he was in were recognised, there was a massed venting of shock from many areas of the square. But nobody moved to approach the newcomers. Most of whom seemed to be cut in a similar pattern to the men Joel Shumaker had drawn to town by the prospect of his proposed gunfight with Jack Andrews. Perhaps more of them were in a slightly older age group: between forty and fifty. Except for one white-haired, pale-skinned, bright-eyed near albino who was no more than seventeen. Leather-skinned, hard-eyed, unshaven, sweat-beaded, darkly clad men. Packing sixshooters in tied-down holsters and repeater rifles in boots slung from saddles laden with all the necessary accoutrements for riding long and gruelling western trails.

Two smoking cigarettes, three cigars. One chewing tobacco. One constantly scratching his crotch.

Just two of the horsemen rode in front of the buggy. One, close to forty, had a neatly trimmed spade beard at odds with the rest of his appearance, which was as dishevelled as that of his fellow riders. The older man was taller and

141

broader, with red hair and a moustache that had as much grey in it as red. And eyes almost as brightly blue as those of Dave Roache.

Roache himself had remained in the stall near the back of the stable for some time after the rest of the men and the blonde with the swollen nose had reached the open doorway. Then, after he realised Steele was ignoring him and his gun to the same extent as everyone else, he cursed, spat, shoved the Colt hard into his holster and shuffled out of the stall. Reached the crowded doorway just as the man with the carefully groomed beard held up a hand in the manner of a cavalry officer: and the buggy and its outriders responded to the tacit command with less than military precision to bring the rig and the mounts to a standstill.

The man who had signalled the halt maintained his demeanour of authority as he raked an imperious gaze over the facades of the buildings and the silent people who stood out front of them. While the rest of the newcomers expressed weariness, idle curiosity, sneering contempt or indifference to what they saw.

'Understand there's a man in this town named Shumaker who's waiting for me!' the man with the spade beard announced at length, having no need to yell in the silence.

A window in the boarding house was opened and everyone looked toward it. Thus the young gunslinger, still bare-chested, was the focal point of all attention when he leaned out to respond:

'You ain't had a wasted trip... Jack Andrews?'

Andrews showed less emotion than when he had surveyed the square as he looked toward the man at the window for no more than a second. Then he said in the same tone as before: 'It wouldn't have been wasted, son. If you'd taken off, I'd have tracked you down. If somebody else had got to you before me, I'd have killed him.' He ran a bare forearm across his brow, then altered his tone slightly to add: 'I fight clean, okay?'

Shumaker was suddenly angry as he responded quickly: 'It's the only way I fight! I already killed somebody today!

142

On account of he tried to bushwhack a guy! I can't abide...'

He allowed his voice to drop, then it faded away to nothing when he saw Andrews start to slowly shake his head. And into the silence the older gunfighter pointed out:

'That clean is how it has to be, son. Seeing how many men we got betting their money on us. I mean I need some time to wash up and shave, change clothes. That kind of clean. It's the way I am.'

'Sure, *Mister* Andrews,' the bare-chested Joel Shumaker responded, and his emphatic use of the courtesy title was obviously a taunt to counter what he considered to be the older man's patronising use of the term *son*. 'I wasn't countin' on you reachin' town until sundown, anyway. And I'm happy to kill some more time with my ladyfriend.'

Hannah Wynter moved up beside Shumaker and he draped an arm around her shoulders. Andrews gave the redhead no more than an indifferent passing glance before he scanned the square again. Then asked:

'Out here where it's to be?'

'Fine with me, Mr Andrews.'

'What's the time, Grover?'

The man with the grey and red moustache sitting a horse at Andrews' side fished a silvered watch out of a vest pocket and flipped open the lid. Leaned close to whisper something to Andrews, who pondered a moment, then announced:

'Seven o'clock sound okay to you, son? That's about two hours off.'

Grover whispered again, and Andrews nodded shortly and corrected himself without embarrassment:

'My mistake, son. A little less than three hours. Time enough?'

Wilbur growled sourly: 'Sonofabitch, I guess that feller just has to shoot better than he tells the time.'

Shumaker said again: 'Fine with me, Mr Andrews... One thing?'

'Yeah?'

'What happened to the sheriff?'

There was a ripple of derisory laughter from the men still

143

astride their horses behind the buggy. Then the noise ended so that Jack Andrews could respond without need to raise his voice:

'The jackass tried to stop me getting here, son. Sat in his buggy in the middle of our road and claimed he wasn't going to allow any gunfight in his town. My partner—Grover here—he had to insist we did. The hard way. He didn't throw his knife to kill, and the sheriff was alive after Grover's blade was pulled out of him. But I don't know about now...' He turned to ask: 'Bannion?'

Bannion was the sunken-eyed, hollow-cheeked man who had taken over the reins of the buggy after Fallows was knifed. He simply shifted his gaze from Andrews to the bloodied man slumped on the seat beside him, then back again to reply with a shrug and a grimace: 'Well, Jack, I guess he wasn't in such good shape before Grover knifed him, uh?'

From close behind the Virginian, a familiar voice rasped: 'Well, ain't you the lucky one, punk? Seems like I did you a favour. If you'd gone ridin' out there to help the man with the tin star, you'd be just like him now, maybe?'

Most of those in the livery doorway continued to look toward the group of newcomers. As Shumaker closed the rooming house window. Then Thadius Mackay from one corner of the square, and Lavinia Attwood from another, advanced a little tentatively on the buggy.

Steele was aware of Jack Andrews issuing a challenge to them, not shouting. And of the schoolteacher saying something in reply about the local people's wish to take care of their lawman. There was mention, too, of Mackay being a doctor. Whatever the precise words used in the even-voiced exchange, Andrews instructed Bannion to get down from the buggy and let the thin woman and the fat man have it and its unmoving occupant.

Then the Virginian turned slowly. But moved the rifle fast: brought it down from his shoulder in a way that thudded the end of the butt viciously into the midriff of the taller, stronger and younger man.

144

Out on the square, the newcomers began to disperse from the group. Some swung down from their saddles and others clucked their mounts forward. As more of the townspeople spilled across the square to crowd around the buggy where Mackay was making his examination of the lawman who from a distance looked to be dead.

By then the six-feet-four-inch frame of Dave Roache had been reduced by a third, after he had groaned, staggered backwards and dropped to his knees, clutching at the centre of his injury. This as Harlan Grout had to calm the gelding which had been spooked by the sudden activity. Which was when everyone else in the livery stable doorway swung round to look for the cause of the disturbance: in time to see Steele step toward the gasping-for-breath man who bared every one of his discoloured teeth in a grimace as tears of pain spilled from his glittering blue eyes.

But Roache was not so disorientated by the pain that he failed to realise the attack was not yet over. He dragged one hand away from his middle to claw for his holstered Colt. But before his fingertips touched the butt of the revolver, the side of the Colt Hartford's stock smashed into the bristled jaw beneath the stained teeth. Tipped him off his knees and over onto his back, a snarl of rage and greater pain ripping through his teeth.

Steele heard a chorus of vocal sounds from behind him. Detected viciousness in many of the voices but did not sense any animosity directed at him. The sounds came from a mob of sadists lusting to see blood—and they didn't care which participant in the fight spilled it. So nobody was about to intervene. Yet.

He lunged toward the bigger, stronger man who was momentarily spreadeagled and winded by the impetus of the fall. Dropped onto one knee, left gloved hand fisted around the frame of the Colt Hartford, the butt end on the ground, as he reached in through the split seam in the outside of his right pants leg: to draw the knife from his boot sheath.

A moment later the barrage of shouting died down, as the needle sharp point of the blade hovered within a fraction of

145

an inch of touching the sucked-in skin at the base of Roache's pulsing throat.

'Sonofabitch,' a man rasped.

'Shit,' Polly Drake murmured.

Steele flicked his gaze around the half circle of men and one woman who had pulled up short. Saw now that two of them were poised to make aggressive moves—a man with a purple and black swelling around an eye who was about to draw his revolver and, behind him, Harlan Grout: who held a hand high, ready to bring the sharply wire-bristled side of a curry brush down toward the man's cheek.

But the man who had recently been in a fight of his own looked sheepishly around and dropped his hand away from the holstered gun as he realised that no one was prepared to back him. Then Grout lowered the brush, looking sick to his stomach.

Steele looked down at the gasping, sweating, wide-eyed Roache and asked: 'You know what that piece of you is called that's jumping up and down, feller?'

'Uh?'

'That piece,' the Virginian augmented. And moved the knife a little to prod the greasy-with-sweat skin of the pulsing throat lightly with the point of the blade.

Roache's entire body shuddered.

Steele said: 'It's called your Adam's apple.'

Roache gulped and found his voice. Was able to force out in a taut whisper: 'Shit, I knew that.'

'So it sounds like it belongs to me, feller,' Steele told him. 'But I reckon I'll let you keep it. For now.'

'What the frig——' Wilbur McVay started to snarl.

Polly Drake cut in: 'I heard it said his name's Adam. Adam Steele. So Adam's apple sounds like it kinda——'

'Yeah, we get it,' a man gasped in high excitement. Like he was eager for the talk to stop so that maybe the Virginian really would cut out the ball of tissue that continued to jump in Roache's throat.

Steele warned: 'You try to keep me from doing what I want to do another time, I'll be looking to collect what sounds like it ought to be mine, feller.'

He abruptly withdrew the knife and shoved it back in the boot sheath. Then held the rifle in a halfway threatening attitude, muzzle toward Roache, as he rose to his feet. Just as a man with a deep, husky voice—like he had a sore throat—asked from the threshold of the livery, in back of the watching crowd:

'Some kinda trouble here?'

All heads swung toward the newcomer who was at the centre of a group of men holding their horses by reins or bridles. It was Grover who had spoken. He had charge of two horses— his own and that of Jack Andrews. The man with the spade beard could be seen just entering the law office.

'There was,' Steele answered as he moved through a gap opened up when attention was switched away from himself and Roache. 'But it's over and done with now. Someone just learned a lesson.'

He paused to look over his shoulder at where Roache had folded up into a sitting attitude on the straw- and hay-littered dirt floor of the livery and was using both hands to knead the point where the rifle butt had first struck him in the stomach. He showed his decaying teeth in a scowl of hostility while his bright eyes remained screwed tightly shut against the pain.

Then Wilbur McVay vented a terse, harsh laugh and blurted: 'And it sure was a painful hard lesson, uh Dave?'

Steele said evenly as he made to leave the stable: 'But at least he didn't have to give his apple to the teacher.'

14

The news and rumours spread through the town faster than would the blazing flames of a forest fire at the height of a summer drought.

Len Fallows was dead ...

Thadius Mackay, who had never pretended to be anything other than a plain country doctor familiar only with the basics of his profession, was unsure whether the sheriff had died from the knife thrown by the gravel-voiced Grover or if—as he had predicted could happen—a cracked rib had snapped from some kind of exertion and the jagged bone end had punctured a lung ...

In the small, neat, scrupulously clean clapboard house on the corner of Main Street and Fir Tree Road where Len Fallows and his wife had lived for more than fifteen years, Molly was mourning the passing of her husband whose body lay on the marriage bed: awaiting the attentions of the undertaking brothers from Broadwater ... Who were already on their way down to Providence to take care of the patent medicine drummer and the two young gunslingers who were lying stiff and cold in the meeting hall ...

The Reverend Joseph Marlow was with the new widow, as well as his wife who provided temporal feminine understanding while the preacher dispensed spiritual solace ...

This while, to the disgust of all right-thinking, decent, Christian people who mourned the violent passing of one of the community's most respected citizens, uncouth and ruthless strangers thronged the commercial area of Providence: raising hell with all kinds of evil pleasures as they waited to witness the outcome of a ritual combat which was to be fought to the death . . .

Filled the time by drinking and gambling, watching a brazen woman flaunt herself in lecherous dance and whoring . . .

The Golden Gate was doing a rip-roaring business and Harry Krim was growing rich on the liquor he sold to men who played card games during the intermissions when they were not lusting after the whirling, near-naked body of Hannah Wynter . . .

Some said the saloonkeeper had protested that the shameless redhead was performing her wanton dances against his wishes . . .

Others claimed she had agreed to cut Krim in for a percentage of the money tossed into the hat that was passed around the noisy and stinking saloon after each performance . . .

And, it was said, the less clothing covering her voluptuous body when she danced, the more money was put in the hat . . .

But Hannah Wynter was untouchable, for she was the private property of Joel Shumaker. And so the sexual appetites she whetted with her sensual movements had to be relieved elsewhere . . .

In the rear area of Harlan Grout's livery stable. Where Polly Drake, Maybelle and the other whores operated a sordid brothel: with men hardly able to get their pants fastened up around their waists before they were hustled out of the place to make way for other customers . . .

All the time more men—and other whores, too—were steadily arriving in Providence . . .

And what of Adam Steele, who certain people had wanted to hire for a thousand dollars to rid the town of the riffraff when it looked like Len Fallows wasn't going to do anything? Since he'd seen what happened to the lawman when Fallows tried to take positive action, Steele had up and quit . . .

149

Scared of the number of hard men who were now in town...

Told Fred Kenway he wanted no part of the town's money...

It wasn't nearly enough for him to risk his neck for...

Eventually the tongues ceased to wag as old news and rumours were exhausted and nothing new happened to fuel the diminishing flames of discontent, disgust, anger and some vicarious enjoyment.

And by the time Steele trailed a small group of storekeepers and businessmen onto the square, the pace of the strangers' hell-raising activities had also been reduced.

The Virginian was noticeably not a part of the six-man group who rode a slow-moving flatbed wagon while he ambled along some twenty or so feet behind. And he angled off to the side as the rig was driven in a straight line across the square.

It was after six now and the sun had already shaded from dazzling yellow to dull crimson as it became half hidden behind the tops of the trees at the south western corner of the square.

Here and there, kerosene lamps had been lit within the buildings on two sides. None in the shuttered stores to the west. Likewise, the schoolhouse, the meeting hall and the newspaper office to the north were in darkness. And the stage line depot to the east.

There were lamps burning in the rear of the livery, but business had slackened off for the improvised bordello. Six dishevelled-looking women stood or leaned or squatted in the doorway and one of them called out to the Virginian as he drew near while the wagon rolled to a halt out front of the meeting hall.

'Seein' as how trade has let up some, I'll do you a special rate, Steele!' It was Polly Drake, her tone mocking.

'She's damaged goods, mister,' Maybelle added without rancour as she straightened up from leaning against a doorpost, and smoothed her crumpled dress down over her thighs with splayed hands. 'So you'd expect to pay less, uh? Me, I'm all of a piece so——'

'Yeah, but a piece of what?' one of the others broke in dully.

A scrawny brunette who was one of three latecomers, failed to find humour of any kind in the situation. She complained: 'Hell, he probably ain't no john. A drink is what he's interested in, I'd say.'

Polly Drake snapped: 'You don't know what you're talkin' about, Stella! He ain't a drinkin' man!'

'So there ain't no reason to go to the saloon then, mister,' Stella countered. 'On account of that stuck up Wynter dame is all done with her dancin'. It ain't known whether she run outta wind or just new ways to throw herself around without bein' bare-ass naked and still keep the payin' customers interested!'

Steele had halted several yards away when the women started to goad him. And allowed a quiet smile to shape his mouth as his cold-eyed gaze drifted away from the weary-looking whores. Checked, as far as he was able, on certain aspects of what had been rumour and what fact to set the tongues wagging.

A lamp burned low in the law office, and since he had himself seen Andrews go in there, it seemed likely to be true that the spade-bearded gunfighter was sprawled out on a cot in the cell after sprucing himself up in the building for which Len Fallows had no further need.

The boarding house was also in near darkness and was as quiet as the law office. So Joel Shumaker—with or without the company of the apparently exhausted Hannah Wynter— was doubtless in his room, preparing himself to make a reputation or to meet his Maker.

In the well lit saloon there was a steady buzz of even-toned talk, mixed in with the clink of glass on glass as drinks were poured and the chink of coins thrown against other coins to swell the pots of a number of card games.

The bank was the most brightly lit building on the square and it was to here that Steele went; as the new whores flung half-hearted taunts at him and those who had known him for half a day scowled. He did not even glance toward the meeting hall where three corpses were being transferred onto the rear of the flatbed wagon.

As he stepped into the bank Steele knew it was probably a hard fact rather than rumour that Ethan Brady had tried to prevent his premises being used by the stakeholders for the bets placed on the gunfight. The aging, flabby and short-of-stature banker who kept only an ancient Derringer in his desk drawer would have stood no chance against Cowper Love and Grover. One packing a sixshooter and the other known to be an expert with a knife. So, Brady had explained to his sympathetic listeners, he could do no more than register a verbal protest before he was humiliatingly evicted from his own bank. While he made hollow-sounding threats about what would happen if any attempt was made to tamper with the safe in the back room of the building.

Steele had thought at the time there was little prospect of the bank being robbed: before the gunfight, anyway. Maybe afterwards, a bunch of heavy losers might consider trying to recoup what they had dropped. Right now, as he joined the end of a short line of men in the small area on the customer side of the counter and grille, the Virginian considered there was maybe a greater amount of money being wagered than was locked in Ethan Brady's safe in the back room.

He could see the betting money as he waited patiently in the gradually shortening line. Mostly bills, with some silver dollars, carelessly piled in two cardboard cartons on the counter behind the grille. One carton in care of the thinly moustached, cleft-chinned, yellow-tinged-eyed Cowper Love. The other the responsibility of the older, more thickly moustached, less ready to smile Grover. Each of them seated on stools behind a money-filled box and some writing paper. And each was within easy reach of a rifle, the muzzle of which jutted above the rear lip of the countertop.

As Love and Grover took the gamblers' money, checked the bets were covered and issued slips, Steele recognised two of the men in the line ahead of him. From the livery a couple of hours ago and the saloon earlier. The other three were unknown to him. They, with the three raven-haired whores, and eight or nine other men he had glimpsed in the saloon through the window and over the batwings, seemed to be the sum total of newcomers who had reached Providence since Jack Andrews and the men with him had shown up.

So, the Virginian estimated as he moved up to the counter, there were around thirty strangers in town: not including the women.

'The local rancher who came close to cuttin' the big guy's throat in the livery, right?' Grover said. This after a moment for thought when he looked up from laboriously making a notation on a sheet of paper.

Then Cowper Love glanced up from his own clerking chore. He broadened his grin when he recognised Steele, but there was a dangerous undercurrent behind the expression as he greeted lightly: 'You ain't plannin' to close us down now that Fallows has gone, are you, Steele?'

'How many bets have been placed?' Steele asked.

Love bent his head to check his list. But the dour-faced other man did not need to make a count and it was Grover's gravel-toned voice that supplied:

'Twenty-four, includin' our own—if it's any of your business, mister?'

Steele pursed his lips. Shrugged as he looked at Love, who nodded in confirmation of the tally. Then the Virginian held up both gloved hands, as if to stress he did not have his rifle, as he answered: 'So I'd be stupid to go up against that many men on my own, uh?'

'Fine,' Love replied with a shrug of his own, his mind eased.

Grover said flatly: 'Understand you carry a knife in a boot sheath, Steele?'

'Right,' the Virginian confirmed as a man came through the open doorway behind him, breathing liquor fumes.

Love snapped: 'He sure ain't gonna start nothin' with just a knife!'

Grover showed Love a contemptuous grimace and asked with genuine interest of the man on the other side of the counter: 'Guess you figure that's a good place to tote it?'

Steele nodded, said: 'I hear you throw a mean knife?'

153

Grover reached around to the back of his belt, but brought his hand into sight empty: had simply indicated where he carried his knife, before he answered, 'It comes in useful sometimes, but mostly——'

'Hey, it's a top notch gunfight I'm here to bet on. Not to hear no knife talk.' It was Wilbur McVay who had entered the bank, smelling of liquor.

Love said with a mocking grin: 'Hell, we forgot Wilbur! Wilbur makes it twenty-five guys who'd be riled if you tried to stop the show, Steele.'

'Shit, he did say in the saloon that if the old sheriff——' McVay started.

'I had a change of mind,' Steele cut in.

'Twenty-eight if you count Jack and your buddy,' Grover pointed out.

'Yeah, we have to count them, that's for sure,' Love agreed as he kept his grin in place: an expression that emphasised the off-centre cleft in his chin and played down the yellow tinge in his eyes. But there continued to be a dangerous side to the younger man that was easy to see.

While Grover remained as impassive as Steele: confident he had no need to signal, aloud or tacitly, that he was not the kind of a man to be taken lightly if the circumstances were to call for action rather than words.

Steele drew a slim stack of folded bills from a hip pocket and asked evenly: 'Why would I want to stop a contest I aim to make some money on?'

'You wanna make a wager?' Love asked, startled.

'Sure I do. Even money both men, I guess?'

'A hundred for Joel to win would make it even-steven staked on each man, all bets covered,' Love said.

'I'm betting Andrews to win,' Steele told him.

Now Love looked sourly disillusioned. 'But Joel saved your ass earlier today in that trouble with——'

'I'm placing a bet on a shoot-out between just two men aiming to kill each other, feller. No interference from third parties. Are you saying my bet can't be covered?'

'Sure it can! Joel'll see that every cent is——'

'I've got three hundred bucks says the kid will be the one to walk away,' McVay announced.

'You're drunk,' Love accused dismissively.

Grover eyed the skinny old-timer with disdain showing through cracks in his impassivity.

Then the two men behind the grille were shaken as McVay leaned around Steele to place three mint condition one hundred dollar bills on the counter. And then he said with heavy scorn:

'Somebody gonna write me a slip?' Softened his tone but hardened his scowl as he went on: 'And you young fellers bear this in mind. Maybe stop you from makin' damn fools of yourselves by talkin' outta turn in the future. Just 'cause a man's old and naturally a little weak in wind and limb, that don't mean he's weak in his head. Often the opposite applies. On account of he's been smart enough to stay alive a whole lot longer than a whole lot of others.'

He spat on the dusty floor. 'And just 'cause he drinks and he don't dress up in fancy threads, that don't mean he's a friggin' drunk or a friggin' pauper, neither.'

As Love scribbled a slip for the old man, Steele peeled off some more bills and placed them on the counter. Said:

'I'll cover McVay's extra hundred. Two hundred on Andrews.'

Grover wrote the Virginian's slip, making harder work of it than Love. This as McVay pursed his lips, whistled and shook his head as he warned: 'You're backin' a loser, young feller. I'm sure of it.'

Steele shrugged as he pocketed the slip and turned to leave the bank. Replied: 'No such article as a sure thing in gambling, feller. And a man who can't afford to lose shouldn't gamble, I reckon?'

Behind him he heard Wilbur ask of Grover and Love: 'Hey, you figure that cocky sonofabitch thinks I can't afford to drop three big ones? After what I just said about not judgin' a man by how he looks and——'

'You won't lose, Wilbur,' Love cut in confidently.

Grover countered: 'When you do, old-timer, there's plenty

more where that came from, accordin' to you? It's just talk that's cheap.'

Beyond the doorway of the bank, Steele paused to look around the square again. Saw four of the whores share a match to light cigarettes and cheroots as the wagon with its cargo of corpses rolled onto the start of Main Street, and Tom Knight emerged from the saloon.

The fifty-year-old man who would have been skinny but for his beer gut staggered and seemed to have trouble with focusing his tiny eyes. His belly looked larger than ever and his nose looked to have developed a whole new network of blue veins since Steele had last seen him in the Golden Gate earlier in the day.

Midway between the batwinged doorway of the saloon and the front of the bank where Steele stood, Knight shuffled to a halt, swayed, and gazed intently through the gathering gloom of evening toward the departing wagon. Then he shook his head and continued on his wavering way across the front of the darkened stage line depot. Saw Steele, came to another unsteady stop and peered hard at the Virginian, like he did not recognise him. Then did two double-takes, first at the wagon and then the man. Before he belched, fixed a perplexed frown on his face and slurred: 'Hey, that looks like Harlan Grout drivin' that wagon, mister?'

'It is.'

'With old man Kenway up on the seat alongside of him. And Attrill and Archer and——'

'You've got them spotted.'

Polly Drake called across on a stream of exhaled tobacco smoke: 'You ain't missin' nothin', buddy. It ain't no hayride that jerk of a liveryman is takin' the fuddy-duddies of this town on. They just hauled the stiffs outta the meetin' hall. To plant along with the local lawman, we guess.'

Her swollen eye made her look almost as tough as she sounded.

Tom Knight shook his head and said: 'They can't do that.' Made another negative gesture after gazing once more

156

toward the start of Main Street where the wagon had now trundled out of sight. 'Far as I know, the undertakers didn't get——'

McVay had reached the doorway of the bank and was listening impatiently to the drunk, as Steele got ready to launch into an explanation for a funeral without the services of the undertaking brothers from Broadwater. But then Blanche Knight's reproachful voice sounded through the twilight as she came down the porch steps of her boarding house:

'*Far as you know*, you liquor swillin', no account apology for a husband? What do you *know*, Thomas Arthur Knight? *Nothin'* is what you know, that's what! Short of how to bend your right arm at the elbow so you can guzzle Harry Krim's poison into your stupid throat! You get over here, mister! And don't you say another word to them painted harlots that are flauntin' themselves there!'

Knight muttered an oath so faintly that even Steele and Wilbur McVay failed to hear the name the henpecked man called his wife. Then the laughter of several of the whores was more raucous than Blanche Knight's voice had been as her husband started slowly to do her bidding.

'Not only smart enough to stay alive this long, young feller,' McVay growled to the Virginian as he ambled away from the bank toward the saloon. 'Smart enough never to get myself married, neither.'

He cackled with harsh laughter, which emphasised the degree of misery emanated by Knight as he went toward the rooming house, his head hung low: his earlier confusion over why the corpses had been moved out of the meeting hall forgotten as he contemplated the bawling-out that awaited him when he was alone with his wife.

'If she tosses you out, mister,' Maybelle invited as Knight staggered past the doorway of the livery and his wife made to go up the porch steps, 'there's a place here for you.'

'Lotsa places, at a price,' another whore pointed out after Knight paused again.

Steele started away from the front of the bank, at first

uninterested in the exchanges between the whores and Tom Knight. But then the sour-tempered, vastly overweight Blanche returned to the attack and he found himself grinning as she thundered:

'You listen to me, Thomas Arthur Knight! Stables are for horses, and any man who goes in that stable with one of those harlots, he's a part of a horse, that's for sure!'

'Hell, lady, you afraid to say horse's ass?' Polly Drake taunted.

Knight held up both hands for silence and said with drunken solemnity: 'Now, dear, you didn't oughta put down stables.' He belched, before he added: 'The baby Jesus was born in a stable.'

Blanche warned with heavy menace: 'If you set one foot inside that place while that bunch of latter-day Mary Magdalenes are around, you'll wind up just like our Lord Jesus—God forgive me!'

'Blanche, you've lost me,' her husband countered, in greater confusion than ever.

'Good God, forgive me once more!' Blanche rasped, with a glance skywards. Then she raged at the hapless drunk: 'I'll friggin' crucify you!'

15

At seven o'clock, when the sun was set and the light of the newly risen quarter-moon was augmented by fewer lamps in the surrounding buildings than an hour earlier, Grover stood on the centre of the dark, quiet square. He toyed with his thick moustache with his right hand while he peered intently down at the pocket-watch nestled in the palm of the left.

Cowper Love was in the open doorway of the First Providence Town Bank, a rifle in a double-handed grip slanting across his chest. Grover's rifle leaned against the wall to the right of the doorway.

Just a lone lamp burned on a low wick within the bank, where the stake money was under the guard of the tall, thinly moustached young man with the off-centre cleft in his chin.

The boarding house and the law office were now in total darkness.

Most of the lamps within the livery had been doused after the half-dozen whores had made the best of themselves with paints and powders, and dusted off and smoothed down their tight-fitting dresses. Now the women stood at the open doorway again, excitedly eager to witness the cold-blooded shooting down of one man by another. Hopeful that, after the deed had been completed, and a large amount of money had changed hands, some of the winners would feel sexually aroused by what they had seen. And maybe some losers would seek consolation.

Now, as Grover folded his left hand into a fist and thus closed the lid of his watch, men began to emerge from the saloon. They were all strangers to town, for after Tom Knight had staggered out, the saloonkeeper himself was the only local man left in the Golden Gate.

Harry Krim did not douse any of his lights before he went to peer out over the batwing doors after his last customer had left, and the Golden Gate was the most brightly lit building on the square.

The saloonkeeper felt no shame that he was richer by a great many dollars this evening—just as certain gossips had claimed. But he had certainly not demanded nor been offered any part of the money collected by Hannah Wynter. He had simply been engaged in his legitimate business of selling liquor to the customers. Sure, he admitted to himself as he glanced over the scene on the square, he had the right to refuse to serve customers he objected to. But since almost all had been of that kind, what could he do? Without getting himself killed?

Like Len Fallows had got himself killed.

And what had Adam Steele done? Well, if old Wilbur McVay was to be believed—and Krim chose to believe him—Steele had gone and bet money on the gunfight that he had hired on to keep from taking place! So, for a few moments as he stood on the threshold of his establishment, Harry Krim found it easy to justify feeling self-satisfied with how well he had done out of the strangers. Then, suddenly the warm glow of contentment drained out of him. He had noticed something strange.

Grover was at the bank doorway by now, alongside Cowper Love. He had taken up his rifle which had previously leaned against the wall. The whores had advanced a few paces out of the livery doorway: to ensure that their view was not obscured by the men at the end of the line that inscribed a shallow arc from the front of the newspaper office to the alley between the bank and the stable. Now the door of the law office was pulled open and the spade-bearded Jack Andrews stepped out. He was impeccably dressed in a black pinstriped three-piece suit, white shirt and black bootlace tie, and was hatless. Then, a moment later, the considerably younger Joel Shumaker appeared from the shadowed porch of the rooming house. He was dressed Western style from his Stetson down to his spurred boots.

There had been utter silence from the time the last man had reached his vantage point, until the law office door opened. Now it was easy to imagine that the silence surrounding the setting down of two men's feet as they slowly advanced on one another extended to the far corners of the world: where every member of the human race was breathlessly awaiting the outcome of the shoot-out in this small California town.

Nobody else on the square made a sound. Just Hannah Wynter moved apart from Shumaker and Andrews, taking great care to set her feet down noiselessly as she emerged from the porch of the boarding house and tiptoed toward the other women at the livery doorway.

The Knights had not come out of the house behind her, and Harry Krim caught his breath: and bit on the folded forefinger of a tightly clenched fist as he became certain that the house was empty. Blanche and Tom Knight had gone. he was just as sure, too, that every other building on three sides of the square was empty. He had already seen, the knowledge chilling him, that there were no townspeople out in the open, watching with the strangers as the two gunfighters came inexorably closer to each other, moving at a perfectly matched pace.

Krim was within a few yards of more than thirty people, yet he had never felt more alone: then he began to feel afraid.

Nobody shared the sensation with him. Out on the square, closing along a diagonal line, the freshly washed-up and shaved, neatly turned-out men watched each other with slitted, glinting, unblinking eyes: neither one of them in the least doubt that he would survive. While the men and women watching them—with the single exception of the quaking Harry Krim—were too earnestly concerned with how much

161

money was to be won or lost to be aware of any other aspect of the scene. Or, if they had noticed the absence of townspeople, they were not suspicious of the reason for this. The people of Providence did not want the gunfight to take place in their town: but they had failed to stop it, so were registering their disapproval with the hollow gesture of staying far away from where it was to happen.

It was a warm night, but not hot. Any sweat that beaded exposed faces or greased palms or damped skin to gum it to fabric was pumped out by nervousness. Harry Krim felt himself sodden with salty moisture, and for stretched seconds was afraid that he might collapse as the scene before him swam in a mist, like a Mohave Desert mirage.

Then Shumaker and Andrews came to a halt in perfect unison: and there was a mass intake of breath throughout the watching crowd. But the two men were not yet close enough to be within effective revolver range: one with a fancy-butted Remington in his tied-down holster on the left and the other packing a standard model Frontier Colt in a holster on the right.

Against the silence that filled every inch of the square after the footfalls of the gunslingers had ended, a sound intruded. It came from within the night-darkened area of trees that bordered the south side of the square. Horses, moving at a walk. Wagon wheels, turning slowly. People's footfalls, shuffling. For long moments it seemed as if everyone on the square doubted the evidence of their own ears. Then, as each realised that others were hearing the same thing, some of the tension was eased. Until the entire, seemingly palpable burden of strain was lifted when the stoic-faced Jack Andrews asked of the equally impassive Joel Shumaker:

'We going to hold off awhile, son?'

The younger man's eyes remained narrowed to slits as he parted his lips to show the ghost of a smile when he responded: 'Whatever you say, *Mister* Andrews.'

Andrews thrust his hands into the pockets of his suit jacket. And Shumaker hooked both thumbs over his gunbelt buckle.

162

'What's friggin' happenin'?' Wilbur McVay demanded, his poor hearing leaving him ignorant of the tell-tale sounds that meant a large group of people, with wagons, was moving along Main Street toward the square.

The teenager who was almost an albino rasped: 'Easy, gramps. Seems there's a whole bunch of other folks comin' by to see the fun.'

'Everyone knew what friggin' time it was gonna be, so I don't——'

'Shut your damn mouth, old man!' Cowper Love snarled. And the weight of tension he was under sounded in the harshness of his voice as he swung down the rifle to aim it at McVay, pumped the action.

'Easy, Cowp,' Shumaker placated from out on the square, where he had to turn his head to look toward the end of Main Street. Whereas Andrews merely had to move his eyes between their narrowed lids to shift his attention from the younger man who was at the moment no danger to him: focus his attention on the head of the procession of townspeople who might well be a threat.

At the head of the line was the blue and black phaeton of the town doctor: Thadius Mackay for a change in a sober-coloured suit, driving the rig while the Reverend Joseph Marlow in full clerical garb rode at his side.

Immediately behind walked a group of mourning-garbed women. Among them Molly Fallows who was weeping and being comforted by Jane Marlow on one side and Lavinia Attwood on the other. Rose Steiner from out at Mission farm was there, and Amelia Decker and Faith Kenway. The bulky form of Blanche Knight. Fifteen in all.

Behind the buggy and the cluster of women was a line of five flatbed farm wagons, each with two horses in the traces and a single piece of freight on the back: a plain pine coffin. The wagons were driven by Harlan Court, Fred Kenway, Abe Steiner, Tom Knight and Adam Steele. The only mark of mourning they wore comprised a black crêpe band around their left arms.

The pace of the unorthodox funeral cortège was

appropriately slow as it rolled in an unwavering line from the south side of the square toward the start of the north trail. But even so, the leading phaeton was more than midway across before a mumbling of mixed confusion and anger started to sound along the arcing line of men and women as they began to express their feelings that the gunfight they had come to see was being delayed for no good reason.

'Joel!' the heavily sweating, discernibly shaking Cowper Love yelled.

After he had cast a glance at Andrews, who continued to watch the funeral procession without altering his frozen expression, Shumaker snarled: 'What the frig's goin' on here, you people?'

Marlow laid a hand on Mackay's arm and the fat man stopped the buggy. The other rigs and the women on foot came to a halt. And all the mourners turned toward the men and women at the north east corner of the square, looking at them like they had only just become aware of them.

'We are going to bury the dead,' the Reverend Marlow replied. 'There can surely be no objection to that?'

'Kinda late in the day for a burial?' Shumaker countered, his tone less strident than before.

'You're staging the gunfight late in the day,' Steele said from the seat of the last wagon in the line.

'What?'

Andrews said evenly: 'The sheriff and, I heard, just three other men died here today, son. I count five coffins.'

There was a renewed buzz of talk among the men and women come to see the gunfight. And against this the funeral started forward again. All except for the last wagon. From which Steele made an open-handed gesture that the gunfight should be played out to its inevitable end. Then amplified:

'I have to wait for one of you fellers.'

The chorus of rasping talk that this sparked along the line of men and women was again silenced by one voice raised above all the others. As Wilbur McVay urged sourly:

'What the hell does that matter to you guys? You've known from the start one of you was gonna be in need of a casket!'

Steele shifted his attention from the two gunmen and the curving line of their audience for just a moment. To look to where the buggy and the women had reached the start of the north trail. And so were behind the granite cover of the law office.

'He's right, son,' Jack Andrews said.

And the Virginian swung his attention back to the main characters of the drama in time to see Shumaker turn to face the man he had to kill or be killed by.

He dropped his thumbs down from his belt buckle as the older man lifted his hands out of his pockets.

'Whenever you're ready, Andrews!' The way he spoke the name without the courtesy title was more telling than when he had stressed it the other times.

They started toward each other again, to close up the fifty feet separating them.

Then, as if from horrified natural curiosity, the drivers of the other coffin-carrying wagons reined in their teams so that they could witness the shoot-out: but it seemed that nobody was aware that the funeral procession had come to a halt. For every eager gaze was fixed on the two men closing on each other at a measured pace. While the eyes of Shumaker and Andrews were locked together: neither man swinging his arms, so that one man's left hand and the other's right were never more than a few inches from the jutting butts of holstered revolvers.

Andrews came to a halt. Shumaker was just a half pace later in reaching a standstill. There was something like twenty feet between them. They started to adopt the gunfighter's crouch.

Every breath was held.

Shumaker went for his ivory-butted Remington. And it looked like Jack Andrews purposely waited until the younger man had his revolver half out of the holster, the hammer thumbed back, before he started his move. But whereas the young man's left hand could be seen to perform each separate part of the draw and cock, Andrews' right hand travelled in a blur of speed.

And the Colt was levelled from the hip as the Remington's

muzzle came clear of the holster. A single shot cracked out. Shumaker seemed to be paralysed by the impact of the bullet for a stretched second: all that moved, the expanding blossom of blood that spread across his shirt front, left of centre. Then his slitted eyes snapped open wide and his tightly closed lips fell apart. He had time to vent a short, strangled gasp as the gun slipped from his lifeless fingers to thud between his booted feet. Before his wide eyes became glazed by death and he toppled backwards, arms flung out to the sides and legs splayed so that he hit the dusty ground spreadeagled.

Adam Steele indulged in a moment of pleasure that he had been right to back mature experience with an ordinary handgun against youthful enthusiasm with a fancy weapon: and had won for himself two hundred dollars. Before he leaned back over the seat, to pick up his rifle from where it lay beside the coffin. Struck the side of the box with the butt as he did so.

While most people's attention was fastened on the newly dead man, the other four wagon-drivers imitated the Virginian. Then, as the strangers realised that something was wrong, their responses were slowed by the sight of the lids of the coffins being suddenly hurled up and off: so that five more townsmen with rifles at the ready could fold up and clamber out. Harold Archer and Roland Decker, Huey Attrill and two hands who worked out-of-town farms.

There were just three men in the north east corner of the square who had their guns out. One was Jack Andrews, whose Colt continued to trail smoke from the muzzle after the firing of the killing shot. And Grover and Love had their rifles ready, out front of the bank.

Andrews kept his revolver out of the holster, but he did not turn it toward the line of stalled wagons, each now seen to have two very much alive men aboard, as he said tautly: 'You people don't have to hold us up for the corpse. Just take it and bury it and let me know the cost.'

'He'll be buried for nothing, mister!' the Reverend Marlow said, showing himself at the corner of the law office.

'All we require of you is that you leave this town and take the rest of these dregs of society with you.'

'Grover and me figure to leave just as soon as we collect our winnings,' Andrews said, fingering his distinctive beard with his free hand.

A lot of men nodded. Some of the women rasped their discontent. Cowper Love started to bring down his rifle, grief at seeing his partner's death finding an outlet in a mindless rage which he was prepared to direct at anybody.

'Watch out at the bank!' Harry Krim yelled, and whirled away from the batwings.

And Love died, half of his head shot away as Grover triggered his Winchester at point-blank range, the impact of the bullet sending the body of the dead man several feet to the far side of the doorway.

And the young albino died at the same instant, accidentally and less spectacularly. He took a bullet in the centre of his skinny back when Love's finger tightened on the trigger of his rifle at the moment of his death.

As those close to the shooting began to whirl and run, yell and scream, the two men on each wagon lunged to the ground on the side away from the panic. Plainly to a pre-arranged plan, each pair rolled toward a front and rear wheel. Thudded the butt ends of their rifles against the single, already slackened-off pins that held the hubs on the axles. Took their timing from each other as each pushed a shoulder under the wagon and lifted it, jerked the wheels free and scuttled clear. Stayed down in crouches as the wagons lurched into tilts so that their sturdy beds provided cover. From which most then peered at the scene in the north east corner of the square.

Saw it through a haze of drifting black powder-smoke creatd by a barrage of gunfire exploded in response to the two shots from the Winchesters of Love and Grover.

The whores, shrieking their terror, had already whirled into the livery and were struggling to drag the doors shut. Then refused to open them for Hannah Wynter. Who wasted just a few moments hammering on them before she turned

167

and raced away to plunge across the threshold of the bank.

Roache mistook her intention: thought the redhead was ducking into the place while Grover's back was turned. To steal the stake money. He fanned his revolver and blasted three bullets into her broad back, the holes spurting blood much redder than her hair.

As she slumped to the floor, half in and half out of the building, Grover shot Roache through the heart: convinced that the big man was attempting to gun him down with the fanned revolver.

Wilbur McVay crashed between the batwing doors of the Golden Gate. Then came to an instant halt when he saw Harry Krim fold up from behind the counter, aiming a double-barrel shotgun. Both men expressed terror.

'Shit, I been a good customer to you!' the old-timer forced out of his constricted throat. Thrust his arms high to show his hands were empty.

'Okay!' Krim rasped. 'But I'm closed for awhile!' He gestured with the shotgun for the old man to come further into the saloon.

McVay did so, dropping his arms and then weaving from table to table, stopping here and there to drain heeltaps of liquor left in several glasses.

Outside the bank, Grover triggered unhurried shots from his Winchester. Swung it this way and that, seemingly shooting at random. But in fact, he was giving covering fire to the equally calm Jack Andrews. Who had holstered his Colt and was ambling back toward the law office. While Grover expertly placed shots into or close to any man who even looked like he was about to fire at the spade-bearded man.

Not a single shot had been fired by the men in the cover of the deliberately disabled wagons.

Steele took the time to cast a glance along the line of men crouching behind them. Saw most were at the front and rear of the canted-over rigs as the teams struggled to bolt clear of the sound of gunfire and panicked voices and the stink of black powder-smoke. And a few had squatted down, backs

to the wagon beds, rifles abandoned and hands pressed over
their ears. Their bodies jerking each time a bullet thudded
against their cover or ricocheted off a metal wheel-rim.

Which did not cause the Virginian any concern, for all the
townspeople had done what he had asked of them. His plan
had been that none of them should need to fire a shot unless
absolutely necessary. A show of strength was what he had
wanted from the men. With Joe Marlow and the women
along to give the fake funeral procession validity. And
Mackay close at hand to patch up the wounded if the thing
went wrong.

It looked like the doctor was going to be needed. For one
of the men suddenly keeled over and sprawled out full length
behind a wagon. It was Fred Kenway. But he was not dead:
had the strength and will to wave away the attempt to help
him by Huey Attrill.

His wife, her homely face looking chalk white in contrast
with her mourning clothes, tried to lunge out of the cover of
the law office to go to the stricken man. But Lavinia
Attwood and the preacher held her back.

Across the square, several more men bolted into the cover
of the Golden Gate. Most sought only the safety of the
saloon's interior. But two were intent on continuing to take a
hand in the gunfight-become-a-gunbattle. One of these spun
around at the entrance and the other made to smash the
window with the butt of his revolver.

Harry Krim, without time to indulge his fear as the sweat
pumped from his every pore, raised the shotgun and snarled:
'Both of you sonsofbitches hold it! Or so help me I'll blow
you to Kingdom Come!'

The man at the window snarled in contempt: 'You ain't no
killer, barkeep!'

'Neither am I!' Bannion yelled, drew his Colt and aimed it
at the man in front of the batwings as he exchanged a
suddenly nervous glance with the one at the window. 'But I
ain't gonna get my ass shot off by that bunch of riled-up
country hicks. Not when I'm about to collect half a grand!'

McVay fumbled his gun out of the holster with a shaking

hand and levelled it at the man at the window. Revealed sourly: 'I just lost three big ones! But I don't wanna lose my lousy life here as well!'

The other four men drew and aimed their guns at the pair as Bannion said with a shrug:

'What the hell, let's all of us have a drink and wait for it to be over?'

Then everyone looked expectantly at Krim: who was scowlingly thoughtful for several moments. Before he replaced his shotgun out of sight beneath the counter and grinned as he brought up a bottle of good bourbon whiskey, set it on the bartop and said: 'Been a good day for business until now. So the first one's on the house.'

Jack Andrews went in through the open doorway of the law office. And immediately Grover stepped over the slumped body of Hannah Wynter to enter the bank.

The gunfire faltered and then stopped. The smoke drifted ethereally over the six dead men sprawled in total inertia on the dusty square: Joel Shumaker, Cowper Love, Dave Roache, the albino and two men shot by Grover who had been sure they intended to kill Andrews.

Five men lay or were seated on the ground, clutching at their wounds, trying to staunch the flow of blood.

Unscathed survivors who had not made the cover of the saloon were huddled in the shadowed alleys between the stage line depot and the bank, or the Golden Gate and the newspaper office.

'This should be the end of it,' Jack Andrews called out of the law office, maintaining the customary calmness of his tone.

'Why the hell should it be?' a man yelled from between the stage depot and the bank. 'If it gets known Jack Andrews let himself be run outta a lousy little town by a lousy bunch of——'

'More than just a bunch!' Adam Steele broke in. And triggered a single shot into the night sky.

It was a signal and a thunderous barrage of gunfire sounded in response from among the trees at either side of the end of Main Street. Twenty, thirty, or maybe as many as forty rifles, shotguns and revolvers blasting a hail of bullets into the air. To warn of the weight of firepower that could, if needed, be brought to bear against the strangers.

'Sonofabitch!' a man in an alley rasped into the stillness that followed the fusillade.

'Aw, shit,' a woman growled in the livery.

And so was the big gunfight over.

An hour later, when all but two of the strangers had ridden out of town and all signs of the trouble they had brought to Providence had been removed from the square, the acrid taint of black powder-smoke was still stronger than the usual night-time fragrance of the surrounding timber.

All but one of the dead were wrapped in blankets on the floor of the meeting hall—including the three corpses which had been removed from there in the afternoon.

The exception was Fred Kenway who lay where he had died, in his bed in the living quarters behind his hardware store. It was not a bullet that had killed him. Instead, a heart attack that struck him after his exertion of raising a wagon with Huey Attrill to release the wheels.

Harlan Grout had been sent to Broadwater to tell the undertaking brothers there that they had a great deal of work to do in Providence.

As Steele stood on the threshold of the bank, looking across the corner of the square toward the law office outside of which waited two saddled horses, he found himself hoping that nobody had died in vain. In terms of the word being spread that the people of Providence were prepared to stand up and be counted when their town was threatened by men of evil.

But soon his train of thought was interrupted, as Grover and Jack Andrews emerged from the law office: the gunslinger attired in Western trail-riding clothes again. They gave no indication that they were aware of the figure in the bank doorway until they had swung up into their saddles and tugged on their reins to ride slowly toward him. There was no belligerence in their attitude and the Virginian made no move to pick up the Colt Hartford from where it leaned against the wall.

'There's five hundred and fifty dollars left after all winning bets were paid,' Steele said as the men reined in their horses. 'Belongs to the dead. Be used to pay for burying them.'

Jack Andrews nodded his agreement with this. Then finger-combed his beard and asked: 'Your idea, mister? The funeral that wasn't?'

'Yeah.'

'I heard that most people in this town don't have much time for you. How'd you sell them the idea?'

'Len Fallows owed me a favour. He sold it to them. After he'd made a stand against you, it wasn't too hard for him to stir them off their rumps.'

'Especially after he died, uh?' Grover asked.

Steele shook his head. 'The sheriff didn't die. He'll pull through. Townspeople wouldn't have taken the trouble to bury the medicine drummer and a couple of saddletramps that late in the day.'

'We should've figured you were pullin' a trick,' Grover said. 'If we'd known you always send to the next town for undertakin' services. And that the cemetery's on the south side of this place.'

Steele nodded and answered: 'You have to live in a town for awhile to get to know it.'

Andrews said: 'I want to thank you for one thing, mister.'

'What's that?'

'Allowing me to prove I'm faster than Shumaker was.'

Steele drawled: 'It meant one less gun against us.'

'And made you richer by two hundred bucks,' Grover reminded in his gravel-toned voice. 'Have to be some other time when we maybe bet on which is the best place to carry a knife, uh?'

Steele told him: 'I'm trying to give up that kind of thing, feller.' Shifted his gaze to the other mounted man and said: 'Be grateful if you never pick this town for any more showdowns.'

172

Andrews gave a small shrug then replied: 'It wasn't me who picked it, mister. That young punk did. Guess that was two mistakes he made?'

They tugged on their reins and clucked to their horses, turning them and then asking for an immediate gallop. Angling across the square and riding out of sight beyond the law office.

Ethan Brady came from out of the back room of the bank and advanced on the doorway. Said tentatively: 'Excuse me, Mr Steele?'

The Virginian had been deep in thought. Replied as he picked up his rifle and moved off the threshold: 'I'm sorry?'

'It's . . .

. . . TIME TO CLOSE.'*

* *As it is for this book. But look out for number forty-three in the series.*

GEORGE G. GILMAN

BRUTAL BORDER

Crooked Creek, Arizona. A one street town on the edge
of disputed territory.

The United States claimed it.
The Mexicans claimed it.
The Apaches considered it theirs by right of tradition.

Major Jefferson Cutler *knew* it was his by right of
purchase.
Which was why he was hiring himself a private army.
Which was why the man called Edge was reined in at
one end of the one street, watching and waiting.
While at the other end, the US Army was likewise
watching and waiting.

And in the middle, men were killing each other.

POSTALITTLEHAPPINESS

Post·A·Book

A Royal Mail service in association with the Book Marketing Council & The Booksellers Association.
Post-A-Book is a Post Office trademark.

GEORGE G. GILMAN

THE KILLING STRAIN

Trail's End, it was called. Not the sort of place to end up: land abandoned, ownership obscure, farmstead falling down, no crops, no stock.

But to Adam Steele it looked like it might be the road to the future. Spread out along the Californian foothills of the High Sierras, he could see it as a thriving horse ranch, and him thriving with it.

But when he woke up to uninvited house guests standing over him, one covering him with a rifle and the other, the one with the baseball bat, aiming to turn Steele's head into a Virginia hamburger, it was the present that was mostly on his mind.

NEW ENGLISH LIBRARY

NEW ENGLISH LIBRARY
MORE GREAT WESTERN READING FROM
GEORGE G. GILMAN

The EDGE Series

☐05570 1	Edge 44: The Blind Side	£1.00
☐05793 3	Edge 48: School For Slaughter	£1.25
☐05825 5	Edge 49: Revenge Ride	£1.50
☐05857 3	Edge 50: A Time For Killing	£1.50
☐39152 3	Edge 52: Brutal Border	£1.50

The STEELE Series

☐05250 8	Steele 28: The Stranger	£1.00
☐05377 6	Steele 30: The Killer Mountains	£1.25
☐05432 2	Steele 31: The Cheaters	£1.25
☐05557 4	Steele 33: Valley of the Shadow	£1.00
☐05569 8	Steele 34: The Runaway	£1.25
☐05875 1	Steele 39: Rough Justice	£1.50
☐05905 7	Steele 40: The Sunset Ride	£1.50
☐39035 7	Steele 41: The Killing Strain	£1.50

The EDGE MEETS STEELE Series

☐04415 7	Two of a Kind: Edge Meets Steele	£0.85
☐05407 1	Matching Pair: Edge Meets Steele	£1.50

All these books are available at your local bookshop or newsagent, or can be ordered direct from the publisher. Just tick the titles you want and fill in the form below.

Prices and availability subject to change without notice.

Hodder and Stoughton Paperbacks, P.O. Box 11, Falmouth, Cornwall.

Please send cheque or postal order, and allow the following for postage and packing:

U.K. – 55p for one book, plus 22p for the second book, and 14p for each additional book ordered up to a £1.75 maximum.

B.F.P.O. and EIRE – 55p for the first book, plus 22p for the second book, and 14p per copy for the next 7 books, 8p per book thereafter.

OTHER OVERSEAS CUSTOMERS – £1.00 for the first book, plus 25p per copy for each additional book.

Name ....

Address ....

....

LOVE, SEX & MUR

Kelly Banks

PAPER ★ STREET

Paper Street Publishing

www.paperstreetpublishing.net

ISBN (H): 9781916176355

ISBN (PB): 9781916176331

ISBN (e): 9781916176348

This book is dedicated to

L and C

1

Murder Show

EMILY WAS WATCHING A murder show when her doorbell rang. Her hand froze inside a party size bag of Doritos. She wasn't expecting anyone. On screen, a man dressed as a clown was stabbing a screaming prostitute. Belatedly, she pressed the pause button. It always seemed to be a prostitute, she thought. Miracle there were any left. She sucked the flavoring from each of her fingers, then made her way to the door and looked through the peephole. A woman stood in the hallway, her head a mess of wild blonde hair.

Callie Davenport, her best friend in high school.

She opened the door and Callie smiled.

"Hello, boo."

Emily smiled back "Hi."

"I didn't know if you still lived here. Just kind of winged it, you know?"

She hadn't seen Callie for almost two years, not even on social media. It was as if they'd fallen out, but nothing had happened. Some people were like that, they didn't fall out with you, they put you in the freezer to be thawed out at a later date.

"Are those pajamas?"

Emily felt her face go red. It was 9 o'clock on a Friday night and she was already dressed for bed. She saw herself clearly through her friend's eyes and it crushed her. She hung her head and saw a suitcase at her friend's feet.

"Are you going somewhere?"

Callie started crying uncontrollably.

"Frank threw me out. You have to help me, I've nowhere else to go. It'll only be for a couple of days, I promise."

Emily would've groaned except for the fact that her arms were now wrapped around Callie in a till-death bear hug. She was a slave to her emotions, it was probably the reason she was so fascinated by serial killers, that they all seemed so disconnected from theirs.

"Of course you can stay, but this isn't exactly the Ritz."

"I just need somewhere safe until I can get my own place."

Callie paused, looking at the image frozen on the TV screen.

"Maybe we can help each other, you know?"

Emily ignored that and walked into the kitchen.

"You still drink gin and tonic?"

"Like a goddamn fish."

She pulled out a couple of glasses and poured the drinks. The tonic was a little flat, but it'd do the job. She held a glass out to Callie who took it and immediately drank from it. Her friend closed her eyes and smiled a kooky smile like she was being transported by a single mouthful of alcohol. Callie Davenport was the kind of beautiful that made girls want to please her for no other reason than to keep her close. The fact that she was an old friend made no difference to Emily.

There's a beautiful woman standing in my kitchen.

They stood in the kitchen drinking and making awkward small talk for about half an hour before they sat down in front of the TV. On screen, the woman was still in the middle of being murdered, a look of terror frozen on her face. In the corner of the screen it said RECONSTRUCTION. This always bothered Emily. Either the producers assumed the audience would think there'd been a film crew at the scene during the original murder, or else that *another* hooker had been murdered to make the show. It kind of pulled her out of the moment seeing that word on screen, when all she wanted was to be right there with the death.

"You can put it back on. You must be *dying* to see what happens."

She rolled her eyes at Callie.

"Maybe we could watch something else."

"This is your home, boo. I don't want to impose on you in any way, and that includes what you want to watch on TV. Now, get me up to speed; who's the brunette, and who's this fat dude with the knife?"

"He's a factory worker and part-time clown, she's a prostitute. He, uh, likes killing prostitutes and dumping them in woodland."

Callie shrugged. "Who doesn't?"

Emily smiled and pressed play. The room filled with screaming and the hand with the knife came down over and over, stabbing the woman until she lay still on the dark, concrete floor, blood pooling out. The scene seemed more gruesome than usual for a reconstruction, but things had a way of feeling different when you were with someone.

The man picked up the woman's body like she weighed no more than a cat, and carried her toward his truck.

"Question," Callie said. "Are we on the side of the killer here?"

"I find these shows kind of cathartic after a week at work. I like to imagine my supervisor is the one getting buried in a hole, or dismembered, or whatever. Although, when a woman's being strangled..."

She didn't finish, she couldn't.

"You imagine it's you."

"Yeah."

"Do you like being strangled?"

She turned toward Callie.

"That would be weird, wouldn't it?"

"Would it?"

"Have you ever been strangled. Choked, whatever?"

"Sure."

"You like it?"

"Not at all, but there's no judgement here."

Emily realized that she was disappointed.

"It was just one time. A guy did it without asking and I just about broke the bed in half."

Callie looked at her with a level gaze and said nothing.

"I don't know why I said that to you."

"Because I'm your friend and you can say anything to me."

On screen, the factory worker was driving his pickup truck to dump the woman's body. The man looked pretty pleased with himself, his face was all lit up. Meanwhile, through the rear window the tarpaulin moved and the woman crawled out.

"Jesus," Emily said. "She's still alive."

"Is she though? Wasn't she already dead inside?"

Emily smiled. "I've missed you so much."

Callie reached her hand out between them and gave her thigh a squeeze.

"I missed you too, baby."

Her hand was warm and had a pleasant weight. After she stopped squeezing, her friend left it on her leg for the rest of the show. Callie had always been a tactile person, and it didn't seem like too much had changed since they'd last met. The show continued until the clown got what was coming to him, and then she shut off the television. The ending to all the murder shows she watched was pretty much the same, and was always the most boring part. She didn't care anything at all about how the killer got caught, or how the cops who put in the hours tracked the person down. She liked the beginning, when the killers found out who they really were, and what made them tick.

"So, you going to tell me what happened between you and Frank?"

"Nope."

Emily said nothing for a moment and they both stared at the blank TV screen.

"Did he hit you?"

"All the damn time."

"I'm sorry, Cal. You can stay here as long as you want."

2

Pancakes

Emily woke with the smell of coffee in the air. She scrunched up her nose and rubbed her temples as she stared at the ceiling. In the next room, through her open bedroom door, she could hear Callie Davenport singing to herself. Emily concentrated on the words, trying to place it. *Sunshine on a Rainy Day*. She smiled. The song brought out her friend's normally dormant English accent. It wasn't the worst version of the song she'd ever heard. Callie could sing. She glanced at the clock on her nightstand and saw it was already 10:30.

Emily sighed and swung her legs down onto the floor.

Sleeping late on a Saturday wasn't normally part of her routine, hadn't been for years. The extra time in bed never made her feel any more rested, often the reverse seemed to be true. She stood and stretched, then padded barefoot to the kitchen and sat on one of her barstools. Callie had her back to her and was cooking something on her hob. After a moment the song died on Callie's lips and she froze up.

"You're standing behind me, aren't you?"

"Sitting, actually."

Callie looked back over her shoulder.

"Sorry."

"For what?"

"I sing when I'm happy. That's who I am."

"And you stop when I'm close, that's nice, Cal. Real subtle."

Smoke started to rise behind her.

"That's not what-"

"You're on fire."

Callie turned and worked the hob for a second then dumped some slightly burned pancakes onto a plate, put it on the counter between them and squirted some honey over the top and down the sides. Callie put her elbows down on the breakfast bar, her right arm overlapping her left and leaned forward so that her breasts pushed against the thin fabric of her T-shirt. Emily looked at the plate of pancakes, then briefly at Callie's nipples pressing darkly through the thin white cotton shirt. She looked up.

"Help yourself, Em. I made them for you."

Emily reached for the top pancake. Callie's nipples were rock hard, they were like two fingers pointing straight at her. She took a pancake and began to eat. It was really good.

"You've got a beautiful voice, Callie. Never stop singing on my account."

Her friend's face turned scarlet.

"Thanks."

"I'm glad you're happy. Now eat, help me with these."

Callie rolled up a pancake into a sausage shape and took a bite.

There was a smile frozen on Emily's face, it was all she could do to stop herself from laughing. Callie's nipples were still hard and she couldn't take her eyes off them. It made her feel funny inside. It didn't seem that cold to her and she wasn't wearing any more than Callie. T-shirt and briefs. Emily took another bite of the pancake. Of course, she didn't know for a *fact* that her friend was wearing briefs under her T-shirt, she just assumed.

"What's funny?"

"You," Emily said, and laughed.

After they ate and showered, they spent the next couple of hours catching up, mostly talking about people from school who had been friends; then about some other people from school that had been douches or bitches.

Eventually, conversation between them ran out. It was obvious to Emily that the problem was that Callie didn't want to talk about her recent history, or specifically, about her violent husband, Frank. She decided not to bring it up. Obviously, they'd have to talk about him at some point because it was going to be the only way for Callie to move on, but she thought the best way of dealing with it was probably when they'd had a couple of drinks.

"I'd forgotten just how beautiful you are."

Emily glanced at Callie to see if she was pulling her leg.

"Yeah. I forget sometimes myself."

"I know you do."

Emily smiled awkwardly.

"I don't know where you're going with this."

"I was just thinking about those people from school we were talking about. Looking at the totals, you know? It's not good. One murdered, two suicides, four dead in car crashes, twelve in the military, for a total of nineteen dead. That's a lot. Then we have two in prison, one in rehab, and one working a cosmetics counter in a mall."

Emily smiled at the way the last one somehow fitted on the same list. Taylor Beck, it was what she deserved.

"*Okay.*"

"And I just thought, I don't know if anyone's told you recently."

"What?"

"That you're beautiful."

"Oh Jesus! Stop saying that, it's weird."

"We could be dead tomorrow, I want you to know."

"Well you're beautiful too, Cal."

Callie smiled. "That wasn't so hard, was it?"

"I guess not."

There was a long pause.

"So what am I going to say next?"

Inwardly, Emily sighed. She knew what was coming next and she didn't really want to hear it. A friend had done this to her once before, while they were drunk, and her skin still crawled when she thought about it.

"That you love me?"

Callie frowned.

"*Obviously* I love you. I was going to say, don't fucking die, I'd miss you."

Emily turned, looking out the window and down at the street.

"You were gone for two years. Didn't you miss me then?"

"It's not the same. I was afraid for my life most of that time. Trust me, when you're terrified everything but survival goes out the window. You can't imagine what it's like until you've lived it. This morning I saw you sleeping and you had a little bit of drool hanging out your mouth. I can't explain it, but my heart just exploded. You lying there sleeping made me happier than Frank ever did. I felt *connected* to you and I just started singing. I was so happy to be back in your life."

Tears were running down Callie's face, but she didn't seem sad. They seemed to be tears of relief, of happiness. Emily wrapped her arms around her and held her tight.

"I love you too, Cal. But if you tell anyone, I'll kill you."

Callie Davenport laughed inside her embrace.

When the hug ended Emily was surprised to realize that she'd been enjoying it. Before Callie's return the day before, nobody had hugged her for almost a year. The last guy she'd dated had never hugged her. Not once. How was that possible?

"What are we doing tonight?"

Emily frowned. "What do you mean?"

"Saturday night, you know? You get dressed up, you go out, have a few drinks, have some fun. Is this ringing a bell at all?"

Right. The thought of going out and having fun drained her of more energy than a two-hour run. She felt her shoulders drop. Callie's eyes narrowed.

"You don't watch murder porn on Saturday as well do you?"

Emily laughed, she'd never thought of it as *pornography* before.

"I guess it's been a while since I was going out regularly."

"Watching hookers being murdered is not a life, boo."

Emily nodded. It was something she'd thought about many times. Because of one guy, she'd retreated inside herself. It was the safe option, because most guys turned out to be assholes within a very short period of time. On the other hand, she didn't miss going to bars and clubs, or the drain on her checking account that went along with it.

"I don't *just* watch murder shows, I watch cop shows as well."

"Oh yeah? What's the difference?"

"Between true crime and fiction?"

"You know what I mean. It's all murder."

Emily tilted her head over, her eyes going up and to the left as she thought about it.

"Victimology and production values mostly."

"Victimology, huh? Girl, I arrived just in time."

Maybe it was true, Emily thought.

She'd never find the energy and confidence to go out on her own, or on dates. Friends had fallen away and stopped contacting her. Between her job, looking at social media, and her fitness regime, murder shows was about all she had time for recently. Friends required time in real life and she just hadn't made that time. When each weekend rolled around all she wanted to do was sit on her ass, drink alcohol, and eat big bags of chips. Callie was offering her an opportunity to break the cycle she'd fallen into and she should grab it with both hands, because if she didn't, how was it ever going to stop? One day she'd wake up, and her life would have passed her by. She'd be old, and no one would want to spend time with her.

"All right," she said. "But just bars. I need to work myself up to a club."

"You bet."

"I don't want to be a bitch, Cal, but I don't want you bringing guys back here, ok?"

Callie's mouth dropped open in shock.

"I just got rid of the Devil, I'm in no rush to meet his brother."

"Okay."

"That was kind of funny. You sounded like my mother."

Emily shrugged. "All part of the service."

3

Morning Run

IT WAS HALF-LIGHT WHEN Emily woke. Six thirty two on her alarm clock radio. Earlier than usual for her, but she got out of bed anyway. When she was awake, she was awake. She knew well enough that there was no point fighting it. She took her watch off the charger, put on her sports bra and Nikes, then walked into the living room. Her head was buried in the small screen of her watch, deciding what music she was going to listen to. The music was critical. When she ran in the mornings she listened to something loud and fast because it helped set her up for the day. In the evenings it would be something soft or classical, to help get her ready to sleep. She found an old *Nine Inch Nails* album and smiled to herself. *Perfect.*

She put in her AirPods, stepped up on her treadmill and pressed play.

Like the music, her run started slow then got faster and faster until she was running at her normal long distance speed of 8.5 miles per hour. She could sprint faster, but not for long. She settled in, losing herself to the music and the rhythmic impact coming up through the soles of her shoes.

The apartment building had windows running from floor to ceiling and she'd installed the treadmill facing out the window so that she had things to look at while she ran. She supposed that people would sometimes see her running in her underwear from the street, or from the building opposite, but it was like she had a special drawer in her head that she filed that thought into and never opened.

When her treadmill hit 6 miles she dropped down to a slow walk and quit the run cycle. It helped to have a target to aim for; a time, a distance, or a calorie count. In her case, it was an hour or 6 miles, whichever came first. She never cared about the calories, she wasn't trying to lose weight. Emily looked at the digits before she stepped off onto the floor. Forty two minutes. A new personal best. She was still smiling when she turned and saw Callie watching her from the sofa. She was sitting up in an oversize T-shirt, drinking from a cup of coffee.

"Jesus! I forgot you were here!"

"Why don't you stab me through the heart and get it over with?"

Emily walked over so that she was standing in front of Callie. Her friend stared at her briefs for a couple of seconds before looking up at her face.

"You're not even out of breath are you? Incredible."

"I don't know about *incredible*, I smell pretty ripe."

"Yeah, you smell." Callie shrugged. "But I like it."

A silence fell between them for a couple of seconds before Callie spoke again.

"You do that every morning?"

"Usually. Every night too if I'm not watching murder shows."

"Uh-huh."

Callie's T-shirt had a large neck hole and one side of it had fallen over her left shoulder. Emily looked at the exposed collarbone. Her skin was stretched over it, there was a dip, a hollow on either side. The skin in the dip would be soft, sensitive.

"Did I wake you?"

"That's okay. It's not the worst way to wake up."

Again, Callie glanced at her briefs and smiled.

"What's funny?"

"You know what? I love the new you. *Love it*. You're like a superhero."

Emily didn't know what to do with that so she walked through into the kitchen and poured herself a cup of coffee from the jug Callie had made. It was black as tar and tasted like a cigarette had been put out in it, but she drank it anyway. Her friend had become a bit weird since they'd last met. She knew Callie just wanted her to feel better about herself, that was how she'd always been, but now there was a strange undercurrent to everything.

Emily turned and saw Callie standing right behind her.

"Is it ok if I watch Netflix while you're at work?"

"You don't have a job?"

Callie's face twisted awkwardly.

"No. I have some money from my grandmother's estate, but Frank paid for everything. Not any more I guess."

Emily wondered how Callie was ever going to move out of her apartment if she didn't have any income and she had a feeling she knew what the answer was going to be. She finished her coffee and put the mug down on the counter.

"You can watch Netflix, but when I come back from work I want to hear the full story about you and Frank, not the bullshit you've been feeding me. Okay?"

"Yeah, okay."

Emily went through into the bathroom stripped off then got into the shower with the heat dial and pressure dial to maximum.

Bloody Callie Davenport, she'll be the end of me.

Letting her friend stay had been a mistake, but what else could she have done? Throw her out on the street? As Emily soaped herself, she wondered how much money Callie's grandmother had left her. Nobody used the word *estate* if the inheritance was only a couple of hundred dollars. Thousands then. Minimum.

There had always been plenty of money around Callie when she was growing up. Her father had been a major English soccer player in the Nineties, her mother an American actor and producer. The grandmother she didn't know at all, though she had met her once. She remembered a wraith-like creature stepping out of an ancient Rolls-Royce wearing a fur jacket and sunglasses.

The Rolls-Royce. The fur jacket. Both things pointed to *old money*, the kind someone else had made, usually from oil or land. Maybe she was worried about nothing. Rich people always underplayed how much money they had, maybe Callie was no different.

What was the worst that could happen?

She'd be out of her hair in no time.

4

Falling into Place

WHEN EMILY GOT BACK from work she found Callie standing in her kitchen wearing a black crop-top and briefs. Emily stared at the naked band of tan flesh at Callie's midriff then, briefly, at the sculpted shape of her friend's ass.

"Hey, girl. What's cooking?"

Callie glanced over her shoulder and smiled.

"*Bolognese.* My own special recipe."

Emily nodded for a moment, as if thinking about it, then said.

"You know you're not wearing any pants, right?"

"Oh yeah. I got hot so I took them off. Do you care?"

She looked again at Callie's ass. It was perfect.

"It's fine, I guess. Have you spoken to Frank?"

That cleared the smile off her face.

"I didn't want to mention this before, but last week Frank put my arm in a vice and began to crush it. He told me he was going to tighten it until my arm broke off and I believed him. I am never going back to him, Emily, not a chance."

"Jesus, Cal. Why didn't you tell me?"

"I didn't want you seeing me like that, like a victim."

She wrapped her arms around Callie and pulled her in tight. They stood like that for several moments, their bodies pressed together, her right hand resting on the bare skin of her friend's waist. She didn't consider herself a tactile person but Callie was an easy person to put your arms around. When they broke apart, Callie turned away from her, back to the food she was cooking.

"Say something else. Anything. How was work?"

"Shit, actually. My supervisor keeps getting in my face for no reason. I could strangle that bitch with my bare hands. It would be so damn satisfying. Her eyes would bulge, her tongue would stick out, and that big face would just get redder and redder until she was gone."

Callie laughed.

"*Somebody* needs a glass of wine."

"Let me shower first. How long before that's ready?"

"You got twenty minutes."

Emily stripped off her work clothes in the bedroom, then walked into the bathroom and closed the door. She hadn't lived with anyone since she left home and she didn't like it much. For one thing, to get from her bedroom to the bathroom, she first had to walk through ten feet of a long multi-use space that connected to the kitchen, the living room, and her gym. Since she removed her clothes in the bedroom, it meant walking naked through the same general space Callie was in. It was a problem she'd never had before, since anyone who stayed the night before had seen her naked already.

She stepped into the shower and hung her head so the water could pound on her neck and back. In the past, she'd always known when a visitor would be leaving, usually around two hours after her date woke up. She'd tried to streamline the process, to get them out the door faster, but men never took a hint. The Callie situation was different, and had the

potential to become permanent very easily. Days would drift
into weeks, and weeks into months. Emily had spent the day
trying to think of a way to ask her to leave and still keep her
as a friend. It didn't seem possible. The longer Callie stayed,
the harder it would be to ask, and the more resentment that
would build up.

Resentment.

That had to be the wrong word, didn't it?

She washed herself automatically, her mind distant.

One thing was for sure, there would be no reconciliation
between Callie and Frank, not after he put her damn arm in
a vice. Hell, she wouldn't *want* there to be any reconciliation,
not after that. The vision of it was sharp in her mind and
had the quality of a nightmare. It was no wonder that Callie
never wanted to see her husband again, but it did leave two big
questions in her head. Namely, what had she done to make
Frank so mad that he'd want to do this to her in the first place?
And, secondly, how could he expect her to stay afterward?

The man must be a psychopath.

The thought drifted through her head like a joke, but
instead of drifting right out her head again, it stuck there. She
turned off the shower and stood there, dripping.

Frank's a psychopath.

She said it again in her head. Emily had never met him,
but it immediately felt right based on what Callie had told
her. She ran her hands back over her hair, flattening it against
her skull to squeeze the water out, then opened the glass
screen and stepped onto the mat on the floor. *Okay*, she
thought, *let's say that's true, then what?* Well, the next point
was obvious. Frank was not going to let his wife leave him, he
was going to be looking for her. After almost a week, he was
going to be pretty unhappy. Raging. Homicidal, maybe. With

no job and limited resources, he wasn't going to be looking for her in hotels or apartments, he'd be looking for her at friends and family.

Emily took a sharp breath.

Callie hadn't come to stay with her because she was her oldest friend, she was here because their friendship had expired. Because Frank didn't know she existed. Emily wrapped a towel around herself and walked into the living room. The smell of food hit her immediately, but she didn't feel hungry, she felt like ending it all. She felt broken inside and didn't understand why.

What difference did it make why Callie had come to her?

Why did it feel like she'd been punched?

Two glasses of red wine sat on the breakfast bar. She walked over, picked one up and turned back for the bedroom. Callie's head turned to watch her leave.

"Boo?"

Emily said nothing. She went into her bedroom and closed the door. Once the wine glass was on her nightstand she sat on the side of the bed and began to cry. After a minute she lay down, her wet hair against the pillow. She stared at the blank wall and pulled her knees up to her chest and hugged them. Several minutes passed, then the door opened and Callie got onto the bed next to her. They lay there spooning for a while until her tears ran dry.

Callie was only here because she had no choice, but that didn't mean that her body lying next to hers didn't feel nice, whatever that was worth.

"If this is about my cooking we can order in. I won't be upset."

Emily smiled, despite herself.

"You are such a liar."

"True. Look, if you really want to choke this supervisor woman to death we'll work something out, okay? But the dinner I spent two hours making is busy turning to rubber and I can't have that."

Emily half turned her head toward Callie.

"You'd really help me kill Charlotte?"

"I'd do anything for you, don't you know that?"

There was no trace of humor in her voice and for a split second she imagined herself in a pickup truck with Callie sitting next to her all smiles, Charlotte's body in the back covered over with a flapping tarpaulin, driving to some deserted spot for safe disposal.

Some problems you fix, some you bury in a hole at 3 a.m.

"What do I have to do for you?"

"*Eat my goddam Bolognese.*"

"I knew you were going to say that."

5

Perfect C

HER APARTMENT WAS QUIET when she got home on Friday. The TV off, the kitchen empty. Emily looked around. The living room was tidy with no piles of used clothes next to the sofa. She walked over to the kitchen, and it was the same there, counters were wiped clean and tidy, her hob pristine. Callie had tidied up. Emily frowned. Where the hell was she? Back in the living room, there was no sign of the wheeled suitcase that her friend had been living out of for the last week.

Had she left?

A small smile appeared on her face.

Sometimes when she had a problem with her computer things had a way of resolving themselves. Issues would go away as mysteriously as they'd arrived with no explanation. Could her house guest situation be as simple? She took a deep breath and let it out again. Before the breath was all the way out her body she heard a metallic *click* and her bathroom door opened.

"Hey, Em. I thought that was you."

Callie paused in the doorway with wet hair and a towel wrapped around her waist, steam filling the space beyond. The towel barely covered everything it needed to, either at the

ottom. Emily held the smile on her face, like she'd
toe and was trying not to show it.
ot going to be a problem that fixed itself.
right, boo?"

"I guess," Emily said. "Long day, shitty traffic."

"Grab a shower, I'll get you a drink."

Emily was tired, but the hot water brought her back to life.
When she returned to her bedroom, she found Callie sitting
at her vanity mirror putting on makeup, a bottle of beer on
the table next to her.

The club.

Callie had talked all week about taking her to some club
off Sunset and she'd forgotten all about it. Her heart sank.
A second bottle of beer sat on her nightstand and she drank
from it in long mouthfuls before putting the bottle back
down. Was there any way to get out of it? She pulled on some
underwear under her towel, then, turning her back, removed
the towel to put on a large T-shirt. She shot a glance at Callie
and saw there was a smile on her friend's face, like her clothing
routine had amused her.

Emily took another mouthful of beer.

"You don't still want to go to this club do you?"

She used her *serious* voice, just to see where it went.
Predictably, the smile fell off Callie's face and her mouth fell
open.

"What?!"

"I'm just saying, I've got a bunch of cop shows to catch up
on. We could kick back, eat some chips-"

"Em, you promised!"

She shrugged, casually. "There's always tomorrow, or next
week."

"You're kidding me, right?"

Emily smiled. "Your face! I wish I had a picture."

"That's not funny!"

Emily finished her beer before she spoke again.

"Clubs aren't designed for people like me. I become invisible. You'll see."

"Girl, it's all about presentation." Callie turned to face her directly and spread her knees until the towel around her legs stretched tight. "For example, see what I'm doing here? This is how you sit, like an old man on a bus."

Emily was certain Callie had never been on a bus.

"So what?"

"It makes your legs look shorter and removes mystery."

"There's no *mystery* about my legs."

"That's for sure. Now, sit like this."

Callie put one leg over the other and tucked the top foot down, making her legs look twisted together, her feet together over to one side.

"Are you serious?"

"Indulge me."

Emily crossed her legs the way Callie suggested. It wasn't comfortable.

"It looks like I need to pee."

Callie smiled, and nodded.

"But only to you. From here, your legs look longer, your hips look wider, and my eyes are directed up your legs to your crotch. Anyone sitting where I am is going to start thinking about you in a sexual way whether they want to or not."

"It's going to take more than twisting my legs like I need a pee to transform me into a goddess, but I appreciate the thought."

"Do you really not know how beautiful you are?"

She sighed. Again, with this *beautiful* routine. It was easy for her, Emily thought, she really was beautiful. She imagined what it must be like to be Callie Davenport, and see that face in the mirror every morning. Every day like a model on the front page of a magazine. It must be the best feeling in the world. The comment left a sour taste in her mouth because it was easy to imagine Callie telling *everyone* they were beautiful when she needed them.

"I know what I am, my mom told me often enough. I'm plain."

"Are you kidding me? You're a knockout."

"You don't need to say that because you're staying with me."

Callie shook her head in disagreement, but also with a look of understanding.

"I bet that's what it is, what made you different. All the pretty girls at school knew they were pretty and it made them into bitches. Every single one of them. It was as if they fell under their own spell. I was no different. We walked around like the world owed us something. But you stayed grounded. Real. You didn't expect anything from anyone. You didn't need anyone's validation, so you never asked for it."

Callie's bottle of beer lay empty on the table in front of her.

"I'm nothing special, Cal, I'm just me."

"You have this rocking hot bod and you hide it away, why? Cos' your mom said you were plain when you were growing up? Give me a break. Don't you realize *why* she told you that? She thought if you found out how beautiful you were you'd be getting into trouble with boys. Sleeping around, getting pregnant. All that. She was making life easier for herself at your expense. But I'm here to set you straight, okay? If it's the last thing I do, I'm going to bring you out of your shell. Say goodbye to your old life, because it's over."

Emily smiled. Another classic Callie rant.

"What if I *like* my old life?"

"Pfft!" Callie said, flicking her hand as if at a mosquito. "Show me your tits."

"What?!"

"Come on, lift your top up. I won't bite. I've known you my entire life."

"I'm not showing you my tits."

"Why?"

"I'm shy."

"They're just tits, baby, we've both got 'em. Here's mine."

Callie opened her towel to her waist. Emily stared at her friend's breasts. She couldn't take her eyes off them, they were amazing. The nipples were small and dark on her golden skin and they appeared to be semi erect. Callie closed the towel over again.

"Your turn. I've shown you mine, you know how it goes."

Callie's face was all business, already staring at her chest expectantly. Fine, whatever. *They're just tits*. Emily lifted her T-shirt up before she thought anymore about it.

"I knew it! They're perfect. Are they Cs? I always wished mine were smaller. Less to carry around. Going up and down stairs with these things is a real drag, let me tell you. You can't see your feet or where you're putting them. I love how pert your boobs are."

It was the most interest anyone had shown her for a long time and she felt something like a pulse throb in her crotch. *Okay, that was weird.* Her cheeks colored, but it didn't matter, Callie was still staring at her body. It was kind of nice to be admired by a woman, she thought. A man would complement a mail slot if he thought he'd get to put his dick in it.

"Look at that stomach! Those abs! You're so damn lean."

Between the treadmill and the rowing machine, Emily kept herself in pretty good shape. She was proud of how fit she was, how strong. But when you got right down to it, she was not particularly feminine. Her mood nosedived.

"You want another drink? I sure need one."

"Did I upset you?"

She wiped her eyes with the back of her hand.

"I'm fine."

"Look at me. I'd swap bodies with you in a heartbeat."

"Yeah? Take it, it's yours."

A small smile flickered at the corners of Callie's mouth.

"Now you mention it, I'd love another drink."

They walked into the kitchen and Emily took two more beers out the fridge. Normally, she only drank alcohol on Friday and Saturday, her crime nights. Serial killers, a bag of chips, and a drink. Since Callie had moved in, it was every damn night. She passed Callie one of the bottles and their hands touched for a couple of seconds. A spark seemed to pass between them and travel up her arm.

Emily's gaze dipped down to Callie's mouth. It was swollen and she could see the tips of her friend's teeth inside, glistening with saliva. As she watched, a slow smile spread across this woman's perfect face and when it started to speak she continued to look at the lips as the words came out.

"All right, boo. Let's get our sex-suits on, we're going to the best club in town."

6

A White Lie

THE CLUB ENTRANCE WAS just a narrow archway, with a raised center section, like the doorway to an old church. Bands of neon were layered up around the edges. The neon was dark purple, around the outside, then blue, then a pinkish red at the point closest to the door. It looked like an inside out rainbow, she thought. There was no line to get in, just two women in warm-up jackets with security badges.

Emily had never been to a club that didn't have a line before, and she didn't much want to start now. A line meant the place was good, it was like word-of-mouth advertising, except it was just people standing there. You'd only stand outside like that for a good place, therefore a place with no line had to be horrible.

There could be nobody inside.

If this was the best club in town, a lot of people didn't know.

Callie had no doubt on her face. The idea of coming to this club had sustained her all week. Emily told herself to trust her friend's judgement. It wasn't like she enjoyed waiting in line. The line was basically faked anyway, wasn't it? They made you line up to make you think a place was better than it was, rather than just let you in when you arrived. The women in the warm-up jackets turned to face her and looked her up and down and nodded like she was going through airport security.

Inside, a short dark corridor lay beyond the door, wavy blue neon on walls and ceiling, the floor was mirrored. At the end was a woman in a movie theatre-style booth collecting money. Large scarlet lips were above and below, like she was in a mouth. The entrance fee was $50 each. Since Callie wasn't working, Emily paid for both of them, balancing the fee on top of her already enormous debt pile.

"You didn't have to do that," Callie said.

"*Now* you tell me."

Callie smiled in the darkness. The blue neon made her lipstick look black. They turned to the right, following the sound of the music which was already incredibly loud. Emily sighed. It was what she hated most about clubs, the endless physical assault by deafening music. You couldn't ignore it, you couldn't talk to each other, all you could do was allow yourself to be buffeted by it like you were standing in a tornado.

The corridor led to a large, dark space filled with people. The darkness hid the true number, which was probably higher than fire regulations allowed. Callie took her hand and pulled her toward the bar. She felt the energetic beat of the music against her chest and she willed it to stop. She focused her attention on the hand that held hers, and of Callie in front leading the way.

It wasn't hard for her to imagine being unable to find Callie again if she let go of her hand. Her vision closed down as people pressed in on either side. They reached the bar and she was served almost immediately by a tall woman wearing a shirt with a huge collar. The woman looked at her, ignoring Callie altogether, and she ordered two gin and tonics.

"Girl, you did it again!"

"Sorry, Cal. You can buy the next drink."

Emily found herself thinking about the peace of her apartment, alcohol that cost less than $10 a shot, a bag of chips, and her favorite show of all time, Dexter. *That's* what Friday nights were to her, not this human zoo.

"I don't like this," she said, almost to herself.

Callie turned toward her and shouted. "What?!"

Her face was the most animated she'd seen it in a very long time, probably since they were sixteen or seventeen. It struck her that this was Callie's idea of heaven. Emily sighed and took a long drink from her glass. *Maybe if I have enough to drink it will dial everything down to manageable levels.* She leaned in so that their faces were inches apart.

"Have you been here before?"

"No, never. Isn't it great? This music...I swear I can feel it in my pussy!"

Emily laughed, embarrassed. "Me too!"

Callie took her hand again and pulled her through the tide of people to an empty booth at the back. The seat was U-shaped, with a wide middle part flattened out against the wall of the club. They squeezed around the table to sit against the wall, facing out.

The music wasn't as loud here as it had been before and she could finally hear herself think. Callie twisted around and pulled her left leg up on the seat between them, folding it under her right leg. Her short skirt was stretched open by the angle of her legs and Emily tried not to think about her friend's underwear situation.

"Can I ask you a question?'

Emily shrugged. "Sure."

"You don't have to answer it if you don't want to, ok?"

"Obviously," Emily said.

"When was the last time you got laid?"

She sighed, vexed. The question itself didn't bother her so much as where Callie had chosen to ask her. Still, the music made it virtually impossible for anyone to overhear anything. They were face to face, inches apart. They had to be, it was the only way to be heard. The question was easy, it was like a thread she kept pulling on in her mind.

"February 14th. I remember because it was Valentine's Day."

Callie's mouth opened in shock.

"That's, like, eight months ago."

"A lot of *batteries* ago."

Instead of laughing, Callie made an upside down smile like she was sad. Not having sex wasn't the end of the world to Emily. In her experience, if you wanted something done right, you had to do it yourself. Men never seemed to know where the damn switch was, never mind want to spend too much time down there trying to find it.

"Why do you let yourself accept this? You have to be more proactive. If you see someone you like, do you do nothing? Do you smile coyly like a princess and wait for them to make the first move, is that it?"

"Are you kidding me? You're talking about real life approaches? In *this* town?"

The question seemed to faze Callie.

"What then? Apps on your phone? Swipe, swipe?"

Emily shrugged.

"Yeah, why not? You can check out hundreds of potential dates while you're drinking a glass of wine and wearing pajamas. What's not to love? Sure it's the same meat market in the end, but it's a lot more civilized. You're not putting yourself out there to be hurt in the same way. Rejection slides right off. It's totally clean, surgical."

"And how's it working out so far?"

Emily screwed up her face.

"The last few dates were a disaster and I kind of lost interest in dating altogether. I guess my exercise routine has replaced that part of my life."

"That much, I believe."

"What's *that* supposed to mean?"

"Your body's totally jacked! You look like an Olympic athlete!"

Emily looked down at herself.

"You think I look like a man, don't you?"

"Oh, god! Not *this* again! You're perfect."

"That last date..shit. It's easier just to tell you. The guy went limp while we were having sex. He said it was because he kept thinking I was a man."

"Oh baby, he was just embarrassed. You're smoking hot, believe me."

"I went crazy, Cal. I punched him in the face and broke his nose. Blood was pouring out, but I didn't stop. I couldn't, I wasn't myself. I punched him over and over. I knocked one of his teeth down his throat. A molar. I busted up his ear. He was on his hands and knees on my bedroom floor, half choking on blood. Eventually, I kicked his naked ass out into the hallway then thew his clothes out the front window onto the street. He was in bad shape.

"He tried to sue me for a hundred thousand dollars, can you believe that? His lawyer sent me a photograph of him with two black eyes and his ear out to here." Emily held her hand away from her head to illustrate, then frowned. "Why are you smiling?"

"Why? Because you're totally badass."

"I felt like that at first. Later, I wondered if I hadn't made his point for him. I'm strong and I beat the crap out of him. That's what a man would do, not a woman."

Callie thought for a second.

"What happened about the lawyer and the hundred grand?"

Emily shrugged.

"Nothing. In order to take it anywhere he'd have to admit in open court that his dick didn't work and that he got his ass kicked by a 135 pound woman. He dropped it. I guess he had to pay the lawyer out his own pocket. Serves him right. Between you and me, beating the crap out of him gave me more of a rush than what he was doing for me in bed."

Her friend was staring at her mouth like there was a piece of food or something on it, only she had a rakish smile on one side of her face.

"I'll be back in a minute. Don't go anywhere."

Callie stood and moved sideways around the table and into the crowd, leaving Emily on her own. Without her friend sitting next to her, the room seemed to close in on her on all sides. The pounding music, the people all shouting incoherently at each other, it was too much. Her eyes had now adapted to the darkness and as she looked at the people more closely, her eyebrows came down in a line.

They were all women. Every single one.

What were the odds? Emily stood and scanned the crowded room, her eyes reaching into all the dark spaces. Everyone in the club was female, all provocatively dressed. How had she not noticed? She looked at how the women were interacting with each other and the air caught in her throat. Of all the reasons she might have thought of as to why she'd never heard of the club, this was not one of them. As she looked around she saw several faces looking back at her and smiling. She felt herself turn scarlet.

They were checking her out.

They were flirting.

Emily sat down and dropped her gaze to her drink and sipped it slowly until Callie returned nearly ten minutes later. She was holding three more glasses in either hand and had a big smile on her face. The drinks were bigger than the last. It was obvious to her that there was an extra shot of gin in each glass.

"The line at the bar was totally unreasonable, so I thought I'd just save us some time by getting a bunch of drinks all at once."

"When you were at the bar, did you notice anything?"

Callie took a swig from her glass and nodded morosely.

"Yeah. I noticed well over a hundred dollars being removed from my credit card."

"Look around," Emily said. "What do you see?"

"I see people enjoying themselves on a Friday night."

"People?"

"*Oh.*"

"This isn't my scene, Cal."

"All right. We'll go someplace else, but we're drinking this lot first, right? I can't drop this much cash on drinks and leave them. An hour, that's it."

Emily finished the last half inch of her first drink and pulled one of the new glasses closer. There was a black light above the table and the tonic glowed blue in the darkness. It was the quinine in the tonic reacting with the ultraviolet, she'd seen it on a TV show.

"These are doubles?"

Callie folded her leg back up on the seat, their bodies turned to face each other.

"Sure are. I didn't even notice the first one go down. I want to feel it. I want to feel everything, otherwise what's the point? Am I wrong?"

"If we finish all these we will have had seven shots of gin, not counting the beers we had in my apartment before we left. The only place we'll be going after this lot is home, or to the nearest emergency room."

Callie exhaled, her body collapsing in defeat.

"You still want to leave?"

What does it really matter? Men always ignored her anyway.

"I guess it's fine. I didn't come out hoping to find a date, I came to spend time with you and have some drinks. We'll stay here, it's as good a place as any."

Callie smiled.

"Thank you. I'm really sorry. I didn't know, I swear."

They touched their glasses together and drank some more. The extra shot of gin slammed into her system as she took swallow after swallow. All swearing aside, Emily always knew when her friend was telling the truth and when she wasn't, and the hairs on her arms were standing on end. Neither of them spoke for several minutes and the club's music wrapped around them like a blanket. It wasn't possible to have an awkward silence in a place like this and for the first time, Emily was glad the music was there, pounding away.

"You mind if we sit here?"

Two women were standing at the end of the table looking at her. They had long blonde hair tumbling down past their shoulders and perfect golden skin. There was a Nordic look to both their faces, with pronounced cheekbones and wide foreheads. She shrugged.

"Sure."

They sat next to her and immediately began to kiss each other. Emily stared at them and felt heat rush around her body. They were close enough for her to smell their hot, animal arousal. Her nose flared as she tried to inhale as much as possible. She'd seen women kissing before, but never like this. Never so close, or with so much passion. Emily glanced down and saw her nipples were visible through her dress. Anyone could see how turned on she was, her dress hid nothing. She turned and saw Callie was watching her closely. There was no smile or amused crinkles around her eyes, none of the usual light in her friend's face.

Instead, she saw pure undisguised desire.

It was a look she could feel deep inside her.

Emily fought the urge to look away and pretend like nothing had happened. If she did, she knew she'd regret it later. Coming to this club had been no accident, she'd been brought here for a reason, and this was it. She felt a fire building inside her. It was burning, faster and faster, consuming everything in its path. Emily wanted to feel what the blonde sitting next to her could feel. After nearly eight months, she wanted to be touched by another human being and in that second, she wanted that person to be Callie Davenport.

Before she lost her nerve, Emily leaned over and kissed her friend on her open mouth. Callie responded instantly, pushing back against her lips hungrily, the spread fingers of her right hand moving back through Emily's hair and gripping her head tight. She felt like she was falling, the world around her was whipping past, and that Callie was catching her.

Is this what falling for someone meant?

How did I never know that before?

The kiss ended and it was only then that it occurred to her what she'd done. In the darkness she felt her face go scarlet. She couldn't believe it, she'd kissed another woman and not just a peck on the cheek. There'd been so much passion, so much need.

Callie was watching her, head tilted over like a cat.

"That was interesting."

"Didn't you..."

Callie smiled.

"Oh, I did. I just thought you were going to have to drink a few more of those before we got to that part is all. You surprised me."

Emily noticed that her hand was resting on Callie's thigh. It felt natural sitting there, yet only minutes earlier she would never have imagined it being there.

"I guess I'm still capable of surprising myself."

"Your first time kissing a woman?"

Emily's eyelid twitched.

"Yeah."

"How was it?"

Emily took a drink from her glass while she thought about it. The second glass was nearly gone now too and she could feel it moving through her system, working its magic. She felt really good, but beneath it all there was a sadness she couldn't shake. There was something about the kiss that she couldn't get through to, her mind refused to accept it. A truth that was staring her in the face. She put the glass down on the table, empty, but continued to look at it.

"I guess I never kissed someone before who knew how to kiss me back."

Callie held her hand.

"Sounds to me like the best kiss of your life."

And there it was.

Emily nodded and said nothing.

"You want to do it again?"

She marveled at the depth of desire she saw etched on her friend's face. It was fierce, stronger than she'd ever seen before. She gave in to it and let herself fall. Their lips locked together, their mouths opened and Callie's tongue was inside her. Hot, and wet, and urgent. Her mind drifted, set free from itself. The sensations washed over her, each of them separate but joining together in the most amazing way. The feeling of Callie's mouth. The hands that gripped her tight. The gin. Even the terrible pounding music added to the way she was feeling. When the kiss ended, Callie whispered in her ear.

"That made me wet."

"Look into my eyes."

"I am, boo. You're all I can see."

Emily slid her hand under Callie's skirt. Her legs were smooth and warm. They felt amazing. She couldn't believe what she was doing, it was like someone else was controlling her, and maybe that wasn't far wrong. Her friend moved her right leg to give her more space.

Their eyes were connected.

The tips of her fingers touched the soft curls of pubic hair. No panties. Emily touched herself often enough, but touching someone else was indescribable. She turned her hand and folded up her fingers so that the outside of her knuckles now pressed against Callie's vagina.

She moved her hand slowly, up and down. The bones of her joints pushing at the short, soft hairs. Emily felt wetness on her hand and smiled, thinking about what was on her hand. She moved her hand up to Callie's clit and pressed the knuckles of her index and middle finger on either side. She rocked them back and forth on either side, teasing her. Callie's eyes shone in the darkness and she was breathing fast through her open mouth. Emily withdrew her hand and sucked the wetness off her knuckles, tasting it.

Tasting Callie.

"Why'd you stop? I was nearly there."

"I know," she said. "That's why I stopped."

She reached out for another glass of gin and tonic and took a large mouthful.

"Ease up girl, you're drinking too fast."

Emily spoke without turning.

"I don't like flat tonic."

"Well, I can't argue with that."

They sat without speaking for several minutes, just drinking their glowing blue drinks in the darkness. It was more alcohol than she'd had to drink in a long time, and she was numb all over. She knew the alcohol offered her a way out. When she was drinking, she felt like she didn't have to offer an explanation for her behavior. The alcohol was her alibi.

"Cal, why did you lie to me earlier?"

"What? I didn't, I swear."

"You told me you'd never been here before."

"And I haven't."

"But you knew what kind of place it was."

"Okay, that's true. I'm sorry."

"Don't lie to me again."

"It's easier. A white lie, you know? Nobody's hurt by it."

"Screw that. You're my best friend."

"I was embarrassed. I *like* you."

Emily said nothing. She liked her, what did *that* mean?

"Sometimes you're scary as shit, okay?"

Emily smiled at that, she couldn't not. Her face was hot with blood, but it was from the alcohol now, not embarrassment. It never took too much drink for her to get drunk, but her muscular body seemed to burn it off faster than most. She had learned to enjoy it while it lasted.

"Say something to me, boo. I need to hear your voice."

"Cal, your pussy tastes like a honeydew melon."

Her friend laughed.

"Yeah, I know. What does yours taste like?"

"I wouldn't want to spoil the surprise."

Callie finished her drink.

"Let's go."

7

Uber Truth Bomb

THEY MOVED THROUGH THE dancing crowds and thumping music, then out along the dark corridor to the exit. Emily felt lightheaded, and it wasn't from the alcohol. She looked across at Callie as they walked through the street door and saw her friend's face lit up with the colored neon. She had a huge smile, larger than any smile she'd seen her have before. She felt a rush knowing she was responsible, but she was nowhere close to smiling herself.

Butterflies filled her chest, their flapping wings almost enough to make her hands shake with nerves. Callie ordered an Uber while Emily stared off up the street as two cops pushed a man against his car and began to pat him down. It was kind of mundane, not like in her cop shows, and she turned back to look at Callie as she put her cell back in her purse.

Within minutes, their Uber arrived and they piled into the back of the car. The driver was a middle aged woman, and Emily felt no urge to reach into the side pocket of her clutch purse for the small Swiss Army knife she kept there for easy access.

As soon as they were moving, Callie slid across the seat until their legs touched and began to speak quietly.

"There's something I should probably tell you, Em, since we're being honest with each other and all that noise."

Callie's tone had become serious and it felt like a heavy weight was now pressing on Emily's chest.

"Oh yeah? What's that?"

"Last week, when I turned up at your door-" Callie paused for a moment, her mouth twisting awkwardly. "It wasn't the first time I've seen you in the last two years."

Emily frowned. "It wasn't?"

"No. I saw you a month ago, downtown. In fact, you walked right past me on the sidewalk. I guess you didn't see me, but I sure saw you. You were dressed in your business suit, your hair was tied up and you had this focused expression like you could do anything. Like you were an FBI agent or something. I'd never seen you that way before and I thought you were stunning. My brain froze up, I could do nothing but turn and watch you go by like some stupid adolescent boy.

"Afterward, I kept thinking about you, wishing I'd said something, anything. I thought my feelings would fade after a couple of days, but if anything, they grew stronger and stronger. I couldn't get you out of my mind. I started to hang around in the same intersection, day after day hoping to see you again, to give me another shot at saying hello. The whole of that last week actually, Monday to Friday I stood there between ten and eleven thirty. I became obsessed."

Callie dipped her head down, embarrassed.

"What are you telling me?"

"I think you know, girl. Frank didn't throw me out. I left him because three weeks earlier you walked past me on the street with your perfect face and I felt my heart soar. I left him, because for the first time in my life, I knew what I wanted and

I'd rather be dead than not have it. You made me not afraid of a gangster."

Emily closed her eyes and felt a shiver move through her body. She stayed like that for several seconds, losing herself in the moment. This happened to people in movies, not to her. Never to her. She didn't trust herself to smile in case it broke the spell. When she opened her eyes again she could see the hairs on her arms standing on end. She couldn't describe what she was feeling inside. She had never felt so *noticed*, she thought she was invisible.

"Jesus, Cal. Why would you tell me this *here*?"

"I wanted this conversation to happen before we got back to the apartment."

"Why?"

Callie leaned in close to her ear.

"Because I don't want to waste another second talking to you that could be spent making you orgasm."

Emily said nothing for a moment and sat staring straight ahead. She saw the Uber driver glance in the rearview mirror at her, then back to the road.

"If you really want to know," Emily said, "that almost happened anyway."

Callie laughed, as she knew she would. It filled the inside of the car with that magical sound. A smile formed on one side of Emily's face as she listened to it. She looked out the window as the city shot past outside, hoping to distract herself, but it was no good. Callie's laugh was too infectious and went on too long and before she knew what was happening, she was laughing her stupid dork laugh right along with her. That's when she felt it, the butterflies in her chest, they seemed to all come out.

The nervous tension was gone.

8

A Slice of Apple Pie

THE DRIVER MADE GOOD time back to her apartment, and before too long they were alone again, standing in her elevator heading up. She'd lived in the same building for nearly six years. During that time, she'd brought plenty of dates back here and stood where they were standing now. Heading toward her safe place, with fun in mind. The number of men she'd brought home would've shocked her mother, but if you considered the period of time covered it didn't seem that many. What did it really matter, if they wore a condom?

Callie squeezed her hand and smiled.

Emily smiled back. All those men she'd been with, they could've been the same man over and over. She had a fairly strong type, one that wasn't that unusual. Tall, dark, and handsome. Quite often there seemed to be a fourth trait; *stupid*. The elevator stopped and they got out, their hands still linked. Maybe she made the men stupid, rather than her being attracted to it. Still, she'd take tall and stupid over short and aggressive any day of the week.

Outside her apartment, Emily dug through her purse for her keys. Her hands were shaking now, nerves returning. Next to her, Callie leaned against the balcony railing. The railing shook and made a crunching noise, lurching backward an inch.

"Oops," Callie said. "Me and my fat ass!"

Emily giggled. She got the mortice unlocked, then turned the Yale, opening the door. Emily moved to the side to let Callie past so she could lock the door again, only Callie didn't walk past. Instead, she pushed her hard against the wall and kissed her. She felt the need in her friend's hands, the raw strength. The wall trapped her, and she liked the feeling of being pinned. Callie seemed to know what she liked, because she grabbed both of her wrists and held them in place against the rough plaster.

The feel of Callie's mouth against hers was electric, the softness, the wetness, nobody had kissed her so well before. All those men that came before had been amateurs, thrusting their thin dry lips at her like it meant something. Comparing them to Callie would've been like comparing a potato chip to a slice of apple pie.

She felt her arms being lifted up above her head. When they were straight up, Callie pushed them against the wall for a beat, as if to say *stay here*, then let go of her wrists and ran her hands slowly down the sides of her arms, down her ribcage to her hips, then down to her thighs. Callie then lifted the hem of her dress up her body, only stopping her kiss long enough to lift the material over her head and toss it onto the floor. She was so smooth, Emily didn't even know when she'd been unzipped.

She pulled out of the kiss, breathless, and stared Callie's face. It was flushed, her cheeks almost scarlet, her eyes crazy with need, and with whatever else. Her face was almost unrecognizable, and she supposed her own face looked the same.

"The door," Emily hissed, glancing at the still-open door.

"I like the door open. Someone might see us."

"Someone *will* see us, there are no shades on my windows."

Callie's face was so close it filled her vision. Emily had to tilt her head to look down at her friend's beautiful mouth, and the playful snarl that formed on it. Callie turned and kicked the door shut then moved back into position in front of her.

"I can work with that. Now, where were we?"

Emily kissed her.

"The next time I kiss you I want to taste myself."

Callie's crazed look returned, the need, the hunger was back. Without saying anything, she sank down in front of her, pulled her hips forward, and began to gently lick her. Hesitant at first, then with growing confidence. Emily's head snapped back against the wall, her mouth opened wide in silent pleasure. The tip of Callie's tongue teased her clitoris with powerful, expert strokes. She could feel her body responding, like a flower opening. Blood surged to her crotch and a pulse throbbed in her vagina making her hips buck.

"Cal. Slow down, I'm about to explode."

The fast strobing tongue slowed. Taking its time. Exploring her, pushing its way inside her in long flat licks before returning to her clitoris. Emily closed her eyes and put her hands over her face. It was impossible what was happening. Equally impossible, was how much she was enjoying it. The softness of Callie's lips, the precision of her tongue.

It came to her that her friend had to have done this before with another woman to be this good and the thought of it was almost too much. Her breathing was loud and ragged. She'd forgotten how good this could be. You couldn't get close to this feeling with anything that needed batteries. She looked down at herself. Her hips were pushed way out in front of her, her legs spread at crazy angles and in the middle, her face buried inside her, was Callie.

Their eyes connected.

She'd looked into those eyes thousands of times before, but the look they gave her in that moment was so filled with love and desire that the breath caught in her throat. An almost forgotten feeling began to build inside her. It was like a vibration that just got stronger and stronger until it took over and became a living thing, a beast almost.

Emily's teeth clenched tight together and she grabbed Callie's head and pulled it against her. Knowing she was close, Callie sucked hard on her clit and the sensitive area around it, drawing it up into her mouth. Seconds later, an animal noise tore out Emily's throat and she collapsed sideways onto the floor where her orgasm continued, her legs and hips twitching on the wooden planks.

Callie smiled at her, waiting for it to stop.

"Goddamn, girl. How long has *that* been trapped in there?"

Muscles were contracting all over her body and her hands were shaking.

"Years."

"I can believe it. I'm pretty sure I tasted the Obama Administration."

Emily laughed. "Shut up."

"I love that I'm your first. It makes my heart happy."

"Looks like I don't have the same honor."

Callie shrugged. "One of us has to know what they're doing."

"I know what to do."

"Prove it."

Emily got to her feet.

9

Behind Closed Doors

EMILY WOKE SLOWLY, THE world coming slowly into focus around her. It was late, maybe 10 or 11 a.m. Light was already hitting the ceiling of her bedroom from the windshields of cars parked on the street outside. It didn't matter, it was Saturday. Thank god. She felt happy and rested for the first time in a long time. She realized that she was smiling. It was ridiculous, she was staring at a blank ceiling with a huge smile on her face like some kind of lunatic. The truth was, she didn't just feel happy, she felt *fantastic*. Her whole body was alive, like she could feel every pore, every hair follicle.

You always feels like this after you've had sex.

Her breath caught in her throat as memories of the night before flooded back. She remembered things that were impossible, things she'd never do. Not a memory then, a dream. Sometimes a dream was so real that when you woke up you thought it'd happened. Emily lifted her head and turned slowly toward the pillow next to hers. Callie Davenport looked back, her cool blue eyes sparkling in the morning light, her cheeks flushed.

"Hi."

Emily felt her smile fade away.

Callie looked like she'd just had sex.

"You're not going to be weird with me are you boo?"

Emily froze. Not just her body, but her brain.

"I don't know what happened," she said, eventually.

Callie smiled.

"Relax, baby, we didn't kill anyone. We made love. Many, many times, in fact. I don't remember *ever* being fucked so well. You've got some serious skills, girl. I doubt there's anything you can't do with those hands or that mouth."

Emily scrambled out of bed, across the floor into the living room, and into the bathroom. She shut the door behind her, heart in her mouth, unable to breathe. Emily bent over, put her hands on her knees and stared at her bare feet on the bathroom tile. It was true, then. Not a dream. She'd had sex with another woman.

Not even once, but *many times.*

She focused on her breathing, in and out. It was a good way of calming yourself if you got upset. She closed her eyes and imagined she was back in her yoga class, before she gave it up. Breathing in, and then out again. In through her mouth, holding it a second, then out through her nose. It seemed to work, her body was calming down. Yoga had taught her how to breathe through a panic attack without needing a paper bag over her mouth.

She straightened up and turned to face the mirror.

I'm a lesbian.

Emily thought the words in her head like she was telling someone, and her brain recoiled. She felt the same as she always did, she looked the same. It was almost like nothing had changed and she wondered if maybe nothing had. Her relationships with men were either short-lived or a disaster, with most not progressing past first base.

All she wanted from a man was the feeling he would give her in bed when he moved inside her. That's all she'd ever wanted from a man. Not meals, movies, or even conversation. Just the feeling of a man lying on top of her, holding her in place, while he pushed himself deeper and deeper inside her. She knew this wasn't common for women, but it seemed like the less she knew about a man that was having sex with her, the better it was.

The truth was right there all along, if only she'd wanted to see it. It wasn't the regular maintenance aspect of a relationship she hated, it was the man himself. The stupid, Neanderthal ape that she'd been raised to accept as her only option.

Have I watched my last Quinten Tarantino movie?

She ran the faucet until the water was cold and splashed some on her face. It couldn't be true, could it? Is this who I really am?

Her body still felt good. Whatever they did the night before, she'd thoroughly enjoyed it. Callie might have shown her the way, but she hadn't forced her to do anything. Being at that club and seeing all those other women with each other had opened her eyes. A seed of thought had taken root. Or maybe the seed had been there all along and witnessing these women had just made that seed grow?

There was a light knock on the door.

"Are you all right?"

Tears were running down her face.

"No," she said, softly.

The door opened, she'd forgotten to lock it. Callie looked around the door.

"What's wrong?"

"I'm not...you know."

Callie smiled. "Gay?"

Emily flinched, then nodded.

"Oh, honey. Come here."

Callie held her in her arms. They were both naked and she stiffened involuntarily as their bodies pressed together, before relaxing again.

Her friend smelled good. Her body musk, her shampoo, it mixed together and she drank it in. It was like a drug and it made her feel totally at peace.

She remembered two girls at high school who had come out and for the first time understood how brave they'd been. She remembered, too, how mean she'd been to them. She'd been awful, said things that were unforgivable. It was no exaggeration to say that she could recall every last poisonous word she'd said. They were seared inside her mind, like each word had been branded.

But those girls, she thought, they'd had the last laugh. They'd had *years* of knowing who they were, instead of living a lie.

The hug ended and Callie held her at arm's length to look at her. Emily wiped tears off her face with the back of her hand and tried to smile.

"Don't worry about what people think, okay? It's a waste of time anyway, worrying about things you can't control. I'm not planning on sucking your face in Starbucks or something like that. What we do when no one else is looking is nobody's business but our own. We don't need to label this, we're just two friends having fun. Why choose to feel bad about something good?"

"Okay."

"I want you to do something."

Emily hesitated. "What's that?"

"I want you to kiss me like you kissed me last night."

"Why?"

"Because you're sober now."

Emily nodded. She understood the difference, she was living it. She looked at Callie's mouth. Her lips were soft and plump, far nicer than any man's mouth. Only hours ago, she'd kissed this mouth, these lips. She'd kissed her passionately, with more desire than she'd ever known. The memory of it made her cheeks burn and Callie smiled when she saw it.

Callie's eyes seemed to be full of light and joy, and it drew her in. Emily moved closer and closer. Maybe I'm not gay, she thought. Maybe I only feel like this for one person. Surely that was possible. They were inches apart now. Still something inside held her back, she could feel it like a hand in the center of her chest holding her away from her friend. It was the old part of her, the part that still thought she could be the same as everyone else, and lead a normal life. She knew she could push past it and kiss Callie like she was kissing a relative, or the back of her hand, but there was no point.

This would be their first real kiss, it had to be genuine. Alcohol made you less inhibited, but it didn't change who you were, that had to come from within. She ran the tips of her fingers through Callie's hair. She hadn't made a mistake.

Her friend was beautiful, she'd *always* been beautiful.

All her resistance melted away and, finally, Emily kissed her. It wasn't dark, she wasn't drunk, and her eyes were open. Callie wrapped her tight in her arms and pushed her tongue past hers into her mouth.

It was hands-down the best kiss of her life and it wasn't even noon.

10

Personal Space

MONDAY. FOR THE FIRST time ever, Emily was glad to be going back to work. She needed some time away from Callie to figure out what she wanted. When she was with Callie, all she wanted to do now was look at her, lie in bed with her. It felt like she'd come down with an illness and didn't want to get better. Her friend could make her happy with just a look, a smile. In two days, they had gone beyond words. It was too much, too fast. She'd never been like this with anyone and she couldn't trust herself with what she was feeling.

Emily locked the apartment door and walked down the hallway to the elevator. She pressed the call button and heard the old machinery start to move. One day, she figured, it would break down and she'd starve unnoticed inside the wire cage. After what she'd done with Callie, it was all she deserved. She smiled to herself, amused.

If this is wrong, I don't care what's right.

They'd devoured each other like wild animals and she'd never felt better. Her whole body felt new and refreshed. There was no tension in her muscles, no stress in her mind.

Down on the street, she climbed into her Honda and slipped on the driving shoes she kept in the passenger footwell. She pulled away from the curb and was immediately stopped by the traffic light that guarded the intersection her building sat on. The light always stopped her, she'd never managed to get through.

A man emerged from a doorway on the other side of the street. He had a thick mess of blond hair that looked like it had been bleached by constant exposure to the sun. He was wearing a T-shirt, running shoes, and shorts that came down to his knees. Emily stared at his muscular calves. They were lean, athletic. A runner, she thought. Cyclists had bigger calf muscles, a look that had always disgusted her. The man's legs looked good. Long, lean, and a faultless golden brown. A surfer maybe.

Behind her a horn blared.

She looked up and saw that the light had changed. As she pulled away, she noticed that the blond haired man was looking at her, returning her interest. As she turned across the intersection a woman carrying a child approached the man and began to shout at him.

Emily thought about the man as she drove.

Her physical reaction disappointed her. She'd convinced herself that she'd found out who and what she really was, and that answer was the reason so many aspects of her life were a mess. It seemed that her life was about to get more straightforward, now that she knew this secret. Clearly, she still found men attractive. She liked clarity, and liking this man didn't fit. Was she really gay, or was this just a stupid phase she was going through?

How could she adjust to her life without knowing?

The traffic ground away, same as ever. Slow like treacle. It took nearly an hour to get to work, which was actually pretty good for a Monday. Most days of the week, driving added three hours to her working day, hours she wasn't paid for. It was intolerable, yet that time in her car was often the best part of her day. It gave her time to prepare for work, then time to unwind after work.

As always, a throng of people stood waiting for an elevator on the first floor lobby. Some from her company, some from the lawyers' offices on the floors above. She merged into the crowd. There was never a line for the elevators, just a mass of people. They would stand there and when one of the doors opened, they would surge forward, filling the small space inside until no more could fit. Any rules about personal space were suspended for the duration of the elevator's travel. It was pure hell, but what was the alternative? Stairs? Get real.

Not in these heels.

There was a chime and the doors of the left elevator opened. They all moved forward hopefully, although it was clear they would not all fit. As she suspected, the space filled before she could get on and she had to step back to allow the doors to close. She hummed to herself to stop anxiety building. She had an acute sense of smell, and although the day had just begun, she could already detect the acrid reek of sweat from someone nearby.

Minutes seemed to pass before the elevator chimed and the doors opened again. This time, she was at the front and got straight on. The crowd piled in after her, forcing her right to the back against the polished metal wall. A woman was directly in front of her. Unlike everyone else, the woman didn't turn back to face the doors as she'd got on. She was looking straight into Emily's eyes. It seemed as though the woman had done this deliberately in order to look at her. They were exactly the same height and their breasts were pressed together in the crush. The woman was one of the lawyers, Emily had seen her many times before. They looked into each other's eyes. There was a light in the woman's eyes, a recognition.

She knows, Emily thought.

I've had sex with a woman and it shows on my face.

The woman smiled and Emily looked at her mouth. It was a nice mouth, perfect teeth with lips that were full and soft. The smile faded and the woman bit slightly on one side of her lower lip, making another part bulge out. Emily wanted to kiss her, she almost couldn't resist the urge.

The elevator doors closed and they began to rise up through the building.

Emily noticed that their breathing had synchronized, their breasts rising and falling together. Their breasts were about the same size too; no more than a C-cup. The woman turned her head to one side, then to the other, then looked back. She smiled again. Emily smiled back. What the hell was going on? Was this a *lesbian thing*, she wondered. *Is this my life now?* The woman reached inside Emily's open jacket and put her arm around her waist and pulled her in tight so that the front of their bodies were pressed together. Emily gasped, her eyes opening wide. The sides of their suit jackets hid what the woman was doing from others on the elevator, not that anyone was paying any attention.

The chime sounded again and the doors opened.

The eighth floor. *Her* floor. People shifted as they tried to get out while others were staying on. The lawyer's hand moved down then back up under her skirt to grip her ass. The tip of the woman's middle finger was an inch from Emily's panties. Their eyes were locked together. She had probably seen the lawyer two or three times a week, for every week that she'd worked in the building. At the elevators waiting to go up, or in a car coming down. Emily had not thought about the woman once and now she was almost fingering her for no reason at all. Then her hand was gone as quickly as it had arrived.

Emily wanted it back, the warm hand felt good. Right.

Something was pushed into her hand.

The elevator's doors closed and they rose up again. She'd gone past her floor. Only six people left.

The woman leaned in close, her mouth at her ear.

"Call me."

Emily nodded, she didn't trust herself to speak. It shocked her how much she'd enjoyed being touched in public by a complete stranger. The doors opened and she watched the lawyer walk away. Confident, perfectly poised. The woman did not turn and look back at her, she'd made her pitch. Emily realized the elevator was now empty and she walked over to the control panel and pressed the button for the eighth floor. She looked down and saw she was holding a business card in her hand. *Sasha Roberts, Attorney-at-law.*

The card was safely in her pocket when she got out on eight.

Was she dating Callie now? Is that what she was doing? Was she already planning on cheating on her with another woman? She shook her head in disbelief. Her life was becoming unrecognizable. It was like a TV show when you miss a couple of episodes and everything has changed. She got to her desk and turned on her PC. Her ass felt like there was still a hand on it, squeezing it. The finger back there, almost touching her. Deliciously close, but not quite. She bent over to open the bottom drawer of her desk unit and put her purse inside. When she stood up, a sour-faced woman stood there.

Her supervisor, Charlotte.

"You're late."

"So what? You want your pizza for free?"

Her supervisor's face turned purple and her voice went through the roof.

"How *dare* you! What makes you think you can speak to me like that?"

Emily sat and pulled her chair forward, her hands lining up her keyboard.

"Do you have something for me, Charlotte, or can I get on with my work?"

"You've not heard the end of this. I'm going to take this to McMasters."

"Do yourself a favor. Take a breath mint first."

Charlotte's mouth fell open in shock, then she turned and walked away. Emily's inter office messaging app came to life, a message from Craig Mossberg, a junior agent who helped manage theatre rights.

That was savage!

She smiled and hit reply.

C**t had it coming.

Lol!

Emily opened her email, and began to sift through the 100 plus inquiries the agency had received overnight that she would have to deal with in one way or another. Her hands began to shake slightly over her keyboard. She had no idea why she'd snapped at Charlotte, but nothing good would come of it. It was the lawyer, she thought. Some kind of strength had rubbed off on her. She felt desired, like she could do anything. Charlotte walked past without turning her head. She'd put on fresh lipstick.

She was on her way to see McMasters.

· ♥ · ♥ · ♥ · ♥ · ♥ ·

Emily was kept busy all day with work. It was what she preferred, the busier she was, the less she noticed the time passing. By half four she'd almost forgotten about the incident with Charlotte and had instead been daydreaming about Callie, of the surfer, and of the lawyer.

She had never felt so horny in all her life.

Emily debated going to the wash room to touch herself. What had the lawyer seen in her face that made her do what she'd done? Had she unknowingly initiated it? Emily thought back and tried to remember if there had been a glance, or a smile. But she remembered nothing. A couple of times she'd taken out the business card and looked at it.

She hadn't imagined it, the card made it real.

What would she say if she phoned the lawyer?

Hi, this is Emily Caine, the woman you almost finger-banged in the elevator. Do you want to do it for real some time?

Emily pictured her in her mind. Sasha Roberts was beautiful, there was no denying it. She wanted to back the other woman against a wall and kiss her. She could see it all in her head, like the bad movie it was.

Sasha would smile and back nervously away from her, but she'd keep walking toward her until she had her pinned against the wall. The lawyer's face would give a slight O in surprise as the wall bumped against her, blocking her escape, then she'd smile as Emily moved in for the kiss. Emily wanted to push her tongue inside that smart-talking attorney mouth and feel those hands gripping her ass again, full of need and desire.

She felt heat bloom across her face, neck and chest.

What puzzled her, was that her feelings for Callie were unchanged. Callie had told her that she *liked* her in that club and Emily knew what she meant, it wasn't difficult to decode.

She was almost certain she felt the same way, yet somehow she felt no guilt at all for thinking about fucking either the surfer or the lawyer. Over the weekend, a switch had been turned on inside her body and it hadn't turned off. She was horny all the time, and like a dog in heat, she'd take it where she could get it. Her telephone rang and she didn't look at the display.

"Contracts and Media."

"Emily, I need you to stay late tonight."

"Yes, Mr. Rutherford."

"When everyone has left, come to my office."

She was going to speak again, when she realized he'd disconnected. Evidently, there was going to be some blowback from her earlier conversation with Charlotte after all. She worked for Rutherford, Rutherford worked for McMasters. Word had come down. She licked her lips nervously. Talking shit to Charlotte wasn't a firing offense, she was certain, but waiting till the end of the day gave her an ominous feeling.

In the years she'd been working there, three members of staff had been fired. Each time, the first she'd know about it was the next day when a chair would be empty and an email would circulate saying that that person no longer worked at the agency and that all messages for them should go to someone else instead.

11

Disciplinary Action

EMILY'S DAY RAN FROM nine to five, just like the song, and by a minute past five she was usually to be found either waiting for the elevator, or standing inside it. She didn't understand colleagues who stayed late, working for free. Did they have nothing else in their life except work? She glanced around, willing them all to go home. There were no bosses here being impressed by their dedication. To her, it was a sure sign of a slow or lazy worker, that they couldn't get all their work done in the time available.

Her mind drifted to Rutherford.

Why did he want to see her? Why this BS about waiting for everyone else to leave first? She felt sick. He wanted to see her alone in case she made a scene. Had Charlotte made a complaint about their conversation? For sure. Half the office had heard it. Fact was, the woman had hated her from the moment they first met and frequently went out of her way to make her life difficult. Emily looked at the clock on her computer. 7:24. Normally, she'd be home already, standing in her shower stall washing the LA stink off her body.

Finally, the last two co-workers began to leave and she followed their moronic conversation out into the hallway. Emily stood and tilted her head over her cubicle wall so she could see the eighth floor lobby. She stood and waited until they got into the elevator and the doors closed. Her heart immediately began to accelerate.

Whatever this was, it was time.

She closed down her PC, pulled on her suit jacket and grabbed her purse. She walked along the hallway to the executive offices to Rutherford's. There was an outer office with a glass door and an inner office with a wooden door.

The outer office was empty, his executive assistant gone for the day. Emily opened the glass door and walked across to the wooden door. She knocked lightly and, hearing nothing, stuck her head around the door. Rutherford was sitting at his desk, flipping through a document. She recognized it as the report she had typed up earlier. He spoke without turning to look at her.

"Take a seat."

His voice had a hard, unpleasant edge she'd never heard him use before, and she felt her heart flutter. Emily sat in the chair next to his desk, legs twisted tight together the way Callie taught her. Rutherford was holding a pen and was drawing circles around some of the text.

There were a *lot* of circles.

"Normally I don't proof-read your work, Emily. Fortunately, today, I did."

She said nothing.

He looked up at her and made eye contact.

"What's going on with you?"

Emily felt her cheeks burn.

"Nothing, Mr. Rutherford. A little tired, maybe."

"There's something going on. You've been forgetting things all day, you know that? And when I look at you sitting there, you look high. Are you pregnant, is that it?"

A flash of anger cut through her worry.

"No. I don't even have a boyfriend."

"The client in this report, you remember where they're located?"

"Cook County, Illinois."

Rutherford nodded.

"Right. You want to take a look at what you put?"

He passed her the print-out. Her eye jumped to the first circle on the page and her eyes widened in horror. She dropped the report on the floor like it was red-hot, the pages flying in all directions.

"Thirty-two times you wrote the word *cock* in an official company document, to say nothing of the word that follows it. Seems to me like there are a couple of letters missing from county, wouldn't you say?"

"I'm really sorry, I don't know what to say."

"Obviously, this is unacceptable."

"It won't happen again, I promise."

Rutherford sighed.

"I know it won't. You're done here."

She gasped.

"Please, I need this. I've got nothing else to live on. No savings or investments. My family cut me off years ago, I can't go to them. Without my salary I'll be living out of my car, eating food out of Dumpsters."

"You're young, Emily. You'll find something else."

Her hands were shaking and she felt lightheaded.

"When? A month from now? Two? I barely have enough to pay for everything with a job, how am I meant to last until then?"

"I'll make this simple. I've already given your job to someone else."

"Oh, Jesus. I'll do anything. Anything. I need this."

Rutherford rotated slowly around in his chair to face her directly. His face was frozen like a mask, like they were strangers on the street and she asking him for spare change. Then there was a flicker in his eyes as they dipped down. Her twisted together legs. His look lasted only a second, if she'd blinked she might've missed it. The mask tried to come back, but it didn't last. His eyebrows started to move together.

"Is that a new skirt?"

It wasn't.

"Yes."

Talking about what another member of staff was wearing, or how they looked was against company policy. It bordered on sexual harassment and was grounds for legal action. They had all been on a course, from management to the mail room, it was compulsory. She put a bit of a smile in her eyes. Anything to get away from him talking about her dismissal.

Her voice was a hoarse whisper.

"You like it?"

He allowed himself to stare openly at her legs, he didn't even pretend to look at her skirt.

She'd always suspected that he was attracted to her, but she'd never seen him look before. Not like this, anyway. Ten seconds passed. Twenty. She couldn't believe it, he was still looking. There was something predatory about the way he was looking at her body, and she liked it.

She bit her lip. He wanted her, she could see it. Emily felt a familiar surge in her crotch. She uncoiled the tight twist of her legs and sat with her legs apart. The material of her skirt was stretched tight, limiting the spread of her thighs. His eyes lifted to meet hers.

His face was flushed, his lips parted.

"There is another position available if you're interested. Pays better too."

"I'm interested."

"Stand up and lean over my desk."

Emily did what he asked without hesitation.

"Spread your legs."

She spread her feet farther apart and leaned back over his desk. The heels on her shoes tipped her ass up high and stretched her hamstrings tight.

He moved behind her. She couldn't see where he was or what he was doing, but she resisted turning around. In her mind she pictured him, thinking it over. Thinking about the Me Too movement perhaps, and if he was about to make a mistake. He'd be nervous, it was understandable. Wondering if he was going to be the next man hauled away by the police in disgrace. If she spoke she'd ruin the moment, she instinctively knew that. Instead, she moved her ass from one side to the other, a small wiggle. Just once, letting him know she was on board. It was all he needed. He touched her legs with both hands, sliding slowly upwards, snagging her skirt with his thumbs moving it up her thighs, over the tops of her hold-ups and flipping it over her raised backside. His fingers gripped her panties on either side of her and he yanked them sharply backward, tearing them off. Her mouth opened wide in surprise, air stuck in her throat.

She felt herself get wet.

Again nothing seemed to happen for a long time, but she didn't mind. She knew he was looking at the most intimate parts of her body, she could feel his eyes moving over that special skin. At her engorged lips, her asshole. Lustfully, wanting to take her, possess her. Emily wasn't used to being wanted, it was still new to her, and she loved the way it made her feel. It was better than any sex that would follow.

To be physically desired was the best feeling on Earth.

His hands stroked her legs lightly, just the tips of his fingers and thumbs moving across her stockings. The hair on her forearms stood on end. More confident now, gripping her thighs more firmly. Pulling her legs even further apart until she was spread wide, her feet more than twice her shoulder width apart. He shoved her hard in the center of her back and she fell onto the desk, her face landing sideways on the fake wood grain. Her face stuck to the surface and was pulled downward as she moved forward.

Her heart hammered in her chest.

He held her ass in his hands. Squeezing it, caressing it. Then, pulling her open. This is it, she thought. He kissed her right ass cheek and she smiled. Her boss's face was so close to her clitoris, she could feel his breath landing on it. He kissed her again, this time on the left ass cheek.

He was teasing her.

He had to know how badly she wanted it, didn't he? Then suddenly he pushed his tongue inside her dark, earthy core. Deeper and deeper. She felt her body welcome him, like a lover's embrace.

Her mouth opened, but no words came out. There were no thoughts in her head, only pure animal pleasure. His tongue began to pulse in and out of her and a noise came out of her she'd never heard before. She put her hands over her mouth. It was the only way she could stop herself making the noise.

Nobody had ever put their tongue there before.

He probed and licked her for minutes on end. Sometimes her pussy, but mostly not. She lost track of time, her body giving itself over to him completely. It was amazing. He took his time and she sensed that he was enjoying himself.

Emily remembered the first time she'd been drunk.

The spaced out feeling, the buzz she'd felt just being alive. It was almost the same, but this was infinitely better. A blank space formed in her head, she didn't want it to end. It was like taking a vacation from reality. He stopped what he was doing and stood behind her. Her heartbeat deafening in her ears.

Now, finally, he fucks me.

She felt the refrigerated air from the air conditioning against her wet skin. His fingers roughly explored her, then a single finger slipped inside her vagina to scoop out some of her wetness. Emily felt her face go red. She was such a slut now. Everything seemed to turn her on.

A framed photograph of Rutherford's wife sat on the desk in front of her face and he was reflected on the glass. His shirt was open down to his waist and his penis stuck out between the unbuttoned cotton. His hands were wiping her own wetness down the length of his cock like a lubricant. It was slick with it, reflecting the lights above. He moved forward and she felt the thick end of him press against her asshole.

Oh.

Right.

She didn't know why she hadn't expected it, of course this was where this was going. She was so wet from his saliva that he was inside her before she knew what was happening. It burned as he drove himself deeper inside her and she had to hold her hands over her mouth again to keep a different noise from coming out her mouth.

He was enormous, she felt like she was going to rip open. He pushed and pushed, without stopping or asking if she was all right, or if she minded. He filled her fuller than she'd ever been before, and kept going until he was completely buried in the depths of her body. She took her hand off her mouth so that she could pant rapidly.

"Damn, girl," he said. "Your ass is like a vice. I love it."

Emily knew he didn't expect her to reply.

He pulled himself part way out then rammed it back in. It seemed fractionally easier this time, but the pain remained. Tears welled at the corner of her eyes. Her insides were on fire and she could feel heat radiating out from his impossibly thick shaft. He got faster and faster as the minutes dragged by. It was brutal and at times she felt faint.

She wondered if he'd stop if she passed out, or keep going until he was finished. His breathing became labored and she knew he was close. She reached down under her body and touched herself as she stared at the photograph of her boss's wife. To her surprise, it took the briefest touch to bring herself to orgasm and her body gripped Rutherford tight, milking him for everything he had and forcing a long moan from his chest. He collapsed on top of her, pinning her to the table.

"Forest, get off, you're hurting me."

A couple of seconds passed before he lifted himself up and pulled himself out of her. Another orgasm shook her body as he did this and he laughed quietly to himself. Emily turned onto her side, facing away from him, toward the door. She'd never called him by his first name before, but she could hardly have called him *Mister Rutherford* when he was lying spent across her back, not after what they'd just done together.

She took a deep breath and lowered her feet slowly, shakily onto the floor, resting her ass back against the desk to steady herself. Her insides were vibrating as everything settled back to the way it was before. He'd been rough with her and part of her had enjoyed it. Her vagina had never felt so good, so alive. She could feel the wild thump of her heartbeat in her clitoris and it was all she could do not to touch herself.

"Well, I guess I just checked a few things off my bucket list," she said.

"Likewise."

The room reeked of sex. The air was saturated with it, like it was one of those perfumed room fresheners that you plugged into a wall socket. She realized she'd smelled it before in Rutherford's office, not long after she'd started work at the company. A long-haired woman had worked with Rutherford back then. She'd been young, pretty, and had athletic legs that went on forever. Emily couldn't remember what had happened to her.

One day she was there, the next she was gone.

Emily glanced down. His cum was rolling down her thigh. There was an incredible amount of it. She dabbed at it with a Kleenex and wiped herself dry all the way back to where it was coming from and held her hand there to catch it as it ran out of her. She didn't bother to conceal herself from Rutherford's gaze, it hardly seemed to matter now.

"You've not asked," he said, a wry smile on his face.

"Asked what?"

"If you got the position."

"There really was a job?"

"Yeah. I need a new executive assistant."

Her eyes locked onto his, looking for a sign he was messing with her. Executive assistants started at $50k and qualified for management career progression and automatic pay bumps. She would even get her own designated spot in the parking garage. Emily realized she still had her hand between her legs, so she took it out and straightened to full height.

"So, did I get it?"

"Sure."

Tears rolled down her face and she started to sob uncontrollably, her shoulders lifting up and down like a kid with a bumped knee. Rutherford came over and put his arm around her and pulled her gently against his chest.

She pressed her face into his shirt and after a moment, smiled.

12

Honesty

EMILY DROVE HOME, HER mind blank. She remembered nothing of her journey, not even of leaving the agency and taking the elevator to the lobby or the walk to the parking garage. There was just the moment of softly closing the outer door on Rutherford's office and the last ten feet as she pulled into her parking spot.

She turned off the ignition. For a split second it was like she was back in his office, bent over his desk, his thick cock thrusting deeper and deeper inside her. The memory was so sharp and vivid that she gasped and held her hand over her mouth.

What have I done?

She thought of Callie Davenport, waiting for her up in her apartment and glanced at herself in the rearview mirror. She'd see it on her face. Emily grabbed her purse and got out the car. A warm breeze was blowing up the street and she felt it all the way up her legs to her crotch. She slipped off her heels and ran along the warm sidewalk to the entrance of her building where she slipped them back on. She used the brief privacy of the elevator to reach down between her legs with a tissue and dry herself again. Rutherford was still oozing out of her, there was no end to it. Her boss had filled her like a prize bull.

The elevator stopped and she got out and walked along the hallway to her unit. It looked different, tidy. Her dark red door, typically covered in a film of LA dust, was clean and fresh, the color of murder. Against the end of the balcony there was now a selection of pots. Plastic plants. Bamboos, ferns, a yucca plant. She sighed. They blocked her view into the courtyard below where she could see people coming in and out the apartment entrance.

As she got her keys out, she used her foot to move the pots to the side fence, then let herself into her apartment. Over the end of the sofa, Callie's bare legs were raised up on her coffee table, her feet crossed over each other in light pink socks. Her voice called out from behind the cushions.

"Hi, honey."

Emily's face crumpled in on itself, close to tears. She kept on moving, toward the bedroom. If she stopped to try and talk to Callie she'd collapse. A shower, she thought. She needed to get clean before she could face telling Callie what she'd done. She stripped quickly in the bedroom, leaving her clothes in a pile on the floor and headed for the shower. Callie was standing next to the shower doorway, her face pinched with concern.

"What is it? What's wrong?"

"Please, not now. After."

"Tell me you're okay."

Emily's eyes were filled with tears. She had no words, so she nodded. The way she looked appeared to give Callie no comfort, and she tried to put her arms around her as she walked into the bathroom. Emily held her hands up, fingers spread wide in a *don't touch* gesture.

"Five minutes."

She shut the door and locked it. It wasn't a modern bathroom lock that could be turned from the outside with a coin, it was a small sliding bolt. She leaned her forehead against the wood and let out a breath. What the hell was she going to say to Callie? She'd never been in this position before, she wasn't this kind of girl.

Emily stepped into the shower stall and let the water blast her. After a couple of minutes, she detached the shower head and aimed it between her legs. It was still tender back there, and the impact of the water triggered a series of spasms deep inside her body. She gasped and put her free hand against the wall for support. She scrubbed herself thoroughly with soap all over. When she was done she stepped out onto the floor, her skin tingling.

In her mind, she'd imagined the guilt washing away and running down the plug hole. It didn't work. Emily felt the same, except now she was wet and clean.

She toweled herself dry then folded the towel around her waist and unlocked the bathroom door. Callie was still standing there and she immediately wrapped her arms around her and held her tight. Within her, the guilt multiplied.

"Cal, stop. I have to tell you something."

"Whatever it is, you don't have to say it."

"I do."

Emily pulled herself free and looked at her friend's face. She'd rather not know, it was there in the puckered skin around her eyes and mouth. She'd rather live a lie than face an ugly truth. Too bad. If she swallowed this now, she'd be consumed by it for the rest of her life, or at least the time they were together.

"My boss fired me."

Relief flooded Callie's face but Emily held up her index finger.

"That's not it. After he fired me, I fucked him. I'm sorry."

Callie stood for a moment, like she was waiting for more.

"Was *that* it?"

"Yeah. I'm sorry, baby. I feel terrible."

Callie punched her arm.

"You had me scared, I thought you were *dying* or something."

This was not going as she'd expected.

Emily walked into the bedroom and unfastened the towel from around her waist and began to dry her hair with it. The feeling was still in her, there'd been no release. Callie's only reaction had been one of relief. Apparently, she needed anger to feel less like a skank. She leaned her head forward, letting her hair hang down in front of her eyes like a curtain and worked the towel through it. Callie's pink socks became visible through her hair.

"You know what shame is?"

Emily knew what shame was, she could write a book about it.

"I have an idea, yeah."

"Tell me then. Tell me what you think it is."

She stood up and flicked her hair back away from her face.

"Shame is being disgusted by yourself."

Callie smiled and shook her head.

"Wrong. Shame is control. Shame is someone else telling you how to feel and how to live your life."

"No one is telling me how to feel, but I'm feeling it anyway."

"Shame, guilt, embarrassment, it's all the same. You've been conditioned to be this meek creature that is easy to control. There is so much pleasure you can get from your body and from others, but you don't. Why? Because people who don't have what you have feel better about themselves if you don't have it either."

"Callie, come on."

"Your body...how do I explain this? It's like you won the lottery when you were born. You have all that money sitting in your bank and you're going to let someone else tell you that you can't spend it because they didn't win? That's crazy."

"I'm telling you that I cheated on you and it's killing me."

Her friend waved her hand dismissively.

"I don't own you girl. Stand here next to me."

Emily sighed and walked over. Callie put her hands on her shoulders and turned her to face the full length mirror. They stood side by side looking at themselves in the mirror.

"You know why I don't tell you what to do with your body? Because we *both* won the lottery. See? We're both hot! I have nothing to gain by running you down, okay? I wouldn't become prettier, I wouldn't feel better about my life. Anyone who thinks that way is not your friend. I am your friend. I want nothing but happiness and pleasure for you. When you're happy, boo, I'm happy."

Emily turned to face Callie and felt tears run down her cheeks.

"Why are you so damn reasonable?"

Callie tilted her head to one side. "Don't you know?"

Emily nodded. She knew.

"Did you enjoy yourself with your boss?"

"Yes."

"Did you save your job?"

She shrugged her shoulders. "He promoted me."

Callie laughed.

"Well then, even better. Your body is yours, you can do whatever you want with it. I am not the jealous type. I know you well enough that whatever you do, I am still here," Callie put her hand on her left breast, "and up here," she put her other hand up on Emily's head.

The hand on her breast was hot and the heat of it spread out across her body. It felt good against her cool skin. She felt herself smile awkwardly.

"You will always be in my boob, sweetie."

Callie pulled her in close and they kissed.

A minute passed, maybe longer. The way Callie kissed her, it was as if every time was the last. As if the world was ending. Her mouth was soft, yet so filled with passion and longing. It felt as though she was trying to make up for lost time, for the years they'd wasted. Eventually they broke apart, breathless. Their chests rapidly rising and falling, the arteries in their necks standing out.

"There is one thing I want from you, any time you fuck someone."

"What's that?"

"I want every disgusting detail."

Emily nodded.

"You're in luck. Every detail is disgusting."

13

Business Trip

THE FLIGHT TO SAN Francisco was packed and Emily was seated in another part of the plane to Rutherford. His seat had been booked for months, but hers was a last minute arrangement that she'd had to make herself, as part of her new job. It had only been two weeks since he'd promoted her, and already she was going on business trips. Back at the office, Charlotte, her old supervisor, would be choking on her own bile. She'd be seething, her vicious teeth mashing together at the injustice of it all. The thought gave Emily a smile.

Karma was a bitch.

She decided to catch up on her reading, which she rarely had time for now that she was sharing her cramped home with Callie. She angled the screen of her Kindle so that the man sitting next to her wouldn't be able to see what it said and began to read. Flying had never bothered her and she didn't stop reading either to watch the painfully awkward life vest routine, or look out the window during take-off.

"Must be a good book."

The man sitting next to her was staring at her chest.

"It's all right."

"What kind of book is it?"

It was a book about an art heist.

"*Erotica*," she said with emphasis, rolling the r.

"Oh."

His face colored, like she'd said *porn*.

"It's about a rich eighteenth century Englishwoman who falls in love with a stable boy. He's hung like a horse, they can't get enough of each other. Every second of the day, they're tearing each other's clothes off. Eventually, she kills her husband and cuts him up. Right now she's making steaks out of his legs. It's basically a love story."

The man looked away, disgusted. Back to a newspaper folded over at a crossword puzzle. She smiled to herself. Men were so easy to upset, you just had to know what to look for. In this case, the way his arm was over her armrest.

She finished her book and instead of starting another, spent the last ten minutes staring out the window. Clouds drifted past, dark and heavy. For the first time, she wondered what she'd really have to do on the trip, since she'd already arranged Rutherford's conference itinerary. Realistically, there was nothing for her to do unless meetings had to get moved around, and she could easily do that from LA.

Beads of water streamed diagonally across the window as the plane started its descent.

In retrospect, it wasn't that hard to work out why she was here.

There was an emptiness inside her whenever she thought about sex now. It was the only thing that made her feel alive, but when she looked back on it her thoughts all seemed to get sucked down a black hole. Whether she enjoyed it or not, Rutherford was taking advantage of her and she was allowing it. She should be upset to be used like this, shouldn't she?

She watched the land come up to meet them and there was a thump as the wheels hit the runway. Outside, rain was lightly falling. Dread sank into her. Coming here was a mistake, something bad was going to happen.

In the terminal building, it took her five minutes to find her boss. He was watching her head turn back and forth. She smiled and hurried forward, embarrassed. Every time she saw him, he looked older. When she was with him for more than half an hour, he seemed to get younger again. She got used to the way he looked. While they waited for luggage, Rutherford made a call to his wife on his cell phone. He'd never done this in her presence before and she had to sing a song loudly in her head to block it out.

She wanted to be back in her apartment snuggled up with Callie, watching murder shows, drinking wine and eating Doritos.

Rutherford's call was short, less than a minute, but something of it remained between them long after they had their luggage and were in the cab on the way to the hotel. He appeared to be oblivious to it, and talked at her about the first time he visited San Francisco as a boy with his parents. The story was rambling with no point to it and lasted the whole trip in.

In the hotel lobby, he turned to face her.

"Stay here, I'm just going to check in."

Emily shrugged and as soon as Rutherford turned around, pulled out her cell phone. Her boss had control issues, but maybe that was why he was the boss. She had five text messages waiting, all of them from Callie.

Hey babe, hope u had a good flight x

So proud of u with your fancy new job. Wish I could be there with u xx

Fuck. Saw one of Frank's pals at the grocery store and I think he followed me home. An old Crown Vic has been parked across the street for over an hour.

Can u call me when u get these?

OMG he came to the door and pounded on it over and over. I didn't answer and he finally went away. Bastard. Who knocks on a door for five straight minutes???? So glad Frank's out my life. I love you, girl xxx

Emily sighed. Callie was hard work, there was no doubt about it. She stared at the screen, at the word love. After the week they'd just had, she was beginning to suspect that her friend wasn't using this word casually, the way a lot of women did. She also noticed Callie hadn't shortened that last you to 'u', which might have made it more of a throwaway comment. This wasn't the first time the word had come up between them, but there was something about this time that made her feel uncomfortable.

Emily had pretty much accepted the way her life was now; at work she had sex with Rutherford, at home she had sex with Callie. From having no sex at all, she now craved it wherever she could find it and whatever form it took. She was a slut, a nymphomaniac, and she felt no shame at all.

Callie had told her that her body was hers to do with what she wanted. But what did she really want? Was sex on its own enough?

Callie was in love with her, she knew it in her heart. It wasn't just a physical thing for her. Callie would be able to list all of her favorite movies, books, and music. She'd know what her favorite clothes, perfume, and cosmetics brands were. She'd know everything not because she was a stalker, but because it was as automatic to her as breathing.

Rutherford wouldn't know the color of her eyes.

She called Callie back and stared blankly at the floor waiting for it to connect. After eight rings it went through to the answering service and she hung up without leaving a message. It wasn't like Callie not to answer her cell, it was permanently attached to her hand. Emily re-read the messages while she thought about how to reply. A conversation she could have fudged, the written word was different. Callie would read her response over and over, looking for what she wanted. The word *love* was still there waiting for her, and her hand froze over the keyboard. She could clearly picture Callie's face in her mind; she was beautiful.

"Are you okay?"

She looked up from the screen and saw her boss standing there.

"I'm fine."

"You look angry."

But it wasn't anger, it was something else.

"I'm fine," she repeated.

"We're all checked in, let's go."

They rode the elevator up to the fifth floor in silence. For all his charm, Rutherford was a pig and cared nothing at all about her. There was no connection between them, not even humor. He was her boss, and they fucked. She liked fucking him, she didn't want anything else from him. His lack of interest in her beyond the physical was part of the appeal.

The elevator doors opened and they got out and walked along a hallway. The carpet was thick under her shoes and she felt her heels sink into it as she put each of them down. This was hands-down the best hotel she'd ever been in. Rutherford used a plastic keycard to open a door. She paused in the doorway, holding the door, looking at her boss as he walked away from her.

"I'm not getting my own room?"

He turned around, clearly surprised.

"What's the point? I'm going to be out most of the time anyway and when I'm in I want to spend that time with you."

He had a facial tick when he said *with you*, and she knew it was because he was thinking about how he liked to spend their time together, with her bent over in front of him.

"You put the expenses through the company, right?"

He looked at her like she was crazy. "Yes."

"So how's it going to look if they know I'm here with you for the conference and there's no hotel expense listed against me?"

He seemed to think about it for a moment.

"Accounts deal with expenses. They see the receipts they're given, they don't go looking for more. All they're looking for is charges that can't be used. Human Resources know you're here, they don't have any reason to check with Accounts. Any costs you had you'd put through me anyway. It's cool."

Emily realized she was disappointed. She wanted her own room, had imagined it even. It was because she no longer had her own apartment to herself. She wanted somewhere she could spread herself naked under cool, anonymous sheets, without someone's arm across her body. There was, she thought, something exhausting about being adored.

Emily nodded and walked into the room, letting the door close automatically behind her. So be it. Rutherford had a lot more to lose than she did, the man had a wife and two children. Besides, she had to accept that she probably wasn't the first woman he'd done this with, so the issue would've come up before now.

"I'm impressed with you for thinking about that," he said.

She smiled in a practiced manner. As far as he was concerned, this was a compliment.

"I'm not just a pretty face."

"That's for sure."

Again she saw the facial tick.

·♥·♥·♥·♥·♥·

The conference was being held in a different hotel across town so ten minutes after they unpacked they were back in a cab pushing through the morning rush hour. Emily had her laptop with her in case she had to change any of Rutherford's meetings. She was also wearing a pair of dark-framed glasses with prescription-free glass. Her vision was perfect, but she thought they added a professional look that went well with her business suit.

Rutherford turned toward her.

"Before, at the airport, I'm sorry. I shouldn't have spoken to my wife like that in front of you. I didn't think about how it would make you feel."

"I don't know how it made me feel."

He looked at her carefully, but said nothing.

"I'm not in love with you, Forest. I know what this is."

Rutherford flinched. She realized that this could be taken to mean *just a job*, instead of *just sex* as she intended, but neither was going to be appreciated by a man in his age bracket.

"Sorry, that came out wrong. I don't want this to be complicated, okay?"

"Okay."

"You mind if I make an observation about you?"

He sighed. "Shoot."

"Sometimes you treat women like we don't exist, or like we're ants to be stepped on. *That's* what you did to me at the airport. I was standing right in front of you and I became invisible. You know what? I *do* know how that made me feel. It made me angry with you and disgusted with myself for tolerating it."

"I'm a klutz, I'm sorry."

"Look, I told you so you could change. It's not endearing."

Rutherford's face hardened. He didn't like her talking to him like this. Like she was an equal. She turned and looked out the cab window. Maybe it was dawning on him that she wasn't who he thought she was. It always seemed to happen. Men liked her because they thought she was something else than she was, but when they found out the truth things didn't work out so well. Yet she was the same person she had been when they liked her, the only thing that had changed, was them.

A minute passed, maybe two.

"All right," he said, eventually. "I hear you. Can we put it behind us? Today is going to be long enough without any kind of static between us. All I wanted was for us to get away and have some fun."

She turned to face him, and softened her tone.

"That's all I want, Forest. Just you, and me, and maybe something to lean over."

Rutherford's look changed in a second. Now his eyes were filled with hunger. A second before it seemed like he was fixing to push her from the moving cab, now he could barely keep it in his pants. It said a lot about their relationship, that she just seemed to drive him crazy with desire. He started to lean in toward her and she had to put her hand against his chest to stop him. He frowned, his voice dropping to a whisper.

"What's wrong?"

"I'm wearing lipstick. It'll come off all over your face."

"I don't care. I *want* you."

She felt his desire inside her and she liked how it felt.

"I know. *Later.*"

When she glanced up she saw that the cab driver was looking at her in the rearview mirror. Rutherford wasn't wrong. It was going to be a long day.

The cab pulled to the side of the street. The sidewalk was filled with business people lining up to check into the conference. They all kind of looked the same, their expensive suits and perfect hair. Emily was pleased to note that it was a pretty even split of men and women, though the women were nearly all a decade younger than the men. The men didn't seem to realize it yet, but they were being replaced. Her boss paid off the cab and they took their place in line.

14

Birthday Present

EIGHT HOURS LATER, SHE was back in their hotel room. The day had gone on forever. Rutherford was still at it, out with two longstanding clients for a meal. A husband and wife screenwriting team, who wrote movies about a wisecracking golden retriever that solved mysteries. He'd said he was sorry that she couldn't come, but she sure wasn't. It was such a relief to know she was finally alone.

She took her clothes off and carefully laid her business suit out on the bed so that it wouldn't get crumpled. The suit was expensive, a gift from Rutherford, and she wanted to put it back on after she'd showered. She walked over to the shower stall, turned the heat up high and set the pressure to maximum. The water stung her skin, it was refreshing.

When she was done, she toweled herself dry then sat naked and cross-legged on the bedroom floor and used the hairdryer.

It was only seven thirty.

She doubted Rutherford would be back until after midnight. That gave her five hours minimum, more likely six. Plenty of time for her to have some fun. She put the suit back on and checked herself in the mirror. A businesswoman looked back. Smart, expensively dressed. Successful, yet anonymous. Happy with the way she looked, Emily stepped into her shoes and left the room.

She hadn't eaten for hours, but what she really needed, was a drink. If she went to the hotel bar she could charge the drinks to the room and the company would pay for everything. Her new job had come with some unexpected costs and until her salary increase fed in to her checking account, she needed to economize.

Emily ordered a gin and tonic and stared without interest at a large television screen behind the bartender's head while he set her up. The bar was half empty and was populated by middle-aged white men in jeans staring grim-faced at their laptops or cell phones.

It was far from the sophisticated drink she'd had in mind, so when the bartender put her glass down in front of her she asked him for another. He gave her a knowing look and nodded his head. She finished the first glass in one long pull and took the other over to a table that gave her the best view of the room. If her boss came back here with the clients she'd see him first and would be able to double-back to the room without him seeing her.

Several minutes passed and she began to feel the slow buzz of the gin building in her system. Emily let out a long breath and observed a smartly-dressed woman enter the bar. She was flustered, like she was late for a meeting. Her head turned, scanning the room. Her eyes paused on Emily, before moving on.

She was looking for someone.

Finally, the woman approached the bar. A furious exchange took place and the bartender pointed at the exit. The woman shook her head. The bartender lifted a telephone and less than ten seconds later, hung up. Everyone in the room was watching. Two men with buzzcuts appeared and dragged the woman out of the room shrieking about her civil liberties.

Emily picked up her glass and returned to the bar.

"Another?" he asked. She nodded.

"What was all that about?"

The bartender's face glazed over.

"She wasn't a guest. We don't allow walk-ins."

Emily returned to her table. It was none of her business what had happened, but for sure the man just lied to her. She drank from her glass. The gin was *really* kicking in. Sometimes it was like that, you were just ready for a drink. Your body accepted it, and knew what to do. Perhaps it was because she hadn't eaten.

"I love your jacket."

She looked up and saw a woman standing next to her table. Late twenties, early thirties. Immaculately dressed with amazing salon-fresh blonde hair with a large curl through it. Next to her was a man in a suit with a crisp white shirt, neck open and no tie.

"Uh, thanks. You look pretty good yourself."

The woman smiled. "That's not your first drink, is it honey?"

Emily glanced at her drink. Why was she even talking to her? *It's the suit*, she realized. *These people think I'm one of them.* The woman sat opposite her and unfastened the button holding her jacket together. She looked like a primetime news anchor, or an actress.

"I'm Alice, this is Cole."

"Emily."

Cole smiled like she'd told a joke. "What are you drinking?"

This is my third drink, four would be a mistake.

"Gin and tonic."

Goddamn me and my stupid mouth.

Cole left and she turned back to Alice. The way she was looking at her, it was like they were already friends. Like they'd been friends for years, that she could tell her anything.

The suit was worth its weight in gold.

"Are you here for the conference?"

Alice reached across the table and held her hands.

"You don't have to do that, the small talk. I already like you."

The heat from Alice's hands was electric. The breath caught in Emily's throat, but no words came to her. She sat looking into the other woman's eyes and felt the hair on her arms stand on end. Something stirred inside her and it felt a lot like lust. She finished her gin, the glass up in front of her face, hiding it from this woman.

Cole returned empty-handed.

"This bar's depressing. Let's go up to our room."

Alice nodded. "I think you're right."

Alice stood and shuffled out from behind the table to where the man stood. Emily felt the air go out of her. They were leaving and taking with them her best chance to make some interesting new friends in as long as she could remember. Maybe Cole realized she was a fake, a Valley Girl in an expensive suit.

"You coming?"

They were waiting for her.

Emily smiled and felt her face go scarlet.

In the elevator, Alice and Cole spoke to each other about checkout times and about a flight they were taking the next day back to Las Vegas. Emily said nothing and pretended to herself that she wasn't enjoying the way Alice was holding her hand. Their hotel suite was roughly the same as the one she was sharing with Rutherford, with the exception that the living area and bedroom were combined into a single space.

Alice took something from Cole, put it in her mouth, then took a long drink from a bottle of water. He came over to where Emily stood and held out his hand. A small octagonal pill sat in the middle. She looked up at him.

"Try it."

"What is it?"

"MDMA. *Ecstasy*. It's from Berlin, we're just back."

The only drugs she had ever taken were painkillers or antibiotics. She didn't want to start now, but she didn't want to look stupid in front of her new friends. Emily picked it up with her thumb and forefinger and looked into Cole's eyes.

"What does it do?"

Cole smiled.

"It makes everything better."

She put the pill in her mouth and swallowed it before she lost her nerve. *This is who I am now*, she thought. *Someone that takes drugs and allows her married boss to do whatever he likes to my body in return for twice the pay and half the work.* She waited for something to happen, but everything stayed the same. Maybe the drug didn't work for everyone.

"You've never taken anything before, have you?"

Emily turned too Alice.

"Is it that obvious?"

"I love that you're losing your virginity with us."

There was a playful note in Alice's voice, but her eyes had the look of a dog staring at a piece of steak. Emily shifted uncomfortably and looked around the room. The suite faced a different direction to her own and she could see straight into a building across the street. It was all lit up, she could see people moving about through the glass.

Over in the corner of the room, Cole put some music on. The volume was down low, but it had a strong beat and a whispery voice over the top. The air in the room seemed to change, become less heavy. The music eliminated the awkward silence between them. Cole nodded his head to the music, a cheesy smile on his face. He looked ridiculous, and he knew it.

Emily felt herself relax.

"How old are you honey?"

"Twenty three."

Alice smiled. "A fantastic age."

"I guess."

"Do you enjoy your work?"

She flashed back to Rutherford's office and what he did to her there.

"Sometimes, yeah."

"You want a drink, Emily?"

"Jesus, Cole. She doesn't want a drink, she's on ecstasy."

Cole shrugged.

"So am I."

"You're a bull, she weighs a hundred pounds."

"Whatever."

They were talking about her like she was an object.

This was a mistake, she thought. *They're a pair of weirdos.*

They made casual conversation for a while, and the awkwardness faded away. Once again, she felt the instant connection she'd felt for Alice down in the bar. The other woman was attractive, but it was her confidence and her natural ease that made Emily feel special. She wished she could be the same way; strong, powerful.

Alice sat on the edge of the bed.

"Sit with me," Alice said, patting the bed next to her.

Emily felt fuzzy as she walked across the room but she couldn't say if it was from the alcohol or the drug Cole had given her. Maybe she was imagining it.

After she sat down, Alice leaned forward and lifted each of Emily's legs in turn and removed her shoes. Alice's hands felt amazing as they moved against her bare skin and a charge seemed to pulse up her thighs to her crotch, which briefly felt like it was on fire. She gasped audibly and saw Alice smirk before she turned toward Cole.

"How many did you give her?"

"Just one."

"Wow," Alice said, then turning to face her, "you are in for a treat sweetie."

A wave of heat passed over her body, like she'd just lowered herself into a hot bath. The air in the room felt hot and her heart hammered in her chest. This was the drug, this was no gin and tonic. Sweat broke out on her forehead. Next to her, Alice removed her suit jacket and Emily did the same. Alice was wearing a white top identical to her own, except that the contents of Alice's shirt were almost spilling out.

"You all right?"

Emily looked at Alice, at her mouth. It was swollen.

She couldn't stop looking at it.

"I'm a little spaced."

She was still looking at Alice's mouth.

The air was thick, like a liquid.

"Don't resist, let it happen."

Emily felt her cheeks darken and she turned to Cole in an attempt to hide it. He stood watching them, his shirtsleeves rolled loosely up his muscular forearms, a glass of Scotch in his hand. The lights seemed to be brighter, the colors turned up.

She was turned on and she wanted to laugh.

It makes everything better.

Cole took a sip from his glass.

"I'm going to have a shower."

"Okay, hon."

There was something off about the exchange, Emily thought. Like it was scripted. It had that dead feel of a comedian's worn-out anecdote. Before she could think too much about it, Alice reached out and touched her neck, then left her hand there.

"I love the way your hair hangs around your shoulders."

Emily said nothing. It was clear to her that Alice was as aroused as she was, and the realization was enough to make the skin under Alice's hand tingle. The hand began to cup her neck, then move around to the far side. When it began to pull, Emily gave no resistance and Alice kissed her gently on the mouth. The drug surged around her brain. The kiss was amazing, her whole body felt it.

Alice placed her hand against Emily's forehead.

"Shit, you're burning up. Let's take these off shall we?"

Emily watched as Alice removed her clothing like she was a child, before removing her own. She was at peace and happier than she could ever remember. Emily lay back on the bed and stared at the ceiling.

Alice appeared next to her with a bottle in her hand.

"Have a drink of water. You need to hydrate."

Emily sat up and put her feet on the floor on either side of Alice's feet. She drank the water until it was gone and put the bottle on the nightstand next to a telephone. When she turned back Alice had her head tilted to one side and a kooky expression on her face. She allowed herself to look at the other woman's body directly in front of her and felt no weirdness about doing so.

"You've got really nice tits, Alice."

"So do you sweetie."

She wanted to believe it, to be as confident as this stranger she'd met in a bar.

Alice moved closer, forcing her to straighten to avoid hitting the other woman's ribcage. She could smell Alice's body beneath the light jasmine scent of her perfume. Her nostrils flared as she drank it in. It was a fertile, sexy smell. She wondered if she smelled the same way. Again Alice moved closer, pushing her thighs wider apart. Alice's left breast was now directly in front of her face. Her heartbeat thumped in her ears. Fast, excited. Emily opened her mouth and sucked the nipple gently, then urgently, then gently again, the way Callie had taught her. She heard Alice breathing change, becoming ragged and uneven. After a moment Alice put her hands on Emily's shoulders and eased her away.

"Lie down," Alice said softly. "I got you."

She lay back on the bed and allowed Alice to position her legs. She was spread open, her knees raised. Emily folded her arms over her face to hide it and waited for what she knew was coming. The seconds drew out, but she resisted looking.

Anticipation was part of the excitement.

She thought she'd feel hair against her thigh first, perhaps a breath falling against her skin, but it was Alice's tongue she felt first. Hot, wet, and hungry. It strobed against her clitoris, then she felt herself being sucked whole into Alice's mouth. It was too much, but she didn't want it to stop. The blush on her face now extended down her neck to the top of her chest, she could feel the heat of the blood under the surface.

Emily ground herself shamelessly against Alice's face, her whole body on fire. She didn't care what she looked like, only what it felt like. It wasn't just the drug making her feel like this, she'd been attracted to Alice in the bar. It was why she'd agreed to come to their suite in the first place.

She'd wanted this to happen.

The knowledge that Alice's beautiful face was doing this was almost enough to tip her over the edge on its own. This actress or news anchor, she was *there*. Tasting her. Emily took her arms off her face and reached down on either side of her hips to grip the sheets.

Above her Cole stood next to the bed.

He was naked, his penis impossibly hard above her face.

She scrambled to get away from him, a scream caught in her throat.

"It's okay," he said. "I didn't mean to frighten you."

Cole was lean and muscular, like a G.I. Joe. He had no chest hair and a tan that was even across his whole body. She looked at her hands, and at the way they were shaking.

Alice took one of them.

"Emily, take a breath, it's just the drug. You're in a safe place."

She nodded. Cole held his hands palm-up on either side of his hips, as if in surrender. The movement caused her to once again look at his cock. It appeared to be throbbing.

Alice squeezed her hand.

"Sweetie, I want to watch you fuck my husband."

Emily looked at Alice and saw a big smile on her face. The statement was so ridiculous to her that the tension evaporated. As she relaxed, she felt the thrumming pulse return to her vagina. *It was a nice looking cock*, she thought.

"Okay."

Cole nodded then walked to the nightstand and picked up a condom.

"You're kind of a birthday present," Alice said.

"It's Cole's birthday?"

Alice smiled.

"No, silly. It's mine."

Cole moved to where Alice had been and pulled Emily toward him so that her hips were at the edge of the bed. Her legs hung over his forearms and from a standing position next to the bed, he thrust himself inside her with no foreplay. Her vagina was still wet from the head Alice had given her and Cole pushed himself completely inside her with no difficulty.

Alice lay next to her, at first watching her husband, then turning so she could suck Emily's breasts. Her mind drifted, a small smile on her face. After several minutes of this Alice put her index finger in her mouth, wetting it, then reached down and rubbed Emily's clitoris while Cole continued to pound away.

He was physically gifted, but had the technique of a metronome. Alice's expert finger made her body buck in involuntarily spasms. Too soon the hand withdrew and Alice shifted position, leaning across her body causing their breasts to press together. Her face was directly over Emily's, filling her vision. Alice stayed there, inches away, watching her, breathing her in. It seemed like she was the one inside Emily, an idea that was irresistible to her.

Cole was faster now. He was close, they both were.

Alice could see it in her eyes, she could tell.

"You're beautiful."

Emily almost missed it over the sound Cole was making. She stared at Alice's mouth.

Please, she thought. *Say it again.*

She wasn't disappointed. It was barely a whisper, a caress.
"You're beautiful."

This time she was ready and her eyes closed as the orgasm made her body writhe. Alice kissed her hard on the mouth, her tongue pushing its way deep inside. Hot and urgent. For a moment she lost herself to the pleasure, her brain filled with a tide of sensations and emotion. She didn't know how long it lasted and was only dimly aware of Cole pulling out of her. Eventually, she turned to the side and saw Alice watching her closely, amusement turning up the corners of her eyes and mouth. Emily felt her own smile like a clown mask that she couldn't take off. After a moment Alice spoke again.

"That was real, wasn't it?"

Alice sounded amazed.

"Why wouldn't it be?"

"You gave us something real, I never expected that."

Emily nodded. She couldn't focus on the conversation, or what Alice was getting at. Her gaze wandered, down Alice's body, memorizing every detail.

"That pill Cole gave me, the ecstasy..."

"Yes?"

Emily looked back up, to Alice's face.

"How long does it last?"

"Hours, why?"

"You said it was *your* birthday."

Alice glanced at Cole.

"Whatever you girls want to do is fine by me, I'm beat."

He walked over to where he'd left his glass of Scotch. Emily lifted her head to follow his movements across the room. Cole was no longer erect, but his cock was thick and heavy and it bounced a little with each step he took. The shades were still open, the building beyond looked on. She turned to Alice and saw her smile was gone, replaced with a desire so intense Emily could feel it between her legs.

When they were finished, Emily showered in Alice and Cole's bathroom washing herself thoroughly. If Rutherford discovered what she'd been doing it was all over. The new job, her status, the clothes he kept buying her. It would all disappear. More than likely, he would kick her out the company then spread shit about her with other firms. Getting another job would be impossible. She'd probably have to leave the city, look for a job somewhere else.

Emily dried herself in front of the bathroom mirror.

She looked like someone else standing there. An actress playing the part of Emily Caine. This actress, she knew what she wanted and she was getting it. She looked strong, and for the first time, maybe sexy.

Emily walked into the bedroom and looked around.

Cole sat naked in front of the television. He was totally immersed in what was happening onscreen. Some kind of cop show. Alice was wearing a robe and was digging inside a suitcase. Neither of them looked at her. Time to go. She began to put her clothes on. It was late and she was tired. The drug had held it at bay but it was fading fast. Through the window, she saw a man in the building opposite was watching her.

Take a good look, she thought, *I don't care.*

Emily smiled. She'd never felt more powerful.

"That you?"

She turned and saw Alice beside her.

"Yeah."

Alice walked her to the door. Cole nodded at her as she passed by, then turned back to the television. A shoot-out was in progress. It wasn't a cop show, she realized, it was the news.

Outside the hallway was empty and cool.

Emily wasn't sure what you said to a stranger after sex. She realized that she didn't want to leave, that there was something between them that was worth something. Alice leaned forward and kissed her on the mouth, first lightly, then more forcefully, her tongue pushing inside as before. It was filled with unspoken lust. Emily couldn't stop her body from responding and she felt her face redden in embarrassment. Alice broke away, studied her flustered expression and smiled.

"You're so natural, I love that."

Emily nodded. She didn't know how she was any more natural than anyone else.

Alice had startlingly green eyes with a dark ring around the iris and Emily found herself staring at them. They were stunning, she could look into them all night.

"I should be going."

Before Rutherford gets back and notices I'm gone.

Alice smiled again.

"Of course. This is for you, as agreed."

Alice held out an envelope between them. Automatically, Emily took it and looked at her for an explanation.

"Look this may be weird," Alice said, "but my cell number is in there as well. I like you. If you're ever in Vegas, look me up and we can do this again. Cole put some ecstasy in there since you liked it so much. Don't take more than one at a time and drink plenty of water."

The beautiful eyes looked into hers, filling her up. It was making her crazy. It was like she was sunbathing and the heat of the sun was soaking through bikini bottoms onto her clit. She wondered if it was possible to orgasm just because someone was looking at you.

"Okay."

"Promise you'll come visit me?"

"I'll try."

"Goddamn, girl. I could eat you up."

Emily felt her cheeks burn. "We already did that."

Alice laughed. "To be continued, then."

Finally the door closed and Emily walked toward the elevators. What a night. The old her would have stayed in her room all night and watched TV. Probably fallen asleep to some stupid chat show, half a glass of wine sitting next to her. Callie had corrupted her, made her this new person and she felt alive for the first time in her life. As she waited for the elevator she opened the envelope and looked inside.

A wad of 50 dollar notes.

As agreed, that's what Alice had said.

But they hadn't agreed anything. She used the nail on her index finger to count the notes. Twenty.

The elevator doors opened and an old couple stood inside.

A thousand dollars. Alice and Cole had given her a thousand dollars and it wasn't hard to work out why. She flashed back to the woman kicked out the bar right before they arrived. Long hair and a business suit. The woman and her weren't exactly twins, but in a business suit, everyone had a way of looking the same. Alice and Cole had come straight over to her and introduced themselves, there were plenty of empty tables. Cole had smiled when she'd said her name, *because it wasn't the name he was expecting*. She was so stupid.

"Little lady, are you getting on or not?"

Emily smiled at the old man.

"Sorry," she said, stepping into the elevator. "I was miles away."

They smiled back at her, not realizing she was a whore.

15

Murky Figure

EMILY WOKE BEFORE THE alarm and canceled it with her eyes half closed. She exhaled slowly, wearily. She wasn't exactly a morning person. Her vision cleared. The hotel room, clean and sterile. Rutherford's hairy arm was draped over her waist, the tips of his fingers resting on the sheet. As ever, he was behind her. His arm was heavy and slack, he was still fast asleep. She lifted it and slid carefully out from underneath. She turned as she did this and saw his peaceful face on the pillow next to hers.

This was the first time they'd slept together and the first time she'd seen him sleeping. She was able to look at him in a way that was impossible while he was awake. Rutherford was twice her age and looked it. She had no problem with an age gap, but her experience with Alice and Cole had opened her eyes. Their flawless skin and perfect bodies had reminded her what Rutherford lacked.

Emily swung her legs onto the floor and stood up.

If she showered and dressed before Rutherford woke up, there was a chance he wouldn't want to do his thing with her, whatever you wanted to call it. She stopped to look down at him in bed and smiled to herself. As things stood, he had an advantage over her. She had to do whatever he wanted or risk losing her job, but that was about to end.

She picked up her cell phone and selected silent mode.

Using the camera, she photographed Rutherford as he slept. Close ups, the whole bed, then, with the cover pulled back, his naked body. Without his suit, he was robbed of all his power and charisma. She worked quickly, taking almost thirty pictures, before putting her cell phone away and pulling the cover back up over his body.

She didn't feel good about what she'd done, but a girl needs to protect herself. One thing was for sure, what they were doing wasn't going to last. One way or another, it was going to end, and end badly. Emily had no dreams of him leaving his wife for her, she had no desire to spend that much time with him, this trip had made that pretty clear.

She padded silently through into the bathroom, closed the door and started the shower. After a couple of seconds she stepped into the powerful spray of water. The stinging sensation of the water against her skin woke her up fast, the sleep washing away along with everything else.

Hotel showers always made her think of the movie *Psycho* and of a murky figure stabbing a woman to death. Rather than make her fearful, she felt aroused whenever she thought about the scene and often masturbated, thinking about it. There was something about it that reached inside her and made her feel alive. Somewhere in her head a wire was crossed, she was sick, they'd lock her up if they knew. It was the same with her addiction to watching true crime, those murder shows really helped get her through the week.

She thought about Callie. When she'd been using her cell to photograph Rutherford there'd been no new calls or text notifications. Was Callie mad at her for not replying to her *love* text? You were meant to say it back if someone said *I love you*, but what were you meant to do if it was just a text? Did it carry the same weight?

When she got out the shower Rutherford was in the doorway, naked and erect.

"Forest," she said in surprise.

"Why didn't you wake me?"

"You were out cold, I thought you needed more sleep."

He said nothing to this, his eyes moving over her flesh.

"Lean over the sink and spread your legs."

Emily did as she was told.

Truthfully, she enjoyed surrendering.

She liked a man that knew what he wanted, no matter what it was.

He was behind her now, she saw him in the fogged mirror. Murky, just like the killer in *Psycho*. She felt a twinge inside. His hands moved her legs wider, pushing her off-balance, then with his thumbs he pulled her buttocks apart exposing her completely. He stared into the two most intimate parts of her body, parts she'd never seen for herself. She closed her eyes and tried to imagine what he saw.

For the first time, she saw it as he did, as something erotic.

He disappeared from view in the mirror as he knelt behind her. She felt him gently kiss the curves of her ass. He worshiped it, as other men loved breasts. Starting at the outside, he worked his way into the middle, his tongue pushing deep inside that place no one else had ever been.

Her body opened around him, embracing him.

She sighed with pleasure. If things with Rutherford ended, who would do this for her?

Rutherford pushed his index and middle finger into her vagina, his thumb caressing her clit.

"Oh god," she whispered. "That's so good."

She had to give her boss credit, he knew what he was doing back there. He wasn't just doing it to check it off some list before he got to the main event. This *was* the main event for him, he was enjoying it. The man was a beast, a dirty dog. He was devouring her, and she loved it. Finally, he stood so he was directly behind her. Hip to hip. She felt the tip of his penis press against her saliva-wet ring.

This would be the fifth time he'd done this to her, but her body seemed to forget. Every time felt like the first. The pressure grew as he kept pushing. She told herself to relax, it was easier if she just let it happen. But the signal wasn't getting through. The seconds drew out as she fought a losing battle against the thick, blunt end of his cock.

Then it was all over, he was inside her. He felt huge as he thrust his way in. Enormous. Her body pulled wide as it distorted itself around him. She gasped.

His penis felt like a baseball bat as it thrust further and further into her guts. He seemed to reach the end of her, but he kept pushing and pushing until somehow he eased forward again, deeper and deeper until he was all the way inside. He stayed like that not moving, filling her completely, the seconds stretching out, just as she did.

Emily began to rub herself, her eyes fixed on him in the mirror.

The steam from the shower had cleared now, she could see her boss as he looked down at the point where his body disappeared inside hers. She could see the pleasure she was giving him and seeing it, felt a jolt of it pulse through her own body.

"Do it," she hissed. "Fuck me like the whore I am."

His hips began to furiously pump back and forward. At first the sex part had hurt, but she'd grown to enjoy the feeling as he filled her impossibly full. She rubbed her clitoris harder and harder, trying to match his intensity. For a moment she spaced out, like she wasn't there anymore, like she was him doing it to her.

This was how it was when she masturbated to the Psycho scene, she was both killer and victim. Emily sighed. She felt owned and desired. Her life had meaning, a purpose. He had complete control over her, and she loved it. Rutherford's eyes locked on hers in the mirror as he came. His teeth were bared, like an animal.

So were hers.

16

Return to LA

For the return flight to Los Angeles, she'd managed to book the seat next to Rutherford. When it had come up as an option, back in the office, she'd selected it automatically. It had been her first day in her new job, and that had been her first mistake. Emily hadn't done a lot of air travel in her life, but flying didn't bother her the way it bothered some. You went up, you came down. All you did was sit there. She didn't understand how some people got so worked up about it. Selecting the seat next to her boss had nothing to do with wanting a familiar face with her, she just thought it's where she should be.

It meant that instead of getting to read, or daydream about her experience with Alice and Cole, she had to listen to Rutherford talk about the conference. It started as the plane began to taxi to the runway, and still continued as they approached Los Angeles. He'd signed four new clients to the agency and he was pleased with himself.

She smiled and said the right things. It wasn't hard to smile and make it look natural, she had a thousand dollars in her purse that she didn't have before.

Her thoughts drifted to Callie.

They hadn't spoken since she left and her attempts to make contact since that last text message had all gone through to her answering service. Emily was beginning to get worried. Callie wasn't the type to hold a grudge or to start screening calls, and she began to wonder if she'd slipped getting out the shower stall and bashed her head on the toilet. That was how she'd always imagined she'd be found. Naked, surrounded by a pool of blood, with her head bent over at an impossible angle.

Emily turned and looked out the plane's window.

She saw part of her face reflected on the thick, curved plastic. The bottom of her nose, her mouth, her chin. For a split-second she thought she was looking at Callie's face and felt a strong urge sweep over her body. She realized that she longed to see her friend again and to kiss her on her stupid mouth. Hold her tight and look into those beautiful blue eyes. In the brief time she'd been away she'd hardly thought about Callie, but now that she had it felt like she was falling down a hole and her heart was rising up, ready to burst out her throat.

Emily began to nervously twirl a lock of hair under her left ear. What was she going to tell her about the trip? About the sex. The easiest thing, would be to tell her nothing. It was just business, nobody wants to hear about that. She wouldn't tell her about Alice and Cole, that was for sure. Aside from anything else, Emily knew it would be impossible for her to talk about Alice without giving away how strong a connection they'd had.

Then there was Rutherford.

She doubted there was anything to be gained by telling her about her boss booking them both into the same room. She'd told her how she'd got the job, but there was no reason to tell her it was an ongoing situation.

There was only so much understanding.

If she wasn't going to tell Callie about Alice and Cole, it then followed that she would say nothing about the thousand dollars. This felt like more of an omission to her than taking drugs and having sex with two strangers. Keeping the money made her a whore, she realized that, even if she'd known nothing about the money when she'd been picked up. The truth was that the thousand dollars was going to come in handy. Being an executive assistant meant that she had to be drop-dead gorgeous all the time, and that cost a lot of money, mostly in hair stylists and clothes.

"About when we land," Rutherford said, leaning in close, his voice lowered. "It's possible there could be *people* waiting for me in the terminal."

He sounded embarrassed. She turned back from the window.

"Who? Your wife? Your kids?"

Rutherford's face twisted with discomfort. He nodded.

"I doubt it'll happen, but lately she's been a bit random. Surprising me, turning up when I'm not expecting her, arranging dinners with friends at the last minute, that kind of stuff. I'm sorry, I know you don't want to think about her."

"You think she knows about us?"

Rutherford's face colored.

"I don't see how she could."

A woman always knows, isn't that what they say?

Emily's tone became businesslike.

"Okay. So how should we handle this? Do you want me to deplane like we never met, collect my check in luggage from a different spot. What do you think?"

Rutherford thought for a moment.

"Clara would remember you from the office, she's good with faces. If she saw you and me pretending not to know each other the gig would be up."

"Wait, your wife is Clara McNamara?"

Rutherford frowned.

"There's a picture of her on my desk. You didn't recognize her?"

Clara McNamara was the executive assistant that had disappeared, the one she was sure he'd been banging in his office. Rutherford had married her. The revelation was shocking. Clara had been no different to her socially, they were roughly the same age, they were even pretty similar in looks. Perhaps if things had gone another way she'd be sitting in a multi-million dollar home off Laurel Canyon, and Clara would be sitting on this plane.

"I guess not," she said finally.

Probably got her pregnant on the same desk they fucked on. The thought made her queasy. At least that was something she didn't have to worry about.

"Anyway," Rutherford said, "Maybe you just give me some extra distance. Look bored, like it's all part of the job. Stare at your phone, make some calls."

Emily could've laughed. She was up for *that* role.

"Right."

"I was thinking, since it's Friday, that we'd take the rest of the day off. It's already past 1 o'clock and neither of us have had lunch." He paused and put his hand on her thigh. "If Clara *isn't* at the airport we could go back to your place and have some fun. What do you think?"

She recoiled against the airplane bulkhead.

"I can't. I have a visitor."

He frowned, a slight smile on his face.

"You know I don't care about that."

She lowered her voice to a hiss.

"Jesus, Forest, I'm not talking about my period. I have a *guest*. A friend from school is staying with me at the moment."

"Oh. Never mind."

Rutherford twisted back to face front, his hand back on the armrest. Beneath them the floor vibrated as the wheels were lowered into landing position.

It seemed to her that talking about getting caught cheating by his wife had turned him on. As soon as she thought it, she knew she was right. He enjoyed the danger of their situation. There had been no gap between him talking about Clara, to him trying to arrange sex with her. She was earning every damn cent of her new salary, that was for sure.

If Clara was in the terminal building, they didn't see her.

17

Point of Impact

WHEN EMILY GOT BACK to her apartment, she found an LAPD SUV parked in her usual spot. She rolled up just behind it and got out. The street was busy and the air was thick with exhaust fumes. It was a situation she rarely saw as she was usually at work during business hours. She took her suitcase out the trunk and began rolling it along the sidewalk. As she passed the SUV she glanced at it. There was nobody inside and there was no cooling noise or heat shimmer from the engine.

It had been there a while.

Emily walked on. Her suit soaked up the heat of the mid afternoon sun like a sponge. She turned into her apartment building and almost collided with a uniformed cop holding a clipboard. The woman looked her over.

"Yes?"

What did she mean yes?

"I live here."

"Name?"

"Emily Caine."

The cop wrote this down on her pad of paper. Then looked at her blankly.

"You can't go in ma'am. There's been an incident."

"What kind of incident?"

"An accident. There's been a fatality."

Emily felt lightheaded and took a step back.

"Who was it?"

"We don't have that information, ma'am. All we know is it wasn't a resident."

Emily put her hand against the wall for balance. She was going to be sick. *Callie*. She focused on her breathing and saw the cop watching her closely.

"Did you have someone staying in your apartment?"

She nodded. The cop glanced at her suitcase.

"You were away last night?"

Emily nodded again. It couldn't be Callie. It couldn't.

"What's your apartment number?"

"34."

The woman looked at her with more interest.

"Would you mind making an identification?"

Tears began to run down her cheeks. She'd cheated on Callie with three different people and now she was dead. She didn't deserve any sympathy, she was a slut. A whore.

"Okay."

Her voice was small, almost a whisper, but the cop must've heard it because she opened the door to her building and led her inside. Three cops were gathered around a shape on the floor next to the stairs. The woman she'd been talking to called out to one of them.

"Westbrook! This one might be able to ID the vic! She's from 34."

The cops looked over at Emily and one of them waved her over. Emily walked toward them. She zoned out, her body moving on automatic. Her suitcase rolled along behind her, forgotten. The shape on the floor was a body. She couldn't make out what she was looking at, between the legs of the cops. In truth, she didn't want to. Why would Callie be lying on the floor next to the stairs? She directed her attention at the cop that had waved at her. He was an African-American and had kind eyes.

"What's your name?"

"Emily."

"Hi, Emily. Before you look, I want you to prepare yourself, our friend here has taken a bit of a tumble and it's pretty bad."

"I don't understand."

Westbrook pointed up, toward her apartment door. She gasped. The balcony had a gaping hole in it and yellow crime scene tape now formed the only barrier to the forty-plus foot drop. She imagined Callie falling backward, arms windmilling briefly before she hit the concrete floor. She let go of her suitcase and put her hands on her knees.

"Let's just do this real quick and then it's all over, okay?"

She had no words, so she nodded.

Westbrook held her hand and took her over to the body. His grip was light, reassuring. It was probably against the rules for him to touch her, but she appreciated it. As they walked she stared at the back of his head, and then the friendly eyes when he looked at her. The other cops moved away from the body to make space. After ten or fifteen feet, they stopped and Westbrook looked down at the floor.

She took a deep breath and did the same.

A man lay there in a thick pool of blood. The skin of his face had distorted like a liquid by the force of the impact, and his eyes were pushed out beyond the eyelids.

Her nausea vanished.

"Oh, thank fuck for that," she said.

Westbrook narrowed his eyes.

"You didn't know this man?"

This was the first time she'd seen a corpse and she felt no horror at all. Emily allowed herself to look at it. She was fascinated. Without the spark of life, it was as if he'd transformed into an object when he hit the ground.

Aside from the fall, the dead man looked rough, like an ex-con and he had the big hands of a boxer. The knuckles of his right hand were red, the skin broken and scabbed. He had tattoos on his neck and around both of his wrists and she imagined the ink continued extensively under his shirt.

It wasn't hard to work out who this man was, it was the goon who worked for Callie's husband that she said had followed her back to the apartment. His knuckles were red from knocking on her door. She wiped her tears off her face.

"I never saw him before in my life."

The friendly look was gone from Westbrook's eyes.

"But that *is* your apartment door, right?"

Emily had grown tired of the whole scene. She shrugged.

"I guess he had the wrong address. Probably leaned against the rail while he waited for someone to answer the door, and fell when it gave way. That balcony has needed to be repaired for years, I've complained to management before. You can check that if you like. In any case, I wasn't here, I was away on business."

The cop looked her over in her fuck-me shoes, expensive suit, and at her thin cotton shirt in between her unbuttoned suit jacket. She guessed what he was looking at, her nipples were rock-hard in the cool passageway.

"And what *business* is that, ma'am?"

"I work for a literary and talent agency downtown."

Westbrook smiled unpleasantly.

"Who did you think was going to be lying here?"

"A friend."

"Does this friend have a name?"

"Yeah, she does."

Emily turned and walked back the way she'd come. The man was tripping if he thought she was going to help them frame Callie for murder. As she reached her suitcase she grabbed the handle and took off in a new direction, toward the elevator.

She sensed the cops staring at her as she walked away. Angry, frustrated. Cops didn't like not getting what they wanted. She expected a hand was going to grab her elbow from behind and spin her back around, or a shout telling her to stop, but instead one of the cops laughed.

"She got you good, man!"

There was more laughter. Emily stepped onto the elevator and dragged the outer gate closed and waited as the inner door slid shut. They weren't coming after her, not yet at least. She selected the third floor and the old freight elevator began to move. When she approached her door and the broken balcony, she glanced at the hole then down to the floor where the man's body lay. The cops were looking up, their faces calm. Westbrook shouted up.

"Careful there, miss. Stay back from the edge."

She raised her hand in acknowledgment then turned and unlocked her door.

The inside was still and airless and she knew immediately that Callie was gone. Emily walked from room to room to confirm it, but it was no use. Her friend had cleared out, in a hurry by the looks of things, and the only thing left was a ChapStick under the bathroom mirror.

There was no note.

Emily called her cell with shaking hands, but it went straight through to voicemail once again. Finally, she sent a text message and sat watching the screen for a full minute before she got a notification that it was undelivered.

Emily stripped off mechanically and stood in her shower crying, the jets of water washing the tears straight down the drain. Afterward, she lay in bed and pressed her face into the mattress where Callie had lain and inhaled what little smell of her body that still remained.

18

Running In Place

EMILY WOKE THINKING ABOUT the dead man. She'd had a dream where she'd been falling from her balcony to where the man had landed next to the stairs. In dreams she always woke up before anything bad happened, but in this one she felt herself mash into the concrete.

She took a deep breath and stared up at her ceiling, her heart racing. The police didn't know who the man was, that's why they wanted her to identify him. It meant that he was carrying no form of ID. But everyone carried some kind of identification, didn't they? A wallet with credit cards, or a store loyalty card.

But not the dead man, apparently. He was a mystery.

The cops would fingerprint him, and if he was an ex-con, his name would appear instantly. Cops would go to his next of kin and notify them. From there, it would only be a matter of minutes before it got back to Frank, which would lead directly to him coming here himself.

She was in danger if she stayed.

That's what the dream was telling her. Frank did not sound like an understanding man. He would assume that she knew where Callie had gone, he might even assume she was responsible in some way for the death of his friend or associate.

Emily got out of bed and put on her briefs and sports bra then padded through to her treadmill. She sat on it and pulled on her Nikes. She hadn't done any running for a while, and she needed to keep on top of things. She cued up some music on her watch, put in her AirPods and began to run. Running helped her to think, the rhythmic thump of her feet seemed to feed back to her heart, and stop it from racing.

After Callie had sent her last text to her, the man had obviously come back to the apartment in a further attempt to capture her. He came alone and it seemed to Emily that he'd not told Frank where his wife could be found, because otherwise Frank himself would've come and the cops would've found her apartment busted up and traces of Callie's blood on the floor and walls.

She smiled.

The dead man had kept the information to himself, because he'd hoped to bring her in on his own and get all the glory from his boss.

It felt right. The man had been a big brutal fighter, maybe even a killer, and his target had weighed a hundred and twenty pounds. She was no danger to a man like that, she was little more than a mosquito to be mindlessly swatted without a thought.

But she'd been ready for him, and somehow, had escaped. So the big man had come back, as she must have known he would. Perhaps they knew each other. This time he'd mean business, he wouldn't want to go away empty handed a second time. He'd be willing to kick the door down, or use a pry bar.

Emily thought about what she'd do in Callie's position.

She'd open the door straight away. Drain some of the man's anger and frustration, all that negative energy, make him more placid. Agree to go back with him to see Frank. He would like that, because the boss might become angry if his wife was *damaged* during the trip back. She'd say something like, *hang on, I have to get my suitcase* and leave the apartment door open.

The door was the only way in or out, he'd probably already checked for a fire escape. So he'd stand at the door, blocking her only route of escape. She'd come toward him with her big case out in front of her body and he'd step back so that she could turn to go down the hallway toward the elevator. Only she wouldn't turn. She would suddenly accelerate and use the case to ram him backward against the rail, then out into the void to his death.

Emily ran mindlessly for a couple of minutes, losing herself in the exercise, before her thoughts returned to the dead man.

No identification.

Callie had gone over to the man's body and taken his wallet, maybe even his cell phone and keys to a vehicle of some sort. She remembered Callie's text. A Crown Vic, an old cop car. She'd need his cash and vehicle to get away, but there was only one reason to take his credit cards and cell phone. Callie was trying to protect her from whomever would come next and buy her time.

But why had she not left a note? Something that would give her hope? Emily finished her run and stepped down onto the floor. She'd shaved eight minutes off her personal best and her thigh and calf muscles were on fire. She stared down at her legs, assessing them. For a while after the disastrous hook up, she'd worried about looking too masculine, about being too toned.

She was over that now. She'd found people that liked the way she was, and she liked it herself. Looking down, she could see the different muscles in her body without flexing them, they were there all the time. The new strength of her body gave her strength *in* her body. She felt confident, powerful and sexual. She felt like she could do anything.

What she didn't feel like, was running away from Frank.

This was *her* apartment, and he could go fuck himself.

19

Emily Caine, PI

WHEN EMILY WOKE ON Sunday morning, it was to utter silence, like her head was submerged in water. She sat up and shook her head, then snapped her fingers near her ears. She was hearing just fine, except there was nothing to hear. It felt like forever since she'd had her apartment to herself, and now that she had it, it felt wrong.

She got out of bed and padded through into the living room. The air was still and hot and dry. Emily walked over to the window and looked down at the street. She was naked except for the briefs she'd slept in, but she didn't care.

In LA, nobody looked up, anyone that wasn't driving had their eyes glued to a screen a foot in front of their faces. The street was quiet with little traffic on it. She watched, bored, as the traffic light caused what there was to bunch up and wait, before they headed off again. Catch and release, over and over. She wished at least one person would look at her, so she could feel their eyes moving over her flesh.

Emily shook her head and resumed her normal routine.

She hit the treadmill for an hour, her mind empty and numb. This had been her life before, she could return to it. When she finished she showered and changed into her loungewear clothes. She had no plans to go out, she had a backlog of murder shows to get through. As Callie would've said, *those hookers aren't going to kill themselves.*

Emily sat back on her chair with a bowl of cereal and cued up the first show, her legs folded beneath her. Somehow, she was 42 episodes behind. It was rare for her to watch these shows during the day, murder seemed to fit her mood better after 6 p.m. with a glass of gin and tonic in her hand. The light coming in her windows contrasted with the grim, low-light scenes. Before too long, a woman was screaming and a man was smiling.

For the first time, she wondered why she watched the shows. Did she want to be the woman screaming, or the man smiling?

The only thing she knew for sure, was that she didn't want to be the cop trying to catch the killer, that part didn't interest her at all. Except for when the killer made the inevitable mistakes. Perhaps that was what she liked, she thought. As if the whole thing was a form of training, and she was learning from every episode. One of the biggest mistakes these killers seemed to make, was getting pulled over for minor traffic violations. Unpaid parking tickets, speeding. It boggled her mind that anyone would be so stupid as to drive around with a corpse in the back at eighty miles an hour.

That was just rude. Poor tradecraft.

Her cereal finished, she walked back to the kitchen with the bowl. She didn't pause the show while she did this, and it hit her she'd never done that before. She wasn't feeling it anymore. If she watched the shows to learn from them, what could she learn from idiots? Not much. The shows she liked the best, were the ones where they hadn't caught the killer. There were very few of those type, because to other people all they saw was no resolution.

Other people liked the bad guy getting caught.

They were moral tales, you break the law, you get punished. Yet a lot of the time she saw herself in the killer. It was part of her nature to support what she saw as an underdog, a person that has been treated badly by the system, or by people in general. It didn't mean that she felt the victims in any way deserved what happened, she just understood what it was like to be powerless, abused, and unloved. Emily went back over to the window, the true crime show still playing in the background.

Somewhere out there, Callie was hiding from Frank.

She wished Callie was with her now, that they were lying in bed together, or perhaps Callie could be singing and making her pancakes. On the TV, a different woman was screaming. She could tell it was a different woman, because the scream was different. That was a skill she had now, for better or worse. The woman was panting between screams, she was so drained of energy.

There was a sexual element, Emily realized. When you weren't looking at the screen, it almost sounded sexual. To the men involved, she supposed it was. Emily froze as it became clear to her. The shows had tapped into her repressed interest in women, and now that she'd accepted her bisexuality, true crime had nothing to offer her. It made perfect sense.

She walked back over to the television and picked up her remote. After stopping playback, she deleted the show and the 41 other episodes. It was liberating, getting all that space back on her planner, all that time back in her life.

But what am I going to do with it?

It was obvious really.

She was going to find Callie.

·♥·♥·♥·♥·♥·

Los Angeles had a population close to four million people. Finding one person out of so many was going to be difficult, particularly since Callie was trying not to be found. Emily sighed. Not even by her. She'd managed not to think about that aspect up till now, but there it was. Callie had left no way for her to find her, any more than Frank. The reason was simple. She'd left in a hurry, fleeing the scene of a crime, and didn't know where she was going or how long she'd be. Even knowing that was not enough.

Couldn't she have left one lousy note?

Emily called her cell phone again, with the same result, the answering service. It was clear to her what this meant, that she'd either tossed her phone, or had it switched off so that Frank couldn't find her.

Three days had passed since she'd left, and since she'd knocked Frank's goon off the balcony. By now, Frank would know about his associate's death, and where it had happened. His reaction would depend on how much he'd liked the man when he was alive, and if his death impacted on his business, or his personal life.

To find Callie, Emily realized she had to find out more about Frank. That's where she hit her first problem. She'd never asked Callie what Frank's second name was and Callie hadn't changed hers when she'd got married. It was a big problem, and it probably wasn't one she could solve using Google. What she needed to do, was think like a cop, and the first step was making coffee.

Ignoring the man Callie had sent over the balcony, her friend's situation was still pretty similar to the night she'd shown up at her door. She couldn't use any joint bank accounts or credit cards to stay in a hotel or rent an apartment, and she now knew that the grandmother's inheritance was tied up in a trust she couldn't access until she turned 25. Unless her parents helped her out, she was broke.

Except, she'd taken the dead man's wallet and his car.

She had some money, and transport. Perhaps even a place to live. Emily tried to picture Callie living in a car on some rural spot where she wouldn't be found. She couldn't imagine it. A man might do that, but not a woman. Showers were important, and so were hair dryers. Before that happened, Callie would sleep on a different friend's couch, even if that friend was known to Frank.

As a first step, Emily decided to write down the names of the friends they'd talked about on a pad of paper. When she'd done that, she looked each of them up on Facebook and looked in their friends' lists to see if Callie was listed. She wasn't, not for any of them, and the answer to this seemed to be that Callie's Facebook account hadn't been used since she'd got married.

She'd reached the end of her coffee and hadn't got anywhere. Emily was becoming more sympathetic to the cops in her murder shows. Frank wasn't going anywhere. As long as he was alive, Callie would be in danger. It wasn't clear to her how this situation was ever going to be resolved, and how she was going to be reunited with her friend.

Emily pulled up a photograph of Callie on her cell phone and zoomed in tight on her face. Her friend was smiling, as she often was, the smile not just in her mouth, but in the corners of her eyes as well. This was no empty pose, it was happiness, captured.

It was getting harder for her to deny the way she felt for Callie, and after close to a minute of looking at her friend's beautiful face, she took the cell phone into the bedroom where she could do something about it.

20

Washroom Takedown

MONDAY, TEN IN THE morning. Somehow, it was always a dead time at the agency and things appeared no different in her new position. Emily had been in the toilet stall for some time scrolling through Callie's different social media feeds looking for some sign of activity, when she heard raised voices and the washroom door opened.

She lifted her feet off the floor and put them against the thin wooden door, bracing her body with her hands on either side of the stall. The voices were familiar, Rebecca and Alex.

"...what a total whore," Rebecca said.

"It's disgusting," Alex said. "He's old enough to be her father."

"Maybe she likes that?"

The two women laughed.

Something told Emily they were talking about her.

"I'm sure *he* does."

"Don't! I got to pee so bad!"

The door next to hers slammed shut and a couple of seconds later she heard a woman urinating. It was only feet away from her and it was incredibly loud, like a fire hose. Emily screwed up her face. She angled her head and saw the right shoe of the woman on the toilet. Dark blue, slight heel.

A flower of some kind hand painted on the side. *Rebecca*. She was kind of a hippy, and always had flowers painted on clothing and purses.

Emily had thought both women were friends of hers. Not close friends, but still. They'd been on nights out together, meals, bars. Not just the compulsory nights out the agency held at Christmas and Thanksgiving, but birthdays and other occasions. They'd talked about their personal lives and of their dreams for the future.

Now she was a *total whore* to them.

When she thought about it, neither of them had congratulated her on her promotion, almost nobody had. Only a man she barely knew except through the office messenger app, and another guy who delivered the mail and spoke to her while looking at her breasts. That was it. Two random people had congratulated her.

The toilet flushed next to her and the door opened.

"How did Charlotte find out anyway?"

Rebecca began to wash her hands in the sink.

"The dumb bitch didn't even have the decency to book a separate room at the hotel. Who knows if they even went to the book fair, you know what I mean? She probably spent the whole time on her knees swallowing his dog."

Emily gritted her teeth.

She'd *told* Rutherford about the room.

The dryer came on like a jet taking off and conversation paused again. It seemed like all they knew for sure was that she hadn't booked a room, but from just that fact they had surmised she was sleeping with Rutherford and that was the reason for her promotion.

Was the promotion really so unlikely to everyone that it was suspicious? That the only possible explanation was sexual?

She'd totally rocked at her last job, and she rocked at this one. It was jealousy, pure and simple. The dryer stopped and conversation resumed.

"You know," Alex said, "I'm actually not surprised."

"About what?"

"Emily has always been a ho. She tried to pick up my brother once."

"I'd forgotten about that!"

So had I, Emily thought.

"But this...Rutherford's a married man. She doesn't wear a bra anymore. You can see her nipples right through her shirt. They're like goddam light switches! I bet if she bent over you could see her asshole, for sure there's no panty line or a thong."

"What a *skank*. She's so lean and gross, I bet her vagina's like a drinking straw."

Emily sat open mouthed in shock as they laughed again.

She waited until she heard the outer door close before she put her feet down on the floor. They knew about her and Rutherford, and if Charlotte knew, she was telling everyone. It probably meant that she was done at the agency. In order to contain the gossip here and not risk it getting back to his wife, Rutherford would have to get rid of her. With her gone, the gossip would burn itself out, like a fire running out of oxygen. Naturally, it wouldn't effect Rutherford's career, he was the agency's biggest earner. He could ride the storm out. Maybe a month of sidelong looks, and it would be back to normal for him.

Her fists were clenched, her teeth were clenched.

They must think they're still dealing with the *old* Emily Caine.

One thing was for sure, Charlotte was going to pay.

21

Coffee Run

THEIR AGENCY HAD A regular order set up with a local coffee place and they were able to reorder it in advance online without having to ask in the store every time and wait in line for it to be made. Picking up the order had fallen on her shoulders for a number of reasons, the greatest of which, was that she was the only female member of staff strong enough to carry the full order on her own. This continued to be the case even after her promotion, so the tradition had continued.

She knew a lot of the other women thought fetching coffee was beneath them, but she enjoyed having a half hour every day away from her desk and didn't much understand why anyone else wouldn't.

After placing the order, Emily put on her suit jacket and left the building. She had a couple of stops to make before she picked up the coffee and she wanted everything to be ready. Three pharmacies were within walking distance, but she wanted to go a little farther afield to limit potential problems later. It took about twenty minutes to get what she needed and get back to the coffee store. The long walk had made her hungry and she ate two Snickers bars while a member of staff finished up her order.

The lobby of their office building was empty when she got back and one of the elevators had its doors open. Emily moved toward it as fast as she could walk. The coffee was heavy and she was wearing high heels. She was ten feet back when she heard a chime and the doors began to close.

"Fuck!"

Inside the elevator, a hand caught the doors and they opened again. Sasha Roberts stood alone inside waiting for her, a large smile on her face, a short skirt on her legs.

"Thank you," Emily said.

"No problem," said the lawyer. "You're on eight, right?"

Emily hesitated, her plan evolving.

"Do you have your own office?"

"Yes."

"Any chance I could use it for a couple of minutes?"

Sasha stared at her mouth.

"All right, but there will be a toll."

Emily shook her head.

"Lawyers, man. They always get paid."

Sasha grinned, then turned back to the doors and looked up at the floor indicator. They passed two and then three. At this time of day, elevator use was light.

"That's a lot of coffee you're carrying, it must be heavy."

They were 16 ounce cups, so they weighed a pound each.

"I guess."

"You're pretty fit though. Strong."

When Emily said nothing Sasha turned to look at her.

"I like that about you. Nice suit by the way."

"The other day, when we were in here..."

Emily's voice faded away and her face turned scarlet.

"Yes?"

"Why did you do that?"

"You've been staring at my ass for six months. Was I not meant to notice?"

Emily frowned. How long has she been this way? Was it obvious to Callie when she'd walked past her on the street? Before she could respond, the chime sounded and the doors opened on the tenth floor.

The lawyer's offices were laid out exactly the same way as her firm two floors below, though the furniture appeared to be more expensive. Sasha Roberts' office was in the same space as Rutherford's and she smiled to herself at the symmetry, like it was a sign. Emily laid out the coffee order on Sasha's desk. Ten medium size cups. She set two to one side and took the lids off the rest of them. Steam rose up into the air. From her purse she withdrew the card boxes of medication she'd purchased and started pressing the pills out into a pile.

"Is this what it looks like?"

Emily kept going, without looking up.

"It's exactly what it looks like. Do you care?"

"You're making me an accessory to a mass poisoning. That's a felony."

Emily emptied out all the pills. She took off her right shoe and glanced up.

"It's not poison, though I wish it was."

She used the toe of her shoe to grind the pills into a fine powder. It didn't occur to her to clean the shoe first, whatever she'd walked in was going in the coffee along with the drug.

"Legally, it makes no difference."

"I'm sure that this risk will be reflected in the *toll* you want me to pay. There are no security cameras in your lobby and no one saw me come in. I could be wrong, but I think we're going to be fine. Do you have a sheet of paper I can borrow?"

Sasha opened her printer and passed her a sheet of paper. Emily folded it down the middle making a crease with her nail then brushed the powder into a pile in the middle of the paper. She tipped a small amount into each cup. At the end of the row was Charlotte's cup. She poured in everything that was left, five or six tablets' worth. The woman was big, it stood to reason her dose would need to be higher.

When she was done stirring the cups she came back to Charlotte's, cleared her throat, and spat a thick bolas of spittle into the middle. It sat on top for a moment, dark flecks visible in her spit, before it sank below the foam.

"Wow," Sasha said. "Remind me to never piss you off."

"I probably won't have to."

Emily quickly replaced all the lids and loaded the coffee back into the two large carriers. Only her cup and Rutherford's were untainted. She turned to Sasha and looked her over. The lawyer was stunning and the fact that she looked amused really worked for her.

"What do I owe you? What's the *toll*."

"First, I want you to kiss me."

"Okay."

"Then I want to sit on your face."

"Okay."

"Then I want your cell number."

"Okay."

"You're quite amenable, aren't you?"

Emily was in front of Sasha now. She didn't have time for chit-chat, the coffee would go cold. She put her hand out and held the back of Sasha's neck, pulling her in for a kiss. Sasha responded instantly, her arms wrapping around Emily's waist holding her tight against her. Grinding their groins together.

Sucking hard on Emily's tongue. It felt amazing, there was a rhythmic pulse to her suck that she could feel in her clitoris.

When the kiss ended, Emily dropped to her knees and put her head under the lawyer's skirt. She eased down a pair of black satin panties and pushed her face against Sasha's pussy. It was waxed within an inch of its life and it felt more intimate, like an extra layer of clothing had been removed. The lawyer adjusted her stance so that her legs were further apart and pressed on the top of Emily's head.

She devoured the other woman, licking and sucking hard on the clit until, less than two minutes later, she felt Sasha's legs shake in orgasm and a low moan reached her ears. Emily stood and straightened her suit, while the other woman pulled on her underwear. Sasha looked like she'd been picked up by a passing tornado and spun around for a while.

Emily took a deep breath. Her life was becoming unrecognizable to her. Where would it end?

"Kiss me again. I want to taste myself on you."

For a lawyer, Sasha was pretty out there.

They kissed. Who was she to refuse such a request? Afterward, she fixed her hair up and reapplied her lipstick using a small compact mirror to check her look.

"That was fantastic, thank you. Just what I needed."

"I don't know if this kills it for you, Sasha, but I wouldn't have done all that if I didn't already want to. You intimidate me, but I like your whole...package."

Emily glanced at the lawyer over her compact and saw her smile.

"I know."

She returned her lipstick and compact to her purse and wrote her cell number on the back of one of the lawyer's business cards then left without saying another word. As she stood in the lobby waiting for the elevator, her phone rang. She put one of the coffee carriers on the floor and dug out her cell.

"You never said what your name was."

"Emily," she said. "Emily Caine."

There was a pause, probably while the lawyer wrote her name down. In front of her the elevator doors opened.

"I love that the first word I heard you say was *fuck*."

Two women got out the elevator and Emily walked in.

"Yeah? You might hear it again, I've got a dirty mouth."

She disconnected the call and used the knuckle of her index finger to hit the button for the eighth floor. The doors closed and she began to descend. Phase one of her plan was complete, now for parts two and three. Emily saw herself reflected in the chrome detail around the control panel.

She was smiling.

22

Blowback

EMILY SAT CROSS-LEGGED ON her living room chair watching an old Goldie Hawn comedy on TV. She had opened a bottle of wine at 6 p.m. And, by 7.15, had finished it and started another. During this time, she also cooked a two portion ready meal lasagna. After she took it out the oven, she carefully divided it in two, and put half out on a plate with some garlic bread. However, another glass of wine later, she'd gone back into the kitchen for the other half which she then forked directly off the foil tray into her mouth.

She'd made the mistake once before of reading the calorie count for lasagna, and she'd learned from her mistake. As long as she didn't know the number it couldn't hurt her was the way she felt. After the day she'd had, she figured she could cut herself a little slack.

Emily had quit the agency, deciding not to wait for Rutherford to realize what had to happen. Have days of build-up, the gossip getting more and more out of control, potentially spilling into her social media where anyone outside the agency could see it. Her family, for one.

When an outcome was inevitable, why not cut to the chase?

She'd felt incredible walking to the elevator, then getting on it for the last time. It was like a scene in a movie, she felt strong, proud. Maybe in the movie it would have ended there, or in the elevator going down, a small smile on her face, music playing. Cut to black, roll titles. But it wasn't a movie, and it didn't end there. She'd walked into the parking structure and as soon as she'd seen her car in her new reserved spot, she'd fallen apart.

Emily Caine, Executive Assistant.

They'd bullied her into quitting, and she'd fallen for it. She'd given the people she hated exactly what they wanted, whether they knew it yet or not. The new Emily Caine was no different from the last, she was weak and stupid.

Her cell phone rang and she saw from the display that it was Rutherford.

Emily had half-expected to hear from him. Begging for her to come back, asking her to reconsider. If he didn't try, she would be more than a little insulted. What they had between them wasn't romantic, but it was a pleasant way to pass the time. She knew for a fact that she was going to miss what he did for her. Why wouldn't it be the same for him?

She put the near-empty lasagna tray down on the table in front of her, licked one of her fingers and walked over to the window where cell reception was strongest.

"Hi."

"You need to come in tomorrow."

Straight to business, she thought. Literally. No pretense that the call was personal and that he would miss her. If she hadn't drunk a bottle of wine she would have been pretty angry about that, but instead she just sighed.

"I quit, Forest. Don't you know what that means?"

"I didn't put the paperwork through and it's just as well I didn't after what happened."

There was something about the tone of Rutherford's voice that held her back. She wouldn't expect him to be *amused* by her prank, but this was the very opposite of amused. It was true that she had a dark sense of humor and that the age gap between them was most noticeable in what each of them found funny, but his tone was way off.

Couldn't he, just once, see the funny side?

"I can't keep working there now they know about us. You know that."

"We can figure it out later, but you need to come in."

The tone was there again.

"What's happened?"

"You mean, what happened *apart* from half the office simultaneously shitting themselves and then finding each stall in the washroom without toilet paper? Apart from that?"

Emily laughed silently to herself. The visual was too good, and it saddened her that she had left early and missed seeing it for herself.

"Listen, I don't know-"

Rutherford cut her off.

"Save it, Emily. I know what you did, and I can't say I'm surprised. Maybe they had it coming, maybe I'm partly responsible, I don't know. The reason, whatever it was, is irrelevant. Do you think I'm calling because I miss you already? Is that what you think?"

His voice was so full of anger that he was almost shouting.

"I don't know," she said.

Her voice was small and frightened. This was not the Rutherford she knew. He spoke softly, he was kind. He never shouted. For a couple of seconds all she heard was the hollow sound of his BMW moving through traffic. When he spoke again it was almost a whisper.

"Charlotte is dead."

Emily put her hand out to steady herself against the window.

"What?! How?"

"Nobody seems to be sure yet. They won't know until they've done the autopsy. It's bad, Emily. I just spent two hours with the LAPD and they will be in the office tomorrow conducting interviews, which is why you have to be there. You did *not* quit. If you quit and all this happens on the same day. Guess what? You're a suspect. A *murder* suspect."

It couldn't be happening, it just couldn't.

She was a murderer.

Her mouth was dry and she had to swallow several times in order to speak.

"The others, do they think I'm behind it?"

Rutherford sighed.

"I don't know, I don't think so. As far as they know, you went home early because you felt ill, which by the way, is what I told the two detectives who interviewed me."

"Thank you."

Down on the street, a black car swung sharply across oncoming traffic and pulled into a space below her. Two figures got out and disappeared from sight.

"A word of warning. Don't pretend that you liked Charlotte or that the two of you were best friends or something, because that's going to be backed up by anyone else. Not liking someone does *not* mean that you wanted them dead. Be honest. Charlotte was a difficult woman to get along with and you were not the only one to have problems with her."

She pictured Charlotte's face. It was screwed up at one side like a freeze frame of an actual conversation they'd had.

She couldn't remember her face in any other way, other than when she was in the middle of being vile to her. Then she imagined her old supervisor lying cold, naked, and dead on some morgue table as her chest was cut open and her organs were pulled out and weighed. She had seen enough crime shows to picture it in her mind.

She gagged, her stomach cramping tight.

"I got to go."

"But you're coming in tomorrow, right?"

Emily was already scrambling across her living room to her bathroom.

"Yes."

She cut the call as she began to vomit. It came out of her mouth in a jet and sprayed in an ark across the blue tile of her bathroom wall, and down toward the closed lid of her toilet. She dropped her phone into the sink and tried to lift the toilet seat while also trying to catch the vomit in her right hand. Her fingers were forced apart from the force of the spray and some splashed back off her hand into her face and eyes. Blinded, she directed her head down to where the toilet bowl had to be and finally heard it hitting water.

She fell to her knees and hugged the toilet and let herself go empty. She had never experienced anything like it, it was as if she was possessed. At least a minute passed before she could stand and wash her hands and face. Eyes burning, she opened them to see her cell phone sitting in two inches of water.

All her photographs, her text messages. Her whole life was on there. She yanked it out and touched the screen hopefully. Nothing happened.

Her shoulders dropped. Callie's number was on there and she had no other note of it. She held down the keys that turned the phone off. Again the screen stayed black. *The photographs of Rutherford on the bed in the hotel room*. Emily groaned inwardly. She hadn't had time to back them up to her laptop. If she was going to be leaving the agency under a cloud, then those pictures would be vital to get a decent severance package.

Emily looked up at the mirror to make sure her face was clean and was horrified by her own appearance. Her skin was pale, almost blue, with mottled purple patches in her cheeks. Her eyes were red and continued to sting from the vomit that had got in them and her hair was wild, sticking out in all directions. Her t-shirt had splashes of sick on it and it was as she was noticing this that the smell in the room hit her.

Again her stomach cramped, but when she leaned over the toilet there was nothing left to come up. She was done. The chime on her door sounded, followed seconds later by a heavy knock.

Thump! Thump! Thump!

Not from someone's knuckles, but from the base of their fist. She walked out the bathroom and through the living room to the short hallway to her front door. Her hands were shaking nervously. *Frank*. She'd forgotten all about him. Was he really a gangster like Callie said? That was exaggeration, wasn't it?

The chime sounded again, followed again by the pounding. The fist hitting the other side was hitting hard enough to cause the wood to flex, the shine from the overhead light changed. She stood looking at the door, frozen.

A man shouted through the wood.

"Open up, lady. LAPD."

23

LAPD

EMILY APPROACHED THE DOOR. Her hands were badly shaking now, and her teeth were chattering together. She couldn't make it stop. Some superhero she was. She clenched her fists until her nails dug into her palms and tried to slow her breathing. The cops were going to see that she was a murderer, she was a terrible liar. It would've been better if it *had* been Frank she thought, because he'd probably only slap her around a bit. Did California still have the death penalty? She cursed herself for not knowing.

She looked through the peephole.

A man and a woman stood there wearing suits. Not uniformed cops, detectives. She recognized the look from the cop shows she watched. They obviously saw the light change on the peephole, because they stepped back and held up badges. She slipped the security bar off and unlocked the door.

They paused for a moment, before the man spoke.

"Emily Caine?"

"Yes."

"Detectives McKee and Davis." He indicated himself, then the woman next to him. "Can we come in?"

She nodded, not trusting herself to speak.

They walked into her apartment and she closed the door behind them. She felt like she had no strength left, like she was a feather that could be blown away by the slightest gust of wind. She followed them down the hallway into the living room. The Goldie Hawn movie was still playing on her TV, the volume suddenly very loud and she scrambled for the remote to turn it off.

She realized she should've asked them what their visit was about before she let them in. Forgetting made her look guilty, like she'd done something that brought the cops to her door.

"Is this about the man who fell from the balcony?"

The detectives glanced at each other.

"No. We're investigating the death of Charlotte Vogler."

She gasped and hoped it sounded real.

"Charlotte's *dead?*"

She sat heavily on the armchair next to her TV and the two cops took the opportunity to sit side by side on the sofa opposite her. They didn't look impressed by her performance, her acting was clearly not up to scratch.

"What happened?"

Davis took out a notepad and began writing in it, a small pout on her face. McKee spoke again, though not to answer her question.

"How would you characterize your relationship with Miss Vogler?"

Be natural, that's what Rutherford had said. She shrugged.

"Actually, I hated her."

McKee nodded. "Why is that?"

"She bullied me. Every minute of every day."

"Are you sorry she's dead?"

Emily looked off to the side to the light coming in through her window. It was golden hour, the light that made California famous. The room was bathed in its warm glow.

"I guess I'm not. It's kind of a relief, you know?"

"You realize this is a murder investigation?"

Emily turned back toward the detectives.

"Nobody liked Charlotte. Anyone that tells you otherwise is lying."

For a couple of seconds all she could hear was the nib of Davis' pen scratching across the surface of her notepad.

"Did you kill her?"

The best way not to suck at lying, was not to lie.

"When she was my supervisor I probably thought about killing her all the time. I know how that sounds, but thinking about it really got me through each day, I won't deny it. After I got promoted, she was below me and that destroyed her. I had no reason to kill her, she was out of my life."

"That's pretty cold."

"I guess. I'm just being honest."

Davis spoke for the first time.

"How are you today, Miss Caine?"

"I've been sick. You can probably smell it, I was sick just before you arrived and I've not had time to clear up."

"Is that a fact. What do you think caused it?"

Emily wondered why Davis was asking her how *she* felt, when saw the connection. Her face had looked terrible in the mirror, that's why they kept staring at her. She could use it.

"The coffee at work, I think there was something wrong with it. It tasted metallic or something. I poured half of mine away and came home early…oh, I guess you know that. I've been sick all afternoon. I thought I was past it so I fixed dinner. I was so hungry, but that came up too. I think I'm finished now, there's literally nothing left to come up."

The cops looked at her without saying anything.

"Have I been poisoned? Is that what happened to Charlotte?"

"That's what it looks like, yes."

She allowed some of her panic to show.

"Should I go to a hospital?"

"Charlotte was dead inside two minutes. To be blunt, if you're not dead already, then you're going to be fine. Not finishing your coffee might've saved your life."

"What about everyone else?"

"They got sick too, except for Mr. Rutherford. He was okay."

Davis spoke again.

"We're told that you collected the coffee order and brought it up to the office. Did you leave it unattended at any time?"

Mentally she went through her route, her gaze looking up at the ceiling. She figured this is what an innocent person would do, a person that wasn't a murderer. She ignored the part where she went up to Sasha Roberts' office, and instead thought about getting off on the eighth floor and walking through the agency.

"No. I put them down briefly on the floor of the elevator because they were heavy, but I was standing right next to it. The only time they were unattended was when I got back to the office and I left them on the meeting room table so I could visit the restroom."

"Who has access to the meeting room?"

She shrugged. "Everyone. It's not locked. A courier could walk right in there off the street, even a pizza delivery person. It's not a secure area."

McKee leaned forward, his eyes fixed on hers.

"You see anyone like that hanging around that room today? Anyone new?"

"No."

The questions seemed to have reached a natural end. McKee looked at his partner and twitched his head to the side. A signal. Davis closed her notebook and stood.

"Would you mind if I took a look in your bathroom?"

"You don't want to go in there, it's a mess."

"Don't worry, ma'am. I'm sure I've seen worse."

Davis walked across the living room, pushed open the door of the bathroom and switched on the light. The detective swore loudly. Emily laughed silently to herself.

"Calvin, you got to see this."

McKee smiled awkwardly, then followed his partner into the bathroom. Emily followed and looked around his broad shoulders into the room. It was worse than she remembered, and it was no surprise when McKee and Davis left shortly afterward leaving only a business card behind. She might not look innocent, or even upset that her colleague was dead, but not even an idiot poisons themselves.

When she was sure they were gone, she fetched cleaning supplies from the kitchen and returned to the bathroom. It was a grim scene, it seemed to get worse every time she saw it. She stripped naked and dropped her clothes on the living room floor.

It took forty minutes of scooping and scrubbing and spraying, but finally it was done and the bathroom was cleaner than it had ever been before. The last thing she wanted was for police geeks to come and test some remnant sick for presence of the drug. It had to all be gone. Satisfied, she stepped into the shower stall and stood there with the water pounding against her body.

One thing she knew for sure, was that it was going to be a long, long time before she ate another lasagna, or drank red wine. She closed her eyes tight and pushed her face into the fierce blast of water coming out of the shower head. The only place left for police to collect evidence against her, was off her own body. Without opening her eyes, she blindly reached for her shower gel and rubbed it all over her face, right into her eyebrows and eyelashes, then up each nostril and around and into her ears.

Her eyes were stinging as she put her face back into the spray to rinse it away. It was her first shower as a murderer, but she was ready. Her true crime and cop shows had prepared her for this moment. She tried to imagine where the police investigation would go next. It seemed like the investigation was certain to dead end. There was little to come back to her, and she'd made sure to give the cops as hopeless a case as possible. There were two obvious weak spots in her story.

The first, was if they got security video of her buying pills at the three drugstores. If they got that, she was done. The second, was of being identified by either of the two women who came out of the elevator in front of her after she'd been in Sasha Roberts' office. There was no reason for her to be on that floor, and omitting the visit from her statement made her look guilty.

Emily played back the elevator sequence in her head. The doors opened, they walked out and to her left, toward the offices. The women had been deep in conversation, their eyes locked on each other. She hadn't recognized them, which meant they weren't lawyers that saw her every day, they were clients.

She smiled. Neither would be able to give her description.

Emily realized the bathroom was filling with steam. She'd forgotten to turn the fan on before getting into the shower. Callie used to do the same thing. She decided to let it slide and continue her shower. The steam would help deal with the leftover smell.

She still had to go into work. Rutherford had a point, if she left now a link would be made. She'd just have to ride it out. In any case, a dead co-worker would make everyone forget all about the whore-secretary that wore no underwear. On the upside, she supposed she had her job back. The parking spot with her name on it. The bitter regret she felt about leaving lifted from her shoulders.

Emily had an idea. All she needed to do, was invent a relative who lived in San Francisco. A cousin maybe. Close, but not too close. An old school friend, even. She'd say it was so great that she'd been able to see her again and stay in her amazing home. It explained why she had no hotel room booking during the convention - because she hadn't needed one. It was so simple, she didn't understand why she hadn't thought of it already.

She turned off the shower and opened the glass screen.

The steam in the room was as thick as soup and she waved her hand to clear it. She wrapped a towel around herself and opened the door to the living room to get some dry air in. Her mouth still tasted bad and she brushed her teeth to get the taste out. She spat the toothpaste into the sink, looked up at herself in the mirror, and gasped.

A message was written on the glass.

The ChapStick.

I LOVE YOU, BOO.

I ALWAYS HAVE XXX

Callie. She *did* leave a note.

Emily took a deep breath and let it out again. Something inside her felt healed. If the thug had come in while she was writing the message he would have seen nothing. If Frank came here later to look for her, he'd see nothing. It was clever.

"Goddamn, girl. I miss you," she said out loud.

24

Plan of Attack

CALLIE'S MESSAGE HAD FIRED her up again, pushing thoughts of Charlotte's death into the back of her mind. There was nothing she could do for Charlotte now, and she wasn't even sure that she would do anything if she could.

The witch was dead.

She put on her pajamas, which were enough like loungewear that if the cops came back she wouldn't be embarrassed, and pulled out her notepad from Sunday night. The names of all the school alumni that the two of them had talked about when Callie had first moved in. One of them had to know something, it was just a matter of finding out which one.

Using social networks, she found out where each of the people worked and added this information next to their name. After she'd done this, she worked up a list of all the work addresses by location so that she could visit each one in the least amount of time. This task took longer than she would have imagined, and when it was complete she took a break to eat a bowl of cereal. She hadn't kept any food down since lunch and she spooned the sugary food into her mouth as she stood in front of her sink.

It wasn't great timing, but she was going to need to take some time off work to run down the names. This conflicted with not wanting to look like a murderer to the police and her co-workers.

A problem.

Emily looked again at the list of name by location. Almost half of them were within five blocks of her office building downtown, one of them was across the street. She could fit these into her lunch breaks, three or four a day.

That left eight people, one of whom was all the way out in Glendale. If she went to work early and left early she could catch those that remained, except for two.

She decided that two days back at work would be enough to stop any rumors or suspicion, and that Rutherford would agree to give her a couple of days to get her head together. The important thing was to be back on Friday, so that her absence didn't linger in anyone's head over the weekend. She nodded her head to herself, decided.

Emily returned to her notepad and laptop and sat there thinking.

The man that went over the balcony was bothering her.

Emily had come up with a scenario that had explained it, of Callie pushing him off with her suitcase and removing his wallet to prevent identification. But another possibility was just as likely, one that she didn't like nearly as much.

If Frank was the gangster that Callie had claimed, this dead man would certainly have told him he'd found his missing wife. The two would have come together to grab Callie, this goon wouldn't want to risk losing her. The man might've gone over the balcony the same way, but this time, Callie hadn't escaped and it was Frank himself that had taken his man's wallet.

The more she thought it over, the more it made sense.

Callie was out there, and she was in trouble.

It was desperate, but Emily decided to try Google and see if she got any hits there. She brought up the search engine on her laptop. She'd searched for her own name once and found numerous results for people that had died. One, she recalled, in an air crash. She'd gone through quite a lot of the results, reading about what appeared to be her own death, it was a strange feeling, like walking over your own grave. The same thing was likely to happen here, other Callies were going to show up and she had to be ready for it. Callie could already be dead, by Frank's hand.

She typed in *Callie Davenport* and hit enter.

The page refreshed with almost 2.2 million results. This was the problem she had with search engines, they didn't know what you wanted and they were filled with ads for things you didn't. She had to make her search more specific, but how best to do that?

By typing in her actual birth name.

She cleared the search and typed the name her friend hated.

California Davenport.

This time she got 54.7 million results. Emily groaned. It was impossible. All of the hits apparently for Davenport, California, a place in Santa Cruz County with a population of less than 400.

She sighed, vexed.

That sure was a lot of hits for somewhere with a smaller population than a high school. Maybe the results changed after the first couple of pages, but for sure she wasn't going to waste her time looking. They could put the winning numbers for the next lottery on page 3 of every search result and nobody would ever know.

She thought again about the death angle.

If Callie *was* dead she didn't want to know it, she didn't even like thinking the words. At the same time, she had to know, if only to move on. This was a different search altogether and she knew exactly what to look for, the one thing that made her famous.

Her celebrity parents.

Daughter of John Davenport and Rebecca Whitney.

The page refreshed. 10,000 hits. A row of pictures appeared and it felt like a hand was squeezing her heart. She was beautiful, smiling out at her like a line of magazine covers. She'd found Callie, but all the results were at least a year old.

It was a solid result, even if she was no further forward. At least she knew that her search wasn't for nothing.

For now at least, Callie was alive.

25

Nectarine

TAYLOR BECK STOOD BEHIND a glass counter arranging small jars of high priced cosmetics, a curtain of brunette hair hanging down over half her face. Taylor was the most recognizable of all the school alumni that Emily had chased down looking for information on Callie. So far, her quest had been for nothing.

No-one knew anything about Callie and no-one cared.

Emily had decided on an indirect approach with her investigation, appearing to accidentally meet people, recognize them, and see where it went. She was not the same weak woman she'd been at school and she wanted them to know it before they blew her off.

She had saved Taylor for last because of the way Taylor had treated her while they were at school together, and because she had the least hope that she would have any information. Callie had spoken about her with disdain, adding her to a group that included those in prison and in rehab.

Emily stood looking at her from behind one of the displays, waiting for her to look in her direction so that she could make her now-perfected surprise-recognition face. Taylor wasn't with a customer, and appeared to have spaced out. Emily started to walk toward the exit as if to walk past her, catching her eye at the last second.

A smile flashed across Taylor's face, transforming her.

"Emily Caine!"

She made the surprised face.

"Taylor. What're you doing here?"

Emily had found that if she asked why the other person was there, they never seemed to ask her the same question, one that was harder to explain. Taylor hooked the rogue curtain of hair back behind her ear with her thumb.

"Sadly, I work here."

Taylor smiled again. Big and natural, with perfect white teeth coming out to say hello. To say they'd never been friends was putting it lightly, but it was obvious that Taylor was super excited to see her.

Another woman was now standing behind her, waiting. A customer. It was going to be difficult to question her if this went on, they would keep getting interrupted.

"Em, it's my lunch break in ten minutes, say you'll have lunch with me?"

"Sure. That would be great. I'll meet you down in the food court."

"Perfect!"

Taylor was still smiling, visibly lifted by her presence. This wasn't a reaction Emily was used to and it puzzled her that she should get it now from someone like Taylor.

She smiled back and nodded, then left the boutique and walked over to the rail and glanced at her watch. 12:43. It seemed unlikely to her that Taylor's lunch break started at 12:53 which meant she'd rounded down to minimize how long she was asking her to wait.

Taylor had done her a favor, this way she appeared less desperate to talk to her, and it would raise less suspicions that she was willing to wait. An Apple Store sat directly opposite her and it felt a little like fate.

She had time to kill, and a cell phone to replace.

·♥·♥·♥·♥·♥·

Emily was late in arriving at the food court but she still had to wait ten minutes for Taylor to appear. Cool people were always late, even when they worked in a mall. Taylor glanced at the distinctive white bag in her hand as she approached. It looked like there was a brick in it.

"New iPhone?"

"Yeah. I've not even finished paying for the last one."

As they stood in line to order food she told Taylor about the sad death of her previous cell phone in a sink full of water and the loss of all her pictures, contacts, and messages. The story made for a decent ice-breaker between them, as a similar thing had happened to Taylor the year before.

They spoke quickly, like old friends. Within minutes, Emily realized that this was the longest time the two of them have ever spoken to each other. As they sat down at a table, she looked at Taylor across the cartons of food.

"We used to hate each other, didn't we?"

"I guess we did. You know, when I look back on high school it's one big horror show, it's awful. I'd blame our hormones, but honestly? I think we were like that because we could be. We had guys eating out of our hands, we thought we could walk on water."

"You were kind of a cunt, Taylor."

She laughed, her whole head going back, her long neck stretching out. Emily found herself laughing with her.

"I totally was, I admit it!"

"What about now?"

Taylor stuck out her tongue.

"I'm a reformed character. You see where I'm working? Nothing adjusts your ego faster than working retail in a mall."

They picked a bit more at their food, Taylor holding fries carefully with her fingers due to inch-long false nails. Emily could see veins or arteries standing out on Taylor's neck and she imagined herself with her hands locked around the other woman's neck, choking her. It was a powerful image and she had to look away around the food court to clear it.

A monster was growing inside her, Charlotte's death was only the beginning.

"They make me wear them you know."

"What?"

"The nails. They're not me at all."

"Oh."

"So what are you doing now?"

I killed a woman last week.

"I'm executive assistant at a talent agency downtown."

"Very nice! Well done. You look incredible by the way. I barely recognized you."

"You really are reformed, aren't you?"

Taylor smirked. "I told you!"

Emily thought she'd waited long enough into the conversation to raise the subject she'd come here to ask. She didn't want Taylor to realize that their meeting wasn't random chance, that she wanted something from her. After she left, she had no doubt that Taylor would realize she'd been playing her for information, but by then the information would be hers.

"Do you remember Callie Davenport?"

Taylor's mouth froze mid-bite, a burger forgotten in her hands. It was at least ten seconds before she started chewing again and she began to nod.

"Yeah, I do. Actually, we were at Cal State together. We were tighter there than we ever were at school. Neither of us knew anyone. You know how it is when you see a familiar face. I was pretty isolated there. It really burst my bubble about how life could be outside of high school. Being a small fish in a big pond sucks, you know?"

"Have you seen her recently?"

"Nah. Why?"

"I was just curious. I looked her up but all her socials are dead."

"She got married. Her husband is mental. Got super-jealous or paranoid about anything she posted. I guess he told her to stop, or maybe she got fed up with him hitting her and stopped posting on her own."

"That's messed up."

"You don't look surprised."

Taylor was sharper than she looked. Emily shrugged.

"I'm not. A man hitting a woman? It's the elephant in the room, isn't it?"

Taylor nodded and pointed a French fry at her.

"You got that right. Some of the women I see want concealer for covering bruises their old man gave them."

Emily drank from her soda to create a space from the domestic violence topic.

"You know where she lives?"

"I heard Venice, down by one of those canals. Wouldn't mind living there myself, not sure I'd put up with some psycho wailing on me for the privilege."

"What about his name? Maybe I could find her through him."

Taylor thought for a moment.

"Bellucci, like that actress. Frank Bellucci. Excuse me. *Francesco*." She made a sour, sarcastic face before continuing. "He's a Mafia man out of Las Vegas. I know that sounds like I'm making it up, but I'm not. The guy's bad news, you should avoid him."

Emily said nothing and they finished their meals in silence. The food tasted like cardboard and even though she was hungry she struggled to finish it. When she looked up from her food she saw that Taylor had her head at an angle and a smile on her face.

"You're in love with her, aren't you?"

"What?!"

"I'm right, aren't I?"

Emily sighed, her eyes dipping back down to her hands. She'd asked too many questions in a row. If they'd been friends and she was in no hurry she could have spaced the questions out, kept it below Taylor's radar. But it was too late for that now. She wasn't sure she could lie convincingly about it either. Why should she tell Taylor *fucking* Beck, she thought. A girl she'd hated all through high school. Then it occurred to her.

Because I can. Because it doesn't matter what she thinks.

They weren't in school anymore, and for sure they'd never see each other again, so why not? Emily looked back up and shrugged her shoulders.

"I don't know, maybe. I don't know myself anymore."

Taylor looked at her and said nothing.

There was a light in her eyes, a knowledge.

"Fine. I'm in love with her."

Emily felt a weight lift off her chest and her face turned red.

It was such a relief to say out loud, she couldn't believe it. Emily felt light headed, but not like she was about to pass out, she felt like she did with Alice and Cole on the ecstasy. Admitting it made her high.

Her mouth popped open a fraction in surprise and she took a sharp intake of breath. Taylor saw her reaction and her own cheeks flushed red in sympathy. She reached across the table and held Emily's hand.

"You never told anyone before?"

"No."

Taylor's lips looked puffy and swollen.

"I never realized that you were a lesbian."

Emily's face distorted.

"Oh Jesus. I hate all those words, the categories, the letters."

"How do you think of yourself then?"

She shrugged again, helpless.

"*Horny.*"

"All the time?"

Emily nodded and felt her face color.

"You ever wake up from a long sleep still feeling tired? It's like that. I crave sex even while I'm having it. I don't know what's happened to me, Taylor, it's like I'm sick."

"In eighteen and a half minutes I have to be back behind my counter, selling that cosmetics crap to women old enough to know better."

Emily had no idea why she was telling her this.

"*Okay.*"

Taylor stood up, her face all lit up.

"Come on, I've got something to show you."

They walked out the food court toward an escalator. The mall was quiet, the way a lot of them were now. Malls were dying, they didn't seem to have much time left. They got off the escalator and Taylor directed her down a narrow corridor. Her old nemesis was wearing high heels and the sound of them echoed off the walls.

Taylor pushed her through a door into a woman's washroom and immediately began checking the stalls. One of the doors was closed, occupied. Emily frowned and Taylor opened her purse and showed her a small bag of white powder and then leaned in close to whisper in her ear.

"We need to celebrate your news."

Taylor went over to the sink and began washing her hands and nodded to the sink next to her for her to follow suit. Emily began washing her hands, confused. Her mind was still thinking about the bag of powder. She assumed it was cocaine. She'd never used cocaine before and she was gripped with both fear and excitement.

Behind them a toilet flushed and shortly after a woman appeared. She looked directly at Taylor in the mirror.

"Miss Beck. Watch your time today."

"I will."

Taylor began drying her hands under an air dryer, the noise ending further conversation. There were only two dryers so Emily let the other woman dry her hands ahead of her so that she'd leave. When the woman was done, she glanced between Emily and Taylor trying to understand what was happening then left without a word.

"Your boss?"

Taylor raised an eyebrow. "What gave it away?"

She waved Emily over to the end stall and closed the door behind her. The stall was bigger than the others, with a shelf for changing diapers. Just the same, Taylor suddenly seemed very close to her, her face right in her face. Her eyes were alive, dancing under the strip lighting above. She looked like she was about to say the punchline to a joke, like there was a laugh on its way.

"Have you done coke before?"

"No, only ecstasy."

"I love that too."

She watched Taylor set out two lines of powder on a compact mirror and then passed her a pen with no insert. Emily looked down at the clear plastic tube.

"You know what to do, right?"

"I've seen it in the movies."

Emily put the plastic tube to her nose and inhaled one of the lines. The hit was immediate. Her eyes opened wide, her back arching, her breath caught in her throat. Her brain was exploding with lights and energy, her body fizzing.

Taylor took the tube from her hand and she heard her take the other line of coke as she stood there staring up at the florescent tube, her body alive like it had never been before. Then she felt Taylor press herself against her body, her face filling her vision, her tongue pushing into her mouth. Emily responded with no hesitation, surrendering herself to the moment. Taylor had told her, she realized, if she'd only been listening.

We were at Cal State together.

We were tighter there than we ever were at school.

Taylor was Callie's first, the girl she'd been with before her.

Hands were lifting off her dress and dumping it onto the baby change table next to her new iPhone. Before she knew it, she was stripped to her Nikes in front of Taylor Beck, former captain of the basketball team, former bitch. She looked down at her own body and saw that her nipples were rock hard.

"Jesus! You're totally ripped."

"Thanks."

Taylor ran her hands across her stomach. Caressing it, feeling the hard muscle packed tight under her skin. She knelt on the floor and kissed her right in the middle of her stomach, then kissed it again a little lower. Taylor looked up at her and made eye contact, as if to ask her permission.

Emily leaned back against the wall and put her right shoe up on the toilet seat to give her more room. Taylor's tongue pulsed against her clit. Slow, fast, light, hard. It felt incredible. Her vagina throbbed, like it would surge into the other woman's mouth.

Her vision was blurred, fringed with color, her heart beating fast. *The cocaine.* She was so wet now that Taylor was slurping. Emily wondered what they'd do if someone else came into the washroom. Their eyes connected. She could see her own lust reflected back at her. The intensity of Taylor's gaze, the way her eyes pulled up at the corners. She knew she looked the same way, she could feel it on her face. Emily gazed into Taylor's eyes as a spasm pulsed repeatedly through her back and along her thighs, her hand tight over her mouth.

When she was through, Taylor got to her feet, a smile on her face.

"Damn. You're the wettest girl I've ever known. That's like eating a nectarine."

Emily's face grew hot.

"Sorry."

"Don't be. It's a compliment."

They kissed and she tasted herself on Taylor's mouth, her tongue. She'd tasted herself more in the last month than the rest of her life combined. As they kissed, Taylor took Emily's right hand and directed it up between her legs. Gripping her wrist, she pulled Emily's fingers slowly up into her vagina. It was hot and wet and tight.

Emily broke out of the kiss.

"What are you doing?"

"You know what I'm doing. It's what I would've done to you if I wasn't wearing these nails." Taylor smiled. Almost immediately her face flattened out, becoming lost, and then serious. "Please, Emily. You're strong, I can see it on you. Fuck me. Really go for it. I've got a whole afternoon in that store to get through, I *need* it."

Taylor's skin felt amazing around her fingers.

"Thing is, Taylor, I get carried away."

"I *want* you to get carried away. Don't you see? We're the same. Do you know how hard that is to find?"

Emily's nose wrinkled. The stall wreaked of sex. It charged her up, like someone else had taken control of her. She pushed her hand forward, harder and harder until the corner of her thumb joint was inside. Emily looked down to watch as her hand disappeared slowly into Taylor's body.

It was surreal, like a magic trick. She loved it, she'd never felt more powerful, more dominant. Part of her old animosity was mixed into the sexual charge. She wanted to hurt Taylor, she realized, make her pay for the way she'd treated her at school.

Taylor's vagina was contracting around her hand in spasms and she was looking at her through wild eyes and breathing heavily through her open mouth. Emily carefully made her hand into a fist, pushing out against the tight grip that held her. She pushed forward again, the muscles on her arm standing out, flexing. She pulled back, then thrust forward again. Over and over. Building up a slow rhythm. Taylor's eyes fluttered closed. Emily grabbed her throat in her left hand and pinned her to the wall.

"Look at me, or I swear I won't stop."

Taylor's eyes snapped open. Scared, defiant. She was close, and this got her closer. Emily tightened her grip on Taylor's throat and increased the speed she was moving her right hand. Taylor's body doubled up as she reached orgasm, then did so again more violently as Emily pulled out her hand and let go of her throat. Taylor dropped like a dead weight as her legs gave way. Emily caught her easily in her arms and pulled her into an embrace.

She seemed to weigh nothing at all.

Their chests rose and fell together for a minute, the hot musk of their bodies filling the air. If she'd wanted to, she knew she could've killed Taylor with her bare hands. Choked the life right out of her, just as she'd joked about killing Charlotte. The thought of it turned her on again.

She kissed Taylor softly on the neck, like an apology.

"That scared me, Em. You're so dark."

"You have no idea."

Taylor was quiet for a moment before she spoke again.

"If things don't work out between you and Callie, look me up okay?"

26

The Blood-Red Apocalypse

It was almost four o'clock by the time Emily returned home from the mall in Glendale. The commute had wiped her out, and she wanted nothing more than to fall face-first onto her bed and fall asleep. Instead, she showered and changed into a fresh summer dress. Although it was still early, she mixed herself a large gin and tonic, free pouring gin halfway up the side of the glass before adding the tonic. She raised the glass in front of her in a mock salutation to her absent friend, then took a sip.

The end was coming, she could feel it.

Grabbing the box with her new cell phone, she walked barefoot over to her coffee table and sat down. The area was like a little workstation now, with her laptop, notepad, and two empty coffee mugs.

Emily opened the iPhone box and inserted the SIM card from her dead cell into the new one and switched it on for the first time. She held her breath as she did this, hoping that the card wouldn't damage the new phone but it started fine, just like the kid in the Apple Store told her it would. Almost immediately, it began to download an update. This came as zero surprise as this was now her fifth iPhone.

She turned it over in her hands, something she hadn't bothered to do in the store. The device looked the same as her last cell, but it was somehow different, enough that her old case wouldn't fit. The cameras on the back were different. Her face twisted in irritation, and the movement of her nose reminded her of the anger she'd felt toward Taylor in the restroom stall.

Emily stared at her right hand, remembering.

The tightness, the warmth, the force she'd used.

What she'd done was brutal. She'd fucked Taylor Beck, her high school bully, and she'd enjoyed it. If she was here right now, she'd do it again. The thought took her breath away and she felt strong like never before. There were no more bridges left to cross, the person she'd been just weeks before was gone.

On screen, the progress bar had hardly moved. It looked like it was going to take a while, so she put the cell phone down next to her laptop and left it to it. Emily took out her investigation notepad and turned to a new page.

In the book she'd read about the art heist, the detective always seemed to be turning to a new page to focus on a new thought. At the time it had seemed like an affectation, but now she was carrying out her own investigation, it made total sense. A clean page temporarily hid the previous content and created separation. This page was not about Callie, or their school alumni. This was about Frank. She wrote his name right in the middle of the page.

Frank Bellucci
(Francesco)

Emily drew a rectangle around it with her pen, over and over, her pen nib pushing down hard. She hated this man, and she had no concept of how she could deal with him. But that was for another day, the first step was to find him. Taylor had come through for her with his second name, and with it, she felt, she got closer to Callie. He lived in Venice, so she wrote this down on the pad too. Where else would an Italian man want to live in LA?

She woke up her laptop and typed his name into Google. The problem of false positives she'd had with Callie did not happen again as the page filled with news stories about Frank. Taylor's information on the Mafia checked out, with dozens of articles linking him to organized crime and a syndicate based in Las Vegas. Emily stared at the photographs of him and frowned. Frank looked familiar. She was certain she'd never met him, and yet when she looked at his face all kinds of bells were ringing.

She drank from her glass and gazed over her coffee table at her TV which was on in the background, the sound muted. One of her true crime shows was on. The channel that came up by default played true crime shows all day. It took her about ten seconds to remember the episode from a still photograph of a woman lying dead next to a claw hammer. It blew her mind that she'd spent so much of her life watching this stuff, it was grim. Emily began flipping channels, looking for something else, anything else.

More gin slipped over the back of her throat. It felt wrong drinking without Callie next to her. Gin was so much part of their bonding that it was impossible to separate them. At first, the drink had been part of the process of her body allowing itself to be who she was on the inside. Then, later, it was just part of the process. They had a couple of drinks, then then began kissing, then they made love.

In the end she put a news channel on.

They were talking about the wildfire that had been pushing a column of smoke over the city for the last three days, so she turned it up to listen. It looked like the apocalypse, men trying to beat the fire back with little more than sticks while, overhead, a plane dropped a blood-red cloud over the trees. The cause of the fire was thought to be from the hot exhaust of a car setting the dry brush alight. When the piece ended, she muted the sound again and returned to her notepad, and her gin.

Car, she thought suddenly.

Callie said in her text message the man followed her home in an old Crown Vic. It was a car she knew well from her cop shows, it used to be one of the main vehicles used by law enforcement. The Ford Crown Victoria. It was a distinctive car, one she'd easily recognize on the street.

Emily knew logically that this car must belong to the dead man, not to Frank, but she also knew the car wasn't parked anywhere around her building, because she'd looked for it. She'd assumed this was because Callie had taken it with her when she fled the scene, but if that was not the case, it meant that Frank had driven Callie away in the dead man's car and driven home with it to Venice.

Even if Frank had driven over in his own vehicle, with his goon in the passenger seat, the dead man would still have driven to Frank's in the first place. Therefore, somewhere in Venice, a Crown Vic was parked outside Frank's home.

Emily smiled.

Venice was not a place she knew well, but she knew it wasn't a large area. She wrote Crown Vic on the pad next to Venice. Taylor had also said something about the canals, so she added this word beneath the other two. The gin was beginning to kick in, she could feel it at the front of her head. Next, she drew three careful circles around *Venice, canals,* and *Crown Vic,* creating a Venn diagram. In the center, where the circles overlapped, she filled with ink.

She had enough to find Frank.

"I got you now, motherfucker."

The screen of her cell phone lit up. Setup was complete.

It had taken well over an hour, a new record. As Emily looked at the display, familiar apps began to populate her home screen, ones she'd downloaded onto her last iPhone. She supposed all that information was tied to her account, if not the apps themselves, the fact that she'd downloaded them or purchased them.

Minutes passed.

Another hope was building inside her, one she tried not to think about. A secret from herself. Emily wasn't superstitious, but she resisted the urge to satisfy her curiosity immediately, and instead let the phone carry on installing.

Finally, the process completed, all the apps were there. She selected the Photos app and saw that it contained almost ten and a half thousand photographs and videos. Pictures of Callie, the pictures of Rutherford on his hotel bed, they were all there.

She began to cry. Next, she opened her text messages, her address book. Everything was where she'd left it, on the dead phone.

Tears streamed down her face.

Her life had been saved away for her, up in the cloud.

27

Down By The Water

As Emily drove to Venice the next day, she imagined how her search would go, and how long it would take her. It was the kind of game she liked to play while she was crawling along in traffic. Based on what she knew, she doubted it would take her longer than fifteen minutes to find Frank's house. But the reality of what Venice was like on the ground was not the way she'd pictured it.

For a start, on most streets, her rust-filled Honda looked like it *belonged* there. Some of the buildings looked like they were only waiting for a reason to fall down, and a lot of it was flat-out dirty. Above her, bunches of thick cables zigzagged across the street. The sky was dark with them, there were so many.

The narrow streets and pedestrian zones made parking a nightmare, so she parked in Venice Beach and walked back down toward the canals area. Her confidence ebbed away with every step. If Frank *was* mobbed up like everyone said, he wasn't going to be living here. Not a chance. Frank Bellucci was a multi-millionaire. The only reason he'd be in any of the houses she saw, was to hide from other mobsters who were trying to kill him.

Emily was a fast walker so it took only ten minutes to grid-walk every street adjoining the canals area. No Crown Vic. She stopped in front of a canal and looked down the water toward a bridge. It was a view she'd seen many times before on different TV shows.

In LA, every good spot had been mined to death, even some not-so-good spots. From this exact angle, the area looked beautiful. It was the view that the area was known for, and why people came to see it. Emily looked down. A smell she couldn't describe was coming up at her from the water, and a thick, green slime was floating on top.

Algae, presumably.

She stared up, into the cloudless blue sky.

Her idea was sound, she knew it. Find the car, find Frank. The problem was that in her Venn diagram, both *Venice* and *canals* was wrong. It was a bust. Without three points of intersection, she had nothing. She started walking again, following the main canal that led to the south. Exercise helped her to think, although not in the same way as on her treadmill.

Taylor Beck had brought her here.

Callie had known of Taylor's job at the mall, which meant that the two had been in contact after they left Cal State. Taylor had also known Frank's full name, and that he was a psychopath. The two had been intimate in the past, and whether or not that continued back in LA, it meant the two were used to sharing secrets. As she walked, the housing around her started to change, the cars too.

More expensive.

Taylor had told her that she wouldn't mind living in Venice, and she knew now what that meant. She'd been here, at least once, and stood where she'd been standing looking at the beautiful view of the bridge from all the TV shows. They had arranged to meet for a catch-up. Callie must've told Taylor that she lived close by.

Hence, Venice.

Hence, canals.

One thing was for sure, she wouldn't want her husband to see Taylor, or vice versa. She needed to keep the two apart, like the detective turning the page of his notebook. Create separation. With anyone else, this could've meant anything, Callie could have driven from anywhere in LA County and met Taylor at that bridge view. But she knew Callie, knew how lazy she was. Her friend could melt hearts with just a smile, nobody ever asked awkward follow-up questions. Callie didn't drive there from anywhere else, she walked. Emily smiled. Her friend had never walked more than a mile at any one time.

All she had to do was widen the search radius.

The landscape was narrow and divided in half by the strip of canal water down the middle. On one side, the buildings faced out over the beach and the Pacific Ocean, on the other, Marina del Rey. The housing was now very nice. Spanish-style villas, perfect for a gangster raised on *Scarface* and *Heat*. This would be where Frank Bellucci lived, not with the tourists walking in from Muscle Beach to check out the bridge view and the canals.

The road ended in a parking lot with plenty of free spots.

Emily decided to get her Honda and return here with it. In a fluid situation like this, she preferred to have her car close in case she had to leave in a hurry. Rather than double-back along the same street she'd come down, she looped around and started back up the next street over, the side facing the marina.

A short distance later, she saw the Crown Vic.

28

Parallel Stripes

EMILY STARED AT THE Crown Vic in surprise, her feet slowing to a stop, like she'd forgotten how to walk. She'd found the car, she couldn't believe it. Her early confidence had eroded away to nothing and, inside, she'd given up hope. But here it was, black and dirty right in front of her. A heavy dust or pollen stuck to the bodywork. The car was in bad shape, with dents and scrapes everywhere. She doubted it had ever been washed, and the strong sunlight had faded the black down to a charcoal gray.

The dead man's car for sure, not Frank's.

No self-respecting mafioso would drive a vehicle in such poor condition. Emily took stock. The car was parked in one of four parking spots between two buildings, one a light yellow color, the other a dusty pink. Another four parking spots were on her side of the street, bordered by another two buildings.

Frank's house could be any one of them, or one farther down the street. If the car was seen to be tainted by the death of its owner, Frank might not want to park it right next to his own building.

She crossed the street for a closer look.

The car had been reversed into the parking space making the passenger door closest to the pale concrete sidewalk. Emily stared at the sidewalk and saw black specks. It was blood. There was more on the door frame, next to the glass. Part of a handprint. A small hand, not a man's. The car's windows were not tinted, she could see straight inside. On the side of the passenger seat were three parallel stripes.

Three finger marks.

It was true then.

Callie wasn't living off another friend's couch, waiting until the coast was clear before contacting her again. Frank had come for her with his goon. There'd been a struggle, probably when the man had fallen from the balcony outside her door, and Frank had brought her back here. She'd been bleeding heavily. In the car, and then again, outside the car.

Frank wanted her back, not dead, so he hadn't shot or stabbed her. He'd punched her, and to bleed like this, that meant he'd hit her nose. Callie had held it closed with her fingers all the way back, then she'd put her hand down on the seat to push herself out, leaving the marks on first the seat, then the door frame. The effort made it bleed again, causing the blood on the sidewalk.

The light hairs on her arms stood on end.

Emily turned around.

Frank Bellucci was standing behind her. He smiled, his narrow lips pulling back to show uneven teeth.

"You made a big mistake coming here, bitch."

A scream escaped her throat.

Emily turned to run, but the long body of the Ford sedan trapped her, pinning her in place. Her head swung back to Frank, just as his fist hit her temple, just above her right eye. A bright light flashed in her vision. The concrete came up fast, hitting her on the other side of her face. She felt herself go slack, her mind a void. He lifted her body and flipped her over his muscular shoulder like a rolled up rug, then turned and carried her toward the yellow building.

As they fell into the shadow of the open garage door, she passed out.

29

Relatively Speaking

EMILY AWOKE, DIZZY AND confused. Her head pounded with pain, pulsing with every beat of her heart. She went to touch her head, but couldn't move her right hand. Or her left. She did a slow blink, demanding her eyes to focus.

Ropes tied her wrists and ankles wide open to an upended bed. Her vision swam. She was in a dark room facing a row of windows with shutters. A single window's shutters were open, and a man was standing there in front of the light, smoking a cigar.

Frank.

She squinted her eyes, trying to bring the scene into focus. Behind him, she could see the shape of the stone balustrade outside. She was still in the yellow building, she hadn't been moved.

Frank blew out a cloud of smoke.

"Don't worry, you haven't missed anything."

The words came at her through water, slow and with a lot of bass. She frowned, then looked down. She was naked.

"What's going on?"

Her voice sounded strange to her, like someone else was speaking.

"You think I don't know who you are? My wife has about two hundred pictures of you on her cell phone. Some of them, are like this." Frank waved his hand up and down, indicating her naked body. "I suppose that means you're a dyke. That you both are."

It was no use, she wasn't going to bluff her way out.

"Is she still alive?"

Frank nodded, then laughed.

"Girl, you got some balls. You're naked and tied up and you're worried about her? I wish my guys were this tough. Maybe I should put you on the payroll."

Emily remained silent.

For now it was enough for her to know Callie was still alive. If she opened her mouth she'd end up crying in two seconds flat. She had to be strong, it was the only way to be with someone like Frank. He was a psychopath, and she knew what that meant. They took their power from the fear of others, it was the only way they experienced joy. She had to give him nothing, the opposite of nothing.

She had to make this as little fun for him as she could.

"How did you find me? I know Cal didn't tell you."

"I'm good at finding people."

Frank's face became tight and hard. He wanted to hurt her. He needed it.

"So what was your plan here?"

Emily took a deep breath, then another. To calm her nerves and keep her voice level. To make him wait, because someone who waits is not in control.

"I hadn't thought that far ahead. I had to know that she was okay."

He dabbed at the corner of his mouth like he'd just finished a meal.

"Why? What's she to you?"

"I'm in love with her."

Frank slapped her hard across her face with the back of his hand. He was wearing a big silver ring and she felt the impact through her cheek and into her gum. Tears filled her eyes and ran down her cheeks. His eyes were bulging, his face scarlet.

"Keep that perverted shit to yourself, you hear me?"

Stay calm, focus.

"How can love be perverted?"

He pointed at her with two fingers, the cigar out to the side.

"Keep speaking to me like this, see what happens."

"Give me a break. I'm naked, obviously you're going to fuck me. You can't threaten me with it like it's some decision I'm forcing you to make. You probably already had your finger inside me while I was unconscious."

"Bitch, I thought I was fucked up. You're toxic waste."

"Show me *Little Frank*, let's see what you got. Maybe I'll like it."

"Jesus, you're crazy."

"Come on, just a couple of inches. I'm naked and ready to go. Don't be embarrassed. If it's really that small, use my asshole. I love it there, it's so tight."

He slapped her again, twisting her head around.

Her vision swam, redness crowding in from all sides. The pain almost made her throw up. He was going to kill her in this room, it was clear to her. Now, or later. All she wanted was to see Callie one last time. To know she was okay, to encourage her to leave him. Go to New York, or wherever. Somewhere Frank wouldn't find her. She realized that she was mumbling, a string of words, she wasn't sure what.

A face leaned in close, large and out of focus.

"Cole?"

The face froze in shock.

"Where did you get that name?"

Her vision sharpened. It was just Frank.

"Never mind."

"Do you work for Cole?"

It made no sense that Frank could know Cole, they were from different parts of her life. Yet it strangely explained everything. Frank had seemed so familiar when she'd looked him up online. The two had to be related somehow, brothers or maybe cousins. Frank was originally from Las Vegas, where Alice and Cole lived. It was all coming together. They had to be organized crime too. She found that surprised her least of all, remembering the wad of bills they'd paid her for sex, and their expensive clothes.

Frank was frightened.

"Tell me! Do you work for Cole?"

He was shouting now, veins standing out on his neck and face. Suddenly she understood his violence toward her, toward Callie. It wasn't just that he was a psychopath, he hated women. When she was with Alice and Cole, Cole always seemed to defer to her. They loved each other, that was obvious, but what if it was more than that?

What if Frank hated women for another reason?

"No," she said. "I work for Alice."

Frank took a step back, his hands falling down by his hips. *Bingo.*

"As what?"

Emily smiled at him, wider and wider.

"I already told you. I'm good at finding people."

He punched her above her left eye, snapping her head back. As her head came forward again, the blackness swallowed her, sucking her down a deep, dark hole.

30

Ready To Go

WHEN EMILY CAME AROUND again, she was flat on a bed. She was still naked, but there was a sheet over her now and there were no ropes binding her. It was the same room; the windows, the shutters, they were the same. She'd been tied upright, presumably to the bed frame standing on its end.

All things considered, this was a step up.

She felt stupid that Frank had captured her so easily, and that she hadn't had a plan in place for what she was going to do if she found him. She thought she had the luxury of time, that after finding where he lived she could go away and come back later, with a plan.

Emily slid her hand under the sheet and reached down, touching herself. Nothing felt different. Frank hadn't done anything to her, she was certain of it. A psychopath would get no pleasure from having sex while the victim was passed out. There'd be no point. He'd want her to be afraid, to look up at him with big eyes, begging him to stop. To show fear, pain, and weakness.

Fuck that, she wouldn't be one of those victims from her murder shows.

Emily sat up and swung her feet onto the floor.

Her head throbbed and she put her hand up to it. She felt two lumps on either side of her forehead, one about the size of a boiled egg, the skin painfully tight. A surge of nausea swept over her as she touched it and she put her hands on her knees to steady herself.

Frank had punched her twice and knocked her out both times. She could have concussion, she thought, whatever that meant. If he hit her again she had to assume either the same thing would happen, or worse. The next time she might not wake up. There was no long-term prospect to provoking him over and over, she had to find another way to keep the upper hand.

Every new minute she drew breath, was a victory.

The dizziness had passed enough that she thought she could stand. Emily walked unsteadily over to the window.

It was getting dark outside, and she was hungry. Both of these facts frightened her. It had been close to noon when she'd found the dead man's car and now it had to be almost six p.m. She'd been unconscious twice, but she couldn't have lost six hours, that was impossible. She looked at her arms and saw two red marks on her right arm. Her mouth dropped open in shock. Frank had drugged her while she'd been unconscious. Why would he do that?

Also, why would he untie her?

Outside, she could see a small balcony and the stone balustrade that faced onto the street with the Crown Vic.

They were high up, on the top floor.

She pictured the building in her head from when she'd stood across the street. There was another identical balcony below this one, then under that, a double garage. From the bottom of the balcony, it looked like a ten foot drop to the balustrade below and then a thirteen foot drop down onto the street. The first was doable. She was five foot eight. Hanging from her arms added another foot and a half. A drop of just over three feet. Easy. But without a balustrade to land on, the drop to the sidewalk was six-plus feet with no shoes to protect her feet.

Let's call that Plan B, she thought.

She looked around the room. For her clothes, for anything that could help her. There was just the bed, no nightstand. There wasn't even a rug or a carpet, the bed was resting on bare floorboards.

A closet was built into the wall. She opened the door, it was empty. Of course it was, Frank wasn't going to take her clothes off and then just leave them where she could put them back on, he wanted control. The thought made her eyes go up to the corners of the room, looking for the black circle of a camera lens. She saw none. He wasn't used to keeping prisoners, not unless you counted his wife.

Emily went back to the bed and folded the sheet into a strip two feet wide, then wrapped it around her waist and tied it in a knot. Her breasts were still exposed, but she could live with that for now. Emily had put it off until last, but now she went to the door and tried the handle.

The door opened with a drawn-out squeak.

Her heart thumped wildly, her vision sharpening.

She stuck her head out into a wide hallway. There were two doorways on the left, one on the right. At the end of the hallway, stairs going down. Frank had carried her up the stairs unconscious like she weighed nothing. Like she was garbage. She supposed a man in her position would feel at a disadvantage, but as a woman, she was used to it. Emily stepped out into the hallway and crept toward the stairs.

Whatever lay beyond the doors, she knew the stairs would lead to the street, and escape.

She reached the first doorway on the right, the room next to the one she'd been in. The door was not fully closed, there was a foot-wide gap between the door and the frame. Enough, that someone inside might see her walk past. On the other hand, the room might contain her clothes, her shoes, her watch, and her brand-new cell phone, all of which she'd like to recover before she left.

Walking back to her car wearing just a sheet did not appeal to her.

She put her eye against the edge of the door so that she could see as much of the room as possible. A home office. A big ugly desk made out of a dark wood, with a silver laptop computer sitting open on top. Seeing no one in the room she pushed the door wider and wider. The room was unoccupied.

She stepped inside and looked around.

The room was a mess, papers lay all over he floor, the desk's drawers were all pulled out. A black Nylon bag was up on the desk next to the laptop, like it was ready to go. She lifted the top with her index finger. It was full of money, thick rolls of cash bundled up with bands. There was a lot of it, how much, she couldn't say. She had to leave, Frank wouldn't leave this unattended long, not with the crazy lesbian next door. Her eyes swept over the room again, this time looking only for what she wanted.

Her clothes and possessions weren't here, and there was no landline to call for help.

She returned to the doorway and looked into the hallway.

Someone was coming up the stairs, she could hear their feet on the hard marble steps. Moving fast, a half run. Emily pulled her head back inside the room. *Fuck*. She should have gone down the stairs and escaped while she'd had the chance. This would be Frank coming back to kill her, or for the case of money. And, because of her cell phone, she was going to die. She *was* like one of those stupid victims on her murder shows after all.

Think, Emily, think.

There was no time to hide behind the desk, the footsteps were moving too quickly. She stepped into the hinge side of the door and stood there waiting. When the door opened, the door would hide her behind it. She turned her head so that she could look down the narrow slot between the door and the frame, a scream held inside by a strength she didn't know she had. The footsteps moved along the hallway now. She clenched her hand over her mouth to stop from screaming and fixed her eyes on a spot on the hallway wall.

Callie flashed past.

"Wait!" she said.

31

California

THEY EMBRACED IN THE hallway, Callie wrapping her hands tight around her. She had almost forgotten what it felt like to hold her friend in her arms, to smell her body, her hair. Tears rolled down her cheeks.

Emily had thought the worst so many times. That she was lying dead and abandoned in some deserted canyon being eaten by coyotes. Or buried in a shallow grave, her beautiful face covered over with dirt. In the middle of the night, anything seemed possible. The later the hour, the darker the thought.

The hug ended and they broke apart.

"What did you say to him? He's gone berserk. Says we have to leave."

He thinks Cole is coming to kill him.

"I'll tell you later. Where is he now?"

"He went to gas up the Suburban."

"How long ago?"

"Half an hour."

"Oh, fuck. Why didn't you wake me?"

"I tried, but you were too far gone, you were barely breathing."

Callie looked at her damaged face with a pained expression. The two lumps on her forehead were bad, no amount of makeup were going to hide them.

"You shouldn't have come here, boo."

"I came here to save you."

"I know, and I love you for it, but there's no saving me. Not from someone like Frank. I thought I could escape from him but I know now that's not true. He's a monster. He'd find me wherever I went."

"I'm not leaving here without you."

"You'll have to, I can't put you in any more danger. I'm sorry."

Emily had imagined this exact conversation and had failed to think of a way to argue with it, because it was true. Frank didn't care about her, in a couple of days he'd probably forget she existed. But the same was not true for Callie, who he considered his personal property.

Downstairs a door slammed and they both jumped.

Frank was back. They were too late. She dropped her voice to a whisper.

"Does he have a gun?"

"Yes."

"We're going to need it, Cal. Do you understand? Go."

Callie ran down the hall and through one of the doors on the left. She had a goofy run, her feet kicked out sideways like a child. Frank bellowed up the stairs.

"California! It's time to say goodbye to your dyke friend."

His feet were coming up the steps now, slow and heavy. Boots on marble. Emily was still standing in the middle of the hallway, undecided. She could hide behind the door like before.

If he walked into the room he'd left her in, she could perhaps get around the other side of him and down the stairs before he noticed. She had no doubt she could out run him normally, but not without shoes. Her best chance was to let him see where she went, give Callie time to get the gun. His head appeared around the staircase and their eyes connected.

"You stupid bitch, you ruined everything."

Frank had crazy eyes and his mouth was twisted and ugly. She didn't need to wait around to find out what came next. He was going to kill her. Emily ran into the office and shut the door on him. There was a lock, but no key. She grabbed a chair and jammed it under the handle, just as it started to turn. The flat blade of the handle hit the backrest and stopped.

Through the wood, Frank roared.

He began to pound on the door, first with his fists, then by slamming his whole body against it. Emily backed away, nervously. The wall was shaking, and plaster dust was falling like snow from the ceiling. There was no way it was going to hold. The banging stopped for a moment, before continuing.

The door was causing his anger to escalate.

She ran to the window.

If she got down onto the balcony below she could exit through the building onto the street, she didn't need to drop all the way to the sidewalk. She cursed herself for not thinking of this before. The shutters were closed over, slats partially closed. When she opened them she saw something she hadn't noticed before: thin metal bars attached to the outside of the window. The spacing of the shutters had perfectly hidden them.

There was nowhere to go.

She thought again about the way Callie had run down the hallway. It wasn't the run of someone strong, someone that would come back with a gun and put three holes in Frank's chest. It was the run of someone running away, to hide until it was all over.

She was on her own, and she was trapped.

32

The Frank Problem

EMILY'S LEGS BEGAN TO shake so she sat on the edge of Frank's desk, her hands gripping the dark wood on either side of her ass. A tortured sound came from the doorframe. Wood twisting, snapping. He was never going to stop coming. She'd run into the room with the bag full of money. Any other room, he might have left her alone, but not this one. The money was part of his escape plan, to hide from Cole. Money he'd no-doubt stolen from the syndicate.

She glanced over her shoulder at the desk, looking for a lighter, or matches. Threatening to burn his money would give her leverage. There was just the usual office shit.

Stapler, hole punch, pens.

She looked over her other shoulder.

Tissues, scissors, laptop.

She had to give him something else to think about, something other than killing her. A reason to keep her alive. *Every minute is a victory*, she thought again. It was her mantra now, her internal clock. Maybe it was the heartbeat of a victim waiting to die, but it didn't feel like it.

Reluctantly, she unfastened the sheet around her waist and let it drop onto the floor. If that was the way it was going to go, a folded sheet wasn't going to change the outcome. The door burst open, the chair spinning across the room toward her.

Frank stood in the gap.

He'd taken his shirt off and his chest was glistening with sweat. He looked completely insane. Behind him, Callie lay crumpled on the floor unmoving. Frank stared at Emily's naked body like an animal. Filled with anger, and then, with hunger. The effort of getting through the door had worked him up, there'd be no way to reason with him. The shape of his penis was clearly visible through his jeans.

"You going to fuck me now, Frank?"

"That's a joke. You look like a man."

She moved her feet farther apart and licked her lips.

"Your dick seems to like the way I look."

He moved toward her, a sick smile forming on his face. His eyes fixed first on her stomach, at the abs that pressed up through her skin, then down at her crotch. The masculine, and the feminine. He laughed. The sound of his laughter made her want to vomit. His fists relaxed, his thick sausage fingers uncurling. He unbuckled his belt.

"I'm going to teach you a lesson you'll never forget."

Emily said nothing.

Frank unbuttoned his fly and his jeans dropped to the floor. He wasn't wearing boxers and she found herself looking at a very hard cock. It swung up, freed from the denim, pointing up toward her face. She wanted to be as far away from Frank and his cock as possible, but the only way out was behind him. She glanced at the door without thinking and he smiled wider than ever. She had made herself his victim at last. It was a mistake, but she got a glimpse of Callie out in the hallway. Her arm had moved and her eyes were now open.

"Go ahead," he said. "Try and make a run for it, see how far you get."

She was breathing too quickly, she needed to slow it down. To calm herself. She thought of her yoga breathing technique, but it was no use, those hippies never tried it when they were about to be raped. She looked at his cock and really stared at it, to let him know she was looking. Like she was actually interested in it.

"Cole's got a bigger dick."

There was an explosion of movement and suddenly Frank was right there in front of her, between her legs, his cock hot and heavy against her cool thigh. His hand grabbed her roughly by the throat and twisted her head up to look into his eyes.

"You're going to regret saying that."

Emily reached blindly behind her for the scissors.

Her hand closed around a pencil.

"There's something I want you to know, Frank."

His head was tilted down, his hand guiding his cock toward her.

He wasn't listening, he was almost there.

"I really hate the word *dyke*."

Emily rammed the pencil into his ear and kept pushing with all her strength. The pencil was halfway in. It took less than a second. Through his ear, and deep into his brain. Too quick for him to react, too quick for him to even scream. His eyes rolled back in his head and his body sagged, but her thighs clamped around his torso, holding him in place. She kept on pushing until only an inch of the pencil remained outside his ear then opened her legs, releasing him.

He dropped to the floor, his arms and legs twitching.

When the movement stopped, she felt the tension leave her body and she started to pant wildly. Without realizing it, she'd been holding her breath. She stared at him, uncertain. In movies, people were always bursting back into life. He remained on the floor. The only part of him that moved, was his cock as it slowly softened.

"*Is he dead?*"

"Yeah, he's dead."

"You...killed him."

Emily looked up. Callie was leaning against the doorframe, her face pale.

"Cal, he was going to rape and murder me. As an eye witness, you would've been next. I killed him, and I'm not sorry about it. In fact, I'm *glad* this psychotic prick is dead. It's the best thing I've ever done."

Callie put her hands over her ears.

"I can't hear this, it's too ugly."

Emily couldn't deny that, but it didn't make it any less true. She decided to leave it alone and give Callie time to come to terms with it. The way she saw it, there had only ever been two ways to solve *The Frank Problem* and she supposed she'd always know it.

With him behind bars, or dead.

She stared at his body on the floor, at his bare chest, his exposed groin and flaccid penis, then finally at the jeans binding his feet together above his boots. He looked ridiculous and pathetic. Death had robbed him of his power and turned him into nothing more than meat and bone. He was going to be photographed like this, immortalized.

"Em, we've got to go."

Callie was right.

"Get my stuff, I can't leave like this."

When she was gone, Emily bent down next to the body and began to pull the pencil out. It seemed unlikely that fingerprints would remain on it, but she wasn't taking any chances. The pencil moved slowly. His head was gripping it tight, like it was a block of cheese. Finally, it was all the way out, hovering right next to his head. Long, and red, and wet.

That's number two, she thought.

Death by pencil.

One more, and I'm officially a serial killer.

Emily wrapped the pencil up in a wad of tissues to catch the blood and put it to one side. She turned Frank's head so she could examine the damage to his ear. His head moved easily in her hands, rigor mortis had yet to set in. There was almost no blood. A dark red teardrop no bigger than the tip of her index finger had rolled into the outer part of his ear and stopped.

It looked like his head had closed up after the retreating pencil, sealing everything inside. Emily took another tissue and wiped the trace of blood from his ear and smiled to herself.

The wound was invisible.

To first responders, it would look like Frank had died from natural causes.

A heart attack, maybe a stroke.

Emily began to methodically wipe down everything she'd touched. Because of who Frank was, his death was going to get a lot of interest from the police and maybe even the FBI. She wasn't delusional enough to think no one would discover his cause of death, but investigators would get no help from her in identifying his killer.

Callie came back carrying her clothes and shoes. She froze in the doorway.

"What are you doing?"

"Removing all evidence that I was here. Fingerprints. Sweat. Skin. Leave my clothes out there, I'll put them on in the hall when I'm done. I don't want fibers in here."

"Emily, we have to go. *Now*."

"Wrong. I know this shit. We take our time and do it right. I'm not going to prison for this asshole, and neither are you."

Callie stood in the hallway watching her work. There was an uneasy static building up between them. Frank's murder was between them now, like a wall. There was no taking it back. Callie had something she could hold over her now for the rest of time and she wasn't sure her friend was up to the challenge of carrying the secret for long.

"*What?*"

"You've changed. You're so strong and focused now."

"I was always like this. I'm through pretending to be someone I'm not."

Emily looked around the room, really drinking it in. Remembering where she'd been, what she'd touched. It wasn't that hard to remember, she'd only been at the desk, the window area, and the doorway. The rest of the room had been such a mess that she'd stayed away from it.

There was nothing left to wipe down, she was done. She grabbed the used tissues and dropped them into the black Nylon bag. The bedsheet had touched her body, so she took that as well. Finally, she zipped the top shut and carried it toward the door.

"That's Frank's bag."

"It was Frank's, now it's mine."

33

Rearview

EMILY DRESSED QUICKLY IN the hallway, relieved by the tight pressure of her jeans on her thighs, her ass. Her body no longer embarrassed her, but that didn't mean she wanted to walk around naked, or that she didn't feel stronger and more confident wearing clothes. She glanced at Callie while her hands tied her shoes on automatic.

There was something there now on her face when she looked at her, she could feel it. Frank had always been between them, and now that he was dead nothing had changed. Her shoes on, she stood and put on her bra and T-shirt. It was too bad that Callie hadn't remained unconscious while she dealt with Frank, because it seemed to her that their relationship was over.

"Cal, are you going to be okay?"

"I'll never look at a pencil the same way again."

It was an attempt at humor, but Emily didn't smile.

"It's fine if you're upset, you probably saw it worse than I did. I was in the heat of the moment, you know? I was just trying to survive."

Callie nodded, but said nothing.

It wasn't a good sign.

Emily lifted up Frank's bag and walked back to the room she'd been tied up in. One more thing left to do. Using the bottom of her T-shirt, she wiped her fingerprints off the door handle and the cupboard. They were the only two things she'd touched in the room. Death had waited for her in here and she didn't want to stay any longer than she had to.

She walked back up the hallway, past a motionless Callie, and began down the stairs. Emily said nothing to her as she walked past, or before she went down the stairs. Anger was building up in her body, she couldn't make it stop. When she was halfway down the stairs, she heard Callie start down the stairs after her, her feet slow and lethargic.

Even the way she walked annoyed her now.

The stairs opened out into a wide area that led to the front door and then to a kitchen. The stairs continued down, presumably into the attached garage. The last time she'd been here, she'd been unconscious. The front door was raised up, with more steps down to the street outside. The elevated position was more likely to be noticed by neighbors and passing traffic as it was above the height of parked cars. She started down the stairs to the garage and found that the wide double door had been left open and a huge black Chevy Suburban was parked across the front.

Frank, ready for his fast getaway.

She waited for Callie to catch her up, swapping the black bag to her left hand. When Callie appeared she used her right hand to push her against the wall of the garage. Pinning her against it like she had with Taylor.

"I love you," she said.

Callie blinked, confused.

"What?"

"I love you. I need to know where you're at."

"Jesus, Em. Let go of me, you're losing it."

"That's what I thought."

Emily released her and walked out the garage into the street.

Now that she had her watch back, she checked the time and saw that it had just gone six. Having confirmed the time, her stomach rumbled. She needed something to eat soon, or her hands would start shaking. Being lean and muscular was great, but she had to eat promptly or there were consequences. She resumed her interrupted walk north up the street, back to where she'd parked the Honda. Minutes passed before she heard the patter of feet coming up behind her. She avoided turning her head, knowing that she'd see the feet kicking out sideways.

"Emily, come on. Wait."

She stopped and stared down at the asphalt as Callie approached. They were done, she didn't need to have a long discussion about why, the answer was painfully obvious.

"You're just going to leave me, that's it?"

"I won't be with someone who doesn't love me."

Callie nodded, then made a face.

"You're not the same person I fell in love with."

"I'm the person you made me."

"I know."

When she said nothing more, Emily began to walk up the street again and Callie fell into step next to her. She wanted it all to be over now, she hated when people couldn't disengage. It always felt like the other person was taking some of her strength, to save themselves from what they were doing to her.

"I don't know what to do about Frank."

So this was why she came running after her, she still needed her.

"Call the cops. You have a bruise on your face. Tell them men burst into the house shouting, wearing ski masks. They knocked you out and when you woke up Frank was dead. If you run away, you'll look guilty. He was a gangster, they'll suspect another gangster. I was never at your home, okay? If you say I was, I'll deny it."

Callie flinched.

They continued to walk in silence for several more minutes. Emily found that she had to walk slower than she would otherwise to accommodate Callie's slow pace. She pictured herself getting into her Honda and setting off home. There was some candy in the glovebox, enough to tide her over until she got home. She decided she'd stop and get takeout from the Thai place and pour a glass of wine.

She already knew what she'd do.

First, she'd count how much money she'd stolen from Frank. The prospect of this excited her on a near sexual level, and she wanted to cut to that as soon as possible. This done, she'd put her feet up and start Dexter season two from the beginning and spend the whole night watching it. When the wine was done, she'd switch to gin. It would be a good night, and by the time she crawled into bed, this whole thing with Callie Davenport would be in her rearview, disappearing from sight.

Callie spoke again, her voice breaking.

"I don't understand how you found me. Nobody knew where I lived."

The street was busier now, they were approaching the canals and the famous view of Venice looking up at the bridges. Emily walked over to it and stopped there, it seemed like a good spot to finish their relationship.

"I had an interesting conversation with Taylor Beck."

"Oh," Callie said, her face falling. "I guess she told you everything."

"Yes, she did."

"I'm sorry, boo. I know you and her didn't get on."

"She was my *bully*, Cal. And you, my best friend, fucked her. The woman that made my high school years misery."

"I'm sorry."

"Yeah, well. I wouldn't have found you without her."

Maybe it would be better if I hadn't.

Callie said nothing for a moment, perhaps thinking the same thing.

"Did you hurt her? Taylor, I mean?"

Inwardly, Emily smiled. This is who she was now. Not someone that got picked on by a bully, but a strong person who took action. That got even. Nothing was off the table to her, not even murder.

"Actually, we got on fine. We have a lot in common now, maybe we always did. I don't know. All that high school poison was gone, she was a different person."

If things don't work out between you and Callie, look me up okay?

Taylor's words came back to her as if she'd said them only a moment earlier. It was like she'd known things wouldn't work out, and maybe she did. Emily had dismissed Taylor's offer at the time almost as a throwaway line, but she'd really enjoyed their time together. Maybe they could do some of the ecstasy and see where things went.

The moment had arrived.

Emily had been in this position many times before, and she could always pick out the moment. She sat Frank's bag down between her feet, and they hugged each other tight.

Callie smelled the same, felt the same. She still loved her, she still thought she was beautiful, and maybe if she stuck around long enough, she'd be funny again. Would sing again, and make love again. But all Callie saw now in her, was death.

When the hug ended there was no kiss. It had been their first outdoor public show of affection, and it was goodbye. Something about that seemed appropriate. She picked up the bag again, causing Callie to glance at it.

If she knew about the money, she gave nothing away.

"Well, Cal. I guess this makes us even. You left a dead man at my apartment, and I left one at yours. What happened to him? Did you push him?"

Callie looked at the ground and shook her head.

"You remember those plants I set up around your front door? He was walking backwards and he stepped on one of them. His ankle twisted, I guess, and he fell awkwardly against the railing. One second he was there, holding the rail, the next he was gone."

"An accident," Emily said. "That *is* disappointing."

34

Getting Out of Dodge, Charger

WHEN SHE GOT BACK to her apartment building she noticed a car sitting out front in the space before the fire hydrant. It was a premium space for residents of the building and it usually filled up quickly with a vehicle she would recognize. This car, she did not. It was a black Dodge Charger and it was immediately obvious to her that it was an unmarked police car. She could see the dark shape of two inactive light bars on either side of the rearview mirror and two folded-in spotlights above the door mirrors.

The fact that it was in that particular space told her that they'd been there awhile, or that the space had become available while they were waiting and they moved their car forward into it to get a better view of the entrance. She slowed her Honda as she approached, her eyes looking through the other car's windshield.

Detectives McKee and Davis.

They were deep in conversation and neither saw her approach on the other side of the street. She drove past, then U-turned across two empty lanes and pulled into a space at the back of the line where the detectives wouldn't see her. She killed the engine and sat there, hands gripping the steering wheel tight.

Fuck.

Why would they be here except to arrest her?

She glanced at the gym bag shoved all the way to the front of the passenger side footwell. No light fell on it, it was practically invisible. Even if someone looked in the window and saw it, all they would think was that it was a worthless bag filled with used sports clothing. Not something obviously worth stealing, but that didn't mean someone wouldn't. The bag contained thousands of dollars, she didn't want to leave it.

On the other hand, it also contained evidence of murder and the detectives might have a search warrant for the house and anything in it. She left the bag where it was and got out the car. As she locked the doors she stared through the glass at the bag, as if for the last time. It would be fine, she couldn't even really see it.

Emily knocked loudly on the window right next to McKee's face and saw him jump, his hand instinctively going for his gun before he saw her and opened the window.

"What's wrong with you, girl? I just about had a heart attack."

She smiled and made her eyes large and innocent.

"Are you guys waiting for me?"

"Yeah, climb in the back."

"How about you come up? I've not eaten for hours and there's plenty extra if you want some. You look like you've been here a while."

McKee glanced at the brown carry-out sack she was holding.

"That works for me."

The two detectives climbed out of the car and followed her into her apartment building. The elevator was already there waiting for them so they got right in. Since her hands were full, she allowed McKee to close the gates and select the floor.They didn't call it in, she thought. If she really was a suspect, they'd let dispatch know in case anything happened to them, wouldn't they? Davis was looking at her face, the corners of her eyes angled with sympathy.

"We seem to always catch you on a bad day."

"Damn bike messenger knocked me down a flight of steps."

"When was this?"

"Today."

"Did you lose consciousness?"

"Twice."

Davis moved closer, looking into her eyes, not at the bumps.

"Have you been checked by anyone?"

"What? No. I'm fine."

Davis glanced down, at her mouth.

It was quick, down, then up. A hummingbird wingbeat and little more. The elevator stopped and McKee opened the gates. The two cops fell back again and let her walk along the walkway to her apartment. There was only one reason she could think of for why Davis had looked at her mouth.

Davis spoke again to her back.

"Any loss of consciousness should be checked by a medical professional."

"Yeah? What do you know?"

"I was a US Navy Corpsman. A medic."

"Then you check me."

She had a feeling the other woman was checking her ass.

"I'm not allowed. Liability issues."

"I'm fine, really."

She took her keys out and glanced at the balcony railing. It had been replaced by a brand-new metal beam. It was a bright gray bar. Ugly as sin, but secure. She unlocked the door and stood where she'd first fucked Callie as they filed into her apartment.

That's all Callie was now, a memory.

She spread the carry-out boxes out on the breakfast bar in her kitchen and gave them a plate and a fork each. She'd bought a mountain of food and there was more than enough to go around. She saw McKee looking at her face now. The bright LED lights in the kitchen no doubt made her injuries look worse than they were.

"Davis is right. You need to get checked. Are you refusing to get help?"

"Yes."

"Davis, check her out. I'll cover for you."

The female detective took her through to her bedroom and had her sit on the bed. It was almost dark and Davis left the light off and knelt down in front of her.

"I don't have my gloves with me. Is it okay for me to touch you with my hands?"

Her voice was soft, like she didn't want McKee to hear.

"You can touch me."

In the half-dark, she saw the flicker of a smile. Davis used the light from her cell phone and shone it into each eye from different angles and distances, then asked her to move her eyes up down, to the left and the right.

Davis' face was less than two feet from hers, close enough to smell her deodorant. No perfume. Because of the light, she couldn't see the other woman at all, her vision was blown out. It went on for about a minute, and for most of that time,

Davis had her left hand resting high up on her thigh. The light went off, her vision filled with purple after-images.

"How long you were out?"

"Less than a minute."

"Do you know what day it is?"

"Thursday."

"Do you know who the Secretary of Defense is?"

"No. Do you?"

"You seem fine."

"Thanks."

Emily stood up and the detective did the same. There was a warm spot on her leg where Davis had placed her hand. The cop was two inches shorter than her and fifteen pounds lighter. She was skinny, with no visible muscles at all. Whatever body tone she had in the Navy was long gone.

"It looks like this *bike messenger* punched you in the face."

Emily said nothing.

Davis touched her face lightly with her fingertips.

"More than once."

"He's not going to do it again."

"I've heard that before."

"No doubt."

They went back to the kitchen. The brightness of the room hurt her eyes now so she grabbed her plate and went through and sat in the chair next to her TV where she'd sat the first time they'd been here. She forked the food quickly into her mouth. The food was good, she could feel it filling her up.

After a moment McKee spoke.

"Our investigation has turned up something new."

He paused there, a small smile on his face, like she would know what he was talking about or worry about what he would say next. Emily continued to eat. As long as she was eating, they didn't expect her to say anything and therefore she was less likely to incriminate herself. She was, in any case, starving and she didn't think hands shaking made her look any less guilty than they thought she was.

"A number of the staff at your firm have repeated the same story to us, a story about you and Mr. Rutherford."

Charlotte's rumor. Emily had half-expected it to come out, but she wasn't sure how much it really hurt her. She finished what she was eating.

"Don't keep me in suspense, Detective."

"It relates to a business trip you made up to San Francisco two weeks ago. That you only had one hotel room."

"Did you really sit outside my apartment waiting for me for hours to tell me that?"

"Is it true?"

"Sure. We spent the night together plotting to kill Charlotte Vogler."

"This isn't a joke, Miss Caine."

Emily shook her head.

"But it *is* a joke. You think I killed Charlotte because she was spreading shit about me at the office? Are you serious? I didn't know about this story until you told me. I don't mix with any of those people anymore. I work in a room on my own and deal almost exclusively with Mr. Rutherford. I don't miss those bitchy rumors and the office politics, I'm out of all that now. Jesus, it's like high school."

McKee looked frustrated. His voice became hard.

"Are you involved in a sexual relationship with Mr. Rutherford?"

She turned to Davis.

"Why don't *you* tell him?"

"Excuse me?"

"You know what I am. We're the same."

Davis' cheeks turned scarlet.

"What's she talking about, Davis?"

"He doesn't know? How can he not know?"

Davis had her mouth clamped shut and was glaring at her. Emily continued.

"Okay, look. Mr. Rutherford is not my type."

"What about the hotel?"

"I didn't *need* a room because I was staying at my cousin's place."

A puff of air seemed to go out of both detectives.

"Why didn't you just say that?"

Emily began to eat again to hide the smile that would otherwise be on her face. She shrugged her shoulders and held out her hands helplessly, like she was saying *oops*. Encouraged by her example, the two cops began to eat again. Davis was still glaring at her, but it wasn't just anger, it was something else. *Regret*. It had been her idea to come here, not McKee's. She'd made this a reason to come here, because she'd wanted to see her again.

"How's the investigation going, aside from tales of my sex life?"

"We're not allowed to talk about active investigations."

"I got to tell you, Detective, it doesn't look good. Asking someone who was *also poisoned* if she's fucking the boss. That's scraping the barrel. It's sexist and it's irrelevant. I know for a fact neither of you really think I'm involved, which means you've got nothing."

"You *know* that do you?" Davis said, angry.

"Actually, I do. It's a poisoning case and you're eating my food."

They both glanced at their plates.

"That's not funny."

"How's the chicken, guys? Did you notice I didn't have any?" Emily nodded to herself. "Almonds are supposed to hide the flavor of cyanide, but I've never got that. Did they ask someone that was about to die? It's random and preposterous."

McKee's face soured and he stood up.

"I think it's time for us to leave."

They walked ahead of her to her front door. McKee's hands were clenched into tight fists at his sides. She'd had enough of men and their tight fists today. Emily didn't know why she'd decided to take a swipe at them, and it probably wouldn't do her any good. They weren't Frank, they were the cops.

"I was honest with you, I told you I didn't like her. The woman was a bitch and a bully. That doesn't mean I killed her. Consider the possibility that the person who did *lied to you*."

They got the door open then turned carefully at the new balcony rail.

"You know what doesn't lie? A toxicology report. We should get that tomorrow."

"Don't come back, McGee. Davis, you're welcome *any time*."

McKee turned to his partner.

"What the fuck is this shit?"

Emily shut the door on them before her face fell.

A toxicology report. That had to be bad news. Once they knew what drug she'd added to the coffee, it would be a simple matter of identifying the brand of laxative she'd used then looking at drugstores near her building downtown to see who'd bought it.

She'd travelled to drugstores farther away to avoid detection, but it wouldn't be enough. Her counter-measures were based on the assumption that she'd be dealing with mass diarrhea or sickness. With a murder case, they'd expand the search radius until they found what they needed.

A sale, the day of Charlotte's death, of that brand of laxative.

A video of that purchase.

She was fucked.

35

A Bad Business

EMILY STOOD AT HER window looking down onto the street below. The unmarked police car lay directly below her apartment. Another reason for them parking there, she supposed. If she came in the back way they would still see if any lights came on in her apartment.

A minute passed, then another.

The elevator should still have been waiting for them to come back, hardly anyone used it at this time of night. People came home from work and sat down to eat, not many ventured back out. She looked at her watch.

It was now five minutes.

What the hell were those detectives doing?

Emily thought about opening her door to see if she could see them from there but she didn't want to be caught looking or miss seeing them driving away either. *Eight minutes-*. Something was going on, it had to be. McKee and Davis getting into a fight about her remarks, maybe.

She wished she hadn't said anything. It was wrong what she'd done. In the world Davis lived, coming out was not much of an option. She might have deliberately chosen a life in the military and law enforcement as a way of repressing her own sexuality. As someone who had watched murder shows for eight years for the same reason, she was in no place to cast judgement.

The sidelights flashed on the Dodge and the interior light came on.

Ten minutes and change since they'd left her apartment.

Davis walked out into the street and waited for an SUV to pass. She looked up at her window and their eyes connected. The detective's face was pinched and angry. Even from this distance, she felt the rage. Was she really so different from Charlotte Vogler? A bully. She'd taken advantage of a situation, and it disgusted her. Emily didn't want Davis to leave angry with her, so she did the only thing she could think of.

She lifted up her T-shirt and flashed her tits.

Davis burst out laughing and was smiling as she lowered herself into the Dodge.

Better. Definitely better.

No part of her was attracted to the cop, but it didn't make sense to provoke someone who might be an ally, in a position to help her. The Charger pulled away down the street and was immediately stopped at the punishment traffic light.

Ten minutes.

The detectives had spoken to someone else, they hadn't spent that time waiting for the elevator, not when they could take the stairs. Her neighbor's door chime was loud enough to hear in her apartment, they hadn't gone there. She closed her eyes, and tried to work the case. What would happen on a cop show? Who would they talk to? Not a neighbor, someone else.

The building supervisor.

She smiled, knowing she was right.

In this case, not a supervisor, but the owner of the building.

Emily needed to know what they'd discussed, what the cops were planning. If she knew what was coming, she could make a move to counter it. She was through with waiting for things to happen to her, that wasn't who she was anymore.

Emily left her apartment and walked down the hallway. There was something different about her doorway, but she couldn't put her finger on it. Not just the new railing, something else. To give herself more time to think, she took the stairs to the first floor, her stomach in a knot. The owner was a relative of the original industrialist that had owned the site. She liked to think their relationship was positive, she'd carried the old lady's trash out to the Dumpsters on numerous occasions, that had to count for something.

The door opened two inches, the maximum allowed by the security bar. Emily smiled at the owner in what she hoped passed for a pleasant manner.

"Hi, Miss Holbrook!"

It was as far as she got.

"Emily! What have they done to you? My poor child!"

From the way she said it, Emily knew she meant *the police*. The door started to close on her, then opened wide without the security bar. Holbrook was in her eighties and looked every second of it. A cigarette burned forgotten in one hand, the embers almost down to the filter. She was a foot shorter than Emily and had to crane her neck to look up at her.

"Those people shouldn't get away with this, it's disgusting. If I'd known what they'd done to you I would never have spoken to them!"

"I don't want you to get into any trouble on my account. This is really important, do you remember what they asked you?"

"They showed me a photograph of a man and asked if I'd seen him before."

Emily's throat tightened.

"What did he look like?"

"One of those city types. Suit and tie. He looked kind."

Forest Rutherford.

They were still checking their relationship status, despite her *cousin* story.

"And had you seen this man?"

"Of course not. I was under the impression that they took me for some old busybody that has nothing else to do with her time than monitor who comes and goes in here."

"What else?"

"Questions about you, what kind of person you were, if you were quiet, if you had a lot of people around, like that. I told them you were one of my best tenants. A good girl."

Emily blushed and wondered what she'd think if she knew the truth.

"Did they ask about the man who fell from the balcony?"

Miss Holbrook nodded somberly.

"A bad business. I told them I didn't know too much about it, but that you were away at the time. That's right, isn't it?"

Emily smiled. "That's right."

"Was he someone you knew?"

She shook her head.

"I had a friend staying with me for a while. Very beautiful, like a model. From what we can work out, he followed her back here from the market. The man seems to have had a screw loose, don't worry too much about what happened to him."

"I heard him hit the floor over my TV. An awful sound."

Emily gave the woman's shoulder a squeeze.

"The other police that were here, they said this man was a criminal. That he'd been in prison. I think he wanted to hurt my friend, do things to her, you know?"

Holbrook's face hardened. She got the picture.

"So this man with the kind face, he's linked to this criminal?"

"Oh god, no. The man the police showed you is my boss, they're investigating something that happened at work. The dead man has nothing to do with it except that I live here and work there. An unfortunate coincidence."

The other woman relaxed and nodded her head.

"Good. I don't like police poking around."

"All right. I'm sorry to intrude on your evening."

She'd taken a step inside Holbrook's apartment to squeeze her shoulder and she stepped back out into the hall. Emily frowned, like a thought had just occurred to her.

"You didn't mention anything about my friend to the police did you?"

"No. If you like, I can keep it that way."

"Thank you."

The door closed and she heard the security bar swing into place and the locks closing one after another like someone popping their knuckles. Emily began to walk back to the elevator when she remembered Frank's bag sitting in her Honda. Now that the detectives had gone it was time to deal with it.

She walked out the entrance, then along the sidewalk.

The last time McKee and Davis had visited she felt they'd accepted her innocence and that she was another poisoning victim. But they'd come back because of this rumor over the hotel room. It seemed like a desperate move, to be going over old ground. Either they thought she was involved, or they didn't. Somehow, this rumor had her back under the magnifying glass, and for what? For sleeping with a married man?

How did this relate to the murder of Charlotte Vogler?

Emily unlocked her car and took out Frank's bag. *Her* bag. She smiled to herself at that and locked the car again. With all the money in this bag, she'd be able to buy a new car. Something nice, something that wasn't the best part of two decades old.

She started back toward her apartment, her mind returning to her previous thoughts. Almost immediately, she groaned. Her thinking on McKee and Davis had become clouded by her own guilt. The rumor, if proved true, wouldn't hurt her. Worst case scenario, she'd lose her job and have to start over somewhere else. The rumor was not a motive for murder.

Not for her.

The only way it made sense, was if they suspected Rutherford.

36

Toothbrush

WHEN SHE GOT BACK to her unit she looked again at the new rail that had been put in and shook her head. Maybe if she painted it black it would look better. She pulled out her keys and glanced around to see if she'd been seen returning with the bag. All quiet. As her head turned back, she noticed the plant pots Callie had arranged outside her door were almost all gone. Only the yucca remained. *That's* what was different. The others no doubt going over the edge with the dead man. Emily opened her door and slipped inside.

She walked into the bathroom and shut the door.

The bathroom had no windows, only a vent. Each of her other rooms was overlooked to some degree by a window and she wanted to be somewhere private.

Emily opened the bag and took out the sheet that she'd wrapped around her waist. Taking it with her was probably unnecessary, but it paid to be careful. It only took the smallest amount DNA evidence to implicate her in Frank's murder. She dropped the sheet on the tile floor to be dealt with later. In her own apartment, a sheet with her DNA on it meant nothing.

She paused for a second, looking at what came next.

Blood and brains.

Her face twisted up in disgust, thinking about it. She opened the under sink cupboard and pulled out an unused home hair color box. Inside were a pair of disposable gloves. Her hands were small, yet the gloves were a tight fit. As she pulled them on she wondered who the manufacturer considered its target audience. She caught sight of herself in the mirror and smiled up one side of her face.

Hello, Emily Caine.

She leant over the bag and grabbed all the Kleenex she'd used to wipe down the crime scene. They looked unused, with little more than a couple of lines of dust. She dropped them into her sink and opened her toilet lid. To avoid the risk of blocking the toilet, she split the mass of tissues in two batches and flushed them separately.

This left the clump of tissues containing the pencil.

These were thick with blood which had turned almost black. The color of the blood meant nothing to her. It could have been anything, coffee in the bottom of a mug, or something that had leaked out under a car. But less than two hours before, it had been inside Frank, keeping him alive. Embedded in the blood, was a pinkish-gray grit.

This would be brain tissue. She sighed. The Kleenex was stuck fast to the pencil. Emily turned on the faucet and let water run. It took several minutes to wash the pencil clean. No blood, no brain. She propped it up in her toothbrush cup and began cleaning the sink, first wiping it, then spraying it with bleach.

She knew how to clean a crime scene.

She'd learned from the best.

When she was through with the sink she turned and looked into the bag. It had taken all her strength to ignore it and focus on the clean-up first, but now she let her eyes feast on what was inside. Fat cylinders of cash bound by thick purple elastic bands. There were a lot of them. Something in her stomach did a flip, just as it had done outside the club when she'd fallen in love with Callie.

The lighting in the bathroom was poor so she carried the bag into her living room and sat down in front of her coffee table. A single apartment across the street could observe her here, but she'd never worried about it before when she'd walked around naked. All anyone would see was a woman sitting in front of her TV, the same as any other night.

She moved her laptop to create space, and began to unload the money.

The bills looked dirty and used like they came from whatever business Frank operated, rather than from cashing out at a bank. Which made sense, if he'd withdrawn the money from a bank account the bills would have been flat and new, tied together with paper bands. This was Frank's go-bag, an emergency bag he could pick up and leave with at the first sign of trouble. When she finished unloading there were forty rolls of cash sitting on her table.

Again her stomach did a little flip. She should be smiling or laughing, but she couldn't seem to get there.

Two items were left in the bag. A square plastic case with a handle, and a polished wooden cigar box that looked expensive. Emily took out the case and sat it on her lap. She knew what would be inside and paused before she lifted the lid. If she'd known this item had been here her day might have been very different.

The gun was black and boxy, and was cut into a foam surround. Underneath it, in their own foam slots, were two silver rectangles. *Magazines.* The word came to her from books she'd read, and from the movies. She could see that the magazines were loaded, a bullet visible on the end of each one. Aside from the fact that it had been loaded, the gun looked brand new. Emily took it out and held it in her hand. She liked the way it felt in her hand, the weight of it, the way it looked. All she had to do was learn how to use it.

She put the gun back and picked up one of the cash rolls again. The bills were tightly wound into cylinders. It would have taken time or a lot of practice to roll them like that. She looked at the middle of the roll, at the small hole there. It was the width of her smallest finger and she immediately knew what Frank had used to form the center.

The pencil.

If she unrolled it to count it she'd never get it rolled up again, that was for sure. But she had to count one of them, if only to learn Frank's system. There had to be a system, she thought. He wouldn't roll up a bunch of different bills. She pulled off the elastic band and the roll expanded in her hand, almost more than she could hold. Emily teased the roll apart and saw that they were all $50 bills. Slowly, carefully, she counted them up. From more than halfway through she knew what the total would be, but she kept on until the end to make sure. She did something right, or nothing at all.

There were fifty, $50 bills.

$2,500 total.

As she suspected, the bills did not want to return to their former shape and she quickly gave up trying and left them in a pile, the edges curled up on either side. She looked at the cylinders of cash, each two inches across. Frank's system would be to put fifty bills in each roll, all of the same value as the one on the outside. She picked up her notepad and began to work out how much money she had in front of her.

There were four rolls of $100 bills, eight of $50, sixteen of $20, and twelve of $10. The $100 and $50 rolls totaled out at $5,000 and $2,500 each; while the $20 and $10 at $1,000 and $500 respectively. Math was not her strong suit, but she could sure as shit count to 20, 16, and 6.

There was $62,000 in front of her.

Emily stared at the total, astonished, then back to the values to check she hadn't made a mistake. She hadn't. They weren't hard figures to add up, they were just for amounts she'd never had before. Her thoughts returned to the two detectives, McKee and Davis. They could come back at any time. In any case, this wasn't the kind of cash she could just leave lying around, she had to hide it somewhere safe.

She looked around the room then saw the perfect place.

The front of her treadmill was raised up and a curved metal plate hung down to protect the electronics and the motor that drove the belt. There was a space underneath big enough to hide all the cash, she'd seen it when the machine had been unboxed.

She left the unrolled cash where it was and put everything else back in the bag to carry it across the room. The side panel of the treadmill unclipped and she was able to reach in and put the cash one at a time on the curved plate. When she was through, she stood and tried to see it from different angles. It was completely hidden.

Emily turned her attention to the gun case and the cigar box.

There was no point having a gun if she couldn't get at it quickly. She went into her bedroom. It wasn't very original, but she decided to put the gun under the corner of her mattress. If they broke down her door while she was asleep, there was a chance she could get to it before they found her. Emily didn't ask herself who 'they' were.

That left the cigar box.

She'd never smoked. Nevertheless, it was an attractive box. Cherry, or maybe walnut, something warm with a strong pattern in the wood. It was strangely weighted. When she tipped it she could feel something moving from one side to the other. She opened the lid and saw a row of cigars. There was a loop of ribbon in the middle so she pulled on it and the row of cigars lifted up on a wooden panel. Underneath were small discs.

Casino chips.

That figured, Frank was a Vegas man.

Emily had never been to a casino and she turned over some of the chips out of curiosity. Even to her untrained eye they looked old, antique even. None were over $50 in value, and most were closer to $10. It wasn't obvious to her why Frank would've added the cigar box to his go-bag. The chips had to have sentimental value, she thought. She returned the cigars and put the box in the bottom drawer of her nightstand, next to her vibrator.

For a moment she sat on her bed, staring at the wall.

The yucca plant came back to her, out of nowhere. Frank's goon had fallen through the rail because he'd stood on a plant pot, tripping him up. But he'd never have stood on it where Callie had put it. The man was dead because she'd moved the pots over to the side. She was responsible for his death.

Emily stood and walked into her kitchen.

She'd killed three people.

Almost automatically, she began making a gin and tonic. Cutting a pink grapefruit slice for a garnish, then fetching a new bottle of gin from the cupboard. When she looked down she saw she'd begun to make two drinks. One for her, one for Callie. She felt herself fold up inside, misery consuming her.

Callie was gone and she wouldn't be back.

Emily didn't want to spend the night alone, not even with her favorite serial killer. She took out her cell phone and scrolled through her contacts. The names were old, friends or dates from another lifetime. Most of them would probably not connect, numbers long ago abandoned. After a moment, she switched to Facebook and clicked on a call button, her index finger across the top of the iPhone.

Taylor Beck's face appeared, a smile changing in an instant to a frown.

"I should've listened to you," Emily said, without introduction. "You were right about everything."

"I can't see you, sweetie. Is there something over the lens?"

"Taylor, I look bad. I need to warn you."

"Don't be stupid, you're stunning."

She uncovered the lens and Taylor's mouth dropped open.

"Oh my god! What happened?"

"I met Frank is what happened."

Taylor leaned in close to her screen, looking at the damage to Emily's face. There was sympathy in her eyes, but also fascination. It was something she understood. She'd stared the same way at the dead man's body pressed into the courtyard floor.

"I hate to be that girl, but I tried to warn you."

"You did, and it was all for nothing. Callie-"

Her voice seemed to dry up in her throat and she turned to the side. She'd called without thinking through what she was going to say, and how it was going to make her feel. If she'd thought too much about it, she wouldn't have called at all. Taylor spoke again.

"California's beautiful, I won't deny it, but there's nothing under her perfect golden skin. It's all sunshine and marshmallows. You and me? We're dark inside, it's what makes us strong. You were prepared to fight for her *with a gangster*. That's the most romantic thing I ever heard. I bet she just cut you dead, am I right?"

Emily remembered the look Callie gave her as she stood over Frank's body.

"She looked at me like I disgusted her. Like I was a *thing*."

Taylor said nothing for a moment. Her expression shifting from anger to amusement as she realized where the call was going.

"What do you need from me?"

Emily took a deep breath and felt her face turn scarlet.

"I need to be with someone tonight. Someone that accepts me the way I am."

Taylor smiled.

"Send me your address and you can tell me the whole sordid story."

The call disconnected. Emily typed her address and a brief note about using her elevator into a chat window and pressed send. A moment later a message came back.

Am I bringing my toothbrush?

Her old bully, asking if she was staying the night. If they were going to fuck.

Yes.

37

Fierce

EMILY AWOKE IN DARKNESS with a figure leaning over her, roughly shaking her shoulder. Her heart was hammering in her chest, her breath raggedly tearing in and out of her lungs.- She was in bed and the room was still half-dark. A blueish light pushed gently in from the doorway, eating into the black.

"Emily, wake up! C'mon."

She knew *that* voice.

"Taylor? What time is it?"

"Half six. I've got to get to work in Glendale."

Emily lay back on her pillow and closed her eyes again.

"Jees. I thought the building was on fire."

"You need to see the news, Em. Frank's dead."

Emily sat upright, fully awake. Somehow she'd managed to forget about killing Frank, breaking up with Callie and then...her mind seemed to stop as she looked at Taylor Beck standing in her bedroom wearing work clothes with one of her hand towels wrapped around her head. Emily turned and put her feet on the floor and pulled on her running briefs and sports bra which had a habit of living next to her feet. She stood and without thinking, kissed Taylor on the mouth.

They looked at each other awkwardly.

"I didn't know I was going to do that, sorry."

Taylor smiled a goofy smile.

"Girl, you can kiss me any time you like. Surely you know that after last night?"

Emily flexed her shoulders and arched her back. She felt fantastic. She'd only just woken up, but it felt like electricity was surging around her body. Taylor, she was not surprised to learn, was exceptional in bed. In the next room she heard her TV. A news channel.

"Frank's really dead?"

She watched Taylor's face for any signs of suspicion.

"Oh yeah. Really, *really* dead. They have it on rotation come see."

They walked through into the living room and stood in front of the TV. On screen was more footage of the fires that continued to burn in the Hollywood Hills. It had returned to the news cycle as the current wind direction was moving the flames toward homes belonging to the rich and famous. The voiceover listed some movie stars, a music mogul, and a basketball player. None of the people mentioned meant anything to Emily, although the names themselves seemed familiar. After a minute they cut back to the studio and an impossibly polished and fresh-looking woman with big hair who appeared to be bursting with energy. To one side of her, was a picture showing the front of Frank's building.

The picture caused her breath to catch in her throat.

Taylor cranked up the volume, obviously excited.

"Our top story this hour. Mystery continues to surround the death of Francesco Bellucci in his Marina del Ray home yesterday evening. Bellucci, a prominent mobster within the Las Vegas crime family that shares his name, was under active investigation by the FBI on RICO charges for murder and racketeering. An initial theory attributing his death to natural causes has sensationally now changed to homicide by detectives at the scene. An expert familiar with the Bellucci crime family, believes that the same feud that caused him to move to LA two years ago, ultimately led to his assassination. If true, this would be the first known mob hit in LA County in over a decade. Bellucci is survived by his wife, California Davenport, daughter of English soccer player John Davenport and actress Rebecca Whitney."

Taylor pressed a button on the remote and the TV went black.

"What time did you meet Frank?"

Emily was distracted, wondering what an *FBI active investigation* might include. A stakeout? Did they have cameras watching who came and went from the property? Secret devices inside, recording conversations? Were they, right now, running a photograph of her face through facial-recognition software?

"Emily! What time did you meet Frank?"

"Twelve? One? I don't know, around lunch time."

Taylor looked at her evenly for a moment, like she was assessing her answer.

"Maybe it was later. Like six o'clock."

A statement, not a question.

"I didn't kill him, Taylor. He hit me twice and I passed out twice. Look at my face. The man was two hundred pounds of angry Italian, he swatted me like a fly."

"I get it, you know. We've known each other most of our lives and the majority of that time was not good. It's hard to forget all that, to put it in a box and throw it in the trash where it belongs. But know this: I don't want to live in the past. Who we are now, we are the same. We're a great fit for each other and I feel so calm and relaxed around you."

"Taylor, listen-"

"No, *you* listen. I know in my bones you killed that motherfucker and I'm glad. Nobody does this to my friend's face and lives. I will take that shit to my grave. If you don't want to tell me, that's fine. Like I say, I get it. However, if you need to tell someone, to unload, then I want to be that person, ok?"

"There's nothing I can say that will change your mind?"

"Not a damn thing."

Emily snorted. Taylor wanted to be her priest. She walked toward her, hands down by her side, shoulders stretched. It was a posture she knew made her muscles stand out and made her look more intimidating.

"So, logically, if I *did* kill Frank I'd have to kill you as well?"

Taylor began to back away from her, a smile on her face.

"If that's the way it's gotta be."

Taylor's legs hit the back of the sofa and she stopped. Emily closed the gap and put her hands on Taylor's shoulders, near her neck. She was strong enough to do it. To put her hands around her neck and grip it tight. She'd felt it before in the mall washroom, and she felt it again now. To choke her, to watch her face turn red, then blue.

"Taylor, I hated you for so long it became part of my life, like eating or breathing. If you hadn't been at school, I don't know who I'd be right now. Someone who could make friends, and dance to bad songs on the radio. Maybe I'd be popular with boys, I don't know. Maybe none of that, maybe I'd just be the same."

Emily looked at Taylor's neck, then ran her fingertips gently across it, caressing the soft skin. Imagining her hands around it, tightening. Taylor was pale as a china doll and Emily could see her carotid artery pulsing with blood. She looked at Taylor's mouth, her lips swollen and parted, then back to her eyes as she continued.

"You made me strong and independent. A survivor. I'd be *dead* right now if it wasn't for you and at my lowest point, it was you I turned to for company. You're important to me, Taylor Beck, and I can't explain to myself why. So if you really must know, yes I killed Frank. I killed that son of a bitch and it was the best damn moment of my life."

Taylor swallowed, her throat pumping up and down.

"Goddamn, girl."

"Too much?"

"No, that's perfect."

Emily glanced at her friend's mouth again.

"Is this crazy? I think I might be into you."

Taylor's face turned red and after a second, tears rolled down her cheeks.

"I've felt the same way since you walked back into my life again."

Their lips pressed tight together. Fierce at first, as it always was with Taylor. Then their mouths opened and their tongues were sliding over each other. Lovingly, passionately.

Emily felt herself let go, losing herself to the moment, her hands holding Taylor tight against her. In time, maybe she could put all her old feelings about Taylor in a box and throw them in the trash, because her mouth felt like heaven.

38

The Real Deal

WHEN SHE GOT OFF the elevator at the agency, the first thing Emily noticed was that a young man with thick blond stubble was sitting at Charlotte's desk which had been taped-off and unoccupied for a fortnight. As she walked past the desk she turned her head to see more of him. The man was talking into a cell phone, his tanned leather face infinitely amused by the conversation. He was wearing a salmon pink shirt, the collar open down to the second buttonhole with a thick bush of coppery chest hairs bursting out through the gap.

Emily shivered, repulsed.

She continued on to Rutherford's office, her brain buzzing. One thing was for sure, the man did *not* work for the LAPD.

Several people turned to look at her as she walked through the office. Craig Mossberg, her office messenger friend, got to his feet and stared at her open-mouthed. There was shock on his face, maybe even concern. Emily had found that the most random people could form attachments to her, care about her. People on the very edge of her life, like the owner of her apartment building. She had debated whether or not to try and hide her injuries and had decided against it, the main bump above her eye was just too big to hide.

Rutherford's inner door was open, which typically meant he wanted her to come in when she arrived. Her boss was also on his phone, but waved her into his office with a frown. He spoke for a couple of minutes, she gathered to the husband and wife team behind the dog-detective, waiting for him to finish his call. She was picking up a lot of positive energy from him, which she hadn't heard for a while. Finally, he hung up the phone.

"What the hell happened to you?"

"I got mugged by a guy in the parking garage."

"Jesus. Are you okay?"

"It looks worse than it feels."

"What did he take?"

She shrugged.

"Nothing. I broke three of his fingers."

Rutherford laughed, delighted. Emily figured she was getting better at lying. The trick was to build in some form of entertainment to the person listening. It also meant that she could rely on the story getting around the office on its own. People would think twice before messing with her from now on.

"You are such a badass."

"Something to bear in mind during my annual review."

She was pushing her luck, but he was in a good mood and he grinned.

"So. Did you see?" He asked, his head tilted toward the main office.

"The chest-hair guy? Yeah."

"*Nestor*. He replaces Charlotte. You know what that means?"

She'd had plenty of time to think about it during his call.

"The police investigation is over?"

"This is what I love about you, Emily. You're smart as a tack."

"I watch a lot of cop shows. Have they told you anything?"

"Anaphylactic shock. Nothing to do with the coffee, a total coincidence. Charlotte had a nut allergy and judging by her bloodwork, she'd consumed peanuts. They even found two Snickers wrappers in her trash, which basically tied it all up in a neat little bow."

My Snickers wrappers.

"I had no idea she was allergic."

"Dying from a peanut...this world is something else, isn't it? You must be relieved, I know I am. Seems cruel to say that considering she's still dead, but it's true. This has been hanging over us for two weeks, pressing down."

Emily gave an Oscar-worthy sigh.

"You're right. It's been there, even when I've not been thinking about it."

Rutherford glanced at her legs, at the way they were stretching her short skirt tight, then back up to her eyes. It was the first time he'd done this since Charlotte had died and instead of his usual smirk, something else seemed to go through his expression.

"Incidentally, *Mr. Chest Hair* isn't the only new thing around here. Go check our break room. I thought we needed to reduce tension in the office and keep it away from you."

"You bought a coffee machine?"

He smiled from ear to ear.

"See? Sharp as a tack. This machine is top of the line, makes better coffee than that place down the street. Your days of carrying coffee back here like a pack mule are over."

"If I'm there anyway, looking at it..."

"Thank you, I'd love one."

"No problem."

Emily walked into the outer office and hung her suit jacket on the back of her chair. Her hands started shaking. *What the hell?* She took a deep breath and let it slowly out. It didn't help. Her body was betraying her. Fucking Charlotte. She sat on the corner of her desk and rested her hands on her thighs. They were still shaking. Emily thought back on that day, her trip back to the office with the coffee and the pills.

The Snickers bars she'd eaten.

Spit from her mouth had killed Charlotte, that's how toxic she was. A perfect murder, the investigation now closed. Tears were rolling down her face and she didn't know why. She'd hated Charlotte. The woman had bullied her for years. She'd fantasized about killing her over and over, why cry for her now?

The room seemed to change shape and when she looked up Rutherford was standing in front of her.

"Do you want a hug?"

She nodded and he held her in his arms. The familiar scent of his cologne, his body, filling her nose. It was a safe smell, someone she'd slept with in the real sense, not just the sex. She'd been at her most vulnerable with him, lying asleep unable to protect herself. He was old enough to be her father, but he made her feel safe and grounded.

They heard shoes pounding along the corridor outside and broke apart.

"How about *I* get *you* the coffee?"

He looked pleased with himself, or with her. She supposed that her body's response to the news about Charlotte made her more sympathetic. For once, she'd shown weakness and allowed him a glimpse at the turmoil inside her head. In his eyes, she was innocent.

"Thank you," she said.

When he was gone she looked back down at her hands. The shaking had stopped. She held both hands straight out in front of her. Rock steady. She smiled. Maybe her body had betrayed her, or maybe it knew the right thing to do, even when she didn't. Strength flowed through her, filling her up.

She was a killer and only one person could expose her now. Emily took out her cell phone and found the entry for Sasha Roberts.

The agency and the lawyers' office only shared a building and an elevator, but bad news had a way of spreading in surprising ways. It seemed likely that Sasha would've heard about Charlotte's death and what day it occurred. The last thing she needed was for the cops to re-open the investigation and for the spotlight to fall on her again. Emily typed a short message to Sasha.

You want to grab lunch today?

She imagined the message sitting waiting on the lawyer's cell. Maybe she was in court, or in a meeting. She wondered if she should send a second message saying who she was, it was a while since she'd given Sasha her number. Her message moved up the screen.

Yes, yes, yes!

Emily smiled. That wasn't the reply of someone who thought she was a murderer. The text moved up again, a three dot animation showing that Sasha was writing another message. The animation didn't go away. Rutherford returned holding two wide china mugs. It wasn't a regular coffee inside, it was a cappuccino, with chocolate powder dusted over the top. She must've looked surprised because he laughed.

"I told you. It's the real deal."

He was about to turn away when he glanced down. She was still sitting on the corner of her desk and the angle of her legs had pulled up the hem of her skirt so that the dark band of her hold-ups were showing. Her stockings had always fascinated him. It felt like a very long time since she had bothered to be careful how she sat, her mother would be appalled.

"Emily, I'm sorry for the way I've been with you recently. I said more than a few things I regret. That said, this thing with Charlotte and the police has been a wake-up call of sorts for me. I have too much to lose. My wife, the girls, the house...my career."

He shrugged helplessly, apparently unable to come to the point, or take any responsibility for what he was saying.

"You want us to keep it professional?"

"I don't *want* to, Emily. I just think it's for the best."

She realized that she was disappointed by his decision and her natural half-smile dropped off her face. The rejection stung, even though it was hardly the end of a loving relationship. Her reaction seemed to cheer him, knowing they were both going to miss it.

"I understand, Mr. Rutherford."

"It might be best if you dressed more conservatively as well."

He was beginning to really piss her off.

"*Right.*"

"Again, not because I want it. Your legs drive me crazy, you know that."

The way this was going, Rutherford would realize that he could replace her with someone he didn't find attractive at all. An employee with no guilty memories attached, perhaps even someone that was good at the job. Someone with plumes of golden chest hair and a leather face. He was studying her closely.

"I honestly thought you were going to be relieved. You've surprised me."

Emily stared at the floor and nodded, her face scarlet.

She willed him to leave and not feel like that they had to talk about it. About how, at any moment, wherever she was, she could remember what he had done to her and be a split second from orgasm. He'd used her like a prostitute and she'd never felt more like she was doing her best work. The abuse, the degradation, she'd loved it. A moment later, she heard his door close and when she looked up she was alone.

She moved around her desk and sat in her chair.

Her face was still hot with embarrassment. Emily fanned her fingertips out on the fake wood grain as her computer started. She thought of the way her cheek would stick and get pulled down on Rutherford's desk as he thrust himself into her. Burying himself deep inside her as far as he could go. Not caring if it hurt, or if she was getting any pleasure from it, just taking what he needed.

Her mouth opened and she took an urgent breath.

Inside she could feel herself clenching, spasming.

To calm herself, Emily imagined she was on her treadmill, looking out the tall windows of her apartment onto the street below. The steady thump of her feet on the track, the flexing of her back as her shoulders swung from side to side. When she ran, nothing else mattered.

Her heart rate began to slow and her focus return.

Her cell phone buzzed. When she woke it, the screen filled with another message from Sasha Roberts. It was so long she had to scroll to read all of it. Sasha had been thinking a lot about her in the time they'd been apart and had tried to call a couple of times, without being able to connect. Presumably, after she'd drowned her cell phone. The message was flirty and light without saying much, but it was obvious that Sasha wanted a relationship with her.

Emily stared blankly at her computer.

She'd lost Callie, and now Rutherford.

For both of them, she was too close to death. They thought she was dangerous, and they were probably right. Each of them had seen the darkness that lived inside her and turned away. In her heart, she knew Sasha would be no different. The lawyer lived in a different world. One filled with laws, and rights, and courtrooms. Only one person looked at her clearly, without judgement or disgust.

Taylor Beck.

Together they were a toxic mix. It was a bad idea to continue a relationship with her, but how could she resist? They were opposite sides of the same coin, bound together by something close to fate. Taylor would be there for her, no matter what. If anything, their bond was stronger during a crisis, they were two essentially negative people.

Two paths lay before her.

One with Sasha that led to a normal life, and one with Taylor that led to darkness. All she had to do to be happy with Sasha, was to pretend to be someone else. Someone like Callie, with *sunshine and marshmallows* inside. But she'd tried to be that person many times in her life and had always failed. Emily thought then of her favorite part of her murder shows, the moment when the killer realized who they were and what made them tick.

That's the moment I'm in now, she thought.

She knew what she was, she couldn't change that now even if she wanted to.

I'm a sex addict and a killer and I feel no remorse for either.

Emily took mouthful after mouthful of coffee, the foam building up against her lip the way she liked. It was strong and smooth, perfect. She felt a buzz inside. With Frank's money she could buy a machine just like the one that made this. In no time, she'd be drinking these in her apartment.

She'd be friends with Sasha, she decided, keep her sweet. Give her a safe way of asking about Charlotte, if she'd heard anything. It wasn't like she had an abundance of friends to choose from, she'd made that mistake before. Maybe the cop, Davis too, if she came around again. Friends were important. Someone to call when times got tough. Her coffee finished, she picked up her cell and typed a new message, to Taylor.

Do you want to go to Vegas with me?

Emily smiled, already knowing the answer.

About the Author

I have been an avid reader from an early age, reading everything from Patricia Highsmith to Anaïs Nin. I love crime, suspense, and dark sexy tales of all types. I live near Edinburgh, Scotland with my family.

If you enjoyed *Love, Sex, and Murder Shows*, please consider writing a quick review, it would be greatly appreciated.

Printed in Great Britain
by Amazon

From The
34 Great Sutt

To mum
I read "Gaining
Ground" & really liked it
so thought did force
this on you - will up
be dancing in the dark
by the end of it ?!!
love Aileen '87
XMAS

Joan Barfoot

Joan Barfoot is a Canadian journalist who has worked on a variety of newspapers and currently lives in London, Ontario. *Dancing in the Dark* is her second novel. Her first, *Gaining Ground* (The Women's Press, 1980), was the winner of an award for the best English-language novel in Canada when it was published there under the title *Abra*. Her latest novel, *Duet for Three* (The Women's Press, 1986), was one of the selected twenty titles for the Feminist Book Fortnight 1986.

About *Dancing in the Dark*:

'Well written, the revelations are subtly made and it is at once a case history and a bit of a social history about women' *Guardian*

'How cleverly the author evoked my sympathy, my horror and my fascination…I was totally gripped' *Aberdeen Evening Express*

Joan Barfoot
Dancing in the Dark

The Women's Press

First published in Great Britain by
The Women's Press Limited 1982
A member of the Namara Group
34 Great Sutton Street, London EC1V 0DX

Reprinted 1984, 1987

Published in Canada by Macmillan of Canada, 1982
A Division of Gage Publishing Ltd

British Library Cataloguing in Publication Data

Barfoot, Joan
Dancing in the dark.
I. Title
813'.54[F]   PR9199.3.B37I5

ISBN 0-7043-3895-5

Printed in Great Britain by Nene Litho
and bound by Woolnough Bookbinding
both of Wellingborough, Northants

Joan Barfoot
Dancing in the Dark

The Women's Press

First published in Great Britain by
The Women's Press Limited 1982
A member of the Namara Group
34 Great Sutton Street, London EC1V 0DX

Reprinted 1984, 1987

Published in Canada by Macmillan of Canada, 1982
A Division of Gage Publishing Ltd

British Library Cataloguing in Publication Data

Barfoot, Joan
Dancing in the dark.
I. Title
813'.54[F]   PR9199.3.B37I5

ISBN 0-7043-3895-5

Printed in Great Britain by Nene Litho
and bound by Woolnough Bookbinding
both of Wellingborough, Northants

1

I BIND MY WOUNDS WITH PAPER; with this blue notebook, a garish shade not eggshell nor sky nor water, but a colour too blunt and striking. There are spaces on the cover labelled, in black print, Name _____; and below that, Subject _____. The date is August 17. I asked the nurse.

In tiny print in the bottom left-hand corner it says the book is printed with recycled paper. And that, I think, is good. I have always approved of that sort of thing, when I have thought about it.

Inside, the notebook is lined thinly with grey, a pink stripe marking a margin at the side of each page, three holes cut into each margin, round and precise, not at all like the holes, irregular and unspaced, made by a knife in a body. There is a comforting neatness about this book, so one feels compelled either to leave it blank or to write in it carefully, perfectly, and with a certain pain in the perfection.

I appreciate things that are careful, complete, and perfect. This day, for instance. I am fortunate to have a place beside the big window, so that I can look out without obstruction.

Here, of course, there is an unchanging temperature, an untouchability in the atmosphere. So I cannot tell if outside it is uncomfortably hot, but I think not; I think it is a day in which heat soaks the body like a liniment and heals.

Yesterday it rained. But since I am safe inside here, that too was fine, and I watched the greyness falling mist-like. The result of the rain is that in today's sunshine there is an extra greenness, an almost-too-shrill brightness. It is all

quite clearly defined; there are perceptible boundaries between the green of the grass and the tree-trunk-grey and
the deep green leaves, no blending to confuse.

On such a day the mind should also be distinct.

It is the details with which I may occupy myself, nothing
larger than this room, this body. I shall attempt neatness
and keep removed from passion.

The bed is narrow, sheeted with white, coarse. The bed
I used to have was wide, the sheets were blue and in the
winter covered by the deep down quilt made far back in
my mother's family, in aging rags of blue, soft yellow,
checkered red and white. That bed did not have buttons to
be pushed that raise shiny steel bars at the sides, an extra
bulk that spoils the simplicity of the lines. And it was softer
too, while this one is hard and tightly wrapped.

There are two such beds in this room. One is mine, and
I am careful to stay in it, or near it, never stray too far, for
although it may be strange and ugly, it is also mine.

I can reach out and touch it from where I sit in the easy
chair, the blue-and-purple-patterned chair that fills the
space between the narrow bed and the wide, heavy-glass
window. I sit with my legs crossed at the ankles, back pressed
firmly against the chair, blue notebook opened squarely on
my lap, my knees touching the base of the window ledge
while still in my line of vision on the other side is the glimpse
of unwrinkled sheet-whiteness. Three feet, perhaps, between
bed and window.

It is precisely the right amount of space. This much I
can manage, most days.

At the foot of my bed, a narrow pathway distant, is a
dresser, a double one that extends the width of my bed
and beyond into the other half of the room, a double dresser
with mirror, drawers of underwear shared, split into mine
and other. Over the centre of my half is a cheap framed
landscape, autumn trees with unreal red and gold leaves, a
too-blue stream running past steel-grey rocks. Not the sort
of painting I would choose, and yet it is oddly right for this
room.

Overhead there is a fluorescent light, switched on at dusk and on dull days. Attached to the headboard of the bed is a reading lamp, which must not be used after a certain hour. When it gets dark, cream-coloured curtains are drawn across the windows and there is no more to see.

It is a puzzling half-room, clumsily warm, but not personal. Some things I like about it though: that it is arranged in straight lines; that is is always in order; that I am responsible for none of it.

The days are slow, events are rare. No one makes me move. The farthest I go from my narrow half-room is to the dining area three times a day; the second farthest when I again pass the other bed, the other half of the double dresser, the second and near-identical landscape on the wall, the closet, to go to the washroom. There are two of us in this room, with a washroom connecting with two others in the next room. To be sure of privacy in the bathroom, it is necessary to lock two doors: the one from Room 201, which is mine, and the one from Room 203, which is next door. Sometimes when I sit on the toilet and do not care to move, for it is white and bright in there, a door handle may move and there may be a muffled remark, but I pay no attention. To move, even if I wanted to, is an effort of will, and I am somewhat short of will these days.

And too, consumed as I am by the trivialities of my own existence, a piece of lint on my housecoat, the glint of a straight pin on the carpet by my chair — and how would such a thing get there if not through me, and I have no use for straight pins, a puzzle to occupy some moments — how should I then have attention for those others? I am careful not to see them. I want to know nothing about them. I take special care in my own half-room never to glance beyond my bed, never to acknowledge the mutters and rustlings from the other bed, never to meet eyes. If it were possible, I would roll my eyes inward and stare only at myself.

When I am to be dressed, someone does it for me. They get me up and seat me; sometimes even brush my teeth. I would have my food, too, spooned into me except that that would make a contact, it would be difficult to avoid the eyes and too much trouble, and so I feed myself. I wait, though, until the meat has been cut for me. Otherwise I would have to take it in my hands to gnaw, for I cannot imagine myself carving it up.

On the good days, it can be restful. On the bad days, it does not matter how still I try to be: the heartbeat is fierce, the sweat pours, the trembling begins. I don't quite know where it comes from, but I can always feel it waiting. Which is why I have to consider so carefully the lint on the house-coat, the pin in the carpet, why the back must be straight and the ankles crossed just so, why this notebook must be set squarely on the lap and the handwriting school-taught and correct. I do not permit erasures, no blots or irregularities are allowed.

I am afraid. I am afraid of changes and things that are not precise. I make vast efforts at perfection, because I fear what may come of flaws. Disaster waits for mistakes. I want everything to be right. There are places for all things, and proper ways of thinking about them. There must be order in salvation. But it's so hard; it is not easy to maintain precision and perfection. It is a constant labour, and it is necessary always to be on guard. The long fall, a great chasm, waits for a tiny slip.

2

I DON'T SEE HIM WHOLE, only bits and pieces. And of those bits and pieces, his hands most clearly. I cannot imagine having married a different shape of hands. Never the short, squat, broad, fur-knuckled kind that one pictures oily from, say, engine parts, crude and threatening. Not that Harry's hands lacked power, but it was of another sort. Long slender fingers, deft and agile, never clumsy, attached to the fine bones of his hand, tanned flesh over blue veins, colours that blend delicately and well. And ending at the wrists, the prominent, sticking-out bones of the wrists, a dusting of pale hair. Discreet hands. Protecting and capable hands. Hands that knew and saw and did. Hands that would know me and take care. Hands that, put to other uses, would provide for us. It seemed to me that what was in his mind flowed into them, and they expressed his knowledge. They were the instruments of who he was. And of who we were, too.

Sometimes in the evenings I picked them up, just to gaze. Simply look. Wonder at their lines, which deepened, and their length and grace, at what they did in the hours that I did not see, at their authority and sureness. Harry lay in his hands for me.

(But the other places his hands went, that I did not know. Betraying hands.)

My own hands I look at with some astonishment. They are small and somewhat plump, pale, not stretched or taut like his. These hands, which have done so many small things and one large, great thing. A mystery, the history of these hands.

They have washed so many dishes and pushed a vacuum cleaner so many times. They have wiped so many cloths over so many windows, and their fingernails have scratched at so many small stains. They have scrubbed vegetables and peeled them, and they have carried hot things from the stove to the counter to the table. They have picked flowers from the garden, and tins from grocery shelves. They have stitched torn seams and pressed irons over crumpled cloth. They have lifted pillows to make them plump again, and heavy bags of groceries. They have turned pages and mattresses. I know they must be strong, but they are also docile, dutiful. They have almost always done what they were supposed to.

All those little things these hands did, I know each task wasn't so important. But I thought that taken together they must be. I thought they would protect us, build a perfect wall. Pictures I have seen of old cities: built inside great high impenetrable walls, so that no enemies could invade, and the citizens inside could go about their lives without the burden of fear. The walls that made them safe, as long as they stayed inside.

Outside the walls, of course, where the men went, danger. Wild animals, wild enemies, leaping to claw and kill. But then safe again inside, the letting out of breath, the loosening of tense muscles, the putting up of feet. Those walls, impractical in our day, could be recreated, the sense of them, in clean floors and dishes and well-cooked meals and vacuumed carpets, gleaming windows. Or so my hands believed.

So his hands went out and mine stayed in, and together, only four hands necessary for this, two of his, two of mine, we played ring-around-a-rosy in a closed circle, just the two of us.

(Except that one of his hands was busy elsewhere, and we had only three.)

It should have worked. There was a flaw there somewhere, but I can't tell what it was.

Maybe that my hands, for all I tried, did not go far enough. Things must be kept in order. A single small thing out of order must throw the whole structure faintly off its balance, and these things pile up.

If I see a pin on this floor, for instance, and fail to pick it up, what then? The next day, or the next hour, suddenly there is another pin, perhaps some fluff fallen from the blanket, God knows what else. If again I fail to pick up these things, more gather, and more, and they grow and grow until there is too much to pick up, and I am trapped in them. The thing must be to learn that when the pin is spotted, right then it must be taken and put in a place.

My failure before must surely have been in not going far enough. I took care of what I thought was small enough, but it was not. The chairs sat in the right places, the tables were dusted and polished, the drapes hung as they should, and behind them the hidden windowsills were wiped and white. There were no secret dirty places.

And still that wasn't enough. I was wrong to think the details could get no tinier. There must have been pins in the carpet that I did not see, and bits of lint on my dresses. There must have been a small stain on one of his ties that became blood.

My mother, unlikely for her, gave me wise advice. "Keep on top of things," she said, "never let them get ahead of you, it just makes extra work eventually." That made sense, and confirmed my instinct. But she did not warn me how far I would have to go. Did she not know? If she did not know, surely all the tiny unseen things would have had to rise together to trap her finally too? But they did not, apparently. Or did she know? If she did, it was unfair not to tell me. Her warnings did not go far enough.

All these tiny things. It is necessary, then, to live with the head down, watching?

So it would seem. And if I'd realized, I would have been quite happy to comply. I wanted badly to do the right thing. I wanted so badly to be good.

His hands did much broader jobs than mine. In his office, I imagine, they moved swiftly and competently over sheets of paper, his strong, dark, large, powerful handwriting scratching out his commands. So assured, those hands; knowing what must be done, doing it.

Hands gripped at home to the handles of the lawn mower; holding firm the vibrations of the roto-tiller as he prepared for flowers; wrapped sternly around the slippery green of plastic garbage bags; turning the pages of newspapers with a crackle, quick and precise, so that they folded as they ought, no fumbling or shuffling. Hands deftly manipulating corkscrews, opening wine bottles swiftly, cleanly, all these things done naturally, without great effort or concentration, part of his hands' skills.

Graceful hands that rolled paint in broad strokes and did not tremble around window edges. Hands that applauded for special meals, a smiling mouth above, appreciating my work with generosity.

(But I do not want to see his mouth. Or his eyes. Nothing more than his hands, which should say everything. But do not, any more.)

The hands, they do not change in memory. The rest much altered.

Hands (this is hard) that held my shoulders so that I was straight; and that folded themselves around my back so that I was safe. Hands that touched freely places in me hidden to every other person, hands I trusted to do that.

Oh, the lying hands. That they could do so many things so well and never tell. "Let not your right hand know what your left hand is doing," the Bible says, more or less. And I was Harry's right hand. He even told me that. He said, "I don't know what I'd do without you. I don't know what I might have been. You are my right hand." Also, at various times, his heart and his support. I could only show love; he could tell it, too, that was a power he had, dim lights and darkness, strong hands and whispered words. If I'd had words, what could I have said? Enough to hold his hands, to hold the circle closed and tight? But in my labour in the small things, surely my devotion spoke?

He said, "You take such good care of me." I know he was busy; people told me how hard he worked, how efficiently, how well, they said he was spectacular and tough. His promotions were a sign. He came home tense and vivid, and we shared a drink before dinner, and he looked around our perfect living room, all shined and cleaned and plumped and neat, and said, "God, it's good to be home." He made a second drink and read his newspaper. We had dinner. I wanted perfect textures in the food, and perfect colours. He noticed and said, "It's so pretty I hate to eat it." I did more than cook and serve, much more. I arranged. I was an artist. I created his home. I sketched each moment of the day with care, so that the portrait of his desires was precise when he arrived.

And his hands went around me.

I thought there were no spaces through which any of our care could dart or seep away, but some hole must have come uncovered, there was a leak.

Oh, that is some lesson. Hands or walls, not to be given faith. A hole will develop somewhere in a wall, and a searching, tempted hand poke through. With mere curiosity? Whatever. Hands lie, words lie. A little lie is like a little silver pin, it too adds up and expands.

But I believed. My faith was real, no lie.

Harry, though — his hands did not move independently of him. Oh no, he knew what his hands were up to.

Did he look at them sometimes and wonder at what they were capable of? I look at mine that way sometimes. They seem so innocent and placid now; difficult to believe what they have done. Yes, I can see Harry looking at his and feeling that way sometimes too.

3

DOES THIS MEAN I THOUGHT IT OUT and knew what I was doing? I'd like to think so, but it's past lies now. It turns out I spent twenty years unwittingly. Who taught me what to do, so that I thought it was my own idea?

And then I did a lifetime's thinking in a mere twelve hours, almost precisely twelve hours. The time between the phone call from that woman — what was her name, Dottie something? — and Harry coming home. An abrupt change of gears, a wrenching out of order in my life.

And Harry coming home. And a single clarifying moment.

I was upstairs vacuuming; twice a week I did each room. I have read of ground-in dirt, deep in carpet fibres, causing rot. Heard the phone, shut off the vacuum to be sure, dropped it, ran down the stairs, fit, quite fit for running, work and exercise have kept the body firm, to catch the fourth, maybe the fifth ring.

"Edna?" Not an unfamiliar voice, but also not one that could be placed exactly. "It's Dottie. Dottie Franklin." Yes, that's her name. What kind of person can she be?

"Are you busy? Have I called at a bad time?" She was just the wife, known casually, socially, of a man with whom Harry worked, whom Harry had beaten for the most recent promotion. She never called. Drinking? Perhaps; some lonely women did. Not I. I had no reason.

"Edna, this is difficult." Not drunk; tension, not liquor, in the voice.

"It's something Jack saw this morning on his way to work. Just by accident because our car wouldn't go and he had to get a ride with some man at the garage and the guy took a different route."

So?

I saw my knuckles, holding the receiver, turn white. I felt my body tighten and my mind turn cold. Ice in my warm and perfect home.

"It was only eight o'clock in the morning. There couldn't be any other explanation. I'm sorry, Edna, but I thought you ought to know. It's only fair."

Fair? What the hell is fair? Is knowledge more fair than faith? More valuable? Oh, God would have done better to make me Eve than the Eve He made. I would not have chosen knowledge over peace.

I don't think I would have.

Once knowing, there is no going back.

"What can I say, Edna? Forgive me, I had to let you know."

The wallpaper in the living room was fairly new. Gold-flecked white. Elegant, I thought, for just one wall. I'd done it in a day, and when Harry came home he put an arm around me and said, "Lovely. Just right. I was afraid it would be too pale but you knew best, as usual." He did not say that resentfully, but with pride in my judgment and taste. In my home I did not make mistakes, and he would have been surprised, no doubt, if the wallpaper had not been right.

So. The wallpaper before me, the carpet beneath my feet clean, the pillows around me on the couch all pure. The gold flecks danced in the wallpaper.

My house was always quiet. Any sounds in the day were only mine, and I liked that. But this was a different stillness, a different sort of waiting.

It seemed to me that I had never moved, could never have; that I had only ever waited. And that there was just this motionless instant, only this; the ends of my life snapped off, leaving this moment of waiting in the centre.

Broken again at one point by the telephone. Answered

without taking my eyes from the gold-flecked whiteness of the wall, the point that rooted, the point without which I might topple, slide, lose balance irrevocably. Groped for the receiver.

"Edna?" Harry, of course. His dear, familiar voice, warm along the line. But so distant. Like going deaf, a faint tinkling of burning words. "Listen, I'm sorry but I'm going to have to work late again. This job is driving me crazy, there's a lot more to it than I thought. Do you mind? I should make it by midnight anyway. I'm sorry, there's nothing I can do about it."

No, maybe not.

Twelve hours I had between that woman's call and the moment Harry appeared. I heard his car, his key, his steps, running water in the bathroom, the flushing of the toilet, more footsteps from above, a calling, shouting, quick movement down the stairs; steps to the kitchen, then into the living room where I sat, holding on to my vision's place in that wall of gold-flecked white. Saw his handsome, well-known, well-loved face before me, coming between me and the wall. And as I had thought, a toppling, dizziness, no balance.

Later I watched the clock on the kitchen wall, white, shaped like a daisy, with a yellow centre and yellow hands, and the yellow hand that showed the seconds went around and around so slowly, slowly, time all finished in twelve hours and then an instant. Two-eighteen in the morning. Two-nineteen, two-twenty. Over by then. The twelve hours and the moment, done.

I did not look. I never saw the result.

4

THE MAN WHO COMES SOMETIMES to my room, to whose office I am sometimes led, the doctor, his hands are much like Harry's. I find myself staring at them, and once he said, "You seem interested in my hands. Is there something about them?"

Yes, there is. But I do not tell him. I guard my thoughts. I am forty-three years old, and I have had, it appears, only twelve hours' worth of thoughts, so I have to cherish them. I do not have so many that some can be given away.

Nor do I want any of them to slip my mind, which is one reason I take such care to write them down. The man, this doctor, says, "Edna, what do you write? Will you show me the notebook?" No, of course I will not do that. He tried, one day, to make me; reached out to stop my pen, so that a blue slash cut across all my careful neatness, but I put a stop to that: the pen turned in my hand, wrist as quick as a baton-twirler's, and my hand went up, pen aimed at him like — some other thing — and he fell back, gave in, said, "Don't be upset, go ahead, it's all right."

This notebook, it is a lot like that gold-flecked wallpaper: it helps me keep my balance. It also keeps at a distance all the other things that are going on, that have already gone on. I desire that distance, appreciate the gaps between what all this is, what was, and me. I may have been blind, naïve, but I am not now.

The doctor, he talks on and on and I know he thinks he is going to reach me. This blue notebook is my weapon against that. Past pain and present pain are neatly filed in here, and that is what it's for. I am coming to the end of the first notebook and soon will ask for a second. How many will there be? How many years can I live?

With the doctor I am a stenographer, noting carefully his words. But without shorthand, in my own neat script, hurrying to keep up and struggling still for tidiness. This is not easy, but it is easier than other things.

He tells me about his wife and his two children, and about his house. I see that he is trying to draw me out. He wants to make me share my life by sharing his. But his words fall into the well of my notebook like stones, and they just lie there, flat.

He asks me questions. "How are you feeling today? Are you comfortable? Is everybody treating you all right? Are you happy with the meals?"

I write down his questions.

He asks so many. Sometimes he tries to make me use the notebook for his purpose, and says, "Write me a story about your house. Or draw me a picture. Tell me what it looked like. Was it big? What colour was it? Show me how the rooms were laid out. Was there a garage? Did it hold one car or two? What colour was the kitchen? Did you make your own curtains? Was the basement finished? Did Harry do work in the basement? Where did you watch television? Did you watch much television? What sort of programs did you like? How many phones did you have? Did you keep your cookbooks on the kitchen counter, or did you have a special shelf for them? How many bedrooms were there? Did you and Harry share one? Did you have twin beds or a big one? Did you and Harry sleep together in the same bed? Did you like to be in bed? What colour were your sheets?"

I tell him nothing. Not even the colour of the sheets. It's not his business. I like the sound of my pen scratching across the page. Sometimes I hear it so clearly it almost drowns out his voice, with his endless questions.

Still, here they are, all written down.

Yes, our house was quite big; foolishly big for just the

two of us, although it was early when we bought it, and we thought there might be more. Three bedrooms, two bathrooms, an enormous basement for laundry, storage, furnace, Harry's hobbies, if he had had any — a gaping dark space beneath us. And on the main floor, brightness and big rooms, stairways to the up and down, a gleaming, a shining, and pastels on the walls. Lightness and solidity. A magazine could have come and taken photographs and would have called it typical, but it was more to me: the place, haven, where our lives were led, disregarding Harry's life outside. Should I not have seen how much of his was beyond that small and narrow space? That for all its size, it in no way contained him? It contained me, and I could not imagine, although he told me so much, that truly he existed when he left the house. He went out in the morning and came back at night, and all that was a mystery, while I prepared for his return.

I might have known, for he talked about his days, of deals and negotiations, labyrinthine relationships of office politics and promotions. He said, "Damn, Edna, I love to win," and he would be flushed and trembling with his passion. And me, I thought (how stupidly) that that could not really be his passion; that truly it must be in our home. I could not imagine any other passion but my own.

I listened and encouraged, but I did not hear. There are two faults of mine: that protective deafness, that failure of imagination.

I ramble, and that's dangerous.

Yes, there was a garage attached to our house. Room for a single car. I have not learned to drive. I walked to the convenience store nearby, took taxis downtown when I was to meet Harry for an evening out, and for the rest he drove me, in the evenings or on the weekends, when there were errands to be done. He did not seem to mind. I liked those times when we were together doing the small things that were necessary; so that our household was more firmly ours and he had something to do with it. I could sit beside him in the car and watch him, his profile alert to other drivers, other cars, watching for spaces in the plazas, handling so easily, as he did so many things, the steering wheel, casually one-handed, the other hooked to the chrome ledge above the window, flicking turn signals. My confident, capable husband. Saturday expeditions for food, paint, even merely lightbulbs, an outing, and I could sit beside him in our closed steel car and wonder at his ease, catch my breath at his daring, his risks with the body of the car and our own bodies as he nipped in and out of narrow spaces, cursing but not disliking the chores by any means: relishing the challenge of defeating another driver, racing, beating him to a small goal, the entrance to a mall, a parking spot in front of a store, his weekend challenges. A restless, pacing man; he wanted to be active, doing, and so I did not feel it was a burden that he had to drive me to these places.

Difficult, however, in a store, where he was impatient, did not care for careful choosing, wanting to be done and on to the next thing. While I, humming to the piped music, dazzled by fluorescent lights and people, crowds, could happily drift among the aisles picking, comparing, discarding, watching.

Harry used to say, "Christ, do we really spend all this on food?" Well yes, we spent a great deal on food. It's neither inexpensive nor simple to buy for meals that don't just taste good in the ordinary way, but are also beautiful to look at. Broccoli must be a certain green, and firm, and roasts must have a particular amount of fat marbled through. You have to examine closely to make sure there are no grey edges. You have to squeeze lettuce and hold fruits, heft them, close your eyes to feel the texture of their interior, and even smell them. Some cheeses are for sauces, others for snacks, and for each purpose age, consistency, and colour must be considered. This is a skill, judging the quality of food and its beauty, making plans that foresee its end, how its parts will contrast and blend on the plate and lead properly to dessert. No conflicting colours or tastes. Against all this, price was no consideration. We were not poor, there was no necessity to pick and choose that way. And, in any case, on these shopping days Harry would be off down another aisle, feet tapping, amusing himself by examining content lists on cereals and cookies, always ready to be moving on. I worked my way along with care and what speed was possible. Aware of his impatience. If I was so alert to his impatience, why not to other things? In twenty years, in even a single year, I thought I could feel each of his moods and irritations. And yet missed the vital one. How could that have been?

Home again, on a weekend afternoon, unloading the car, doors hanging open while we did so, waiting while he journeyed up the stone walk edged with borders of chrysanthemums and shrubs, into our pale yellow house, our pale yellow kitchen, where I put away the things we bought as Harry carried them in.

In daylight, I think, we were both restless, active. But he from an excess of energy, a twitching in the fingers, eager to be doing; I because accustomed to things having to be done, completed, by the time dark came. Difficult to break the compulsions of the week when the week was finished.

But in darkness both of us more placid, more satisfied, things finished, so that we could settle with wine and dinner, an evening reading, watching television, curled together on the couch, which was best, or settled separately to our own amusements, which was not my choice. I did know things, however: from magazines learned that some privacy must be granted, one must not cling. Hard to follow that advice. I would have liked to curl my arms around his neck and hang from it, but did not dare; instead sat watching him; myself reading, or watching television, but still glancing at him often. How were we together? How did he find me and why did he choose me? Oh, I owed him everything. My life, I owed to Harry.

Did he owe me anything? Whatever, he paid.

How remote those days seem now. How wonderful and

cherishable eventlessness is. It is most precious, living without drama, with certainty. I remember and it is so far away, detached and foreign, that it is like watching another person's life, and I am filled with wonder at all that was once possible. I wish I had known and appreciated. I did appreciate, but not enough and not in the proper ways. I would give much, now, for a day, a week, a month, a year, a life, in which nothing of great importance happens. I would know how to relish its safety properly.

What would I do with Harry, if I could have all that again?

No, I did not sew any of our curtains. When we bought that house, I wanted everything to be just right, and so ordered drapes and curtains, men coming to measure and install, hanging them precisely, the exact shades and nuances for each room, bright cheerful yellow for the kitchen, golden for the living room, heavy material shielding rooms from watchers, sheers beneath for filtering out bright light; upstairs in the bedrooms, more matching — blue in the bedroom of Harry and myself, same as the carpet, the walls, a perfect womb. White-shaded lamps on dark wood bedside tables, dark wood bed, dark wood dresser, and all the rest blue. I can see Harry, propped up on the pillows, gold-rimmed glasses slipping on his nose (this in the later years, eyes a little weakened, bifocals required and his anxiety about that, the concern behind the joke: "Oh Edna, you're married to an old man now"), reading reports from the office, books. He was not one for novels, although I was. He said, "I haven't time. There's too much going on that's real." He liked biographies of successful men, and business reports. I preferred the gentler fiction. I thought, "I'm sure there's as much truth, as much that's real," but had nothing to compare it with, no way to say if that was accurate. Maybe he was right and my books were false and fairy tales. They did seem hopeful, showed possibilities of happy endings, and maybe it was wrong of me to believe in them.

I am sad and puzzled by things misinterpreted, misunderstood, unseen, and missed.

Because I was so sure. How could I have been so sure, and so wrong? Was I so very wrong? Is it not possible that most of it was true and only one thing not? But if so, could that one thing ever have existed? I do not understand.

Magazines, and I have read so many, plucked from supermarket shelves in check-out lines, insist on the complexity of men. They counsel patience. I was a patient woman, I believe; but now see that that was largely my own nature and had little to do with Harry.

What good is it to know these things now?

I cannot say. But I keep busy, I write on.

Yes, Harry and I shared a bed, double-sized. The sheets were blue, the beautiful intricate quilted family gift, the only beautiful thing that ever came from my parents' home, spread over them. I cannot think of that.

I feel here as if I do not really exist. The way it used to be on evenings when Harry could not get home (would not get home) and I was alone and watching, maybe, television. I liked my days alone, so much to do. But in the evenings, in the dark, it was different, lonely. It seemed to me abnormal, freakish, to be alone at night — unwanted. It brought back too many fears.

Television, that was some company. Not so much the programs, but the idea that these were people acting. And what was behind it? A strained comic, the father, maybe, of a crippled child? The husband of a faithless wife? These were the things that interested me.

But if I thought of hidden things on television, why not in my home? The drama less apparent. Not obvious at all that this also was not real, and that there were also hidden things.

Here, in this dry place that is not my home, the unreal is what there is. It makes me feel as if I'm floating off somewhere and might float off forever, without this anchor of my body to the chair, my ankles neatly crossed, the notebook precisely in my lap, the pen moving neatly across the pages, following the lines.

This cannot be what is happening. But it is.

I would give anything to go back. To undo and do again. I am blinded by knowing it is not possible. It should be possible. I would be so much better, knowing what I know. I would be perfect. If I were perfect (I thought I was, but now perceive the cracks), would he not be also? And then all of this unnecessary. Unreal, impossible.

5

I SEE MY FACE, my body, in the mirror. In the morning, I need merely sit up straight in bed to see me staring back.

And other starings, too. This face is forty-three years old, and there are many more faces than just this one. There is a child, a young girl, an adolescent, and all the ages of the married woman. Each has contributed to the face I see now, much the way you see on TV shows, a police composite of a suspect added to with sheets of plastic, each lined with different features. It builds up that way, the face you get.

I have spent hours looking into mirrors; and yet I don't know if I would recognize myself, if I met me in the hall or on a street. The way I now see Harry, maybe: fragmented, bits here and there. I know that my nose is slightly too large. My mouth, which I'm sure was once a little fuller, is now pulled somewhat tight. Blue eyes; nothing much to be said for or against them; they're normal-sized and no extraordinary colour and a normal distance from each other. Nothing is grotesque about me, nothing is unusual, and I suppose that's the effect I've tried for with all the time and money and effort I've invested in it. I wanted to stay young and firm, I thought, for Harry; but maybe for myself as well? I cared for him the best ways I knew how, and I kept myself trim and attractive. Or not unattractive. Oh, I read the magazines, I knew what was required.

But did I not have my own fear of aging? Was it just to do with Harry? I peered into mirrors and saw the tense tracings of new lines around the eyes, the mouth, and had despairing visions of a loosening throat and saggings.

I fought with exercises every day, stretching muscles and flattening belly, tightening thighs; tap-tapping at my chin with the back of my hand a hundred times a day, fending off extra flesh. I had coffee for breakfast and a small salad for lunch, and shared the dinner I made for Harry. As if I were a race horse, I groomed and trained myself.

When I washed my face, or massaged it with creams and lotions, I did so with upward motions, never down, a consciousness and then a habit of encouraging skin to reach up, not down.

Nor have I done badly. There are those lines and a few grey hairs sprouting amid the brown. I have never weighed more than a hundred and fifteen pounds, and suspect I may be smaller now. I do not have spreading hips or drooping thighs. "Lovely ass," Harry used to say, passing by and patting me. I could still wear shorts in the summer.

I found my first grey hair before I was thirty, and was a little stunned to see the change beginning. But really, it hasn't gotten much worse.

My breasts are still quite firm, despite a few small tension marks up where they begin. My belly is a little fleshy, no longer quite flat, but then, I would think that might even be a bit attractive: warm, a small pillow which might seem a place to rest.

There are freckles, but not unsightly, on my arms. On the back of my left arm, above the elbow, there's a small and harmless mole. If I were found dead on a street with no papers in my purse, they would have trouble, I think, identifying me by marks on the body. They would have to look for dental records, and even there, only some anonymous fillings.

I can see creases in my skin, around my waist, behind my knees, and despite all my efforts, little flesh-drawings around my throat. If I look closely I can examine the pores of my calves from which hairs sprout. They do not, of course, give me the use of a razor, but an aide comes along to shave the hair occasionally. She does it quickly, but doesn't tear the skin. "My, Mrs. Cormick, you have shapely legs," she says. She is quite young; no doubt that's why she sounds surprised.

How old was she? I paid so little attention. Maybe twenty-six or twenty-seven? Not even beautiful. If she were beautiful, or important, I might have noticed, might have seen that she had gifts that I did not. But there seemed nothing remarkable about her.

Was that his taste, then?

I can see a strain about the body and the face in the mirror, but that is understandable.

But shouldn't there be something more in a face that's almost forty-four? Should I not at least be able to see it clearly? Where are its powers? I don't mean lines, anyone can have lines. I mean a sharpness, clarity. There should be something that says, "I have lived forty-three years, I have existed." The mirror should have something to say.

Instead I feel small and obscure, like a vase, or a photograph on the wall, and my face seems white and infirm, too soft, unnatural, like a kind of cool putty.

There are three lines crossing my forehead, fairly deep ones, no way to ever massage them away; and there are two other deep ones alongside my mouth, one on each side. Around my eyes there's a little darkness, a brown-grey tinge that makes me look like one of those Arab women who seek that shade for emphasis, or mystery. I feel, peering, like an old watercolour and expect to see cracks like dried paint break across my face.

6

WHEN I WAS A LITTLE GIRL, I had a full-length mirror in my bedroom. Evenings, when I was supposed to be in bed, I posed before it; practised walking, prancing, standing hand on hip, tilted backward, mimicking advertisements in my mother's magazines, those models selling dresses and cosmetics.

"Am I pretty?" I wondered. "How pretty am I?" I couldn't tell. Even then, I failed to quite see myself.

Strange, because I could certainly tell about others. People on the street, one knew at a glance whether they were pretty or not. My little sister Stella, born three years after me, anyone could see that she was. People said to my parents, "What lovely little girls," but perhaps they were taking an average? Balancing beautiful Stella against plain Edna and coming up with a comprehensive lovely? How could I tell if this was what was happening?

My hair grew long, my mother cut it short, it grew again, it fluffed and bristled with childhood permanents or hung lank. I had bangs, let them grow out, and had them recut — and at each change I peered into the mirror, wondering at the differences, wondering if they made enough difference. "Am I pretty?"

I suppose not. Surely anyone who is can tell. They can look and see perfect features and know, it must be as obvious as seeing that one is ugly. I was sure that if I were ugly, I would know that, also, at a glance. Therefore, somewhere in the middle: disappointed to be not lovely, but relieved also to be not ugly.

Anything striking about me, then, would have to be manufactured. But that risks garishness and foolishness.

Even now I would like to think these things don't matter. It would be nice to think that one is assessed for virtues only. But not even the teachers liked the fat boys, and no one wanted to be seen with the girl with the glasses, poor clothes, the dark and greasy cast of skin. Certainly I did not want to be seen with her; one would be afraid of being viewed as her reflection.

No, a good appearance was essential, the first thing people saw and how they judged. It was obvious that it determined, was first cause, of how a life would go. It might be a mask for some other truth beneath the flesh, but people did not look for truth that way. Even a child knew that. Even the child Edna knew that a display of fear or pain would mar the surface.

And there were other things even a child would know. The proper pattern of a life, how it should be led, this knowledge was absorbed. One was a girl and so inevitably would become a woman and the way to be followed was well laid out and obvious. To wander off was failure. I considered my mother a failure in this way, a mutant of a woman. An embarrassment.

Before we were married, Harry tried and tried to make me talk. He'd say, "I'm not going to say a word, Edna. I'm just going to sit here until you say something." Or he'd ask me questions about myself.

When I met him, I could barely speak.

He said, "Tell me about your family, Edna." This was before he met them.

What I thought was that they were entirely the wrong way about. Why did my mother buy those magazines, when she obviously had no intention of following their advice?

The magazines and books, the world itself outside our own, showed clearly that the real and normal system was the reverse of the one in our home. My parents unaccountable aberrations.

I see my mother. The last time I saw her, some months ago now, I guess, she was a bit stooped, but still angular and hard. As a child I stood below her and looked up her long plank of a body and knew that in a contact with her I would be hurt. Even a hug when I was small and soft and she was tall and hard was dangerous.

She made my father smoke outdoors and would not let him drink. He went out to the porch or the backyard to smoke his pipe. I don't know where he went to drink, but sometimes he came home silly, and she would slam plates and doors.

But I thought, "Well, why shouldn't he? Why shouldn't he be able to do what he wants?" He was so quiet most of the time, except when he was silly. He worked in a hardware store and handed her his pay each week. She gave him back a little for his spending.

He couldn't have known before they were married. So she must have betrayed him during their courtship with some other face, a lie.

"Sit up straight," she said to me. (To Stella, too, no doubt.) "Don't get dirty." "Clean up your plate."

I never heard them quarrel, and I also never saw them kiss. It was strange, with Harry, to have him so different; he liked his hands to be touching something.

My mother's dresses hung awkwardly. She took long strides. She wore my father's rubber boots outside to hang the wash.

And yet. I admit they grew to fit, whether they started that way or not. Who else, as they turned out to be, could either of them have lived with? And maybe she would have liked sometimes to wear pretty dresses and dainty shoes, to say, "Dear, your supper's ready," or "How nice, you got a raise, you must be doing well." Maybe she would have liked it if he'd managed something. It was sad, her bitterness and his defeat.

It was also an example. I set myself to be quite different. I paid attention to the magazines and not my mother, and pledged that when I married (however that would come about; but it had to), I would cherish the state properly.

And so I did. And now I don't know how things ought to work, I really don't.

She must have done something truly strange to make my father so invisible. I imagined her burned as a witch for her skill at transformations. What else might she do?

So I hid my own face from her, for fear that if she saw it, if I displayed a need, she might make me disappear as well. It was a good deal safer to be silent and off to one side. When I fell down outside and skinned my knees, I stopped the blood with leaves and had a quiet, private weep. I did not go crying to her to have her kiss it better. (But such an exaggerating child I must have been, because of course she would have comforted me, she was not so unnatural.)

Then I saw her sometimes with her friends, who would come for tea in the afternoon when my father was at work, and she was somewhat different: smiled and talked and crossed her legs comfortably and let her shoulders down a little; was this the face she'd used to win my father?

I thought about her quite a lot in those days, and understood my own intentions.

This is not her fault, though, what has happened and where I am. It's just that that was such a tiny world, our house and that small town. Only the magazines brought news of the outside and I devoured them for clues.

Such a relief and a revelation Harry was, a man who spoke, apparently, all his thoughts, even bits of meanness, so that of course I believed he was a truthful man and showed me everything. The only person I could take at what they call face value. I loved him for that, although I would have loved him anyway, for giving me a life.

It was my mother who said I had to go to university; my father merely acquiesced. "You're smart enough, Edna," she said, and it was true my marks were good, or good enough, better than Stella's, at any rate. I was never stupid that way. "You can make something of yourself."

I heard the bitterness in her voice, but then, I often heard bitterness in her voice and didn't pay attention.

I don't even know if she liked me or loved me. She did seem to want things from me, though.

However did they manage to have Stella and me? Especially the unaccountable Stella, who seemed to belong to another family entirely?

Stella, who cried so hard both of them went to her, who shouted and defied and tossed her head and went freely, not caring, out the door when she wanted to. She bowled them over with the volume of her demands.

I mean only that we were quite different, not that I disliked my sister.

They were my family. When I went away, I expect I missed them. Among all the strangers in the world, they knew me best.

They haven't come to see me here, nor have they written. Do they hate me now, do I frighten them, or are they just not allowed to come or write?

They must be terribly bewildered and ashamed, I imagine. More than anybody else, except of course for Harry's parents, they must wonder why.

They must all have wept, and mourned for one thing or another.

"Dear Edna," my mother-in-law once said to me, patting my shoulder, "you're so good for Harry."

7

I EVEN PRACTISED KISSING with that full-length mirror in my bedroom: long, passionate twistings of lips against cool, smooth glass. Trying to see how it might be.

I thought, "Some day, this is really going to happen," but couldn't imagine. He was tall and dark but had no face.

I progressed to embraces with my pillow, more responsive. Practising again: one would hate, when the time came, to be clumsy or not know how.

But was it possible the mirror and the pillow would be all there ever was?

No, this could not be possible, however unimaginable it might be, getting there from here.

I experimented with lipstick and mascara, rouge and powder. I checked the growth of my breasts, wanting them large enough to mould desirability beneath blouses and sweaters, but not so large as to be vulgar. At a certain point, they stopped growing and I was pleased.

It was all so *difficult*. I watched amazed as Stella, three years after me, moved so gracefully, easily, into all the places that caused me pain.

Standing by a wall in the high school auditorium, waiting to be asked to dance, waiting and waiting. Watching the others, wondering how it worked. I really thought (I still think) they knew some secret, those people with their shining skin and laughter, their swinging hair and flinging arms, their shuffling, leaping feet. There was some secret that they all knew and that nobody had told me and that nobody would ever tell me. And it showed, that I didn't know.

I smiled and smiled. My face hurt with the smiling. A

band of boys, classmates, but they looked different up there on the stage, playing Presley: "Don't Step on My Blue Suede Shoes." I moved my body to the rhythm and tapped my feet and kept on smiling, but that was not the secret. Those others, agile on the dance floor, did not step on each other's shoes (not blue suede but white pumps, or saddle shoes with white ankle socks). When the music turned slow, girls laid their heads on boys' shoulders and something steamy seemed to rise from the floor.

I couldn't help watching.

Home, I turned again to my pillow. If I were part of two, I understood, I would be inside and able to look out, instead of the reverse. Being held, that must be something.

I kissed the pillow. "Good night, dear," I whispered. "Sleep well."

Ah, Harry was so beautiful. He saved my life.

I never told him that. It would have terrified him.

He used to say, "Edna, loosen up. Nobody's going to bite." Not true. I never had faith that someone wouldn't, gleaming teeth lurching from the crowd, gripping my too-free wrist.

And I was right, after all. Even the most-loved people slash like animals under certain circumstances.

I thought, "Maybe if I watch carefully, I'll see what the secret is." This involved not being watched myself. I preferred in any case to go unnoticed, until I could work it out. Because if people were looking, might I not make them laugh by doing something awkward or foolish? A pimple on my chin would blaze at them if they were looking, whereas if they were not, it would go quietly away. If I stumbled or lost the trail of a sentence when I spoke, was it not better if no one was listening?

Certainly it was better to hold my hands at my sides than to reach out and risk a blow.

It is very peculiar to have done so much in the interests of safety and wind up in this position.

And then, along behind me came Stella. Pretty, assured,

gay, and laughing Stella. Oh, weeping and rebellious Stella, too, but so what? It was all simple for her.

However did she manage to become a Stella in that house? That dark, sad house where even the smells were damp and heavy; that house where despair and grimness and disappointment and impatience warred to become the theme of each day. Where the couch and chairs were dark brown, nubbly and cheap, and the curtains were heavy and lined, and all the wood was painted over and as brown as the furniture. Where wallpaper had light colours but heavy designs, great green flowers and ferns slammed onto white so that it was a wonder they stayed up; so cumbersome one might expect to get up one morning and find a heap of paper greenery tumbled on the floor.

We were not so poor. It was not as ugly as my memory conjures it. It was the atmosphere that darkened it, more than wood and walls, the atmosphere that was damp and heavy and sucked away my courage and any words I might have had. I was inclined to creep about it quietly, like a frightened bug.

But Stella came out of the same house. How does one account for that?

How does she remember the house where we grew up?

I watched with amazement the ease with which she met people, the ease with which she found words to fill hours on the telephone, the ease with which her hair fell bouncing into place. Boys knocked shyly on the door and she flung away with them into the bright night on her dates, with just a happy "Good-bye, see you later." I listened to the radio with my parents.

Whatever the secret was, she knew it.

My parents never said, "Look at Stella, how popular she is, why aren't you?" They didn't have to say that: we all knew, spending our evenings silently and helplessly together. I lay on the couch with my eyes closed and the radio delivered music and stories. I breathed evenly and did not move, but in my head I sang songs with the bands and whirled around polished dance floors with some dark and handsome man. I was the singer and the dancer and the heroine of all the stories. With my eyes closed, I could vanish.

I wore long red silk dresses and flowers in my hair, and was much older than I was. But beautiful. Or was a torch singer in a dress of simple black, a spotlight shining on me and all the rest in darkness. I held my hand to my heart in a play and said, "Oh yes, I love you, of course I'll marry you." Men wanted my attention and thrust roses at me on the stage. My voice was a miracle, my body filled with grace. I was warm and charming and knew what to say. I was praised and perfect and lovely. And was aware, although it was not evident on the stage, that in my own bright home was a handsome man who loved me and was waiting for me with a glass of wine and long, embracing arms.

Oh, it was a perfect life, with everything. My own days were, in contrast, drab and there were times when I could hardly wait for evening and for Stella to leave (although if I'd been asked, I would have dashed out just like her, off to parties and dances and movies, of course I would have) and for my parents to settle and turn on the radio, to rejoin that perfect life in which people looked at me with such admiration and I was a gifted, lovely, much-loved woman. And said such things with my body and my voice, all the things that otherwise would go unsaid.

And then my father would stretch and yawn, the joints of his jaws and fingers cracking, and that world slammed shut and no matter if I was in the midst of a song there, or if the dance wasn't finished yet: back I was tossed into that small dark room where I lay still and silent on the couch. "Time to get to bed, young lady," he always said. "Early day tomorrow." Because it was always an early day for us, seven o'clock each weekday for school and work, eight o'clock on weekends for chores and church. When could I get out of this, and how would it come about? Who was the person who would find me here and whose eyes would recognize me and who would take me away to some life I belonged in?

Now there are just the two of them. And I suppose they watch television instead of listening to the radio.

And Stella's life has had its peculiar patches. There are things I would like to ask her about. I missed my chance, when one occurred, but now, for one reason and another, I seem to miss her. I would like it if she were to come and visit.

I go astray too often here, and occasionally too far. What I should be doing is keeping an eye on the carpet, and examining the bedspread.

8

BUT THERE I WAS, a lump of a frightened child, no way to tell if other people were frightened too, although now I suppose many of them must have been. One of the blindnesses of youth, that one thinks oneself unique, I guess, and fails to see the ways others hide themselves. All I knew was that I had several faces, all of them hidden, and multiple longings and couldn't tell which was true. And that there was that secret that, had I known it, would have made many things clear and different. It was a dangerous and vulnerable state, wandering about not knowing something others did. Who could tell the menaces of ignorance?

And yet there was something else I knew: that at some point there would be a change. I would be a different person entirely. It would come when I was no longer a child, when I left this house and this town, when I turned twenty.

I have my bits of tough, hard stubbornness. That faith that I would not always be a frightened child was one. I could think, "This will end, so it may not always be important. When I am twenty and different, it won't be important at all."

How sweet, and sad, remembering that hope, and twenty now so long ago.

I had no idea how the change would come about. A fairy godmother's wand-wave? Of course not, but something. It could not always be a matter of that small unpleasant house, or of mirrors and pillows only.

(And when change did come, I was so grateful that I never dared to hope for it again. What is given can equally be taken away, a paralysing possibility.)

It would be a matter of a man. Who would see beyond my plainness, or lack of loveliness, beyond my silence and my fear, to the woman in red singing and dancing on a stage. All the Ednas I contained, he would see and want. He would delight in my shyness, and protect me from my fear. He would hold me in the night and keep away the silence and the dark.

He would also stand up with me in daylight and say to people, "This is my wife." So there would be no confusion about who I was. Even for myself, it would be sorted out.

All this, which would happen when I was twenty and grown up, was as vivid, and as distant, as the other lives I led in the evenings with my eyes closed.

What magic did that number have for the child Edna? Then, it seemed impossibly old and distant. When I was in my teens, it began to glitter a little way ahead, in and out of view, shimmering on the horizon. From the faceless frightened girl would come the woman, leaping some mysterious gap; who would be the butterfly from the caterpillar, the graceful swan from the ugly duckling, and the heroine of all those other childhood stories.

Some effort would be involved. But while I was not at the time equipped for such an effort, and would probably not even recognize it, part of the magic of twenty was that then I would be capable of it, and of seeing it.

I saw my life patterned in numbers, a connect-the-dot puzzle in a child's magazine. A straight vertical line rising from the bottom, from birth to five; then a jog up and to the left to nine; vertical again to twelve; and then a long flat horizontal stretch to be trudged along to twenty. And there the lines might change, go anywhere, a new pattern might begin and who could tell where it might go once the leap was made?

But it must all go somewhere. I was a cherisher of lines and patterns.

And then I was nineteen and my mother was sending me off to university. "*Now* you'll do well, Edna," she said, with a surprising kindness, however tactless. I flushed at how clearly she must have seen that I had not been doing well at all.

But I shared her view. Now I would have to do well, because I was nineteen and twenty was very soon. So this was the preparation for the change.

Blind and frightened and anticipating, I stepped into space. There was no direction I could look to see anything at all. Back was painful and would become irrelevant; forward I could not yet imagine. It could be anything. Instead of looking, I hovered on the instant of the change.

My mother and Stella stood on the front porch and we all waved good-bye. My father drove me to the city and my own apartment we had found. "Well," he said, turning to leave, "that's it then, I guess," and kissed my cheek clumsily. I wanted for a moment to ask him to stay, to tell him I was frightened. But I was always frightened, and he couldn't stay, and if he did, what? He couldn't help, never had.

So I was finally alone. It seemed such a natural state that I barely noticed. A brief reprieve, a luxury before twenty, when something, a plunge into the real life I would have, must be accomplished.

I sound so helpless and full of pity for myself. But in fact, along with the frightened child I carried also that bone of determination. What else took me to those dances, to stand smiling and hoping and tapping my feet? What else could have taken me off alone to university, to that apartment where I cut pictures from magazines to brighten the walls? It is some accomplishment to suffer fear, but to plod on none the less. There is some pride in survival.

I wandered the city and the campus, watching. Great stone buildings there were, and acres of grass and flows of people like spawning salmon, hugging books to their chests or swinging briefcases. The classes were huge. One could be lost, which should make it easier to be brave. Who would notice?

"Just do well, Edna," my mother said before I left. "It isn't easy for us to afford this for you."

So I studied hard, went to all the classes and wrote essays and dragged books home from the library. But it turned out to be surprisingly easy. I had even then an eye for detail, an eye that picked up something, in those days a piece of knowledge, a fact, and held it for as long as it was needed. I don't suppose I learned, but I remembered.

And watched. A psychology professor had a laboratory of rats, and it was somewhat similar, seeing which way things ran in this unfamiliar place.

At nights I pulled a chair to the window of my apartment and watched the people passing on the sidewalk, sitting out on their porches for the last late-autumn warmth. They couldn't see me, sitting in the dark. They wouldn't have even thought to look. When I smell autumn now, I am returned to that window, breathing leaves.

And then very late, when everything was quiet and there was no more to watch, I shut the curtains and turned on the lights inside. Here I was safe and warm, alone, and although being alone could make me uneasy, it was also pleasant. No one could see.

I turned on the radio then, lay down on my makeshift couch, and became again the singers and the dancers. No father now to stretch and yawn and break the moment, and sometimes I fell asleep lying there and dreamed in the other lives, not my own.

Other lives were also offered up on bulletin boards. They lined the walls of corridors and I stood reading them. From advertisements for typing services to schedules of concerts and plays and notices of meetings, like a detective I tried to see which ones might leap out and offer a reward, a life.

They offered everything. A club for foreign students? The notice said anyone welcome, and I was as much a foreigner here as anyone. Did the round black faces, or the brown and aquiline, feel as removed from this as I did? I walked through the halls and across lawns, changing classes, and it was like someone else watching this.

Oh, the places these people would know, places I would

never see except in pictures in my mind. Wild colours and shapes of clothes, strange dances and music. Imagine, I thought, to see a desert. How would an infinity of nothing look? Here the eyes encountered intrusions — trees, or people, buildings. How would it be, seeing nothing?

How would dust be, or jungle? Hunger and the threat of death? One could imagine a black man who would sweep me up and take me home to be a princess. In a different world, I might be beautiful.

But then of course, faced with it, one might find it all quite different. At a meeting one might hear that seeing a desert was merely dull; that the threat of death only made one snappish; that the politics were small and human; that the life of a princess was confining.

I preferred an exotic, golden Timbuktu to what it more likely was, a hungry, dusty outpost.

Pictures in the mind are not unimportant, after all. I have spent considerable effort in my time, protecting pictures.

What I wanted was some grace, a wealth of spirit that would add, not take away. Some way, perhaps, to say what moved behind the eyelids: the dances and the songs.

And here I was on my own, out of the small, contained town and in a city which must have proportionately greater possibilities; where the right longings might be unleashed.

A literary magazine came out four times a year. One saw these people in the corridors, wearing black, some with wisps of beards, women with long straight hair pressed flat around pale faces, expressions drifting or defiant. The darkness of the foreign faces, the pallor of the literary ones — equally exotic, foreign, and attractive.

The magazine contained sad and gentle stories, outraged and bitter poems. About war, betrayal, pain, and poverty, but different: not politics and facts, but forms. And also about dim bodies, twisting and caressing. It seemed these pale people dared anything, with words.

Here then was a possibility. Magic words, perhaps? Could

I transform fear, with an incantation make anything I wished vanish, or the man who would see me appear?

I was a bit excited. And also if my words were printed, I might become important, like a singer or a dancer, but without the flaws: no need to see them staring, no need to meet the audience.

One night, instead of turning on the radio, I sat down and wrote a poem. The only one I've ever written, and I can't remember a word of it. Just that it was to do with fear, my most familiar subject. Fifteen lines of it, etched out late into a night. Like the classes, it was not as hard as I had expected, no need for rhyming or scanning. Just words poured out with a pen, becoming a poem on the paper.

I stared at the words and found they did not dissolve the fear; just made it something that could be stared at.

If I gave them away then? The next meeting of the group that put out the magazine was three weeks away: enough time to prepare for what might be my first step to twenty. I could go out and buy a black turtleneck sweater and maybe write another poem. I could go to the meeting of those people and drop fear in their laps.

I wonder if I could have. I'm curious now if I might have seen my poem in that magazine and how I would have looked in a black sweater and if I might have been some other Edna.

Instead, Harry came one day between the poem and the meeting and there was no need to long for anything again. The swan and the butterfly himself he was, not me.

And I turned twenty, and everything was changed, as I had hoped. Except that I was not changed so much; just what Harry taught me.

Little fluttering hopes of the child Edna, the lost babies of dreams.

But Harry was quite real.

I'd almost forgotten all that, from more than twenty years ago. Now those people are only dark skins and dark turtleneck sweaters in my mind.

And now my words are here, in this blue notebook. I could not manage, I guess, words and Harry, too. Or had no need to.

How mysterious it was, still is, how people laugh and talk so easily, touch and hold hands and clap each other on the back. They pick up telephones and dial the numbers and know what to say after hello. They may read aloud, or tell each other things they know, share recipes or troubles. They pour each other drinks and light each other's cigarettes and glance into each other's eyes. In my own living room, with Harry's arm around me, or even standing across the room, I have been able to do some of this also. I have spoken, asked questions, and laughed at jokes. I have nodded and nodded, listening. Harry would tell me how people said to him, "Edna's so terrific." He said they told him what a good listener I was; how kind and some said even saintly. "It's that beatific smile," he laughed, "that glazed look you get when somebody's really boring and you're trying to be nice."

People don't seem to ask for much, or to look too far.

I feel a million words inside, leaping to get out.

And what did Harry see? In what context did he say, "I love you?" Perhaps he saw a reflection. He took me in, in any case, and held me and breathed life into me as if he had rescued a drowning victim. He taught me attitudes and sufficient words, and I adopted them gratefully, if not wholly aware of doing so.

I would say Harry raised me; the way parents are said to raise their children.

Whatever would I have been without him?

There was no need to find out. Instead, I concentrated my small courage on him, my stern bone of will, and he watched and listened on my behalf.

He looked after me in more ways than he knew.

But that we reversed our duties and he became the womb, is that some reflection of my barrenness?

9

I HEARD FOOTSTEPS running up behind me and turned, startled. One never knew.

"Sorry, did I scare you?" asked the panting boy.

I cannot seem to see his final face, but that one is clear. Intense brown eyes, long narrow nose, thin lips, wide mouth, open and confident and a little breathless. Slim tan trousers, a dark-brown belt, light-blue shirt, darker blue (nylon, I think) jacket, slung back a bit to emphasize his shoulders.

Later I would see the shoulder blades, the broadness narrowing over bones, the ribs, to a waist, and from the front, hipbones guiding flesh down to that other thing I had not seen before. And have only ever seen his. "How do you know I'm any good in bed?" he used to ask, and he was laughing, but I'm not sure if he was really joking. "You've only ever been with me."

This was much later.

He was apologizing again. "I'm sorry, I was trying to catch you but I didn't mean to scare you. You're in my English class, aren't you? Restoration?"

Yes, that was right: his face was a little familiar. But as part of a crowd, a whole class. Now was different. Now he was concentrating on me as if the street and other people were not there, only the two of us existing. (That was a gift of his, making his object of the moment his only object. I have seen him turn that brilliant probing stare on others, so flattering, a magnet to confession that small device.) "I'm Harry Cormick," he was saying. "I don't know your name."

It was Edna Lanning at the time. Later Edna Cormick. Now just Edna, I suppose. Edna all alone.

"Why I wanted to talk to you, you don't miss many classes, do you? I've seen you whenever I've been there, but I've missed a few and I thought if I could maybe look at your notes I could catch up. Just tell me if you don't want me to. But I figured if anybody was up on the stuff, it'd be you."

Well, what did I look like to him, then? Some grim drudge?

He must have seen that, laughed, said, "Sorry again, I didn't mean that the way it sounded. I thought you looked like the sort who'd help a fellow out. And besides, I wanted to meet you."

Was that true? Did it start because he wanted to meet me, or because he wanted to borrow my notes?

His hand was on my shoulder; reassuring, that, and kind and companionable. And exciting in a dim way. That and his eyes and the long slim body — maleness and a sense of mischief in him.

Maybe there isn't love at first sight, but certainly there can be some kind of powerful, immediate intriguing. I'm almost sure I recognized him right away as the face that had been missing from the mirror and the pillow.

Or maybe it might have been anybody. Although I can't imagine someone else, and to even think it might have been anyone who paid attention is vicious, a murder of Harry's spirit, his distinction. Too cruel to think it might not have mattered at all.

"So can I borrow your notes?"

He must have wondered why I was silent for so long. "Yes," I said finally, then thought that sounded too abrupt, and added, "Yes, of course. But they're in my apartment." As if that were some blinding obstacle.

"Well, if you're on your way home now, I could come with you. Then," and he grinned, "if somebody else comes pounding up behind you, you won't have to be scared. I'll beat them all off."

He talked and talked, filling all the gaps. "I'm in business and it's been a bitch the last few weeks. That's why I've missed so many English classes. You in English?"

"Yes."

"First year?"

"Uh-huh."

"I've just got the one English course. I guess in business they don't figure you have to be able to talk real good." What a delightful laugh he had. It sounded as if he enjoyed himself.

"I always think we look like penguins changing classes. All those three-piece suits and white shirts. I spend half my time studying at the laundromat."

How astonishing, someone who could make fun of himself and the face he presented to the world. How brave and confident.

"What about when you graduate? What do you think you'll do?" (Show an interest, my mother's magazines had said. Show you think he is important. I paid attention, if my mother didn't.)

But I did think he was important. Or might be.

"Join some company, I guess. I'm not sure what. There'll be something. What I want, though, is power, you see."

Honest. Flat honest: that he could admit a motive so carelessly and cheerfully, and a motive not necessarily a pure or a good one, and to a stranger. "Of course I'll have to work my way up to that. I'm not patient, but you have to do that. I want to make decisions, I want to have an effect on how things work."

This did not make him a reformer, or someone who wanted to alter from within. No grand schemes here, and he was honest about that, too. No, he was happy to steer launchings of new products, make deals, and shuffle contracts, the sweet and simple authority of it all. His joy was in power, however directed. "It's almost like coming," he told me once.

He walked behind me, up the stairs to my apartment. It made me uneasy, wondering how I looked from behind.

"I'll get my notes."

"Do you have any coffee? We could have a coffee first.

Unless you have to do something. Do you have time?"

Of course. If he wanted to stay, I would make all the coffee he could drink.

"Nice place," he said, but not enthusiastically. I looked around and saw it for the first time as an outsider would have to. No one had been here before but me, and my father that first day.

Yes, it was shabby. The house itself was shabby, the hallway and the stairs were shabby, and so was this apartment on the second floor. But it was mine.

After all these years of comfortable middle-classness, even I remember it with some dismay; if also recollected fondness. After so many years of tables suiting chairs, and couches and curtains matching, that apartment would be unthinkable now. But it was mine.

This room, where I sit so straight by the large window, is not mine. It was not my choice, and has nothing to do with me. Only that first apartment and then the house were mine.

It was not, I think, because that apartment was so shabby that I didn't have the same compulsion to keep it spotless that I did later with the house. I think it was because just for me, that wasn't so important. In my house, for Harry, it was vital.

The apartment had a small single bed behind a heavy curtain that hung by rings from a bar across the doorway separating the tiny corner that was the bedroom from the living room. There, a cot with green, brown, and yellow cushions, ghastly now in memory, was the couch. A heap of books was piled against a wall. Later Harry made me a bookcase from red bricks and golden boards, the kind he said a lot of students had.

The kitchen had a battered fridge and stove, a small counter, single sink, and two rough cupboards, two chipped cream-painted wooden kitchen chairs, and an old, small wooden table for both studying and eating. Beyond it was the bathroom, with old and irrevocably stained fixtures. I had scrubbed and scrubbed them, with the thought that the stains were who knew what kind of germs, but it made no difference.

When I think of that apartment now, I have an impression of length and darkness, an aura of past tenants' grime and cooking odours and paleness and unhealth, and my own small efforts to overcome all that. But then, it was mine.

I made the coffee while he looked around. "Why this?" he asked, and he was pointing to a wall in the living room.

Well, I had made some attempts to decorate with things that struck me, colour photographs clipped from magazines and pinned unframed to the walls. The one he was pointing to was a portrait of a young girl dancing, whirling, entirely intent on herself, her movements, and her body.

"Oh her," I said. What could I say about what she meant? "It makes me feel good to look at her, she seems so happy and full of what she's doing." This was true: some uplifting about her concentrated joy.

"And this one?"

This was an old woman full of lines and thought.

"Well, I think that's character. She's suffered, you see, in her life, and it's like she's saying, 'It can be tough but I've gotten something from it. I made it.' She's — triumphant, kind of." That did not properly explain what I saw in the lines of that old woman's face, but part of it.

Did he hear my fear? Or maybe he thought I was profound, or sensitive. He sipped at his too-bitter coffee, asked, "You like living alone?"

"Oh yes." I had no idea. It was simply how it was.

Did he, from that, deduce that I was independent and certain of myself? Certainly he could not have seen me as I saw myself, and I was careful that he shouldn't.

"Maybe," he said at last, "I could take a look at those notes."

Of course he would want to do that, he'd want to go over them quickly and leave. I know what it means, that expression, "My heart sank." That's precisely what it was, the heart sinking like a stone.

The apartment wouldn't be the same when he was gone. As if he'd been a breeze and a light flowing through the place, all its bits of nastiness had been exposed. When he left, I would be lonely instead of just alone.

All this because he had the missing face. Because he laughed and spoke the truth and because his body was lean and because he was here, in my apartment.

"You have really clear handwriting," he was saying. "How do you do that when you have to go so fast in class?"

"Oh, I just take things down in point form. I write up the real notes later." And then could have kicked myself: appearing once more the drudge. I might as well have greasy hair and glasses.

"Must take a lot of time."

He was standing, leaving, and I would see him out the door and down the stairs and gone and that would be the end of it. How would I be able to go back into that apartment, sit down behind those curtains in my chair to watch again?

"Feel like a movie some time next week?"

The heart leaps back and floats into the throat. "Yes. Yes, I'd like that."

"Good. I'll call you in a couple of days."

"He won't," I thought. But he did.

My handwriting here, following the straight lines of this notebook, is so fine I could weep at the beauty of it.

10

LISTEN, PEOPLE INVEST IN THE STOCKMARKET, in real estate, in gold. They put their money, what is valuable to them, into something from which they believe they can expect a reasonable return. They give up, perhaps, immediate rewards for the prospect of something better in the future.

People make investments all the time. I, too. I took the only thing I had, my sole possession, myself, whatever that might have turned out to be, and invested it in Harry. People make investments all the time. Why not me?

I thought it built up, like a savings account, a safe six, eight, ten per cent a year. After a few dabblings in the market — those high school dances, the gritting of teeth, the money spent on lipsticks and powders, the university tuition, and a poem — comes the real plunge: all my assets diving into Harry.

My mother used to say, "Whatever you do will come back to you." When I was a child, that filled me with terror. My small sins — to have, in a moment of wanton rebellion, stuck out my tongue at her behind her back; to have secretly plucked all the hair from one of Stella's dolls; to have ridden my bicycle around the block when I was not supposed to go beyond the corner — these things made the night uneasy. I wondered what form my sins might take, returning on me.

But it should work the other way as well. If I did good, kind, and helpful things, they should also come back to me.

I was as good as it seemed reasonable to be. I am no

saint, and one has to make accommodations to reality. Otherwise there would be nothing one could eat that did not have some wickedness in its past, and no place one could move (although I didn't move a great deal, and for myself, ate little).

I was faithful and tried to be kind. When people came to the door canvassing for heart funds or for cancer, I gave them dollar bills. And I read the newspapers and magazines, I could identify the worst offenders, and if I saw grapes in the supermarket that came from Chile, or apples from South Africa, I did not buy them if there was some other choice.

But one must have a sense of balance about these things. Harry liked grapes (as I did, for that matter), and he also liked crisp, sharp-tasting apples. Those places were so far away, and Harry was right here. And there were conflicting viewpoints: what difference did it make if I did not buy the grapes? Who was hurt? The generals in Chile would not say, "Edna Cormick didn't buy our food today," and in South Africa they did not say, "Edna Cormick turned down our apples." Of course I believed in peace and full stomachs and in fairness. (It's only fair, Edna, said Dottie Franklin.) But who or what was I intended to serve first? The man who came home, or faceless people far away?

I was not the sort of person to carry a sign, march in front of an embassy, shout slogans into television cameras. I was a small woman doing her best. These things are too big for such a person to work out, and all I could do was my best; so I tried to keep my own small portion safe and pass by the grapes and apples when there was some other choice, and thought if I made my own tiny universe safe and good, that should be enough, and would meet the payments on whatever might be owed.

Maybe I didn't go far enough. But I went further than a lot of other people. And I was unobtrusive. Who would notice me, going down a street or in a supermarket aisle?

For such a failure in my investment, I should have been another person altogether.

I invested the goodness I had in Harry, and I did expect compounded goodness would be my return.

A blue-chip stock, my life with Harry should have been.

11

"TALK TO ME, EDNA," he'd say.

Yes, but what about?

Really, I preferred to listen. And really, he preferred to talk. He'd given up quite a lot for me, I thought — other girls, for instance, there'd been those — and there weren't so many ways I could repay him for that. Listening, mainly. All I gave up was writing out my notes each evening and my watching. Maybe poems. But poems vanished when he appeared. If they had ever come, it would have been from fear and desolation, and Harry filled so much space that fear and desolation sank deeper and deeper under his weight until they were just small things crouching at the bottom of my soul.

Even the dancing and singing life was gone. No time for it now, and who needed made-up things when real events were going on?

We went to movies or to bars (where I found that beer has a queer and bitter taste and wondered how people, including Harry, could enjoy so much of it), and often we sat in my living room. It was private there, just the two of us. We couldn't often go to his apartment because he shared it with another business student and it was hard to be alone.

He'd sit beside me on the cot-couch, hands folded behind his head, eyes closed, telling dreams. "I want so many things, Edna," he said. "To do something big. It's not just being rich, although," and he laughed, "that's part of it, that would be nice. But it's doing something, making something, being somebody. I don't want to get old and die and think I missed anything or that nobody noticed me or it didn't matter. I want to matter."

I nodded, although his eyes were closed. "Yes, I know." Although in fact I didn't. He seemed to see much further than I. My own vision now didn't go beyond his closed-eyed presence in my living room, where I could lean forward and touch him.

But whether I understood or not was not the point. The point was, he trusted me with his dreams. "You'll be somebody," I told him.

If he had gotten old, would he have been satisfied? Would he have been able to sit back and say, "Yes, I missed nothing. People noticed. What I did mattered. I mattered"?

"Talk to me, Edna," he said sometimes.

"What about?"

"You. I've told you what I want, now it's your turn. Tell me what you want."

I wanted him; but that was too bold a thing to say.

"I'm not sure. I'm not like you, I'm not sure what I want."

"But you must have some ideas, some plans. For what you'll do when you graduate."

"Well, there's only so much you can do with a degree in English. I'll probably end up teaching." Dreary prospect; one reason I didn't care to look beyond the slim figure unwound in my living room, whose presence astonished me and seemed a miracle, which I couldn't tell him because it would say far too much about the fear.

"And get married some day?" His eyes were glinting, laughing: testing my intent to trap him?

"Maybe. If it happens."

"But you're not really aiming at anything in particular? There's nothing you have in mind that you really want to do?"

He made me feel very small and useless. Amazed, he was, that someone young and starting out would not have a dream. I could have said, perhaps, "I've thought of telling stories, or seeing Timbuktu." But those were only fantasies.

"Okay then," he was saying, "if there's nothing special you want to do, what do you want to be?"

There was a difference? I frowned and shook my head. I might have said, "I want to be safe," or "I want to be happy," but that would have disappointed him, and sounded stupid even unspoken and I didn't want to answer stupidly, so kept silent.

I do see now, though, what he might have meant. I spent all those years with him assuming that I was what I was doing and that I was doing what I was. But now I've done something that must be different from what I am, I cannot be a person who would do that. So maybe that's sort of what he meant. Although nothing so drastic, I'm sure.

"You want kids?"

"Well yes, I suppose so." It was not a matter of longing for children, no maternal yearnings and growlings deep in my body somewhere; only an assumption. Children appeared in people's lives, the order of things, and I supposed that in the order of things they would appear in mine. What was inconceivable, although becoming less so with Harry in my living room when he could have been other places, was the gap between who I was and getting there.

"I can see you as a mother. You'd be a good one."

Possibly that was true.

Other nights, other questions. "Tell me about your family," he demanded, and I did what I could.

"It doesn't sound to me as if you like them much."

"But of course I love them." Startled. "They're my family."

"Maybe. But it doesn't sound as though you like them."

He tried to make me see these differences: between being and doing, liking and loving. He was much wiser than I.

He always seemed to see things more clearly. He wasn't afraid. Except once, he was afraid.

His eyes were open and he was looking at me. "You don't like talking about yourself, do you? You're shy."

It was the kindness, the rare gentleness on his face, the care, that did it.

"I don't know how."

That just came blurting out, and the words hung there all by themselves. It shook me, hearing the echoes of them. There was some great rock lodged in my chest that had been there as long as I could remember, so that I had taken its weight for granted, and all of a sudden it was breaking into splinters and pieces were flying loose and the weight was gone and I was trembling, my face was all screwing up on itself and tears were pouring down it, out of my control.

"Hey!" He must have been astounded. "What's the matter? Edna? What is it?" His arms were around me, a hand was pressing my face into his shoulder and he was rocking me back and forth, back and forth, crooning, "Hey, hey, it's all right," a lullaby, letting me weep.

Oh, sometimes I had cried — as a child for hurt knees, in my teens for loneliness — but never before like this, not with my whole body wrenching like some kind of fit, tears flushing all my veins and arteries. It hurt, and I wanted to stop; but also didn't want to, the rocking and crooning were pleasant and comforting and kept me safe while I cried. It went on and on while I thought, "Oh God, it's so awful," by which I meant everything, I think, up till then, and also, "This is so nice." It made it hard to stop, but finally the tears hit bone and finished, and I felt limp and weary and was hiccuping as well. I thought, "I must really trust him to be able to do this." And then thought, "So I must really love him." I'd only permitted that word in fantasy before, made-up conversations, drifting off to sleep alone.

I straightened, wiped my face. "I'm sorry," I said, "I must look awful." I didn't want him to see me ugly, now that I was alert to love right here in the flesh. One of the things I understood was looking one's best in order to get love in return.

"You look fine." He was stroking my hair, and down along my shoulder and my arm. His voice was so gentle. If mine was shaken, his was kind.

I think now that if he had never seen me weep, we never

might have married. I think it made that difference.

Later, I could say to him, without a tremor or a hint of tears, "You know, I've never heard anybody in my family say, 'I love you.' Nobody has ever said it." I now found that strange, although it hadn't occurred to me quite that way before. Now I could see because I was away and because Harry was teaching me to see and because I could trust and therefore love him.

"Well then, why don't you say it? Maybe it only takes one person and you'd shake things up so everybody could."

But it would be like walking naked in front of them. Everything might disintegrate with the shock.

His people, when I eventually met them, were quite different. His mother was small and grey-haired and charming and his father was big and tall and grey-haired and courtly. They touched each other often and smiled at Harry. Just small touches, a pat on the hand or the back. They seemed fond of each other, and they were proud of Harry. He was their only child. "That makes a difference," he said. "They only had me to love."

Yes, well that hurt a bit, although he wouldn't have meant it to.

They were well-dressed and prosperous. His mother wore a grey silk dress that made her hair glint at the lunch at which Harry introduced us all, and his father wore a charcoal three-piece suit. Harry, too. "It's the family uniform," he joked.

I wore a new dress that Harry had helped me choose. I had only ordinary school clothes, skirts and sweaters. This dress was cotton, ivory with thin pink stripes. Plain, with matched buttons down the front and a matching belt around the waist. Simple, and a bit expensive. Another thing I was learning: that simplicity can cost more than the elaborate, and is in better taste.

I also bought white pumps and a small white handbag for the occasion.

They were pleasant and polite and kind and proper. Pros-

perous, although not rich, and their prosperity and satisfaction showed in small ways that made them different from
my family — the way they handled their forks, the way they
ate — the meal a ceremony of some pleasure, not an uncomfortable tongue-tying necessity. I managed to say some
things about myself and to ask polite questions in return.
Harry carried things along. It seemed he could take care
of any awkward moments. Afterward he said they liked
me. "They said you seem a nice girl," and he grinned as if
we knew much better. It was a new pleasure to be secretly
daring, cleverly deceptive; because by then we were going
to bed together, an astonishing leap for someone like me
so many years ago.

I wonder what they would have thought of me if they
had known? I wonder how I felt myself?

Our two families at the wedding, such a contrast. Except
for Stella, of course, who danced and danced and seemed
more likely to be Harry's sister than mine.

12

HE HAD A WONDERFUL BODY.

"Edna, come on," he said. "I love you." I could never, despite my joy and greed for him, have been the first to say those words. But now he demanded, "You love me, don't you?" It was hard: as if the words were taboo, and I could be struck down for saying them.

True enough, one can be. They leave quite a gap.

I thought myself a moral person, and this was more than twenty years ago, when these things mattered. But Harry's and mine was a separate world, a small and enclosed universe, and nothing outside seemed to apply here.

He undressed me slowly, gently, and with admiration in each step. He kissed each breast and then, startlingly, my thighs. He was — almost pure about it; as if he were removing wrappings from a lovely statue. As if the object were to worship, not to hold.

But he did hold. I lay beneath blankets while he undressed. He was much quicker with himself than with me: swift, efficient undoing of buttons, a shrug to discard the shirt, a zipper rasp, hands thrust beneath elastic, bending, stepping free, sitting on the end of the bed, leaning over for the socks and then standing and this was it, a naked man.

I thought of mirrors and pillows and what had been unimaginable then and would now be real.

He slid beneath the blankets with me, turned on his side. For a while he just touched fingers and lips lightly here and there. I felt, now and then, tremors rippling through his body, but he was patient.

This was pleasant. It really did feel fine, as I'd imagined, to feel the length of a body, warm all the way down, alongside mine.

I was nervous when he pulled the covers back and raised himself up on one elbow to stare at me; but I was proud, too, that my body did not have obvious flaws. His did not either, although I could see his bones. It was fine and hard and slim.

He never let his body go. Neither of us let ourselves get flabby.

The act itself wasn't long enough for me to absorb all the things it meant. That here he was, this man, this real warm flesh, this piece of magic. I was too amazed to be very aware of the thing itself.

But we did it again and again. There was plenty of time. There were hours in that little bed. It remained a miracle, to have this body everywhere around me.

Afterward, when he collapsed, his face in my neck and the length of him a warm weight along the length of me, that was the time I liked best: when I could stroke his shoulders and his hair, tenderness and gentleness in my own hands, repaying his before. That was my time, afterward.

We slept curled together. Nothing could reach me, with his body wrapped behind mine, a long arm flung over my ribs, across my breasts.

It wasn't the way one reads about, all that ecstasy in novels. I guess that was somehow what I'd been expecting, but it wasn't that way at all. I thought it was probably better, in a way, to feel the warmth and tenderness, if not the passion.

He felt the passion, I'm sure that was unmistakable. And it made me a bit uneasy. It seemed wrong for him to need me so much, to show so much desire, when the truth, apart from bodies, was the opposite.

I prefer to give than to receive; to need than to be needed; to want than to be wanted. The pressure of being given to, wanted, needed, is hard for me.

When I was a girl kissing pillows and mirrors, I thought, "Well, this is practice. It will be different with the real thing."

Of course it was different. Pillows and mirrors do not kiss breasts or hold you in the night.

But I'd thought the difference would be something else: that in the act there would be a loss of self, a splitting of bonds. I thought when it happened I would soar beyond myself to some place unaware and free. That I might disappear completely. I'd imagined some transcendence that would be unimaginable and indescribable.

I was amazed by the kind of magic there was in that small bed with Harry; but also amazed that the other magic, apparently, was an illusion.

Because all the time, each time, before and while he was inside and afterward, there I was, my body and all my thoughts, alert to each sensation and every move, all the pantings and perspiration. Not for a moment was I lost.

Are there people who get lost? Or do the books lie, as they seem to have about so many other things?

But I was safe.

I was safe even in ways I hadn't considered. I must have assumed that if outside rules did not apply in our two-person world, outside accidents would also not occur.

Harry was not so foolish. He must have been looking at it all quite differently from me, and it's just as well, although ironic that it turned out to be unnecessary.

There were strange shufflings and cracklings, clumsy shiftings, but I didn't catch on right away what he was doing. Afterward, there was a small damp milky balloon twisted shut with a knot, lying beside the bed.

It was repulsive, a white slug of a thing, and Harry caught my surprised grimace. "It's a safe, honey," he said, and leaning over me, picked it up. "So you don't get pregnant. See all those little maybe-babies? Zillions of the little devils."

Later he told me he didn't like using them. "You don't feel as much as you do without them." So what did he feel? So much pumping and desire with them, how much without?

Such a puzzle to understand someone else's body. Oh, I

could *watch* his, he encouraged me to look at him and even touch him, and I got used to the sight of him rising and flushing and the feeling of him jerking and throbbing to the touch of my fingertips; and later I could see him shrinking, fading, and withdrawing. But how it happened, that was some excitement I could not grasp.

He tried to watch me in the same way, but I wouldn't let him. Those parts, I think, are not beautiful. Those parts of him weren't beautiful either, but he was so proud. He looked at himself sometimes with wonder, as if he also didn't understand it. It must be odd to be a man, so exposed. In women, everything is tucked away and hidden.

So I didn't understand his body, no. But I thought the act in general was of the heart, not of the body, and that those parts of us down there were symbols, ways of showing, and not the thing itself.

"I love you," we told each other before and after. During, even he was mute.

13

AND THEN THERE WE WERE, married, and there I was safe on the other side of twenty and the gap. A leap hand in hand with Harry, like in a movie.

Twenty years between then and the appearance of another gap and a leap into danger again. Still, twenty years of safety.

What if he hadn't asked? But I was sure he would.

I was sure he had to. From the first moment, his presence, his existence, blocked the world. I could not see it, nor could it touch me. He surrounded me, was in every direction I looked, filling up my view.

Once we went to a public beach and, far out in the water, standing up and moving with the waves, made love. It must have been apparent, if anyone had looked, what we were doing; and I never thought of that. Or if I did, it was only that a watcher would be far off and anonymous, while here was Harry. We were invisible, or our passion must have blinded people. We were all that existed, our twined-together two-ness made all the world our own possession, unreal except as we might admit it. It was delicious, this satisfying protection we made together.

Did I fill up his view that way? I suppose I didn't. He may have been keeping an eye on the beach over my shoulder.

What if he hadn't asked? If I'd gone out and found a job, taught English all these years, hating it I'm sure, putting my own pay cheques in the bank, paying rent on some small apartment somewhere, watching, watching all the time all the ordinary people, coveting their ordinariness — would

I choose that if I could undo how this has ended?

I had twenty years. I can't see giving them up. The thing is to see how much was true.

He was quite a while working up to asking. Sometimes I saw him watching me in a speculative way, and I thought I knew what he was wondering. I did my best; was my best. And finally, I guess, he too found it the only thing to be done, came to my conclusion (but by what route?), took a deep breath, said, "Let's get married."

He sat beside me on my old couch-cot, holding both my hands, turned towards me, looking at me, more than that, into me — was he trying to see through and past me into the future, to calculate the risk?

"But before you answer," he was saying, "we have to have an understanding." I nodded willingly. Whatever.

"The thing is, I'm scared of feeling trapped. I know my-self, and I know I can't take that feeling. So if we're going to do the paper and promises, I want to be sure they won't make any difference. I know you let me be, but sometimes that can change when people get married, and I have to be able to feel free. I don't want to have to answer to any-body."

"But," I protested, "have I ever?"

No, I was careful. I said, "Don't worry about it, that's fine," when he called to say he had to study or was going out for a drink with some friends. I would never have said, "Oh, but I was counting on you. I have nothing else to do."

"No, of course you haven't, or we wouldn't still be to-gether. Look, I'll tell you what I think: if I had to feel responsible I'd resent it, and when I resent something I get mad and then I blow up and get the hell away from whatever it is. See?

"But if I don't feel any demands, I can give you every-thing. I'll want to give you everything. It's just a matter of whether I feel forced or not. I have to want to want to.

"Do you see what I mean at all? I know I'm putting it badly. I didn't mean to, I had it all worked out how to say it, but I got off the track," and he gave me that appealing, tippy little smile he had, where one side of his mouth went up and the skin around his eyes wrinkled around them, so that he was kind of peeking, like a little boy.

Well yes, I could see in a way what he meant, looking at it from his point of view and knowing him as I did.

Me, I was the opposite. I longed for the obligations and the demands. They would fence my life.

One would think that would make us fit perfectly together. It did seem to.

Still, I was a little hurt that he could apparently foresee me so easily as a burden. On the other hand, he was honest at least. "But I love you," I said, as if that would explain everything.

"I love you, too," he said and smiled and leaned forward and kissed my forehead.

When we made love, I could feel the perfect infinite future of this. It made it a much larger event.

I never broke the promise. Whatever else, I never broke that promise. It hardly even seemed to matter that I had made it. He told me so much: it didn't seem possible there could be any secrets.

He broke it. I never did.

In those days, one pledged to "love, honour, and obey," although I gather that has now changed and one can promise what one wants. Or not. Sometimes it seems no one promises anything any more.

But I took the pledge for granted; welcomed it, in fact.

What about him? Was he frightened, despite our private pact, of love, honour, and obedience? Did he look at me uneasily and wonder what he might be giving up?

I was uneasy and afraid. I was afraid I might not be good enough, that my alertness might falter for a moment, and like a broken spell, all this would vanish.

I felt I was being called to perfection (and it was just like that, a vocation, something one is called to — by whom? what?) and I might not measure up. I added more private, silent promises: to be indispensable and absolute.

Obviously I failed. Obviously there were things missed, the small pin lodged in the carpet. I did not try quite hard enough, although I did try very hard.

I'm sure I could have been perfect, with more effort. And then Harry might have been perfect too. As it was, there were flaws and shortcomings, and his faults, although more glaring and gashing, were only reflections of my own.

"Ah, you're perfect, Edna," he told me sometimes. But I was not.

So much hung on that day we were married: all my unhappy, forlorn past and all our brilliant, sturdy future. There would have had to be great fireworks, explosions in the sky, and rumblings and upheavals in the earth, to be the day it meant to me.

Of course there were not. But I was dazed by expectations. They were: that marrying Harry resolved — everything. I would work hard at it, true, but it was work I could understand and could do and that had a purpose. I was safe, inside two, and questions and fear had no place any more; might even be a kind of wickedness, betrayal. That is what twenty years meant, although at the time I pictured it forever.

So much fussing, and none to do with the point of all this. Stella pushing and pulling at my hair, my mother tugging at my dress. They worried about the flowers for the church and whether the guests would all be seated properly. They went over the order of people in the receiving line, and were nervous when the photographer was late. But it was all for me, they were on my side: they too wanted this to be perfect.

I would have liked to stop. To sit alone for a while in my bedroom and let what it meant soak into me, to absorb it until I could feel it fill me.

But there was no time, and no quiet.

"If I can remember everything," I thought, "I'll be able to go over it later as much as I want." But while I could, and did many times, the recollection was as unreal as the reality.

To be married, wasn't that something, now. I couldn't even look at Harry in the ceremony. He would have to be enormous, fill up the church to its gilded rafters, to be what he meant.

I overheard my mother saying, "Isn't it nice to see Edna so happy and relaxed." I was frantic with excitement, which may have been similar to happiness. But I was certainly not relaxed. This was my life here, didn't she see?

I heard Harry's voice beside me in the ceremony and felt his hand on my elbow as we walked back up the aisle. His arm rested alongside mine in the receiving line, and at the reception I heard him laughing and talking beside me, and felt him pulling me to my feet when they tinkled the glasses for a kiss. We were our own magic circle in the midst of all this, but I closed my eyes.

I lay awake that night listening to my husband breathe beside me. I'd lain awake before, listening to Harry breathe, but this was new: Harry my husband, my husband Harry.

It seems to me that what he was saying that day was, "In return for this, I get that." And what I was saying was, "In return for this, I will always have that."

14

WHAT DID HE SEE? What did he see all those years?

Oh God, I want to know. I want him here. I want to talk to him and ask him, I want him to tell me what it was all about and what he saw. I want to know why.

It must have been quite different from my view. That's what's shattering, how different it must have been.

If we could talk now, we could tell the truth.

I guess I miss Harry. I suppose I mourn him in a way. Although I can't quite grasp it.

But what I do miss is his presence. We could sit and chat, I miss that, just the sound of his voice, even a conversation about what to watch on television, even that I would cherish. We could sit on the couch together, him with a newspaper or a magazine, me with a book. The quietness. I took the ordinary quietness for granted. I would like to see him reach forward to pour another glass of wine, or to light my cigarette. I would like to be out in the car with him, hear him cursing another driver or singing with the radio. I'd like to hear him arguing with one of the men from his office. I'd like to hear him say, "Another drink, Don? How about you, Lois?" when we had company. I would like to see him gulping orange juice in the morning, saying, "Jesus Christ, I'm late." I would like to hear his car in the driveway, the garage door opening and closing, his "Hi, Edna, God what a day, feel like a drink?" I would like to feel his hand touch my shoulder lightly or see him grin as he grabbed my breasts or pinched my bottom as he passed by me. I would like once again to lie awake in the night listening to him breathe. I would like to be wakened by a snore. I would like to be cleaning the bathroom in the morning and smell his aftershave, and to fold his pyjamas beneath his pillow. I would like to pull the covers off our vacant bed and see the imprint of his body, both our bodies, and know they would be there again. I would like to empty the ashtray, filled with the butts of our cigarettes. Where did it all go? I would like to reach back and have it all again.

15

THEY SAY IT'S NEARLY the middle of October. What good are pages and pages of neat, precise letters spiralling into tidy words and paragraphs, if they only look good? Underneath it is a mess.

I must look more closely, pay more attention, see everything. All the details and the tiny things, that must be where it is.

So I note, sitting here in this flowered chair, notebook squarely in my lap, my back rigid against the cushioned softness, that some leaves are falling.

The ones that fall are darker than the others and seem to be more crinkled at the edges. Far away are the pine trees, but these closer ones are maples, shades of green, red, yellow, and orange, some brown, all melting through the limbs.

If I watch carefully from day to day, and this is the sort of concentration that is required, I should be able to see a single leaf altering: the green fading to the other colours and then the winding and twisting to the earth. First small yellow blotches, then one of the deeper colours; or for some, merely a swift passage to dull brown. The veins turn dark. When the bright colours begin to turn dull, the stems weaken and the leaves lose their grip. Today it is windy, and many of them are falling, some perhaps prematurely, because of the wind. On the ground it doesn't take long until they're dry and flaky.

There is one there, holding on, almost a perfect deep red, easy to spot. The branch it's on is whipping in the wind, and most of the other leaves around it have already given up and gone. This one tosses, but does not let go.

The brilliant red leaf struggles stubbornly and dumbly. Can a small leaf beat the wind? It sways and curls upward with the force, straining at its frail connection to the branch, the trunk, the roots.

A small leaf cannot beat the wind. A stronger gust catches at its weakest point, there is a last tug, and it is drifting, drifting away and down, resting gently in a perfect landing on the ground. Now it's hard to pick out, skiffled a little by the breeze so that it dances as if it were still alive. In another shuffling, it disappears among all the others.

A man goes out, carrying a rake. A foolish day for such a job. He should wait until the wind dies down. I would like to rap on the window and draw his attention to the mistake.

I suppose, though, he's been told to do it. Here, routines, schedules, and orders are important, if not always sensible. I can see it has to be that way.

In any case he doesn't appear to care. His raking is perfunctory and listless, unseeing. He doesn't even try to capture all the leaves for his piles beneath the trees, just drags his rake along the surface and doesn't go back for those uncaught. How can he be satisfied with such a job? He walks away, rake over his shoulder, while behind him the wind tosses at his work, busily undoing it. He will have to do it all again tomorrow.

If I had his job I would find every leaf and put it in the pile, and I would put them all neatly into some container so they couldn't blow away. It's so simple, so apparent. He should be grateful to have a job that requires him to do only a simple apparent task perfectly. He should be happy to do it properly. So many mistakes that man must make.

Although he is not unusual, I see here many things not done right. Sometimes it seems to me that people see only circles: their jobs are done in circles, and corners are always missed.

The woman who vacuums in this room, for instance,

never gets right into the corners, and when she washes the windows or the mirrors, she makes only circles on the glass, misses the square edges. There are always smudges in the corners. No wonder there are bits of dust and straight pins in the carpets. Am I the only one who sees? The only one who knows the importance of the unlikely, hidden spots? These people do the same things again and again, and they never do them absolutely.

Maybe they think it doesn't matter, because it all has to be done again.

I could tell them. I would say, "Look, I kept a house for years and it was spotless." (But then, obviously it was not quite spotless: some corner missed.) But I could tell them anyway that it doesn't matter that the dishes will have to be done again and the floors and windows washed again. It doesn't matter. It must all be done properly, exactly, each and every time. Some pollution, a taint, will get a grip otherwise.

You have to take some care. And you need pride, too, some pride in your work.

I know it doesn't *look* important. I know there are people who might say I wasted time (twenty years?) and that my work was menial, unskilled, unpaid, excessive.

The jobs themselves were, this is true enough. But the people who might say my work was small, they wouldn't be seeing beyond to what it added up to: all those little jobs, they were my payment and my expression of my duty and my care. They added up to safety and escape, love and gratitude spoken in a different language, words in shining floors and tidy beds. There is nothing menial or unskilled about that.

And if Harry might not always notice all that was done, he would certainly have noticed if it hadn't been. Sometimes if we'd been out to dinner at the home of some man he worked with, he'd say things that demonstrated that. "I've never seen fresh flowers in that house," he said. Or "Christ, frozen cake for dessert, that's really shitty." Or "Jesus, crap piled all over the place in that house, how can Dave put up with it? Magazines and toys, it would take her two minutes to pick that stuff up. And the glasses weren't even really clean."

And then he might say, "Oh, I know she works, she probably gets too tired. I'm glad you don't have to. I'm glad you're free."

Free? Did he say that? A curious kind of freedom, to clean and cook. I don't suppose he thought it easy, but did he really think it free? But what would I have done with freedom anyway?

I had strict rules, things I did not permit myself. I didn't let myself say, "I'm tired, let's just stay home." I never said, "I think I'll just let the dishes go tonight," or "You'll have to wear the blue shirt, all the rest are in the wash." I kept on top of things and was agreeable to suggestions. When he came home he found ease and choices. I did not mean to open up so many choices, though. If he thought me free, did he think he should be also?

That leaf I was watching, it's just one of a thousand now. Much good it did it, putting up a fight.

One thing to watch; another, the next step in the pursuit of detail, to touch and examine closely. I am not allowed to go outside. So I ask a nurse, "Will you bring me a leaf? Next time you're coming in, could you pick one up for me?" She is startled, because I hardly ever speak.

I am amazed and touched that she remembers.

If I had chosen, it would have been a vivid leaf, still orange or yellow. This one is already mainly brown and beginning to crinkle. I see that the nurse's caring, like everything else, is imperfect. It would have taken such a small effort, an extra step, to find a beauty for me.

Still, it's something. This is not my own life any more, and I don't get to choose.

Ah, but it falls apart so quickly. I stroke its veins and crumbling bits fall off. I touch its dryness and it disintegrates. Small pieces, turning into dust. The cleaning woman vacuums but does not get all the dust, and it digs more deeply into the floor, grinding in.

If a leaf, perhaps a flower? (Is it necessary to want more and more, to go further and further?) I ask the nurse and she's a bit annoyed, I see a quick frown and I can hear her think, "What next?" Again a care with limits, imperfections.

I would like to see colour and grace. She brings two late roses, thorns snipped off (to prevent accidental pain, or because she thinks I might deliberately hurt myself?). They are full and pale and pink and wilting at the edges. "I'm sorry they're past their best," she says. "But I thought you might as well have them. They're from the border around the front." There are flowers here? I must have passed them coming in, but I didn't see. It must be a long time ago.

The leaves on the rose stems are bright harsh green, the petals soft and smooth and slinky. The stems themselves are tough and wounded, scarred where the thorns have been snipped away. The flowers are dying.

One by one the petals drop off and the water in the glass in which the nurse has put the roses turns musky. Each petal is velvet. Each drops to the floor.

In the end there are just ragged brown stumps on limp stems. The cleaning woman says, "Look, these are dead now," and puts them in the garbage, pouring the dregs of the water down the sink. I hear a tap turned on and water running, flushing it all away. "Such a mess, all these bits and pieces," she complains, stooping to retrieve the dead petals and leaves from the floor.

Was I ever impatient with my work? Sometimes, it's true, I didn't feel like doing it. But I always did it. Putting it off might well become a degenerating process; like having a solitary drink in the afternoon, it might turn into something huge. Alcoholism; or sloth. It only takes one slip.

"Doesn't anything make you angry?" Harry asked me sometimes. Puzzled because his own temper was quick. It was also, though, swift to finish.

"Why be angry?" I asked him. "What's there to be angry at?"

His anger came and flared and was gone. Mine, I think, if I had felt it, would have been quite real and deep. And maybe like the drink in the afternoon or the job deferred. I chose, instead, floors and windows.

I could say to Harry again now, "What is there to be angry at? What is worth anger?"

I can't even summon anger that so many things, leaves and flowers, are disappearing, and that there's nothing I can do to stop or change it. I would like to, but I am not angry at the impossibility. I am, however, a little sad.

16

FOR WEEKS AFTER WE WERE MARRIED, I woke in the mornings and turned to watch Harry sleeping and, remembering with wonder, thought, "I'm married." It remained a miracle, and a mystery how I could have landed safely here in this soft bed.

It was not only a miracle, but a conclusion. I'd longed for the normal, the ordinary, and now here was my life, normal and ordinary. No more freakish standing aside, watching the others with their secret. I'd found the man, or been found, which was how things ought to be; and we were married, which was how things ought to be; and now I could go about performing this life the way it was supposed to be performed. It was like having the pattern of a dress to sew, merely a matter of taking something already laid out and cutting and stitching it properly, following the lines.

Being here is something like that, although it lacks the joy. It is also mainly a matter of certain things having to be done. There is a time for this, another time for that, they come and tell me just which time it is, and I do the thing, no need for decision. It has its virtues, being here.

But then there is missing, of course, the purpose. No one coming home to be the point of it.

Odd, not to weep for the loss of joy and purpose. I've cried at the oddest, most remote things and yet for Harry I haven't yet managed a proper tear.

Buckets of them in the movies of my tender-hearted childhood: for a mistreated horse, or the reunion of a boy and his lost dog. Later, a tug of moisture for a tender story in a magazine; and television shows have a way of twisting little wrinkles into the ending of even a comedy. I have found, in my evenings alone before the television set, a tear springing to the eye, trailing down a cheek.

Now is when I should be weeping. And now the ducts are dry, frozen, blocked.

"I can see you as a mother," he said to me once. "You'd be a good one." And that's another thing I've never wept for.

Because other things as well are dry, frozen, blocked.

We were married a couple of years, Harry was doing well, and we were settled in our house. I felt suited to this life in which certain things were done; I liked the view from the inside looking out.

"I think," he said one night, "it might be time to throw away the safes." Looked at me questioningly. "What do you think?"

Well yes, it might be time to move on to the next thing. This was part of it, of course.

"A boy, I think," he was grinning. "I'd like to order a boy first, if you don't mind."

A baby is what I would have liked. Just a baby. We would walk out in the sunshine, up the street and back, baby in carriage, stroller, bundled up. People would say, "Isn't he sweet?" or she, and I would smile.

To have Harry and a baby, that would be everything.

Oh, diapers too, and strange smells in the house and waking in the night. Harder, more demanding work. But to hold a baby. To be depended on for life. To actually make something out of myself.

A baby I could hold for hours; as long as I wanted, we could be close. I really hadn't seen it clearly and perfectly before, but now that it could be true, there was a great longing to hold. My arms, which had seemed full of Harry, suddenly felt too light and empty, missing a weight like an amputation.

Is it odd to be so capable of instant longings?

"First thing," and he grinned again, "we'll go out this weekend and buy a rocking chair."

Then "No, the first thing to do is throw out the safes."
He took my hand and we walked, laughing, upstairs and
he took the little package from the drawer of the bedside
table, looked inside. "Two left. Too bad to waste them." He
pulled one out, unrolled it, handed it to me. "Here, blow it
up. Like a balloon." He kept the other one himself.

They were like balloons; except a different, heavier, slip-
perier texture. Almost obscene; like the night after a party
when Harry'd had too much to drink and when we came
home, he wanted me to put my mouth on him. "Just kiss
it," he urged, but I couldn't. I just couldn't. This was something like that, but at least it was possible. And Harry thought
it was fun, was gleefully blowing up his safe and knotting
it, pinging it heavily into the air and taking mine and knotting it so that there were two of the overweight greased
balloons tossing around our bedroom like fat nasty imps.
Still, it was funny. We poked them, mid-air, at each other.
We laughed and poked them down the stairs and into the
kitchen. We laughed and Harry went to a drawer and picked
out a safety pin, and then he grabbed both balloon-safes
from the air and handed one, mock-solemn now, to me.

"To the freedom of the sperm," he said, and pricked a
hole in the safe I held. "Long live all our babies," and pricked
a hole in his.

"We should give them," he said, "a suitable burial," and
dropped the limp deflated things into the trash.

And now indeed the sperm were free to float around
my body, searching its crannies for the missing part, my
contribution to all this. In bed there was an extra straining,
a willing for the meeting of the parts. Our minds were not
wholly on each other.

As if our child, already existing, was present and waiting
for us to be done, to see if he could step out from behind
the curtains and announce himself.

But always the result was blood.

We were disappointed every month. "Well?" Harry would
ask. We marked the dates on the kitchen calendar, but cryp-

tically, so no one else would know, should anyone, wandering through the kitchen, have noticed. "I'm sorry," I always had to say.

Harry, the impatient one, would only wait six months. "Something should have happened by now," he said. "I'm going to the doctor."

He was so brave, I thought, willing to confront some failure of his body.

Or maybe he could not really imagine that the failure might be his body.

I was not brave when it was my turn. "The doctor says my sperm count's fine. You don't have to go, Edna, it's up to you. But maybe something can be done."

But nothing. "I'm sorry, Mrs. Cormick," the doctor said. "I'm sorry, Harry," I said.

Not fair, to have the blood but not the babies.

"It's all right, Edna," Harry said, but he couldn't help that flash of mourning when I told him. "It's okay. It's not your fault, for God's sake. We can always adopt if we want to. Let's wait and see.

"It's not a tragedy, really. We still have us."

There are no small white darts of stretch marks on my firm body. I look at it, and it's all one piece; has never split, like a cell or an amoeba, into more than itself. And I wonder what is flawed beneath the smooth flesh, where is the piece that is cramped, distorted, and unlinked?

"At least we know," he said.

At least in bed there were just the two of us again, no one else waiting to appear. Something was lost, the extra effort, but something gained as well, knowing there was just us. It was even more important than before to pay attention.

Maybe if I'd had a child and then it had not lived, I could have wept. It's different, not having something you've never had. I just felt — chilly — for a little while. A bit disconnected. When I met women on the street pushing their babies in carriages and strollers I looked and said,

"How sweet," but I didn't really want to touch or hold them. With my own, it would have been different. But my own were locked away.

I see them playing and bouncing around together some-where inside me, or venturing to whatever the obstacle is and peering beyond and wondering how it would be on the other side. A little longing among them. But like Harry now, they are not whole. They are missing parts of them-selves.

Mainly I thought of Harry and his disappointment. His disappointment would be not only for not having a child, but with me as well. For all my efforts, all my work and watching, all my listening hours — I could not be perfect.

We rarely mentioned it, and never again spoke about adoption. I think Harry wanted his own reproduction, not someone else's.

Once he said, "Well, it probably turned out for the best. It would have been quite different with children." (He saw children; I a child.) "We wouldn't have been able to have what we have." By this I do not think he meant a colour television or an expensive stereo or a brand-new car. I think he meant he would not have had my full attention. He got used to that, and mainly liked it. He would not have liked, I think, to have had to share my attention very often.

He might not have liked me holding and rocking a baby for very long.

It hardly matters now.

And of course it's easy to think that things turn out, really, for the best. One cannot imagine how things that never happened might have turned out.

No, that's not true. In some instances, it's beyond belief that some things have been for the best.

I understood that my failures to touch, the fact that I still had no idea of the secret, had even forgotten for some time that there was a secret, meant internal failures as well. Who knew what parts of me might be floating around in-side, missing their connections?

These are curious gaps. Now I have nothing to lose. Now I can dare anything, if I want, and merely observe the results. I am no longer susceptible to results.

At lunch there is a woman sitting across the table from me like a mirror image. Her skin is also pale, and I want to know, is there the same feel to it, the same kind of putty sense, as there is to mine? We have been eating in our own solitudes.

I can dare anything right now. My hand goes out to her face, because I am curious about it. I stroke her cheek. It is hot and smooth. She jerks, pulls back. She is more than startled; frightened and fierce as well. When she pulls back it is more than her face, it is her whole body, she stands and her chair tips back behind her onto the floor. She leans forward and swings her arm across the table and crashes her palm across my face. People are running towards us.

It doesn't hurt. It stings a little, but it doesn't seem to have much to do with me. I have felt her skin, and it is warmer than mine; not the same, not the way it looked.

I reached out and I touched her. What might I do next, if it doesn't matter?

I may become a wild woman.

If I did what I felt like doing, what would I do?

They're all strangers here. Where are the people I know, Stella and my parents? The people who might remind me I am not a wild woman. It's too easy, among strangers, to be anybody. I could make me up.

No, I seem to have already done that. Among strangers, I might be the opposite: what I want.

But is that wild, or something else?

I am here an infant of almost forty-four, and may turn into anything. That is not comforting, but a blank.

If I had babies, could they come to see me here? Could I be somebody for them?

I would like to be somebody for someone. It's hard, alone, to be anybody at all. Or easy to be too much, capable of anything.

If I have done what I have done, I am capable of anything.

If I had babies, what would they think of me now? They are so entirely mute inside me; so thoroughly muffled that I could not hear them if they did call out.

What could they tell me? That they forgive me? That they love me anyway?

Now, now I could mourn my missing babies. I would like to feel small arms around me and hear little voices murmuring. I can feel now the tears that were stored away for them; but I still can't weep for Harry.

17

IF I COULD TRACK BACK THROUGH MY DAYS, could I find the spot I missed? It must be somewhere in that house. Under a bed, or in the corner of a closet?

My days were a service, a mass: precise steps and motions, all in order, to the end of either worship or comfort, whichever. Or both.

He never asked me to do it. We never set it out in words. But he must have assumed I was the sort of person who would do all these things, care for him as perfectly as I could, give him all the comfort I was able to. If he hadn't understood that, I think he would not have married me. He wanted, I think, a demonstration of tears and a demonstration of devotion. Although he never said.

A man does not want to waken in the morning to some shrill alarm. I've read it can alter brain waves too abruptly, and in any case it is an unpleasant beginning to the day. Nor does he want to see a haggard, dazed, and tired woman first thing in the morning. Maybe a lot of people can't be bothered worrying about these things. They put themselves first. But not alert Edna, on her toes at all times, double vision seeing always two instead of one.

For years and years my body was trained to wake before the alarm went off, so that I could push the button and prevent the buzzer that would otherwise startle him from sleep. I edged carefully from the bed, so he wouldn't be disturbed. I washed my face and hands, combed my hair, put on my make-up, all in the bathroom.

When I went to wake him, touching him lightly on the shoulder, bending to kiss him, just a little pressure on the forehead was enough, his eyes opened and his first view of the day was me, smiling, cheerful, and ready for the day.

(I wonder how she woke him on those rare nights? They must have been rare; at some point he usually came home, even if after midnight. Was she brisk and careless? Did they get up together, when her face was still printed with the wrinkles of the sheets, her hair strewn about, dishevelled? Did they use the bathroom together, speaking over toilet sounds? I can't bear sharing a bathroom. Even in marriage, especially in marriage, one shouldn't be seen in such private awkward functions.

(Did she make him a proper breakfast, or just throw something together? They must have always been in a hurry, with both of them getting ready for work.

(Would her carelessness have appealed to him? Would he like to be ignored occasionally in the morning? Would he be distressed to find crumbs in the bed, the coffee poorly brewed? I doubt she'd be able to pay much attention, rushing to leave herself.)

The pure intimacy of mornings, alone with the freshness and pursuit of a new day, the prospects of clean clothes and fresh skin and the smells of breakfast, those were things that got me eagerly out of bed.

(What was her apartment like? Elegant? Shabby? Simply thrown together? Did he know which drawer the spoons were in, and where she kept her towels?)

While I made coffee, the smell filling the kitchen, drifting up the stairs — he said he loved that smell — and prepared the breakfast and brought in the morning paper, he was upstairs showering, shaving, I could hear the running water, buzz of razor, sometimes he even sang. Loudly, so that I could hear, even from a distance he could make me laugh, silly songs, "Row, Row, Row Your Boat" from the shower. Banging of drawers, quick steps around the bedroom, I could follow his progress from below, see his stripped slim body adding the layers of clothes, sitting on the bed to pull on socks.

When I heard the clipped steps that meant his shoes were on, I slid the eggs and grease-drained bacon onto his plate, and buttered the toast. There was orange juice already on the table. I poured coffee for myself when he sat down. He shook out his serviette, ate his breakfast, and glanced through the paper. He read some of the stories out to me, the funny or dangerous ones, or the simply amazing. "How can people be like that?" we said, over some story of a parent charged with beating a child. Or "Christ, the transit drivers are going out on strike, the traffic jams will be incredible." Sometimes he read to himself, but if he laughed or grunted and I said, "What? What is it?" he'd read it aloud.

It was a nice beginning to the day. I look back and it was just — nice.

I would see the clock, that white daisy with the yellow centre, yellow hands, moving the minutes to when he would leave. There was so much to be done. He smiled and kissed me and said, "Bye, see you later," and I said, "Have a good day," and stood at the door to wave. I had a small superstition: that if I failed to wave and watch him leave, it would be an unlucky day for both of us.

Methodically, then, my own time got under way. Clearing the breakfast dishes, washing and drying them, wiping the table, the place mats, the counter, the sinks, putting away jams and bread. Sweeping the floor, moving chairs and table out of the way to do so; but that was only surface dirt, small things that might float. To get beneath, a sponge mopping every day, once a month stripped and freshly waxed, so that the kitchen floor was never anything but clean and gleaming.

These things are visible. It was also necessary to search out what might be hidden: make sure there were no crumbs lurking beneath or inside the toaster, and that its silver surface was wiped clear of smudges and distortions. Little bits and pieces of this and that may fall between the counter and the stove: one must not miss the slim alleyways of the house.

Could the hidden spot have been behind the stove, perhaps? Or somewhere behind the fridge? There are so many nooks and crannies where it might be, if I can just put my finger on it.

It only takes a little time for some piece of dirt to tunnel its way to the roots of a carpet. So I vacuumed part of the house each day, so that all of it was done twice a week at least. I know most people do not do that, but don't their carpets rot?

I brushed any dust from table lamps, and then held them up while I polished the wood beneath; used a damp cloth to wipe the glass surface of the coffee table, where there might be Harry's fingerprints, or marks from his heels if he'd put his feet up the night before. Another damp cloth for the white windowsills and the white wood between the panes of glass. And once a week, the panes of glass themselves.

It's amazing how quickly things get dirty even when you try so hard to keep them clean. How filthy they must get when no one pays attention.

The table in the dining room all polished, down on my hands and knees to get at the intricate woodwork underneath, the base and legs. And all around the china hutch. Once a month, all the good dishes came out of the hutch to be washed and dried and put away again, on freshly polished shelves. And again, even in so short a time, dust collected.

It didn't matter that no one else might know or notice that a mysterious and tiny grey wedge of lint and dust might collect in the corner of a shelf in the china cupboard, or that a shred of fuzz — from the sleeve of one of Harry's sweaters? who knew? — might have found its way beneath a couch. I would know. I knew it would distract me. It was easier to deal with it than to have it lurking in my mind.

What on earth was in my mind? All those hours, hands doing their jobs, what was I thinking? Certainly I thought I had plenty on my mind; it must have been the quality that was insufficient. I considered what I'd be doing next,

or what I had just done. What food we were running low
on, or what I might bake later. How much I would enjoy
my bath, and looking forward to a cigarette, a coffee. Some
story from the morning paper. A missing child: was it safe?
And how were the parents feeling, what were they doing
at this very moment, while I went so smugly about my small
routines? Would I trade feeling not much for feeling pain?
Or what country was bombing which and why, what people were suffering and dying while I was far away and safe?
Really safe, in my bomb shelter of a home. Rambling spec-
ulations that never came to a conclusion. Curious wander-
ings, not thoughts. Never sitting down and looking, thoughts
only things meandering through the brain while hands did
the important jobs.

I also thought about what time it was, how much time
was left for this or that, how much time till Harry came
home.

I tried not to think of anything before Harry, those days
before he came along and picked me up and handed me a
life and all these jobs that amounted to a day. If I stopped
to think of how it might have been if Harry had not come
running up behind me, I shivered. I was grateful to have
this work to do.

None of it amounted to thinking. I saved all that for the
end.

It always took a long time to vacuum the stairs. That
takes so much lifting and shifting of the heavy, awkward
machine. But finally upstairs a whole new world, a different set of obstacles to be cleaned away.

More vacuuming, of course, and more polishing of wood.
More and larger mirrors too: and there is pleasure in looking at a mirror and seeing undistorted reflection, a pure
picture of the room, like a perfect watercolour of a pond.

The bed would be rumpled from Harry throwing back
the covers. I stripped off the blankets and the sheets each
day, seeing the marks of our bodies vanish. Sheet by sheet
and pillowcase by pillowcase, I changed and made up the

bed, and we were erased: until the night. In the cold months, the beautiful handmade family quilt was drawn up over it all.

The room that required the most painstaking care, though, was the bathroom. The toilet, for instance, that's something that must be done each day, scrubbed with a disinfectant so that not a single bacteria survives to leap up into our bodies. Who knows, when you can't even see these things, where they might be aiming or what damage they could do?

Wiping also all the outside of the toilet, and then the sink and bathtub; sometimes a Harry hair from one part of his body or another lying in the bottom, a reminder.

Clean towels and washcloths put out; supplies of soap and toilet paper checked daily.

A trip then through the whole house, gathering up items to be washed: Harry's discarded shirt and underwear from the day before, the used towels, washcloths, the night's sheets and my own clothes, a dress or blouse or slacks, and underwear; and downstairs the tea towels used for the dinner, lunch, and breakfast dishes. Everything went to the basement to be sorted, and while the washer was going, I ironed what was washed the day before. A continuous cycle of clean-soiled, soiled-clean. It never ended, but there was a delicious moment each day when I knew everything in the house was clean.

Another trip through the house for garbage. The wicker basket in the bathroom emptied every day and lined freshly with a paper bag. The same thing in the bedroom. And then the heftier amounts from the kitchen, the peelings and tins and coffee grounds: all carried out to the big plastic bags in the garage. Each week Harry would carry those bags out to the street and in the early hours of the next morning they would vanish, and there would be another of those moments when there was nothing dirty in the house.

This was several hours of work, no shirking. And there was a rhythm to it, something stately, like a minuet, a meditation. When it all was done, I allowed myself a cigarette, a coffee, and a salad. My days were dotted with small rewards; and then Harry, the large reward.

What did he do in his office every day that earned him fifteen, twenty, thirty thousand dollars a year? What was it that gave his job such value?

You couldn't gauge my work that way. It wasn't a matter of dollars that could be spent and touched, but of things that might flash by so quickly they could be missed if one weren't watchful: a smile, a touch, a cup of coffee, and a moment to try a quiz in a magazine. A house and a name: Mrs. Harry Cormick.

It wasn't joy I found in housework, but then, there would not be joy in many jobs. Even Harry, in love with his work, felt excitement, not joy. What I felt was — satisfaction, perhaps; duty fulfilled and a debt paid; goodness.

Those magazines with their quizzes and their stories, they underwent small alterations over the years. I began to see small cracks. Once, they spoke of how to keep a husband interested, and gave hints for dealing with household problems. Ways to do things right. More recently they have begun to speak of ways to juggle job and home. They have quick recipes and easy ways of doing housework, instead of thorough ways. I thought, things are being swept aside here. And where would it end? I foresaw chaos, a breaking down.

It seems strange, unfair, that having foreseen that, I should have become the target of chaos and catastrophe. I was so careful. I should have been the last, not the first.

I clipped recipes and glued them onto cards. I went through them, designing dinner, balancing textures and colours and favourites, ingredients and what we had on hand.

It was all organized, and I was comforted to know each step so well. By mid-afternoon a few things would be chopped and simmering, or at least ready to be dealt with. Ingredients would be lined up. I would know where I was going. A couple of times a week, I also baked: cookies, cupcakes, muffins, small things for us to nibble at in the evenings. None of this business of quick dashes of water to dry packaged mixes, either. There's no gift, no sign of caring in that, and I'm sure it must show in the taste.

There was a variety store three blocks away, and if we were low on bread or milk I walked over to get them. The other houses looked more or less like ours. It was a good neighbourhood, quiet and clean. The people were like Harry and me: middle class; professional men and wives, some of whom had jobs. Nothing loud or drastic ever happened, and we were all friendly enough. In the summers, people talked over back fences and shared leftover garden seeds. Sometimes we had barbecues together. In winter, out shovelling, there was a shared comradeship of heavy labour in the cold winds, and one came indoors a bit excited and brisk. When it stormed in the day, I shovelled the drive before Harry came home. Sometimes a neighbour with a snowblower, home early from work, would do it for me. In summer, a woman seeing me heading for the store or going out to pick tomatoes and lettuce for dinner might ask me over for a coffee. We would sit at a picnic table in the back yard and chat. The conversations were not intimate. It was partly, I think, because Harry and I did not have children. The others did. It was a big thing to talk about, and a big thing not to have. It made a space. Also I would not talk about Harry, refused to be drawn into shared confessions, admissions of imperfect lives. Where was the loyalty of those women? Then too, people were transferred, in and out, someone always seemed to be moving. One day to the next, people, like the trash, might vanish.

In late afternoon, the whole house polished and warm with kitchen smells, I went upstairs to get myself ready. Every other day I washed my hair. Every day I had a bath. That was a good time. I took a magazine with me, and my cigarettes, and kept the water piping by turning the hot tap on occasionally with my left foot. I could feel my hard-working muscles unwinding, and my pores opening, cleansing, a drifting possible. But I kept a small clock there, too, on the back of the toilet, in case I drifted too far.

I dried myself, cleaned the tub again, fixed my hair, and dressed. By then it was merely a matter of waiting for the crunching sound of the car in the driveway, the rumble of the garage door opening, the car door slamming, and the garage being closed again, and I was at the door and opening it, a last check of my hair and my make-up in the hallway mirror, and there he was.

Like waving good-bye in the morning: it seemed important to meet him at the door at night. The two acts enclosed my own day.

Really, it's only in the past few years that the routine has altered greatly. Oh, there were some changes along the way. I started adding exercises before my bath in the late afternoon, in my efforts to keep trim. It seems this becomes more difficult with age, however much hard work one may do.

But it's only in the past couple of years that the phone calls have become fairly frequent, Harry saying he'd be late. That the job was taking up his time. That clients from out of town had to be entertained and he'd be staying downtown overnight. His company kept a hotel suite for its executives to be used on such occasions. He was promoted to greater and greater responsibilities, he became an important man in that company. He said the work was therefore trickier and more time-consuming, and required sacrifices of us both. "I don't like wasting my evenings working or taking some dumb asshole out for drinks," he said. "It's just this damned job."

But he was so proud and pleased with himself when he did come home. I would certainly not want to cloud that, I would not complain.

I thought I was wise.

Now I remember him coming home happy from an evening at work, and I recall his pride, and now I know what he was proud of. How could he look at me then and smile and say, "Hi, Edna," and bend to give me a quick hello kiss and say, "Sorry I'm so late. I got tied up"?

It was comforting to have such familiar days. Having found my life, I would not have liked changes or surprises. And if the days were sometimes dull, or if sometimes I would have liked to avoid the work, put it off for some other time, I was proud to overcome that and steel myself and go ahead, plunging through it all. The more I did on such a day, the better, more virtuous I felt. And the closer I felt to Harry, because it was done for him, for us.

At the end of a day I was warm with satisfaction.

I seem to have had a great deal of pride, after all.

It is strange now to see those twenty years. A great long chunk of life in the past, it's like a package. And not, as I might have expected, all ribbons and pretty wrapping; from a distance, stripped of what I thought it meant, brown paper tied with string. And although I know it seemed right at the time, from a distance it weighs a ton. It was made up of such light small things, too — it's a puzzle.

It also seems primitive, superstitious, and innocent. Each task a kind of ritual abasement, an appeasing of unknown, threatening gods, a sacrifice like slaughtering goats on altars to fool the gods. They are offered gifts and are diverted. Or like saying prayers on beads, or making certain movements in particular ways, a form of worship and of fear. Holding up the cross to a vampire?

And somehow I missed a step, a sacrifice, a bead. I missed something.

I would like not to know. I would take all that weight back if I could be given not knowing again. I could go back and find out what I missed and I could take care of it and none of this would happen. I would be content. And I would work much, much harder to make it perfect.

18

I SEE I STILL TRY to hold onto secrets, even when there is
no one to keep them from any more except myself, and
what's the point of that?

If Harry had secrets, I had one, too. My addiction, my
single lapse from duty. A hidden sweet in the afternoon.

I remain guilty and embarrassed about it. Because it was
a self-indulgence? Perhaps because it may have been the
flaw.

It was that at some point (when, exactly?) I returned,
with a mixture of reluctance and unease and pleasure, to
that old habit, my comfort going back to childhood, of lying
silent and eyes closed, separated by blindness from where
I was, listening to the music and stealing it for myself. I
sang on the stage again, and danced around the same old
polished floors, this time with an elegant Harry, a face to
the figure now, while other people watched admiringly.

I stole to the couch in the afternoon and put albums on
the record player and turned up the volume. A grown
woman doing this, the same as she had in that old university apartment before Harry arrived to take up the evenings
with his hard lean words and body.

But my body and voice were so free and loud in someone else's body and voice. I might ask, "Why do I do this?"
and say, "I won't do it again, there's something wrong about
it," as if it were a kind of masturbation, but would be lured
back another day by how it felt. Blood rejoicing, muscles
shifting beneath the skin as it went on before my eyes.

Oh, I was important: I sang for my family and danced
in front of Harry's friends. Sometimes in a concert, some-

times on a small club stage. Wherever, they looked and admired. I was someone. I was anyone: from Streisand to Baez I could claim anyone's voice I chose, for my own small neat body. Musicals were best, from the *South Pacific* and *Oklahoma* of the early days to *Hair* and *Jacques Brel*, because I could dance in them as well as sing. Sometimes, when musicals were out of fashion, they were difficult to find and I fell back on the old favourites. Sometimes, as in the dancing, Harry became a voice with mine, because after all, with my eyes closed I could do anything, even make him someone else.

He used to say, flipping through the albums, "Jesus, we have a lot of stuff by women here," and it was true. I fed my cravings with occasional new albums, and if there was no musical that appealed, I chose something with a woman's voice that I could transform into mine.

Most often I placed him in the audience, where he sat watching proudly and with amazement, like the others.

Sometimes I found myself smiling. The trick has always been to keep the eyes closed. If they flickered open in the middle of a song, before the time was right, there was a flash of startled pain. It was a shock to see my clean cool living room when I was sweating from the dance inside.

It was never for very long. When an album ended, I resumed my day. The feeling was odd, though, when it was done: both satisfied and a bit dissatisfied, a little shaken and bewildered and uneasy. But by then it didn't matter much because there were only easy things left to do: exercise and take a bath and change my clothes, greet Harry. The music was for when the work was done. And maybe it wasn't so awful a weakness, nothing as bad as drinking or eating a bag of cookies all at once. It wasn't anything that showed. Just an old familiar dream that gave me, for a little time, my old familiar second life. It was enough; I always knew I wouldn't like it to be real, all those people staring, and certainly knew that the life I had was the one I wanted.

Still, it may have been the flaw: that for a half-hour or so in a day I was someone else and had those longings. Maybe it was far too often and for far too long. Maybe, most of all, it was a secret.

I wonder if Harry also had some hidden life inside his head? What did he see when he closed his eyes and listened?

And I wonder if she also had dreams of being someone else, just for a little while. Maybe she even dreamed of being me.

19

THE MAGAZINES SAID, "Rate your marriage — how close are you *really*?" Or, "The women in his office — what you have that they don't."

They had quizzes, which were irresistible: "When your husband comes home from work, do you a) greet him at the door with a smile; b) call hello to him but leave the vacuum cleaner running; c) greet him at the door by telling him what a terrible day you've had?"

I scored well on all the quizzes. "How to be more attractive for your man," I read. "How to be sure he'll always come home."

"Men fear age," they said. "They fear a loss of power, question waste and futility, and may go through phases. Be patient," they said.

But I was frightened, too. I didn't want to be old either. What phases did I have? How would his aging be different or worse than mine?

They didn't say.

When I was not quite thirty, I looked in the bathroom mirror one day and saw suddenly, as if they'd appeared overnight or had had a special light thrown on them, that my hair now included a few distinct grey slivers. My shining hair already dying.

I leaned over the spotless sink, staring; chose one and plucked it from the surrounding brown. It came out painlessly: a sign of dead hair, death, to be able to pull it without pain. It was a perfect total gleaming silver. I was surely not so old? So much of my time couldn't be gone? My days were all the same, what had happened, what event, that could make some hair turn silver? Nothing that I could see. I should be perfectly preserved and young.

That curling silver hair clung to my fingers like a prophecy. It didn't seem right to drop it in the trash as if it could be dismissed. Dangerous, even, to fail to see. Ten years with Harry gone. What did that mean, that there was so little to remember?

I looked at my face and it seemed to have melted somehow; features indistinct, a sort of pudding.

I would have to fix that; start exercising, the pat-patting beneath the chin and all the rest.

When I did turn thirty, Harry, two years older, said, "Don't worry, it's a snap." For him, it had been. He was still gaining power, not yet near the stage when he might fear losing it.

For me, that birthday came at a time when people ten years younger were saying things like, "Don't trust anybody over thirty." A dividing line established, a dividing line between me and young. And between me and these strange people coming up behind with their cold and revolutionary eyes.

"Of course," said Harry, "these kids have a lot to learn. They'll see."

Was it not what he'd expected when he was twenty, then?

(That woman, that girl, she would have been only what, thirteen or so, when I turned thirty. A baby, a child. An entirely different world, hers, I suppose.)

No one came to my home with lights and television cameras to see how I lived. No writers came with pads and pens to ask me my principles, what my solutions were.

No, they all talked to those younger ones, who were so sure. Even at their age I had not been sure, and I watched them on television and read their words in magazines with amazement. They marched, those girls, young women, in demonstrations, and some were even wanted by the police. They were terrifying. Some of them were also beautiful.

Their words, the things they did — they were saying I did not exist. They threatened my life with their demands.

And my magazines were altering, and there were new ones besides, entirely foreign. My mother, now, she might have liked them.

Unsettling enough turning thirty, without the rules changing also.

It was odd not to be young. Not old, of course, but also no longer young. I woke up in the mornings sometimes assuming an enormous future, and realized it was not so enormous any more. My body still seemed young, grey hairs or no. It was trim and firm. But there I was, thirty, a contradiction. I must have assumed that body and mind and time and everything would move together, synchronized. It was a shock to find one leaping ahead of the others.

I found myself thinking, "So this is it."

But where did that thought come from? I had what I wanted. It was not as if I'd had dreams of anything so very different, or ambitions to be something else. I had never considered seriously other possibilities. But it was still unsettling, disquieting, to think that now there would not be any.

Why did I think thirty was so old? Now it seems quite young.

I can still be surprised when I wake up some mornings wondering who I'll be. Now, of course, it's a fair question: who will I be?

I can't apologize, although it seems one is expected to these days, for spending twenty years caring for my husband and my home. Could I explain that was just my way of caring for myself?

My cause was not as spectacular as the ones of those people on television parading for civil rights and against war, for equal rights and against killing seals. My cause did not make for parades in the streets.

But if a civil-rights marcher is assaulted by a black, if an animal-lover is bitten by a dog, or an equal-rights demonstrator attacked by a woman, what does that mean? That all those efforts, those fair feelings, have gone to waste? In the victim, is there a sense of betrayal, a resentment that one's energy was stolen, one's caring disregarded?

Whose fault is it? Some ultimate uncaring selfishness in the attacker, a blindness? Or a flaw in the giver, who gives not quite enough. Who fails to give quite everything. Whose fault are these breakdowns, anyway?

"Look," I said to Harry, "if you want to work this weekend, go ahead. I'll find things to do." He'd spread out his papers on the glass-topped coffee table in the living room. I took him tea and sandwiches and opened his beer for him. He had to concentrate, so I read quietly in the kitchen, or did some baking. I wanted to let him be, when that was what he wanted.

But I never meant him to assume I wasn't there. I didn't mean to disappear.

My magazines, the ones I liked and was raised on, made it seem so clear. If one did this, that would result. Did I not follow the instructions carefully enough? I never could put things together. Harry bought kits for building things: a worktable or a set of shelves, and he could fit piece A into slot B with no difficulty at all, perceiving the logic of the thing. Me, I would have been left with a pile of unconnected pieces.

I thought — what did I think? That I had a home and Harry and so I was safe. I would be terrified without them.

I am terrified.

I didn't lie. If I turned my efforts into making him important, that was true. What I demonstrated to him of devotion was a mere glimmer of the truth.

When did the lie begin? His lie. Certainly not from the beginning. Perhaps only quite lately, which means that for most of those years there was no lie, those years are genuine. Maybe he just got tired. Or bored. I knew how easily bored he was in other ways.

Oh, I want him here. I have so many questions and he's the only one who knows. Why? I would say. What did I do wrong? What were you looking for? What more could I have done? When did it start?

Lunch is scalloped potatoes, thawed peas, a slice of ham, a dish of custard. Coffee, too, or tea. The potatoes are a little soggy, the peas wrinkled, the ham somewhat over-cooked, the custard bland, the coffee bitter. It's not an awful meal, just not a good one.

What I miss about it is not taste. What is lacking is a complete meal on my table. What I would like to see is a whole dish of potatoes from which to scoop my own, an entire ham or turkey or roast sitting there waiting to be carved.

What we are served are individual plates of food, each as if it has come from nowhere, has no origins. A little inhuman, to have it presented this way. Food should be part of a whole, a ceremony of care.

I wonder what's happened to all my recipes? All those clippings from magazines, pasted or copied so carefully onto file cards. And the recipe books that I used to read, thumbing through the pages and pictures, selecting, balancing, visualizing the combinations of possibilities on our plates.

I wonder what's happened to all my things? The house? Can it just be sold, without my ever seeing it again? Because I don't want to go back. I do not ever want to be inside that yellow kitchen with the white and yellow daisy clock. I do not want to see that living room with its wall of white gold-flecked paper, and I do not want to be upstairs. The pillows alone would break my heart.

Is someone looking after it? If not, will the pipes freeze this winter, or the furnace break down? By now dust must be gathered on the windowsills, and there will be bits of fluff and dirt settled in the carpets.

It seems it should be wrong, after a twenty-year investment of effort and work and attention, not to care. But I do not care. Let the place fall down.

I can think of only one thing about it that might give me

pleasure now. I think that if I were out of here I might drive a bulldozer to that house and smash it into splinters. That, I think, might give me joy.

I see that for all this tidy writing, following so carefully the lines, the rage is still there, in the ink and in the movements of the tendons of my hands.

20

"TALK TO ME, EDNA," he'd say. "What did you do today?"

Well, I felt contented, and pleased with myself. But to tell him what I had done — I could do these things an infinite number of times, it seemed, but I could hardly describe them an infinite number of times.

The trick with housework is to make one's labours invisible, so that the other person does not observe them, but would observe their absence.

We talked about vacation plans, food we liked, a new restaurant to try or a movie to see, articles in newspapers, and programs on TV. He said, "Okay to have the Baxters over Saturday? Could you maybe make those little quiches?"

"What about your day?" I asked. "How did it go?"

He was in the marketing department of a drug firm. He ended up head of it. Was he pleased with that? Might he have concluded he wasted his gifts on so small a stage?

A stage, yes. I can see him as an actor, someone striding and declaiming, or hunched and whispering to the farthest rows. Laughing, head thrown back, or weeping, face in hands.

This is no criticism, that he was alert to the effects of alterations in tone of voice or sudden movements. It was a skill he had, a gift, an offshoot of the intensity with which he saw his life, himself, and of his wish to be in charge. If someone had said, "What a liar he is," instead of "What a performer," I would not have understood.

I'm sure that for him it felt quite different to act than to lie. One for his pleasure, the other for his preservation.

But the skill in lies must have been cultivated in the acting.

What if he had truly been an actor? Would that have satisfied his desire to play out roles? Would he have known the difference between the play and all the rest?

I see him furious; dismissive; amused; bored. He could be all those things in our living room, with our company. I could watch the people watching him and listen to the changes in their words and voices. He changed topics with just a sigh and a shifting of his weight.

I thought I could appreciate his performances and still see the husband Harry underneath.

I thought he spoke to me in different ways. For one thing, I never heard tenderness except with me. He could be gentle and kind with others, but not tender. To me he might say, "Edna, you're perfect," although that might be in connection with a special meal for guests or in a quiet moment in our bedroom.

We could spend evenings doing very little except reading or watching television. He stretched out on the couch. He didn't need to speak unless he wanted to. It was a sign of trust, that he could relax so far with me. He trusted me, and therefore no performance.

With all the others he had to be on his toes.

But I, too, could be an actress. A silent, listening actress.

How many hours in twenty years did I spend listening? Nodding, asking questions (but that was part of listening). He spoke with such enthusiasm of his work and confided his manipulations. Another sign of his trust, that he could still talk freely of moves made with selfish, sometimes cruel, motives. I might listen with some pity for a man squeezed out, or injured in some Harry-feint. The effects didn't seem real to him. His pleasure was in the game itself, it seemed, no meaning for him beyond that.

What he told me was not real to me, either. More like stories read in magazines or heard on radio. Not even as real as a television program.

"You know what you need in business, Edna?" he asked. "You need the right image. Of course you can't make too many mistakes, either, but a lot of it is how people see you. You can get away with more mistakes for a longer time if they think you're a winner, but if you're not confident about yourself or let them think you're not dead sure of what you're doing, it doesn't matter how many things you do right — they think you're a loser. It's a hell of a lot better to risk the odd mistake and make quick decisions and be definite about it than to hesitate. I'm good, you know. I'm really good at that."

"I know."

"You also have to make them notice you. You have to have a character in their minds. Not weird, of course, or eccentric, I don't mean that. But you have to stand out."

All that was somewhere else. In our two-person corporation, we didn't have to worry about these things.

I had, however, a few betraying thoughts. (Were they the missed spots? Certainly a sign of imperfection.) Sometimes when he was very keyed up from a particular move and went over and over it aloud at home, crowing and analysing, I was bored. And amazed at being bored, so unlikely for me, who could spend days and years in the same routines. And I might think, "He sounds so *young.*" I meant, I think, that he wanted so much praise.

(Did she praise him? She was so much closer to that part of him; did she say, "Great work, Mr. Cormick, you handled that so well"? When would the Mr. Cormick have changed to Harry? Did they talk business over wine and dinner? She, who was right there, must have had a special view. Maybe when she praised him, it meant more from her than from me, because she would really know.)

I understood, with some surprise, that I protected him and gave him balance. "He needs me here, too," I thought.

I fed him that way and others. He fed me with his long arm around my shoulder when I woke up, my head in the dent where his shoulder met his chest when I fell asleep.

And too, there was his energy, the heat that flowed out of him and into me. I didn't think I raised much heat on my own.

Sometimes, yes, I might have liked to say, "Let's talk about something else for a while." But what? He said, "Talk to me, Edna," but what about?

I might have liked to say, "Harry, I don't understand. I know you're good, but I'm not there, I don't see it. It wearies me to hear all this."

That would have broken something. Everything, I suspect.

Did he only love my ears then? Surely there was more.

His beautiful smile, white teeth between narrow lips, the kind of lips to look at and remember how they feel; the creases of laughter by his mouth, the crinkles around his eyes.

We laughed, too. We enjoyed ourselves. In any magazine, this was a good marriage.

When I put on four or five pounds and told him I was going to start exercising and eating a little less, he looked at me, mock-solemn, like a doctor. "Stand up," he said, "and turn around." Then, "Come here, let me examine," and he poked my ribs, my stomach, my thighs, my arms, said, "Fat are you? Where? Here? Is this where you're fat? Or here?" and he pulled me down onto him, both of us laughing, on the couch.

Sometimes he was angry. But with Harry, anger wasn't very serious. He did not like to keep things bottled up inside. He let them out and then forgot.

He said, on a hot day in summer, "For Christ's sake, are we out of lemonade? You might know we'd need a lot in this weather. What the hell do you do all day, anyway?"

That sort of thing. Not often. But when he got tired. Sometimes just office irritations slipping into home. I could understand that.

"Jesus Christ, that goddam Baxter. Can't piss without getting his zipper stuck. What an asshole. Why is my life full of assholes?"

Because, I think, he liked it that way. Because he wanted to be the best. Because I stroked his hair, the back of his neck, and listened to him, and made his drinks.

But surely I wasn't lying, not really. Acting, on occasion, perhaps, but not lying.

God, to have ever said what was true.

This business of anger, it frightened me. Not Harry's sort: that hurt me, but did not frighten.

And I was right. I was right to feel my own rage might lead anywhere.

How often did my father swallow fury as he opened the door to the porch to have his pipe out there in the cold and the wind? Or, for that matter, how many times did my tense and, I think now, ambitious mother bite her tongue against complaints and urgings that he be better, bigger somehow. Because she didn't press him that way; merely bullied him in small ways.

Maybe in that house suppressed rage was seeping out of them like leaking gas and was inhaled by the wood, the wallpaper, and the linoleum. Maybe I breathed it in, along with fear. Maybe we were all poisoned by the air.

If ever, in my parents' house, someone had truly spoken and the anger had emerged from the woodwork and the linoleum, surely the walls would have crumbled, the roof collapsed, the glass windows shattered.

To have ever said the truth to Harry.

What was the truth, to be so terrifying?

That sometimes I looked at him across the living room at night, or watched him sleeping in our bed, and wondered, "Who is this man?"

Did he glance at me sometimes too and mistake me for a stranger? Did he find my burden boring?

But where did the final fury come from?

I wish to record the colour of carrots on the plate, the softness of potatoes, the quality of meat. For the second course, the doughiness of pie crusts, the dryness of cakes, the seeds in the fruits. I would catch in words the doctor's voice, the coolness of water warming in the throat, the tightness of a comb tugging through hair, pulling at the roots.

I lived with a man for twenty-odd years. Here, the only man I see is the doctor, twice a week.

He is quite different from Harry, it seems, although sometimes I feel an inclination to rest against him, to trust him in a similar way. But I no longer have faith in my own assessments.

I have no firm reason to believe he wouldn't lie to me.

He is still young — a decade younger than Harry. He has fine blond hair, cut moderately long so that it often catches on his shirt collar and I would like to brush it free. He has a habit, when he's talking, asking all those questions, of flicking his head so that the hair tosses back from his forehead.

The backs of his hands have fine hair on the knuckles, just as Harry's did. Are there similar hairs, equally soft-looking, on his chest, his legs, perhaps even his back? He dresses so carefully. He wears suits and shirts and ties, and although the ties are sometimes loosened at the throat, the shirts are always buttoned to the top, allowing no glimpse of flesh. And his socks are pulled high so that even when he sits in that listening pose, leaning forward, right ankle resting on left knee, with the tautness of trousers following the angles of his legs, no calf or ankle shows. Except for his face and hands, he keeps his skin to himself.

The hair on his head and knuckles seems so fine and soft it isn't possible to imagine a proper beard. His face would only grow more silky hair.

There is nothing harsh about him; even his voice is gentle.

What about anger then? Does he shout at home? I can't imagine; but then, who can tell?

He has slender hands and long fingers, but although they remind me of Harry's, I could not mistake them. There are blue veins prominent beneath the skin, and his finger-nails are clean and neatly clipped. He is so clean he has no scent of even aftershave or soap.

His eyes are immensely blue and deep. They invite me to dive in. They look as if they're waiting. It feels almost safe, looking into them, because I don't see anything back.

I'm pleased when he stops in to my room, or when a nurse says, "Come on now, Mrs. Cormick, time to see the doctor." I stand quickly, eagerly, then dawdle to hide my anticipation.

Sometimes he has new clothes and I like that: he has pride in his appearance. His shirts are always crisply ironed, so either his wife takes care of him well or he takes them to a laundry. Many people do, these days. So many things are easier, or ignored, these days.

His arms are long and his body is thin. Like Harry's, his wrists show bones. Also like Harry, he stands straight. (Although in the last few years, Harry was starting to stoop a little, as if his shoulders were becoming heavy. Perhaps this doctor will come to that.)

Sometimes I see him in the hall, going past my door, and if he sees me notice, he smiles. But he does not stop unless he has planned a visit. He does not walk quickly, but seems always to be on his way somewhere. I would like to know where all he goes.

What I would like sometimes would be to put my arms around him and set my head against the solid bones of his chest. I would like to touch the softness of his hair.

Instead I sit in a chair across his desk from him, and write these wishes down.

It's snowing. For the first time this year. The flakes melt and disappear as soon as they land against the window and the earth. What happens? Do they turn into something else, or simply vanish? I should be able to see it happen, the transformation of one thing into something else. It looks solid, the snow, coming down, and suddenly it's gone and just the greyness of the day is left. If it fell on me, surely I could touch it so gently there'd be no need for it to vanish. I might at least get close enough to see.

21

STELLA, NOW, IMAGES OF MY SISTER dance by now and then as I sit here. Which is funny, since I rarely thought of her once I got away. Once I didn't have to watch her easiness, like someone eating a bowl of strawberries and refusing to share, I mostly forgot.

Of course I only knew her as a child. Those are my memories.

I thought events would not touch my sister, who would always dance over disaster. Or stare it in the teeth the way she did my mother, and defy it. Even as a little girl, I remember her stamping her foot, her tiny fists planted on her hips, a miniature of my mother's stance, and saying, "No. I don't want to. I won't."

She got spanked. I slid along being quiet and obedient and observing.

We seemed to have nothing in common.

In high school she was one of those swift-footed golden people who knew the steps.

But then — then it seemed to me that after I left home, because I worked at school and I was bright enough, or needy enough, to be sent away, the tables turned. The advantage on my wedding day was mine.

And she, my bright-haired laughing sister, married a young plumber and they bought a little house just three blocks from my parents, and when Harry and I visited at Christmas I was the one with what they may have thought was a life with some glamour.

I was not a different person from the one they knew; but it was a great deal, enough, to seem to be a different person.

It may have astonished them to see me with this driving man who talked with passion about things they didn't even think about. A businessman talking to a plumber and a retired hardware clerk.

Of course it isn't that we were better, nothing so mean or pretentious. Just that against every expectation I married a man with a career and a future and moved on to the city and an unfamiliar life, while there was Stella, at home with her plumber. If things had been as they appeared, surely it would have been the reverse? Stella, the sparkling hostess, with the dazzling husband; me, the small-space person, with the plumber in the town. If with anyone at all.

"Lovely to see you," we said at Christmas and brushed cheeks lightly with our lips.

"Honest to God," Harry said as we drove home afterward, "it's like being with a bunch of strangers trapped in a storm. Nobody says anything. Don't you have anything to say to each other?"

No, we didn't. Scratch the surface and a maelstrom underneath? None of us had the will for that, certainly not I.

We talked, Stella and my mother and I, about clothes, new stores in town, and recipes. Small problems with our homes, redecorating. I doubt these domestic details were particularly satisfying, to my mother especially, but there we were, three adult women thrown together for a day or two, what would we talk about? The question for my mother would have been, "What made you so stiff and unhappy and stern?" For my sister it might have been, "What is that secret you knew? Why did it always go so smoothly?" And maybe they would have had questions for me as well.

No chance we would say things like that.

"That old saying about shoemakers' children going barefoot is just about true at our place," Stella complained. "We've had a dripping kitchen tap for weeks, and Frank never gets around to doing a thing about it. I'm going to have to call a plumber, if you can believe it."

My mother never tried to set rules for Harry or Stella's Frank, she must have had some respect for them, so when they sat down with my father in the living room and pulled out cigarettes, my father found courage to light up his pipe. His annual treat, this holiday defiance. He never looked entirely comfortable about it, his pleasure was uneasy, but he did it.

After they went to bed, my mother sprayed the room and washed the blue-glass candy dishes they used as ashtrays.

"Why do we do this every year?" Harry asked.

I don't know. We spent Thanksgiving with his parents, and sometimes Easter. But Christmas with mine. Nothing to do with fairness or equal time, I think. But Christmas would have been strange to me anywhere else. Unhappy sometimes, and always odd, but it smelled right, the only time in the year that house smelled friendly instead of damp. The onions and spices and turkey, cranberry bubbles and gravy and mincemeat pies — nowhere else would have had the right smells.

Christmas sent me back to childhood, made me childish. I remember for years there were dolls, one for me and one for Stella, unwrapped, under the tree from Santa Claus. Christmas Eve the four of us would sit in the darkened living room, only the coloured tree lights on, and stare at them. Mute, of course. Stuck in our own thoughts. But there we were, the four of us. Maybe we were all waiting for somebody to say something. Maybe every Christmas for years afterward we went back there to sit and wait for somebody to say something. In any case, whoever else was added, Harry, Frank, we'd started off, the four of us, together, and there was a sort of inescapable life sentence about it.

But where are they now? Have I gone too far and been abandoned?

It could be they just don't know what to say.

We wrote letters to each other occasionally, in a sort of three-way futility. My mother about neighbours, the weather, a new lampshade, her small attempts to do something with the house. "Your father's well," she always ended. "He sends his best." She signed herself, "Mother." I wrote about Harry and his work and the changes in our house, the company we had for dinner or the party we might be going to.

Stella covered much the same ground as my mother, as well as bits of news about people we both knew from our school days. "Mother and Dad are well," she said. "Bored with each other and miserable as usual."

We might have talked about them, maybe, Stella and I. Certainly they were what we had in common. We were never alone together though. First our parents, then our husbands. I have never sat across a kitchen table just talking with my sister over a cup of coffee. I have never sat out on a porch and smoked a cigarette just with her. We have only written letters and stared into space.

But she tried. Once, she tried, and for a little while afterward. It's that effort that makes me think that if she walked into this room right now, I might put down the pen and the notebook and let her put her arms around me, if she would.

Now, I would certainly have things to say. And now no reason not to.

I guess when she wrote me that letter, it would have been a little like that for her. And I failed her. Would she fail me? For revenge, if nothing else? I see now what she may have meant, but I didn't then, I couldn't imagine. And I am sorry, Stella. That's the first thing I would say to her now: I'm sorry, I didn't know.

Then I would say, but I do now, and we might compare notes and tell each other how it felt. Of course it worked out better for her, quite differently. Because she knew how to stamp her feet and put her fists on her hips and say no? Because she had long practice at defiance and survival? Well, if she came to see me here, we could maybe discuss that sort of thing.

A fat, scrawled letter it was, the handwriting not quite recognizable as hers. I finished my morning's work and sat down with my coffee and cigarette to read it. There was never any urgency about the mail.

She always wrote on notepaper just like her: little pink and mauve and white flower bunches on the top left-hand corner of each sheet, a matching mauve envelope. One would expect a lilac scent to float from it. Usually there were two neatly filled sheets; this time a bundle, different.

"Dear Edna," up by the flowers. Green ink. She always used green ink.

"Dear Edna, This will come as a surprise, but to come right to the point, I'm leaving Frank. I've been putting off writing you about it because it's hard to put down like that, it's like saying somebody's dead, but I've known long enough now, I'm used to the idea in a funny sort of way, so now I can write it down. This is the first time, I'm practising on you, because one of the hard things about it is actually telling people. They don't sell cards so you can just announce it. Not that I'm telling people everything, just that I'm leaving and what my plans are, but you'd be surprised (maybe you wouldn't) how nosey and rude people can be. It's all over town, of course you know people here don't have anything much better to do than talk. Mother is totally humiliated, so she's furious with me. Not with Frank, even though it's his fault, but with me because I've made a thing about it so everybody knows. She wouldn't even tell you.

"Anyway, to get to what happened, do you remember my best friend in high school, Carol? She and her husband Tony and Frank and I have chummed around for years. A couple of weeks ago Tony called me and said did I know Carol and Frank were having an affair. Of course I didn't, so you can imagine how shocked I was. But he had all the proof, dates and times and even a note from Frank to Carol setting something up, he's so stupid, although I guess I should be glad he is because otherwise I mightn't have ever found out. Tony kicked the crap out of Carol and I just packed Frank's things and told him to get lost. It's bad enough he was screwing around, but with my best friend!

When I think about it, I'm more upset with her than I am with him, I mean friends shouldn't do that, should they? I don't see how a friend could. And I mean, what is Frank anyway, just some dumb plumber, why should she want him so much, he's not so hot. Well, she's got him now, for good if she wants him.

"Mother says, you surely didn't have to make him leave. You can live with a lot of things. Well, maybe she can, but I don't intend to spend the rest of my life with any guy who can do a thing like that. Once something like that starts it doesn't stop, and besides, my best friend! I can't get over that. I don't ever want to lay eyes on him again, and as for living with him!

"Pretty soon, this is the rest of my plan, I won't have to lay eyes on him ever again, because I'm leaving town. We have to do a bunch of legal stuff, of course, and I'm making him pay through the nose for this, believe me, but as soon as all the papers are signed, I'm taking off. It's funny, but now I'm almost used to what's happened and having everything all of a sudden go all ass over teakettle, I'm kind of excited. Like for the first while I just hurt, that's all I could think about, and then I was furious, but then I started to think, well, to hell with it then, and after a while I got to wondering about what I'd do next. There's only a certain amount of time you can spend not doing anything, after all.

"So I thought and thought, and it dawned on me I'm free. I'm not so old, and I can start again. I'll have enough money from Frank to give me a breathing space and a chance to get on my feet and I don't feel bad about that because by God he owes me.

"Anyway, what I'm pretty sure I'm going to do is move out to Vancouver. The first thing about being free is not being here, that's for starters, so I looked at a map and I thought, Vancouver. At least it's supposed to be warm. No more of these lousy winters. And it seems it might be far enough away that everything really might be different. Can you imagine, Edna, everything all of a sudden being different? It's like getting a chance to be a new person.

"It's funny, though, the dumb things you miss. I guess they'll go away. But for instance not having to have Frank's supper on the table at six, that makes the whole hour between five and six a little weird, like there's just no *reason* to do certain things any more. It's really strange sleeping alone, that's hard to get used to, because you're so used to having somebody else there, it's like the bed's out of balance. And I don't have to get up at the crack of dawn, so I've been sleeping in sometimes till nine and then I wake up and lie there wondering what the hell I have to do that means I should haul myself out of bed. There are all these things I never thought about before. Like why *did* I used to get up so early? Just because he had to get up. It makes you wonder about all the other things you did, just because of somebody else.

"Now I'm free, though, and whatever I do from now on is going to be for me. The hell with sacrifice.

"I get so damn mad when I think about it. It sets me off, just thinking about getting up to put a good breakfast into him so he'll have lots of energy to get through the day, and then he goes off to screw Carol.

"The other thing is, you lie around wondering what you did wrong and what you should have done so he wouldn't have to go running off to somebody else. But then I think, so what? Maybe he's just a bastard. Why should I kill myself trying to hold onto somebody like that? I mean, he ought to owe me something too, he should have put some effort into this.

"And then Mother tells me things are never quite what you might want in a marriage, and you have to just get used to that and live with it. At least she can't say think of the children because thank God we don't have any and maybe if we did I'd agree with her and decide to stick it out for them. But I don't see any need to suffer just to keep Frank and his pay cheque rolling in. I don't want Frank rolling in at all, and I can always learn to take care of my own money, I expect. With some off the top from him to get me started.

"Poor Mother. It makes me wonder what she put up with. Heaven knows Dad wouldn't have been screwing around, but she's right, there's always something. She sighs a lot. She always sighed a lot, but now she sighs all the time. I bet she gets up in the morning and looks out the window and sighs.

"Lucky, you, you got away. I probably shouldn't say this, it'll likely sound awful, but I was always jealous of you. It wasn't your fault, but I always remember Mother saying stuff like, Why can't you be like Edna and just be good? and Edna works hard in school, you could get good marks too if you worked hard. She was right, too, I could have gotten away to university maybe, and everything would have been different if I'd had better marks, but you don't think about those things when you're just a kid having fun. And now you're all settled down in a nice house with a nice smart husband and you can do whatever the hell you want. So sometimes, I have to tell you, I think, How come Edna got everything right and it turns into such a mess for me? It's my own fault, of course, but now I'm going to go out and get what I want and I'm not going to make a mess of things again.

"Sometimes I wish we could sit down and talk. We seem miles apart. I guess we are. Now I don't have a best friend any more, it's kind of lonely. I guess you don't realize how few people you can really talk to until something like this happens. What it comes down to is, old happy-go-lucky Stella doesn't have a soul she can tell her troubles to. Sounds like a song, doesn't it?

"I'm not going to be able to get all this into the envelope if I don't stop. I'll write again and let you know what's happening and when I'm leaving, and maybe we can work in a visit before I go. I don't know what time there's likely to be and just how much money I'm going to be able to get out of Frank. Anyway, I feel better now for sitting down and writing it to you. It makes it realer to me.

"See you, big sister. Love, Stella."

Well. I read it again slowly, to take it all in. Sorting the facts and the feelings from the odd sense of a plea running underneath it all.

In every possible way, this was an astonishing letter. Because of the news itself, for one thing. Who would have dreamed all this from a dull lumbering man like Frank? In that dull lumbering town.

And with a best friend? I have had no opportunity to test any theory I might have about best friends, but I imagined closeness and trust. I thought Harry must be my best friend, a compact relationship that included everything.

I read the letter again. The fact that it was from Stella, and to me, was also astonishing.

All those Christmases and recipes and bits of gossip and all those evenings watching my golden sister dance out the door — and instead of that, this was Stella? Stella was also proud and lonely and hurt and excited and — most amazing to me — envious? Envious of me?

There had never been anything to indicate that she was even particularly interested, much less envious.

And why should she be? My dreams were of Stellahood. Given them I would be a blonde with flying feet and laughing eyes and easy conversation. I might still have Harry, but I would be someone else.

But I was not that sort of person. And she was right, things did work out for me, I had what I had wanted. The rest was only a dream.

She felt a little guilty about what happened? A little that it might be her fault, Frank going off like that? Well, it sounded reasonable. She must have missed something, true enough, he would surely not do it for no reason at all. There must have been something lacking in her. I admit to a little nudge of pleasure, seeing she could not be perfect. Not nice, but there it is.

But then she could skip past that, could divert herself from searching for the flaw. She could dismiss whatever her fault might have been and not try to make it up or correct it. She could say, "But now I'm free."

Free? But how was she bound? How terrible can it be, how great an infringement, to get up early to make a breakfast, or to concentrate on dinner? Like Harry, she called me free. I suppose they were right, in a way. But I didn't know what it meant. Stella did, she learned. She was excited by it. If I thought of freedom, I saw chaos; a great black catastrophic pit in which anything could happen.

And Stella was excited by it?

She could look at a map and point at a city and suddenly, bang, she would go there and live. A new start, a different life. She thought that would amaze me, that possibility? It horrified me. What if such a thing could happen? "What if Harry died?" I thought, for it was all I could imagine.

Oh, the things I would have asked her, right then. And more things I would ask her now.

I read the letter again and again, trying to understand. When Harry came home I showed it to him. Relieved, because knowing so much, he would know this as well, would be able to analyse it for me at a glance.

"Too bad," he said. "Dirty trick. Sounds as if Stella's right though, getting out while she still can. She's young enough to start again. Surprising though. I didn't know the bastard had it in him."

Was there a touch of admiration there? I didn't hear it.

"Doesn't it seem funny to you that she can just leave? And she feels free? Doesn't that sound wrong somehow?"

"Well, it isn't all she feels, after all. And no, I can't see it's wrong to feel free. No, not really." I hear those words now, his tone — I listen.

"But," and this was what I really wanted him to explain, "to think of her envying me!"

"Well," and he smiled, "you're a pretty enviable person. You've got me, and that alone . . ." We laughed, and something almost touched fell back out of reach again.

"Don't you think, though, he wouldn't have done it if she weren't doing something wrong? He must have been missing something, surely."

"Oh, I don't know, Edna. Some guys are just pricks that way, and I sure don't know him well enough to say. Anyway, it sounds as if she'll be better off without him. Stella'll do all right, I expect."

I thought he was probably right. And it made her seem far away and different again.

"If you're concerned about her, why don't you write and ask her to stay with us for a while, until she gets organized?"

A pretty picture, two sisters talking. But faced with it, something else. Stella in my home? To have my days disrupted? She would want to talk and talk. I would have to listen. I wanted to talk with her, but not for days. Maybe just for an hour or so.

That wasn't really why, though. The truth was, I didn't want to bring the glowing Stella, and she would still glow — whatever her tragedy she would still be my little dancing sister — into my cool and perfect sanctuary. Harry would see us and wonder. She might make a difference, if he saw us, just the two of us, together, and noticed what I wasn't.

I wanted him to talk about her letter and what we might know of her marriage. I thought it might be an interesting comparison. I thought he might tell me things he didn't otherwise, about how he saw us. I thought if we talked about our marriage, I would know how good it was.

But he wasn't interested. No reason, I guess, why he should have been. He wasn't impatient with my questions, but he wasn't thinking, didn't give thoughtful answers. How was it that he could talk so much about what he cared about, and pay so little attention to something I cared about? Talk to me, Edna, he'd say, but he didn't seem to want me to.

He took up all my listening. I couldn't have had Stella in

the house as well, I could not have listened as much as that.

"Dear Stella," I wrote back. "I'm so sorry. If there's anything I can do, please let me know."

Maybe that's why she does not come to visit.

Later, she wrote to say she wouldn't have time to visit before leaving for Vancouver. "It's all a rush now because we sold the house for the settlement so we could split the money, and now I have my half and no place to live except with Mother and Dad, which is a fate worse than death, so I'm taking off right away."

She found an apartment, sent me her new address. So it was true, this business of an entirely different life was possible.

"Dear Edna, Things are going so well here I can't believe it. It's sort of fun for a change living in a high-rise, where everybody's a stranger and nobody much cares who you are or what you do. Sure different from home! I've walked around and gone to movies and a few bars. I figure I've had my little holiday and now I'm going to salt away the rest of Frank's money (my money, I earned it) and go out looking for a job.

"It drives me crazy to think of all the years I spent missing all this. You can do *anything* here."

"Dear Stella," I wrote. "I'm glad you're settled, and hope you've found a job by now." I would have liked to ask, "What is this pleasure in being able to do anything? How do you choose? Isn't it confusing?" But of course did not.

"Dear Edna, I've landed a pretty good job, working for a bunch of lawyers. Keeping Frank's books and all those commercial courses I took in high school turned out to be a help, so I don't have to start off away down in the typing pool or something. But boy! Living in a big city sure is different. It's a lot harder to get to know people. I guess I'm just too old for some things, too. I mean, I've gone out with a few guys, you can't help meeting men in a lawyer's office, but sometimes it seems so stupid, like being seventeen again, all the hassles. This being single isn't all it's cracked up to be, let me tell you. But on the other hand, it's a change."

So freedom, even for Stella, was not wholly wonderful?

I cleaned a little harder, kissed Harry a little more firmly when he came home from work.

He may not have done or said what I had hoped he would; but there was no question about the need for him. He was all that stood between me and the perilous parts of Stellahood.

A few months later, "Dear Edna, Big news! I've met a perfectly gorgeous man! At least I think he is. His name's Kurt Walther (his folks are German), and he's divorced too, like me, except he's got two kids, but his ex has them. He gets them on weekends, so I do too now; we take them places like the zoo and they seem to be getting used to me. He's an accountant and I met him where I work. (Told you you meet plenty of men in a lawyer's office.) We've been going out pretty regularly for a couple of months now, and I think it's looking good. He's tall and blond and I think he's cute, even if he is going a little bald. He's fun and kind and also smart — all in all, quite a change from Frank!"

And after all that, wasn't it just like Stella, landing on her feet. What did she know about suffering, for her it never lasted. And I wondered just what I meant by that, when I had no suffering at all to do.

Hard to picture her new life. At least before, I'd had a setting for her when I thought of her. Now all the background, where she was and what she did and who this man was, it was just a blur.

They got married, naturally. Stella would not be alone for long. She said in her letter that it was just going to be a quiet civil ceremony and she didn't expect any of us to travel so far to be there. "Maybe some time you'll take a holiday out here and we can get together. Or we'll come east. Let's try, anyway.

"Kurt and I are buying a house, so there'll always be

room for company. He's paying out a lot in alimony and child support, so I'll be keeping on working, at least until his ex remarries which she's showing signs of doing. Anyway, I'd miss working now. I like having my own money and knowing it's there if anything happens. Not that Kurt's anything at all like Frank, but if there's one thing I've learned it's that you never know. Anyway, it makes me feel different to know I can afford to get out if I have to."

I said to Harry, "It sounds like a strange way to go into a marriage. Thinking of getting out again."

"Different, anyway." He sounded so uninvolved and noncommittal. "Listen," I wanted to say. "I'm interested in this. I feel strange things, I want to understand what's happened to Stella and what she's done. She's so far away. I listen to you all the time, can't you, for just a little while?" I wanted to bang on the table or his chest, to get his attention.

But of course I wouldn't have wanted him to pretend to be interested if he wasn't. And what exactly was it I wanted to say, or him to tell me? I was beginning to forget.

Later she wrote to say she was pregnant. "Finally," she said. It was a boy. A letter enclosed a picture of her, Kurt, and the baby, named for him. "As you see, both my Kurts are handsome fellows." The photograph was taken with the camera facing into the sun. Stella was holding the baby, and both her face and Kurt's were turned down, looking at the child. There was light around their heads. Kurt's bald spot shone. The background was furry, an impression of green and bushes. She didn't say where it was taken, but by then they'd bought their house, so I suppose it was there. Stella was still slim and still blonde, that much I could see and not much more.

I sent a gift, a little outfit for the baby, with my congratulations. Later when she had a little girl, I did the same. Stella kept working and her children were in day care before they went to school. She became her lawyer's personal assistant. We continued to write letters. Hers were never the same again as that one outburst, that single attempt;

mine were never different from what they'd always been.

Now, in a perverse sort of way, I feel a little free myself.

So I might ask her how it felt to bear a child and how it was to raise one. How it was to start again, to have two men instead of one, to earn a living. How it was to have had the right hair and the right smile and the right words for so long that she could take for granted a leap to the coast of the country, assume she would survive. How she could have all that and the babies, too.

I might ask her why it was she got to start again, and how she knew the way to reach for a second chance and not a knife.

22

PEOPLE STARED.

I remember them, our neighbours, gathered out in the darkness on their lawns, wrapped up in housecoats, wearing slippers, watching, listening. I can hardly blame them. Harry and I would have been out doing the same thing if it had been one of them. If I had not been fully occupied watching the tedious movement of the clock, and then the wallpaper again, and then having all those strange people in my house, I would have been out there watching too.

I would also have been attracted to blood: sign of passion and also of fortune. Because if this happened to someone near, less chance of it happening to oneself. Statistics and odds. It must have cheered our neighbours to have it happen next door, across the street, not in their own living rooms or kitchens.

A lovely day, today. Fresh snow, unmarked. The sun sparkles off it and it looks like jewels, maybe rhinestones, planted across the grounds. Tree branches are stark and still.

For all the missed corners inside, for the moment it is clean and clear and brisk outdoors.

Other places were brisk, but not so clean.

In the first place I went afterward, there were dustballs in the corners, black grime on the windowsills, and untidy heaps of paper on the single big wooden desk. The metal filing trays on it were overflowing. There were two men and a woman in that small cramped room, and me. They kept talking and asking questions and their hands pressed their eyes and foreheads wearily. The sun came up on all their talk and questions.

At home they had told me to change my clothes. So I did; but chose not something special, nothing for an occasion, but another housedress, the kind I did my work in, a small floral print. A dress for my ordinary moments.

All my dresses are here now, and my underwear and robes. Someone must have gone to get them. Someone must have gone into that house.

Oh, but I'm being stupid. A lot of people will have been in and out of that house by now.

Later I was in a small room, still in the same building as the grimy office. The woman there and I had trudged down two flights of stairs from that office to the small room. It had fluorescent lights behind a mesh arrangement in the ceiling, and dull green walls. There were no windows. There was a toilet in a corner, a cot against one wall. I lay down when the woman told me to, and she pulled a scratching grey woollen blanket over me. Was it cold then? It should have been warm, it was July.

It wasn't bad to be there. I was tired, and while the cot sagged and slanted and wasn't like my bed at all, it was a place to lie down. I felt like the colour of the blanket, but not scratchy or rough.

I think I could maybe have just lain there forever, but of course they don't leave you alone. It seems in these circumstances, there is a great deal to be done. The woman came back and made me stand and we walked along a light green corridor, up a different flight of stairs with heavy wooden banisters, along another hallway, this one light-brown-panelled, and into a big room. Like a ballroom or a conference hall, except that it had rows of benches. Like a church, maybe. And like a church a man sitting high up at one end, one had to look up at him. A lot of words were being said.

It wasn't that I could not see or hear. Just that my mind was elsewhere. It seemed to have suspended itself back there a bit, and couldn't get itself here.

I was prepared to wait. The vacuuming wasn't finished, and other things that had to be done hadn't even been started; although the downstairs was as finished as it would ever be. It was a little irritating to be kept away, but I was used to waiting.

It was dark again, which I supposed meant a day gone so I was even further behind, when I was taken to a van outside. The air out there was different from the musti-ness inside, but I was only out for a few moments. There was a short ride and then more halls, a different room but with a similar sort of cot, a toilet, and this time, a sink and a chair. They brought trays of food and took them away again. People came and went. Voices went on and on.

The lights did not go out, but I fell asleep. When I woke, I was surprised to find my face damp, tears on my cheeks and soaked into the pillow. I couldn't tell what might have caused that.

Now there were so many rooms, large and small ones, and so many different people and voices and questions, so many places they wanted me to sit and things they wanted me to do. Many men, and a few women. I could feel them: sometimes they were impatient, sometimes angry; but mainly tired, bored perhaps. There was a sense of people sighing all around me.

I could have told them, I suppose. It wouldn't have taken so much effort or concentration. But it was not their busi-ness. Harry and I were just the two of us, we always had been. We had no room for strangers. Besides, they were dangerous. They may have been weary and bored, but they also wanted me not to be safe any more. They wanted to put me outside, when I'd been so careful and worked so hard to get inside and stay there where I'd be safe.

I closed my mind against them, folded it over on itself.

More words, more people, more talk, more questions. I came here, to this room. I have only left here once, and that was to go back to one of those big rooms with a man sitting high up at one end. There were a few people watching, scattered along the benches, but I don't think I recognized any of them.

Maybe my parents were there. Or Harry's. Or some of

our friends, or her. But I surely would have recognized them. If I had seen her, I surely would have known.

This was all going on too long. The vacuum cleaner was still lying upstairs in the bedroom, switched off but still plugged in. I hadn't even started on the bathroom. The mirrors would be smudged. I wanted to have it finished.

"Is there anything you'd care to say at this stage, Mrs. Cormick?" the looming man at the end of the room, high up, was asking. He must have been surprised when I spoke up firmly, so they'd all hear and nobody would be able to ignore my wishes.

"I want to go home now, please," I said. "I didn't get the cleaning done."

I know, I understand now, how strange that must have sounded. But it was what was on my mind. It was what I wanted, and when they did take me back out into the sun and we got back into the car, I thought, "Well finally. I should have spoken up before."

But of course the car came right back here.

Oh, I was angry. I was just seething. That night they gave me pills to make me sleep. And where was Harry when I needed him? When he should have helped me, he wasn't there. That I was the cause of his absence, his failure to defend me, was not the point. It was because of him that I was here.

Which was true enough.

If he could fail me, anybody could. The world was once again populated by snapping beasts with their eyes on me.

Never trust. Never relax. Never consider yourself safe. Never speak if it can be helped. Here, especially, words are weapons.

Sometimes, of course, they can't be avoided. When I saw a nurse writing in a notebook just like this one, I had to ask, "Can I have one please?"

She was startled, her head snapped up from her notes.

"What? Did you want something, Mrs. Cormick?"

"Your book. And your pen."

"Oh, well, you can't have this one, I've been using it, but I can see if I can get you one of your own. Would you like that?"

I didn't think she would bring one. Apart from broken promises, they would be leery of pens. But maybe would consider the promise greater than the danger? They would have to weigh that.

It was the doctor, not she, who brought me the first pure, perfect notebook. I don't know what I thought of when I first saw the one in the nurse's hands. A poem maybe. Or some other way to put events in place. Flatten them out with words, or straighten them, or look at them. Or just get rid of them. Put them some place where covers could be shut on them.

They thought a notebook might be an opening? It has built a new wall instead. And this time it is just my wall, I don't have to share it. So no groping fingers are going to poke through this time. In either direction.

This notebook, I can touch it, hold it, it doesn't waver and it has no will of its own, outside of mine. It alters only when I make an alteration in it, in my perfect handwriting.

Often it does not contain what I want it to: which is every small thing here, all written down, identified and pinned. Too often I wander off into the other time. But that is not the notebook's fault, but a failure of my will. Whatever is here, I have made.

Some nights I go to sleep holding it. Not that I mistake it for something else, because it's chilly and smooth. It couldn't possibly be confused with something warm and embracing in return.

But chilly smoothness does not lie; whereas embraces may.

23

EMBRACES MAY LIE. But I admit, some days I miss the illusion.

I may not be able to recall precisely how Harry looked, but I can recall the feel of him. His arm across my body in the night, his shoulder beneath my head. His legs stretched alongside mine. The warmth alone, just that, I miss. I still waken sometimes in the night and turn to the warmth and find it is not there.

I don't remember him as well inside me. That part seems deadened now. There is no stirring or heat in remembering him. There used to be. There used to be something almost sacramental about it. For a few months when I was a young girl, I became religious. Taking communion had a shuddering effect: the bread and the wine that was really grape juice, I would stare at them and try to see in them the actual blood and the body of Christ and shiver at the thought. Harry inside was something like that: sacred in a way, symbolic of the whole, and a link with some unity greater than either of us apart.

I would have liked to consume him in this communion; to draw him whole inside my body, to make us a proper unity. It seemed that must be what he was striving for as well, with all his efforts and strainings.

I suppose he wasn't though. I suppose it must have been something else as far as he was concerned. When the telephone rang, when I found out this was not a sacred act at all, that must be when that part of me lost feeling. Unplugged, another loose end in my body is dangling disconnected.

If Christ came back and said something like, "Oh no, did you think I really meant all those things I said?", people's souls would surely shrivel. Think of all the things that would collapse. And wouldn't the people hate? Wouldn't they kill Christ?

It was not necessarily sacredness I felt at the time, when we were actually together. It was what I felt about the idea of the thing. It was what brought my own passion to our bed.

There were those moments of impending closeness, when I wanted to pull him entirely into my body, all safe and warm the two of us.

But I admit there were other kinds of moments. It isn't always easy to concentrate on what is going on. The mind wanders. One thinks things that are frivolous and unrelated. One thinks, maybe, about being almost out of peanut butter or laundry soap, or what to wear to dinner Saturday. One hears the sounds of making love as sounds, and heard that way they may not be terribly attractive. They may be just slaps of perspiring flesh or short rasping breaths.

And sometimes even odder things occur. I remember that sometimes my mind simply moved away, off into a corner of the room, and my eyes were watching as if I were not a part of it at all; the way I could feel our child watching in those days when we were trying so hard to create him.

From that perspective I saw two strange people on the bed, his familiar buttocks shuddering, legs tensing; and up and down, up and down the body moving. Beneath his heaving outstretched body, I could barely see myself, the second person.

Who would be a voyeur, I wondered, seeing things like this?

Just sometimes this happened — not often, really — and only for a few seconds. Then my eyes would rejoin myself beneath him. I did wonder, though, if this were a flaw or some sort of betrayal.

The best was afterward. Then he had time to be tender

and slow, he would lie close alongside me and stroke my arms, my back. That is what I miss: the tenderness, gentleness, slowness of him all around me.

Then, too, I could draw my fingers along his jaw, examine his cheekbones in the dark, and find his shoulder blades. There was a dent in the small of his back I liked to reach. Beneath the skin was the hardness of his real body. Like a shell around my own soft one. And my own soft body was a dark cubbyhole for him.

It seemed to fit.

I had almost a horror of him holding me in the night and feeling my flesh sag. This can happen easily, with just a little too much weight: lying on your side, your stomach slides towards the mattress and an arm around you feels that, something soft and pliant, like one of those sea animals that don't have any spines. Not a nice thing to feel in the night.

So I did my exercises to stay firm and did not eat too much, and I slept with my back to him or with my head in his shoulder but tilted down, so he wouldn't smell night breath.

I did everything. What didn't I do?

I got used to the idea that there would be no result from all this but blood. No babies. I thought, "Whatever may be missing inside, at least there are no marks. I have stayed firm."

I would not have liked the marks, although I might have liked the babies. I suppose I was like Harry in some ways: wanting everything. "You can't have your cake and eat it too," my mother used to say with some air of weary knowledge. This seemed true.

I also thought, "If we'd had a child, I wouldn't be able to do all this." I meant all the proper care. Instead, there would be playpens, cribs, toys, bottles, boxes of pablum, and jars of green and yellow baby foods, that acid smell of diapers overlaid with sweet baby powder, all the infant aromas of some of the homes we went to. Then tricycles and bicycles and watching and being scared of something terrible happening, a whole new world of fear, having a child.

Just what I did now was complex enough. I might not be equal to two sets of devotion.

Harry said once after a lingering dinner with wine, our private celebration of a promotion I believe, "I'm glad I don't have to share you." I suppose he meant babies.

"Me too."

But surely he could see I wouldn't want to share him either?

We seem to have had different sets of rules. I wish I'd thought to ask what his were.

It's so stupid, such a blindness, not to be able to see him. Twenty years and I see a boy running up behind me on a street, and after that only the sense of a long hard narrow body, a sort of vibration of personality, and a shattering into pieces. Somewhere along the line did I not look?

But we took everything for granted, everything. We never thought.

That house where we lived, that suburb, neat and bleak when we moved in, but after twenty years well treed and flowered — but still neat — it grew up around us. We settled into it like getting comfortable in an easy chair.

We took for granted the big cars traded every other year; the colour television sets as soon as they were on the market; the record player; and later what Harry called the sound system; the very texture of our days.

It's the texture I can feel, not the events. Parties and dinners and conversations and a cup of coffee with a neighbour in a back yard — all these things happened. We had our little disagreements, which hurt, and I did my work. All of it happened in innocence. And all of it is out of focus now, distorted, like a photograph taken from a strange angle with an odd lens, a different perspective entirely. The innocence isn't there in the memory; because the ending casts it in a different light. A mushroom cloud, a blaze of eerie brilliance, twenty years illuminated in a different way that could not have been imagined during the living of them.

At the time, the texture was smooth and soft, like a velvety robe you step into after a bath on a chilly day.

I think I can say with confidence that *we* took it all for granted, that *we* did not think. It must be true for him as well; because if he had thought, if he had not assumed, he could never have dared, could never have risked it, or me, or himself. To take such a leap as he did — well, it can only be done from a trusted, taken-for-granted base.

Unless, of course, he didn't care at all. But he wasn't such a liar as that. He lied, but not like that.

He must have changed, though, in other ways than new glasses and stooping shoulders. I aged and changed, whatever my efforts, and of course he must have too. Grey hairs, lines, a dragging of the skin, these things must have happened to him as well.

If I failed to see all that, what about invisible changes?

Is that what he thought, that I failed to see him? Did he just want somebody to look?

It could as easily be the reverse, for all I know. He might have thought I saw too well, or too much, and wanted a little time to be invisible.

It wasn't so much time. A small portion of our years.

When I lie in bed looking up, what I see are white ceiling tiles. I've counted the holes in them, which is not an easy thing to do. You get a certain way along and the holes blur and two of them seem to jump together and you have to start again. But by going slowly and patiently along the lines, I have counted twenty-three along each side. Each corner hole, of course, is counted twice, once for each of the two sides it connects.

With such exercises I refine myself.

When I brush my teeth, I draw an inch of toothpaste along the bristles. On a bad day, when someone else brushes my teeth, a little less is likely to be used. I brush before and after breakfast, and then not until bedtime. I used to smoke occasionally, but here they don't permit matches; so my breath, I imagine, is better and there's no great need to brush during the day. Is an inch of toothpaste every time wasteful? Or countered by only brushing three times a day?

Harry said, "You look great." Or "How about the red dress Friday?" But he might have preferred me to have scars or birthmarks or wear more make-up or dress differently. He might have liked a change.

Sometimes he said, "Edna, are you okay?" and I didn't know what he meant. "I mean," he'd say, "you just stay home. Are you okay?" and he'd have a worried, puzzled look.

Did he not want me to vacuum every day or wipe the toaster? Did he want me to be the life of all the parties? People still complimented him, he told me, on his small dark quiet listening wife. I couldn't be everything. He embraced the person I was, and yet there were those times when the person I was seemed to concern him.

But he wouldn't have liked to have no clean shirts, or to see dirty dishes in the sink.

So just what did he want, anyway? What more did he want?

There are so many interruptions here. That's a hard thing to get used to, after so many years of privacy.

They come in and say, "Come on now, it's time for breakfast." Or lunch, or dinner. "Okay, Edna, let's have your bath now." And "Time to go see the doctor," which is one I don't mind so much, although it's sometimes inconvenient, sometimes I am in the middle of something here.

"Lights out, Edna," they say at night. "Time to put the pen down now."

It's tiring, all this work, all this writing, all this picking apart of things. They only give me sleeping pills on the bad days. Otherwise I sleep quite well, except for waking up sometimes in the middle of the night and reaching for the missing warm part. All my habits have been broken here, except for that one drowsy one.

At the end of a day my eyes burn, and my right wrist,

my fingers, feel all cramped and sore from the steady, tidy writing.

But it makes me uneasy to have the lights out, to go to sleep. I can't write in the dark, so maybe I miss things? With the pen I might be able to follow falling asleep, for instance, to see how that happens.

Other times, too, the pen and the notebook are inaccessible. At meals they don't let me have them and it's hard to write the details from memory, hard to pay enough attention to remember adequately. How exactly it feels, moving a spoon to the mouth.

And in the bath, another place I can't take the notebook, may there not be some sensation of water and soap and skin forgotten?

There are so many things to put down. Right here in this chair there are so many things. And then I drift off and write down other things as well. I still do not pay attention well enough. But I see a good deal better than I used to. I'm developing a better eye for detail than I ever had before.

24

I USED TO WONDER SOMETIMES why people like Harry were given holidays. Like money, I suppose, they represent reward, accomplishment. In the early days of our marriage we'd not had a great deal of money, but enough, and a couple of weeks' vacation was not much but enough. Then, as the years went on, we had more and more money, more than enough, and the weeks of holiday expanded too and were also much more than enough.

Vacations are for doing. One is supposed to see new things, rest, and break patterns, and return refreshed to ordinary labours. But what is it one is supposed to do?

Go away, travel, leave home. But home was where my life was; leaving there, to drive across the country or to fly to Florida or California or some Caribbean island was to be nowhere at all. We ate different kinds of fruit and drank different kinds of drinks. We stayed in hotels where other people, maids, changed the sheets and cleaned the toilets and where there was likely a view of a beach from the balcony. We could rent cars to drive along rutted roads, or read books beside a hotel pool, stretched out on lounge chairs in our bathing suits and sunglasses. We could walk along sand at sunset. We could look like pictures on a travel poster.

But my hands were empty when we were away. They missed what they should be doing. They missed holding dishcloths and food. They lacked purpose, and didn't know what to do with themselves.

Harry, too, may have felt that, because his fingers sometimes drummed on tables while we waited for drinks, and he would break into a run along a beach, leaving me behind, and at night would fling himself onto a hotel bed and sometimes sigh. He would wonder what was happening with some deal at the office, or how he ought to solve some problem. A holiday often seemed to be empty time, an uncomfortable pause.

We went together to Jamaica, Barbados, St. Lucia, Hawaii. Once we went to Mexico, and another time, daringly, on a package tour to Cuba, which we thought would be a stern and exotic place. But it did not seem so different. From hotels and beaches, the view is much the same.

We went to California and walked different kinds of streets and beaches and stared around for movie stars. And Florida. It was heat and water that attracted us, the antidote to winter cold and grey and snow. Like birds, we migrated south.

We drove, in summers, through New England and northern Ontario and to both coasts, planning itineraries, drawing lines on maps, scanning guides for good hotels. Mainly we were not drawn to big cities, although in the spring or fall Harry might take some extra days and we'd fly to New York, stay in some safe hotel, and journey out to dinner and the theatre. We did not walk there, of course. The dangers were too well known. North America in general seemed too familiar, because we were alert to what could happen. What could happen in other places, we could not be sure, so travelled there more freely.

It was nice to see the plays. In the dark, except for the coughing and some murmuring, it was almost private, like watching a drama from our living room. And in the dark I could see myself up on the stage.

They also gave us conversation. We could go back to our room and put up our feet and order from room service and talk about performances. When we got home, Harry liked telling people what we'd seen and done. The luxury of being able to do these things, fly to New York for a four-day weekend, appealed to both of us.

(Did she miss him when we went away? Did he miss her? There were meetings Harry went to out of town. Did she go with him, were those their holidays?)

We did not always go away though. Sometimes Harry took a week or two and stayed home, puttering around the house. He put in gardens and painted rooms and once sanded down a table and refinished it. Every day or so he'd call his office, or someone from there would call him, which both pleased him and kept his mind on work, which seemed to make him both more tense and more content.

Those holidays at home were odd for me, too. He came into the kitchen wanting a sandwich or a beer and it was midday, when he shouldn't have been there at all. Sounds were disorienting — coughs and hammering, footsteps and his voice, when normally there would be silence. My treats were deferred. Certainly I could not put on records in the afternoon, lie down on the couch, close my eyes, and dance.

I could feel his body tightening as it came time to go back to work. On the morning of the first day back, he would be chattering and laughing, and he grinned back at me as he went out the door.

I did not grin, was not exactly happy; but closed the door behind him with some sense of peace restored.

The trouble when we went away was the tension of words between us. We spoke of what we saw and did, but had little other conversation. Even Harry, without his work, was a bit bereft of words. We said, "Look at that sunset," and "Shall we drive around the island tomorrow?" and "Did you ever see anything like what that woman is wearing!"

What do other people talk about? Maybe much the same, except that they don't notice, or it's enough, or it doesn't seem important.

Maybe it was that we didn't belong where we went, and knew that these places were only a space in our time, that endings were coming up. Surely, though, that would be the same for anyone on holiday? A vacation is mainly observation, there is no settling in. Our own lives were not led in sunshine or on sandy beaches, or even in the hotels that might have been anywhere. We watched the natives, the tanned Californians and the brown Caribbeans, but knew less of them than we would have watching television. It was somewhat like watching television, and even seemed as if we had already seen much of it and were still watching from behind a screen. We were fish out of our own waters and not sufficiently relaxed.

And too, not having children made a difference. Holidays must be so simple, if also perhaps more aggravating, for people with children. Then, there are always things to do and places to see. One goes, no doubt, to Disneyland instead of for a walk. A wax museum instead of a long dinner heavy with drinks. Children must provide some form to these things and a familiar structure. The vital part of home travelling right along with you, making its homelike demands. Harry and I never went to Disneyland or to wax museums. They were hardly to our tastes.

Maybe we should have talked about it; discussed our discomfort at having so little to discuss. Maybe we should have said, "Gosh, three weeks together is really a long time, isn't it?"

Instead, we touched a great deal more than usual, and made love more often. We reassured each other with our bodies.

There was never a lack of fondness between us; just that there were limited ways of telling our fondness. And with only the two of us for days and days, this was drawn to our attention.

But when I viewed us as a picture, if I observed us as some other person might, Harry's arm around me when we walked, or bent together over a map on the hood of our rented car, or lying side by side tanning by a pool, reading bits of books or papers to each other — it was a charming picture. We looked so happy.

We were happy. It was only odd, that's all.

In my head I counted off the days until we would be going home. And Harry, also aware of diminishing moments, said things like, "We only have six days left, we should try to hit the market tomorrow, time's running out." The night before we left wherever we had gone, we achieved some gaiety, laughed easily and drank more and talked eagerly about the holiday now gone. In those nights of retrospect, the time away could safely glitter.

When we came home, drove up that street and in that driveway, when I saw our ordinary house, I could have embraced it. Put my arms around it and kissed its doors and windows. As soon as Harry went back to work, I set about making it fresh and clean again, because in our absence it would have become a bit unused-smelling; not quite musty, but not quite familiar or ours. I did not like it that when we walked out the door, the house could forget us and set about gathering dust and different smells.

Our holidays felt strange, but not disastrous. Unless muteness is a tragedy. But beforehand we were not mute, and I think our true vacations were in the planning of them. Each year we looked ahead as if the weeks away would be perfect, and were as entertained and as excited as the vacations themselves were probably meant to make us.

"I've got six weeks this year," Harry said. "What do you think we should do with them?"

And we would talk about places maybe read about or for which there'd been advertisements on television, where we had already been, and if new places would be much different. Harry would go to travel agents (or send her out to them?) and bring home brochures and schedules of flights and lists of prices. We would stare at the pictures of high-rise hotels and judge their proximity to beaches and imagine ourselves in one of the rooms, standing at one of the tiny windows in the photographs.

People at work told Harry about their holidays, which islands in the Caribbean might be unpleasant this year, with

relations strained between natives and tourists, or dangerous, or too dull. For people who wanted more than tans,
who liked to keep busy, as we did, some places should be
avoided. The Caribbean seemed the natural area to go to,
however. There were formulas for the islands, one knew
more or less what to expect, and yet they were quite different from home. We hugged ourselves in December,
contemplating February on a beach, or buying shirts and
straw hats in a market.

"I can't wait," Harry would say. "I can't wait to get away
from that damned office."

Our enthusiasm beforehand never faltered.

Like children, we stared out airplane windows and pointed
down, excited, at the clouds.

I was only frightened taking off and landing.

In the little buses that took us to our hotels we looked
out windows and judged how interesting this place might
be.

I think it was not until we were checked in, unpacking in
our room, and just the two of us, that the weariness set in.

I would, I think, have liked to go to Europe. To see cas-
tles in Britain and old wineries in France. In Spain, we
could even have lain on beaches. But the time of year was
never right, it was harder to count on sunshine. And Harry
said, "It's all old there, it's dying. They've only got the past.
Who wants to go trailing through museums and old ruins?
Nothing's *moving* over there." He said it would be boring,
and they were his holidays after all, he earned them, and it
was he who needed the rest, the break, the change of pace.

Now, though, if I could travel, that's where I'd go. To
cool places: Scotland in autumn, even if it rained, or the
mountains in Spain in the spring. I would walk by myself
through big cities like Paris and stare at all the old things:
buildings and paintings and monuments. I don't think those
things are dying at all. I think I would be reassured to see
that some things do survive centuries, they last. Unlike snow
or leaves or houses or days.

Or that there have been so many people and events in so many years — the past is huge — that two people in a moment now have no great significance. They may be something only tiny, and all this very little, really.

25

"TALK TO ME, EDNA," he said, although not, I admit, so often in the last few years. It would not be fair to say he didn't pay attention. (Strange to worry about being fair, which would seem the least of it.)

"Are you all right?" he asked. "Are you okay home alone like this?" What did he think was happening?

Maybe if something was happening to him, he needed to search out some strangeness in me.

He began to leave for work earlier in the mornings because, he said, "I beat the worst of the traffic this way. I wish I'd thought of it before." I still woke him gently; just earlier.

It meant going to bed at nights earlier, so our evenings together were shorter.

They were also shorter because he began often to come home later, too. Again, he said, avoiding the rush hour. Or working late. Sometimes he stayed downtown overnight. "It's this damn job," he told me, and of course he had been promoted again, to manager of marketing, so it was reasonable to imagine him working still harder. She was promoted along with him. He told me and laughed because he said it was called rug-ranking, and wasn't that an odd expression.

We still had most of our evenings, though, even if they became briefer. And our weekends, we had those. There were only small incursions into our time, so subtle and so reasonable. "Of course," I said. "I understand." And thought I did.

I leaped and slid past thirty to forty. It went so fast;

oddly, because each day was long and full of hours.

Forty. I woke up the morning of that birthday and remembered it was that day and felt the oddest sense of doom. It was, and this was rare, really, hard to get out of bed.

I seem to have had common crises. It must be just that I never learned to deal with them in common ways, that's it, I guess.

Really a birthday is just a number. But to shift a decade and not merely a year is something; although I imagine the next move, into fifties, won't be so much now. I lack a sense of future.

Hormones, possibly. My doctor once said shifting moods could usually be traced to shifting hormones. It gave me a particularly helpless feeling: that nothing, it seemed, not even a mood, was just my own.

But that morning, my birthday, was more than hormones. They may have sunk, but everything else was dragged down also.

Because there ought to be a clear view here. A little peak from which one can look back and see forty years in a bundle and look forward and see how it will go and the clarity alone should be satisfying. One ought to have things in place. One ought to be able to say, "I have done that," and "I will do this." There should be something like an A on a report card, even a B would be satisfactory. What about Harry? He would, I suppose, have his promotions and his pay cheques. A steady progress; piles of accomplishments like steps behind him.

But for me? If one does the same thing over and over again, each time properly, each time to the best of one's ability, still what one seems to have is a handful of endless identical tasks. It's not like getting anywhere.

There was a purpose, of course. I had my reasons. Just that on this day the vision slipped. Instead of the larger purpose, I saw the tiny tasks. They crowded my head, jumbling into each other, a tumbling of dishes and laundry and dusting and scrubbing and exercises and make-up, of watching the clock to see when Harry would be home. And the second, secret closed-eyed life of being someone else up on a stage, and all the music. In this fortieth birthday light, all that was absurd and sad, and I thought I might not now be able to return to it, having seen it this way.

I stood stock still in the kitchen, a frying pan in one hand, an egg in the other, struck with a thought, not a blow: "This is nothing. This is not anything at all."

Imagine such a thought on a fortieth birthday: no wonder I had to stand still, breathless for a moment.

None the less, the egg had to be cracked into the frying pan, the toast had to be made, the juice poured, the coffee percolated.

Every move like being on a planet where the gravity is enormous: the limbs weighed down, dragging to the earth. I might just sink, standing there, through the kitchen floor.

And there was Harry, sitting across the table from me, the smells the same as any morning, the sun streaking light across the kitchen table, and it was like every morning of my life; except that the smells were sour and I was dark. The coffee was bitter and my cigarette was dust in my lungs. Small pleasures were only small, after all.

I sighed and heard my mother sighing. Was this what happened?

"Happy birthday," Harry said. "But you look as if it's bugging you." See, I remember that, that he did know, he did pay attention, it was me sitting there across from him, living with him, he did know that.

It's hard not to come fiercely to his defence, even against myself. It's difficult to break a habit of more than twenty years. And it's confusing to remind myself that he also lied, and that there was a time when he needed defending and I was unavailable.

Some time, oh years ago, in the early days of being married, he'd come home from work and we'd have dinner and when it got to be dusk and then dark we'd turn out all the lights and put records on the player and kick off our shoes and dance together in the dark. Snuggled close we'd drift around the living room, eyes closed, to gentle songs. The Mills Brothers harmonized, "You always hurt the one you love." But we moved to the rhythms, not the words. And who really listens to songs? Who takes them as far as they'll go?

I can't quite recall when we stopped doing that. Like other things, some of our hours together, they must have just drifted off and we forgot.

I hadn't realized how many shiftings there were.

"You sure don't look forty," Harry was saying. Even a compliment turned on itself. What did forty look like? One of these days would I crumble, my true and forty-year-old face appearing abruptly, irreversibly aged? Some day nothing, not all the exercises or all the creams and lotions and care, would make a difference. I knew, although he may not have noticed, that there were already little lines, tiny baggings at the base of my throat. I bought scarves, which I never had before, to hide them. This was just the beginning; the force of earth would work its way down my breasts, my stomach, and my thighs.

Maybe it shouldn't make a difference. But it does. To slide into age without ever having seen yourself, and after so much effort. All the time is gone.

Forty years gone. Into an even division of fear and safety, twenty years of this, another twenty of that. And another twenty, forty years? Oh God, the weariness, the weight, of all those years of endless little tasks. Was Harry big enough?

Ah, but there was a dangerous, betraying thought. Question that and anything might happen; I might shatter into pieces just sitting in my chair.

"Really, Edna," and I shook myself. "Whatever is the matter? Pull yourself together," and I tried, made an effort to haul back the wandering, desolate, betraying, destroying thoughts.

It certainly wasn't any longing for change. The very thought of change would terrify me. So what was it I wanted?

Just a little while to get used to the idea. Of being forty, in my forties, of catching up to it. Just a little time.

"Are you sick or something? You look pale." He'd put down his fork, his diagonal slice of buttered toast, his cup of coffee. He was just looking at me. What did he see? I felt my fingers around my throat, hiding lines. I would have put my hands over my face.

"No, I'm fine."

"Christ, Edna, if it's just your birthday, it's not a tragedy, you know. You don't have to look as if it's the end of the world. I'm older than you and look at me, am I over the hill?"

Yes, as it happens.

"Of course not. I'm just being silly. It's hit me funny, that's all. Remember your fortieth birthday, it bothered you too, you know." And it had. I'd baked a cake and given him my gift at dinner, an incredibly expensive pair of gold cuff links engraved with his initials, but he was so quiet. He drank steadily, almost sullenly, through the evening and went to bed drunk. "Thank you for the cuff links," he said. "They're nice." He hardly ever got drunk.

"Shit, it's nothing. You don't look anything like forty." And there it was again. What would he say, then, when I did?

"Listen," and he grabbed my hands across the table. My hands that were not so soft or unused any more. "Tell you what. Grab a cab down to the office at five and we'll go out for drinks and dinner. You should be celebrating, not feeling bad. We'll have a great meal and a few bottles of wine and you can spend the day treating yourself and getting ready. Just lie around in the tub with some really whiffy bath oil. Doll yourself up, look good tonight. And I'll show you how much fun being forty can be." He leered, and we laughed. Maybe it was not so terrible. Maybe small pleasures were small miracles, and not just small.

"Okay. You're right. That'll be nice." But did he think a few words and a grin, a long bath and an expensive dinner would lift wrinkles, flesh, time?

A day off might lead to other days: to anarchy. I worked through the morning, as I always did. This was hard and heavy work, not so little. But grim today; I could not quite make out salvation in the unsmudged glass of mirrors.

In the aftertoon I had the long hot bath with the expensive oil, lay in the tub with my cigarettes and magazines, then did my hair. I would wear my blue silk suit, elegant and lean. How would a woman of forty dress? I looked at my clothes and most of them seemed ageless; but one would have to study what was suitable.

I was well turned out when I left, if not beautiful. But this was following his instructions; not a treat, as he'd intended, but another small thing that must be done.

I was impatient at my unfairness and lack of gratitude. What did I want, anyway? Just to be told it was important, maybe.

In his office, before we left, he handed me a yellow rose, clipped the stem, and hooked it into the buttonhole of my suit, stepped back, head cocked, surveying. "You look great," he said, and kissed my cheek. (And this, I remember, in front of her. Had he no shame, for either of us?

(Surely I was real to them. Surely I was not so invisible that they didn't notice me; that he might even have sent her out to buy the rose? Would that be part of her job? The possibilities of these little things, tiny wounds, are almost as painful and betraying as the great one.)

I said to him once, "I think a single rose is better than a dozen big ones. Anybody can give a bunch of flowers, but just one is special." I was touched that he remembered.

"Happy birthday, Edna," he said in the restaurant, lifting his glass of white wine to me. "To you, my perfect wife."

Extravagant? Oh yes, Harry was extravagant in his speech as well as in other ways. What did he mean by perfect? That I was deaf and dumb and blind and stupid?

A smile, a rose — these should be good returns on my investment.

"So," he said, "Are you feeling better? Did you do what I said and pamper yourself today?"

See, questions. An evening of questions. But he was interested. He wasn't talking about himself. It was my fault that I couldn't think what to tell him, or what to ask.

Years of listening, droplets of facts plinking into the well of my mind, opinions splashing down. But always he said something just to me: asked about my day, or what I was doing or planning to do, what I was reading, and what I felt like seeing on television. He always gave me a chance to take a turn, so it must have been my fault when I didn't. Maybe he only talked to fill my gaps? But no, that's going too far. He talked because he wanted to tell me things; or to hear himself telling me things.

"Yes, I'm feeling better." My fingers kept going to the rose, to see if it was enough. "It was just this morning, it struck me strange. To think of being in my forties, you know. As if everything's been — so short." I may have meant so small. How was he to know?

"Well," and he grinned at me, "you're not dying, you know."

But of course that's part of it. Forty says precisely that you're dying, you can almost glimpse it, that this is going to end and you will lie at that end on a great heap of very small pieces of this and that.

"Is it because you feel you've missed things? Are there things you wanted to do and couldn't?"

He knew better than that. We went over all that before we were even married. He knew perfectly well I had no ambitions.

"Of course not. It's just something to get used to." I shrugged. "It's not a big deal, it's just silliness, I told you."

We were eating, but he kept glancing at me, peering as if he wanted to see past my skin. My skin that didn't look forty yet.

"All I ever wanted was to make a good home."

"And you've done that right enough," he said, lifting his glass again to me and drinking. Did he wonder at my ambition? Did he feel worthy of it, or ashamed?

"Don't you think that's enough?" In a moment I would cry, and wouldn't quite know why.

"Of course it is, if that's what you want. All I was asking was if there was anything else you wanted and didn't get."

Somehow there was an edge in both our voices. What edge were we close to? Should we have stepped over instead of back?

"Harry, it's just realizing I'm not seventeen, I'm forty, and this is what I'm doing, this is it. Do you see?"

And blessedly he did see, here was the step away from the brink. "Yeah, actually I think I do. You wonder how it happened, what happened, it goes so fast."

"Exactly." I beamed and thought, "We are close."

"Well, of course I wanted a child, maybe. For a while." To bring this up, that is how close I thought we were right then. Was that so rare then? So it would seem; it would seem almost as if our minds must have run for years on parallels, quite separate, and would have done so to infinity.

"Do you think about it much?"

"No, hardly ever any more. Just that when you asked if there was anything I wanted and didn't get, well, that's what you'd think of too, isn't it?"

"I guess. It would have been different, wouldn't it?"

"Hard to imagine now."

Now I could feel the evening draining. Difficult and tiring to keep up with abrupt shiftings, from the undercurrent of hostility to the closeness, from his questions to my uneasy confusion, and now to a kind of minor gloom for our lost lives, lost children, whatever we might have mourned if we'd been people who mourned for things that were impossible. Which we weren't, at the time.

What if I'd turned his questions back? If I'd said, "What

about you? What do you feel you've missed? Have you done what you wanted? Are you satisfied? With me? And everything else? What more do you want?"

Who knows what he might have told me, with a candle on the table and wine in our glasses and a rose in the buttonhole of my blue silk suit? He might have said he was unhappy and dissatisfied, that he was worried, or frail, or that he wanted a great deal more. He might have said the truth, whatever that was. We might both have said the truth.

But what then? Might I not have reached out and plunged my steak knife publicly into our little tragedy?

A little tragedy, yes. Nothing unique, no headlines, I'm sure. I wonder if it was even in the papers? Just a simple, ordinary, domestic failure.

But he was grinning, and just like at breakfast reached across the table for my hands, held them, covered them. "That's enough of that sad shit. We're supposed to be celebrating. You've earned forty years, you should be proud. You've got forty years under your belt."

But when would they start to sag?

"You're just halfway, really. Come on, let's drink to our eightieth birthdays and our sixtieth anniversary."

And of course I laughed with him. His laughter was still infectious; and besides, it was a funny vision, the two of us old and lined and bent and still — always — together. It was not the old that was discouraging but the years it took to get there.

"To us," he said. "May you be as beautiful and I be as handsome then as we are today."

But I was not beautiful. He was handsome, but I was not beautiful. What did he see?

"Do you think my hair's getting too grey? Should I start touching it up?"

"Hell no. It suits you, it's kind of warm and soft like you. Besides, there isn't much. And anyway, it's like being forty, it's something you've earned. You should be proud."

I don't think he really believed that. He was just trying

to cheer me up, which was kind. But what did I do to earn
forty years and grey hairs? I don't think I'm vain; just frightened. Or is it the same thing?

"Why fight it? Why hide what you are?"

Habit, I guess. Necessity.

"It's a waste of time to get upset about things you can't
do anything about."

I hope he meant that. I hope he really believed it, and
was not upset in the end by what he could not prevent.

"But listen, apart from today and having a birthday, are
you happy? Are you okay?"

Okay, certainly. Apart from today and a birthday. Happy?
It's funny. When you're young, maybe you think about being
happy. I used to hope for that, and if somebody'd asked
me, "What do you want to be?" I might have said, "Happy,"
and I would have thought that meant just one thing.

But you forget. If you're like me and get what you thought
was going to make you happy, the idea of it kind of fades. I
supposed I should be happy. I supposed I was. But it didn't
seem quite the word.

What would the word be? Content, by and large? Satisfied? But both implied a sitting back, a relaxing, a serenity,
and that was not much like my days in which so much had
to be accomplished.

"I'm busy," I said slowly. I could tell by his face, a bit
startled, disappointed, that that was neither right nor enough.
"I'm happy, naturally. How couldn't I be?"

"I don't know. You never say. You never say how you
feel."

"Well, there's no need, is there? I feel fine. My life is just
the way I wanted it to be." My God, there was a desolation
in that sentence I didn't intend at all.

"Look, Edna," and he was looking at me so firmly, as if I
were some recalcitrant employee, and he sounded almost
angry; what did he want from me? "Look, you were upset
this morning about being forty. I understand that, it can
hit anybody that way. But I worry about you sometimes. I

don't know what your days are like and how you feel about them and what you think about. The house is great, and of course you've made it a place to be proud of." (But it hadn't been pride I was hoping for; it was refuge.) "But what else?"

What did he mean, what else? "What are you worried about?"

"Your days. How you spend them."

"Harry, you know what my days are like. For heaven's sake!"

"No, I don't. I can see what you do, if that's what you mean, but I still don't know how they feel."

I shrugged. "They feel busy. I don't understand what you want, Harry."

"I want to know," and he looked so fierce and harsh I could almost have been frightened, "if it's really enough for you to look after a house and me." But he softened. "I just want to know if you're okay. Because you've been doing it all for twenty years, and sometimes I think you must get bored. Don't you? Don't you sometimes want to try different things?"

Bored sometimes, yes. But that is surely to be expected; part of the trade for a life.

"Well, different days feel different, they're not the same. Sometimes I get tired and sometimes I enjoy it. It's like anybody else, I expect. Don't you ever get down at work, or tired of it? After all, Harry, I don't know how it feels to be you doing what you do all day any more than you know about me and my days."

"Well, you should," and he was smiling again, thank God. "I tell you enough about it. Sometimes I wonder how you can listen to so much of it."

So should I have told him that sometimes it was difficult and dull to listen and that I could never feel it had anything much to do with me?

"No, I like to hear about your days."

Who am I to call him a liar?

What did they talk about? Did they discuss everything,

did she speak easily, and then did he miss the same kind of thing with me? Did they talk about me? That night in the restaurant in this strange tense conversation on my birthday, how much was he comparing us?

Oh, I could kill him.

Maybe what I lack is a better sense of humour.

"Look, Harry, let's just drink the wine and enjoy the evening. I'm forty, okay? I'm fine."

Usually I couldn't drink so much wine. Usually it made me sleepy. But tonight it seemed I could have gone on drinking it forever and it would have soaked right into my body and not left a trace, no wobbling or slurring or sleepiness or even having to go to the bathroom. I seemed to be working it off, like sweat, in talk and uneasiness.

"But don't you get lonesome, Edna? I mean there you are in that house and a lot of times I don't get home for dinner now. Don't you want to get out sometimes and see other people? Don't you get mad?"

"Well, I see neighbours. We have coffee sometimes. But I don't get lonely. I like being by myself, I always have. I get a lot of work done, and I like to read. I like to make the house clean, it's peaceful in a way, making things shine. And I like sitting in the kitchen at four o'clock having a coffee and thinking about you coming home."

"But what about when I'm not coming home? What if I'm going to be late or not make it at all?"

"That's okay. I watch TV and read, or sometimes I bake if there hasn't been time during the day. There are things to do. Of course I'd like it better if you came home, but I can find things to do."

"And you don't get mad?"

"Heavens, no. Why should I?"

Why indeed.

Anyway, we made a bargain: I would not make demands, and he would give. But what was he giving? Never mind. Twenty years down the road was no time to tell him I was waiting.

Oh, wasn't I the perfect, understanding wife though?

Once, Harry brought home a man from work for a drink. They sat in the living room talking, while I tried to keep dinner from being ruined. I imagine the man's wife was trying to do the same in their home. After a couple of hours the man stood and sighed and said, "Well, I better be getting home to the old ball and chain."

What an ugly thing to say, a terrible way to feel. "It's just an expression," Harry told me later. But expressions don't come from nowhere, and that man said that so easily, casually, about his wife. Not Harry. Not ever Harry.

"So what you're saying is that you're quite happy and contented and everything is tickety-boo, is that right?" A cynicism, bitterness, in the tone; so odd. And how do you answer?

"I suppose. If you want to put it that way. Harry, please let's just drop it. I'm perfectly satisfied with my life."

He flung up his hands. "Okay, okay. If you're sure. I just wanted to be sure."

I guess he really wasn't asking about me at all that night. I guess he was really checking for permission to be free.

At home we just got in the door and he said, "I'm beat, I'm going to bed. Happy birthday, Edna." I'd thought we might sit up for another glass of wine; and cool down from the evening and whatever was hot (and not warm) between us. But he did look weary.

I was restless still and stayed downstairs for a while, looking around. Just wandering through the rooms, staring at shining surfaces. Like my clothes: would my furniture suit my age? I approved the starkness of Rosenthal vases in the dining room and the cool beige woven couch in the living room, the simple silver frame on a mildly modern print of something not quite like what it was. I liked the smooth surfaces and the textured ones. So cool and light, my rooms.

But were they for a forty-year-old woman? Or did that matter, as long as they were tasteful. Magazines instructed in taste, and in changing tastes, changing just as the rules seemed to. I had no need for new rules, though, having embraced my own. And no need to alter simplicity for old flowery cake plates and painted vases, rough wooden tables instead of glass and chrome, heavy patterned furniture instead of light and plain. These new things were old, would have more nearly suited my parents' home than mine. Things — tastes and rules — seemed to be going backward and forward simultaneously. Very confusing.

Probably having learned simplicity so well, I should stick to it. At forty, surely one has a right to say, "This is it." Even if along with the satisfaction of saying that comes just a hint of death.

The daisy kitchen clock moved on past midnight, and I was into my forty-first year.

Harry was sound asleep when I went upstairs. I looked at him and wondered, "What were all those questions for? Why did he want to stir things up?" But what had he stirred up? I tossed for a while before I got to sleep.

But was up early the next morning, the morning of the first day of my forty-first year, and couldn't quite recall the day before. It seemed an aberration. What had seemed so hard, or bad? Too many questions; and with too many questions a faltering of purpose, a betrayal. A relief to settle back on my own track.

It seemed important to demonstrate to Harry that I was fine. He needn't worry, or even think about me. Things were as they should be, and he could go unburdened to his office. Certainly I did not want him to look at me again in quite the way he had the night before, or talk to me that way again.

Pancakes were usually for weekends when there was lots of time and lots to do; but I made pancakes that morning anyway, for proof.

"Very nice," he said, and ate four. No questions this morning, no signs of the night before. "I've got to run if I want to beat the rush. See you later. I think I should be home for dinner, I'll let you know."

I waved good-bye and started my work. I would not think of twenty, forty years, enough to take each day.

I forgot how sad the closed-eyed music had seemed the day before, and put on an album in the afternoon, watched myself whirl on a stage, and smiled.

Later, he called to say he wouldn't be able to make it for dinner after all, but should be home by nine. "Listen, Edna," and he laughed, "don't ever make pancakes again on a weekday."

"Why not?"

"I've got a gut you wouldn't believe. Weighs a ton. I can hardly move. All I want to do is sleep."

"I'm sorry. I didn't think of that."

"Shit, I was kidding." So easily he twisted on me in recent years; and again I didn't really notice. "They were great, it's just when you sit on your ass all day, it's hard to work them off. If I was home mowing the lawn, they'd be gone by now. Listen, I've got to get to a meeting. See you later, okay?"

So. Dinner for one. An omelette and a small salad in front of the television set; another meal without Harry, another meal at which I could watch my weight. I watched Walter Cronkite while I ate. Who was Walter Cronkite anyway? Did he have secrets, tell lies? It didn't seem so, but the faces, it seems, are just masks for other faces.

Was I like that as well? Or was my flaw maybe just transparency?

26

THE PHONE CALL FROM THAT WOMAN; Dottie Franklin. Why would she do such a thing? One assumes malice. Maybe I deserved malice.

I knew her, of course. We'd had dinners, the four of us, she and Jack, Harry and I, and we also met at parties. The first time, years ago, before I met them Harry told me a little about them. He always tried to do that, give me details about people we were seeing, so I'd feel more a part of it, I suppose, or not say something wrong, or so they wouldn't seem quite like strangers.

"Don't, for God's sake, talk about marriage," he told me. Why ever would I have raised such an intimate subject anyway? But he was warning, "It's a bad topic, especially if they have a few drinks." Everyone always had a few drinks.

"Why?"

"Because theirs is weird and if you get them started, it'll all turn into a brawl."

"But what's the matter?"

"Who knows?" He raised his eyebrows, spread his palms towards me, shrugged. "Probably a lot of things. The obvious one is that Jack's a bit of a chaser, and every year or so he takes up with somebody for a while until he does something stupid, I don't know, goes home with blonde hairs on his jacket maybe, and Dottie finds out. Then they have a hell of a row and heave things around and then they make up, sort of, until the next time."

"But that's terrible. Why do they stay together if it's so awful?" Astonished that people might yell and throw dishes and live in the midst of betrayal.

"Probably because they like it that way. It's never one person's fault, you know." No, I don't suppose it is. "Jack's not such a bad guy, it's just the way he is. And in their way, they get along. Maybe they like fighting, maybe they get off on it."

And when we met them, it did seem they got along. Jack wasn't sharp and bright, not like Harry, but he did have an easy sort of charm, I could see his type. He might be attractive, if one were inclined to casualness.

And he and Dottie had little married jokes, small verbal nudges, and grinned at each other, and if there was a hard sort of undercurrent, maybe I only heard it because I knew to listen for it.

"We were lucky," Harry said afterward. "They weren't too bad tonight."

I remember looking at her, though, and feeling sorry for her. And I must confess a straightening of my spine, a pride that Harry and I were different.

If she phoned out of malice, that's understandable.

But unforgivable if it was done with pity. If it was true that she thought it only "fair" to tell me. If, as she lifted the receiver, dialled, she thought, "Poor Edna."

"It was just by accident Jack saw them," she told me. "He happened to glance out the car window as he was going past her apartment building and there they were in the parking lot. Kissing.

"And after all, at eight o'clock in the morning, what other explanation could there be?

"I thought you ought to know. I thought it would be only fair."

One thing I thought during my twelve long hours of thinking, fixed on that wall of gold-flecked white wallpaper: that the unique, flamboyant, clever, driving Harry, who hadn't made it home last night, could have committed such an ordinary, clichéd, banal little sin. That he could have been trapped in one of my magazine articles, that is how ordinary he turned out to be, and that was a betrayal, too.

If he were going to do such a thing, which I wouldn't have dreamed, but if I had dreamed, it would have been with someone more exotic, unreachable, someone more a challenge. Not just the person closest to hand.

Harry's hands were on her. Every pore of my skin ached, seeing that.

When Harry hired her he said, "I can't believe how she's just moved in and taken over. She's very young to be so confident."

"She makes your work easier then?"

"You bet. It's only been a week and she knows where everything is and who to put off and who to get back to right away and she's not a pain in the ass about it, she doesn't have to keep coming to me with questions." He laughed. "In another couple of weeks I won't have to go in at all, she'll be taking care of everything. You have no idea how rare it is to find somebody you can depend on."

Well, I thought I had some idea.

"Of course," he said, "she's been in the company for a year so she understands how the operation works. But still, it's not often you find somebody who just does her job and does it right and isn't bugging you all the time."

When we were first introduced one day when I went to the office to meet Harry after work, there was nothing about her that made me notice her particularly. Nothing that said she was efficient or remarkable or anything at all. She was pretty enough, but not beautiful, but I hadn't expected her to be beautiful. When Harry spoke of her skills, I assumed she did not have beauty. He would have mentioned that.

The day we met, her blonde hair was pulled back and not glamorous, although later I sometimes saw her with it down, curling around her shoulders. The only make-up she wore that I could see was a slash of lipstick. She was wearing a white blouse tucked not very carefully into a tailored grey skirt, a grey suit jacket slung over the back of her chair. Proper office wear, I suppose, although not something I would have chosen. Too stark. Blue eyes, but set a little too far apart, and a nose just a shade too flat. Wide mouth, and a plump chin that would likely double some day, if she weren't careful.

If I close my eyes and concentrate, I can hear the sounds of my heartbeat and my pulse. I can almost hear the blood in the veins and arteries. There are shifting patterns of lights and shapes against my eyelids, and I can almost begin to feel how it all works, the internal intricacies. Could I trace the dangling, disconnected pieces?

Admirable, how the body goes on, performing its own routines, whatever is going on outside. It may speed or slow in a mild response, but basically it keeps functioning. Blood winds to the smallest places, food and drink are pulverized and acidized and moved, shifted, absorbed, the nerves send impulses, knowledge and memory leap in the brain, it all goes on. Hair and toenails grow and are clipped and then grow again.

I wish I could live as blindly and dumbly as the hair and toenails, I wish I could restore my ignorance. I would like to be a drop of blood, or a heartbeat.

When I called him at the office, she always said, "Oh hello, Mrs. Cormick, I'll just ring through and make sure he's not in a meeting." If he was on another line and I had to wait, she'd come back on and say, "He'll just be a minute. How are you? We haven't seen you for a while," and I could say to her, "I'm just fine, how are things going there?"

It didn't mean a thing, but that's just it: she was cheerful, friendly, and ordinary, and didn't mean a thing.

Really, I knew nothing about her except what Harry said: that she was quick and efficient and the best secretary he had ever had. Dear God, I expect that was true. I could even feel sorry for her. That she was in her middle twenties and worked at what must be really a dreary sort of job, you would think: typing, taking dictation and orders. "Does she have a boyfriend? Is she engaged?" I asked Harry. "No, she says she isn't interested in settling down." It was not a matter of settling down, as far as I could see. It was a matter of being safe and purposeful, not drifting.

Apparently she cared neither for her own safety nor for mine. Much less Harry's. I cannot imagine such a woman. Even Dottie Franklin is more comprehensible, her cruelty more human.

How did she feel, talking to me on the phone, seeing me occasionally in the office, seeing Harry hold my elbows and kiss my cheek? How did that feel to her? Did she not care when we went out of the office together, going to dinner, just the two of us? Did she know things, did he tell her things, that made it unimportant? How was she able to speak cheerfully and normally to me on the telephone? Was she feeling sorry for me? Laughing? I may, of course, be wrong, because I have been wrong about a number of things, but I didn't feel or hear pity or laughter in her voice. She must have been cruel, though. Only a cruel person could play with other people's lives, and if she was, as Harry said, not interested in permanence, she must have been just playing.

She may understand that even games have consequences. I wonder if she is a bit afraid to live now?

But if she was cruel, what was Harry? He came home every night (almost every night) to me. He touched my body and ate the meals I cooked and wore the shirts I washed and ironed and walked over the rugs I vacuumed and put on the suits I picked up from the cleaners, and all the time he knew.

Did he, with me, think of her?

He let me lie beside him in the dark and say "I love you," and he said it back, and all the time he knew.

Who can imagine so much cruelty? A Hitler of the spirit, my loving Harry.

I can't see what it was. I picture her and all the times I saw her and all the times we spoke, and I can't imagine at all what it was that let her skim so carelessly over me and through my life.

Was it just that she was convenient and young? Was it only years that made the difference?

Here I have not exercised for months. There's no possibility of watching my diet, I eat what I am given. I have no use for make-up, no one to impress or from whom to hide lines. There is no reason to wear scarves around my throat, or darker shades of stockings to make my legs look slimmer than they are. I don't need, in the late afternoons, to change my clothes for something more attractive. I do not even need to be sure that slacks and blouses match.

There is no reason to look into a mirror. Except to notice changes.

I am, perhaps, coming to look my age. I am sure I must look more than forty, and I may look forty-three. As I suspected, it happens quickly, when it happens.

I can't quite make out the whole effect. The woman who comes around each week to wash and set my hair (and all the others', too) twists it back with flying hands until it's all pinned down and set there. "Very chic and smart it makes you look, dear," she tells me, standing back and looking at her work. I don't know. I see only dark and greying hairs pulled back.

I can see, though, that for all the stuffy food and lack of exercise, there does appear to be some drawing in of skin around the bones. The skin itself is almost translucent, a kind of glowing paleness that might nearly shine in the dark, one would think. There is a caving in of sorts. I find my clothes hang oddly, loosely; like my mother stumping around in her oversized boots, going out to hang the wash. My eyes, blue in the midst of brownish-grey skin around them, peer. And in return, I sometimes notice people, visitors, staring at me.

What are they looking at? What do they see? Something odd, off balance? Some mark of what I did?

I try to count my grey hairs to see if there are more, but I keep losing track. It's so frustrating, not to be able to do what should be such a simple thing.

Sometimes I do get angry, having to start again and again.

27

VERY SOON NOW, it's going to be spring. This will be the
third season since the event, which seems to have moved
back so far in time, and also to be rolling up ahead again. I
am a different person. Like being born in a late July night.
An ugly birth that is, my life from his, a terrible thing. I
should feel guilt and grief. I feel a little badly that I can't
feel those things. The newborn Edna seems somewhat de-
formed.

It is difficult to remember that other one. Who spent
years thoughtlessly and randomly, for all their order. At
the time, it wasn't so hard. It's seeing that's hard, not blindness. I had my books and magazines and work and Harry,
and the music, and it gets easier, not harder, to take for
granted and not think. You don't even notice.

Now here I am, reduced to me, this pen, and this notebook, which appears to be less but may be more. And a
great problem approaches: that this place, which looked so
large and limitless when I began, is now becoming tight
and dull. I don't quite know where to go from here.

I have examined enamel in sinks, complexions of people, myself minutely. I have kept up with imperfections. I
have written precisely, if too often off the track. My notebooks are stacked neatly in the drawers of my half of the
bureau. I have considered leaves and roses and the doctor.
I have taken apart a pen to see how it works. I have peered
until new lines have sprung up around my eyes. I have
noted paint chipped from the corridors and the black numbers on the doorway to this room. I have kept my posture
straight, my ankles neatly crossed. I have walked and run

and noted the muscles pulling in each move. I have eaten hundreds of meals, I have eaten every kind of meal they have here, and the textures, colours, the variations are so minute now that despite myself I begin to wonder.

Was there a missed spot, an unremarked detail? Or something else entirely: Harry and me. Or only me.

I know there are tinier details, much smaller things to notice. But with human eyes, there is a point beyond which it is impossible to see. Human eyes do not reach the limits of vision. There are microscopic bits; and maybe even further bits, beyond the powers of a microscope.

The bedspread — just one thing. It is white and rough. But when I look more closely, I can see the fibres twisting all together, and from the fibres still smaller strands of thread, and I expect if I had stronger eyes I would see them furring out individually as well, and eventually down to the very atoms, and then the nucleus itself of each of them. Then to draw back a little and see that although the bedspread is white, there is variety, shading, some fibres not as pure as others, some more worn, a shifting of whiteness. So that not even a bedspread is allowed to be what it appears at first and easy glance.

Before, I might wander my perfect home admiring light catching on a gleaming table, flat tugged-neat bedspreads, pure windows. I was enchanted by flawless glass, thought that to see through such panes was undistorted vision.

What would I see now? Now that I have learned to look more closely?

The trouble here, right now, is just how far my vision can extend. I would not, before, have rewashed a just-washed dish, or revacuumed a just-vacuumed carpet merely to be filling hands and time. And now I cannot re-observe and re-describe something already impaled by this pen in this notebook. There is only one time I can hear an old woman down the hall calling out "Help me, help me," again and again, and have it new. I investigate, go to see the body behind the calling, and am surprised at how tiny and frail it is to have such force in the voice. I write, today a small woman called all day for help. Her voice is loud and desperate and has a scratching sound in the throat. All she says is "Help me, help me." A nurse has gone to her at least three times, but when she leaves, the woman begins to call again, "Help me, help me." I don't know what kind of pain she has.

I sit writing in this chair; I walk and watch and what I write is a constantly diminishing possibility.

Before, when everything that could be done was done, I took a bath, changed my clothes, and changed directions for the evenings with Harry. But also I did wander, I did look for some perfection, a confirmation in the polished, dusted pieces of my home. I also had moments of blankness when it seemed nothing would ever be completed. But I knew Harry would be coming home, some time.

It is a shock when something absolute does happen.

I have harvested details like a crop and stored them here. There can't be many left, and what shall I do?

The trees and snow are changing as spring comes, the snow diminishing and dirtying, a lightening in the air visible even through the glass. More a smell than something to see. Rough bark and soon, sweet grass. Flowers. Outside, there would be a thousand things to touch, examine, and describe minutely. Outside, it might take years to exhaust the possibilities.

Still, would it not end here again, with more notebooks and a dwindling field of vision?

I watch the doctor as I sit across the desk from him in his office. His walls are blue and so is the chair I sit in. His desk is oak, I think. On it there is a picture of his family: a blonde wife leaning over two small blonde children, all smiling up at the camera; at him, if he looks at them on his desk. Would he forget them if there were no picture, is that why he has it there?

He is watching me, patient as ever, stringing out his endless questions. "Tell me about Harry, Edna," he is asking, but without much hope; mere habit by now, I guess. "Tell me what he looked like." I write down his questions.

"Was he tall? Thin? Stout? Did he have a beard? Blue eyes? Brown? Dark hair, blond, bald? Tell me about Harry, Edna." He's asked all this before; but the words, as always, flow meticulously across the lines of my notebook.

Could I ask him to let me go outside? Because I have surely learned at least to investigate alternatives before something happens. One should have all the facts one can get. I do not learn quickly, but it seems that I can learn.

It's hard, though, to ask. Changes this man with whom I've spent so many hours. He will become, the moment I put the question, a mere man, a doctor with authority, no longer someone against whose collarbones I would sometimes like to rest my head. The figure will be transformed, Edna the magician, altering substances with words. But an improvement over knives.

I take a deep, brave breath. "Could I go outside?"

He's jolted, I see his body jerk just a little to hear me speaking. I see him hoping and interested once more.

"Did you want to go outside?" and his voice is now alive, expectant.

"If I could." It is important not to waste words. They seize on words and try to turn them around, spare words are their weapons here.

"What would you do out there if you could? What is it out there you want?" He, now, he uses too many words, throws them around too easily, plays with them. The advantage is with me and my tighter, tinier weapons.

"I'd see what's there."

He's puzzled, it seems. "You mean you just want to go out and look around? Or are you saying you want out of here entirely. Did you want to go home, Edna?"

He is not so clever. He doesn't see so well. I was right, he was more interesting and important before I spoke.

"Outside."

He sits back in his chair, steepling his fingers beneath

his chin, looking at me. He's pleased, I see. He thinks he has me some place where he wants me.

Is that true? Or do I see everything out of kilter and off-balance now?

"Well, Edna, I'd like to be able to tell you that would be fine. I understand of course that you'd be wanting to get outside, especially now with spring almost here. The trouble is, I can't really give you that permission because I don't believe you're ready yet."

Does he not think I see well enough? How would he possibly know all the things I can see now?

"Ready?"

Now he's leaning forward, hands clasped together on his desk, intent on me; even a doctor, who must make so many hopeless attempts, is hopeful. But I am not here for his hopes. I'm just trying to find out what to do.

"You see, you haven't been well, Edna. That's why you're here, why the courts sent you here. Do you remember the courts and what the judge said?" I do not answer, and write the question down.

"Do you understand you haven't been well? Do you know what happened? Can you tell me what happened?"

He tries to go too far too fast. My eyes are down again, and I am writing. I will not look at him again. I can be silent and I can wait. He has no idea how much practice I have, how many years I perfected those skills, being silent and waiting.

"When you're well, of course you'll be able to go outside. And when you're really well, there's always a chance you'll be able to leave here altogether. We can work together on that, Edna. If you want to go outside, we can start to work on it. You can, if you let us help you to get well again."

I had a warm vision of him, and it turns out he, like Harry, is both ordinary and no match for me.

If I don't look at him, he must know it's finished. But no, he is stupid and still hopeful. "We could start right now. You could start by showing me what you keep writing all the time. Would you show me your notebooks now, Edna?"

More and more questions, that's what I'm writing at the moment.

"Well, Edna," he says finally, and sighs, "we'll talk about it again tomorrow. We'll find a way to get you outside, if you'll help. It's a shame to miss the fresh air and the flowers."

Like Harry, he is sly. But he is not my husband, and my purposes have altered.

At least I've found out what I needed to know: that I can't go outside. So my choices are clear. I can pursue the smallest of the bedspread fibres, peering my way to blindness, my handwriting getting tinier and tinier, like the details; or I can face the moment and the white and yellow daisy clock. Tunnelling in or spiralling out.

I call it a choice; and yet like many other things, I can see it isn't.

What difference does it make? I am still Edna sitting in this chair.

But you can sit and sit and still be a different person, sitting.

I am only Edna, all by myself, and not important or strong. That must be something, although I can't say what.

It is reasonable that fear should be slipping away. There's nothing more to be lost, and nothing terrible, nothing left that deserves terror. I have done my worst.

And yet I miss fear, mourn it, try to keep a grip on what remains of it. It has protected me for so long, and from so many things. I get lonelier and lonelier as it escapes. A more constant companion than Harry, my fear has been, and I am losing it, too.

It's that white and yellow daisy clock. It dances on the bedspread and obstructs the other vision. There seems to be no getting around it.

28

LIES AND LIES AND LIES.

Who was she to be more than me?

Oh, I have tried not to see precisely. But there it is, the sweating bodies rolling and touching.

And then he could come home to me, join me in our bed and lie.

Did they talk about me? About us? If he could go into her bed and her body, what else? What did he keep from me to give to her? Bodies slithering together, words and touches.

He was wrong. He did wrong. If we may have said lies to each other, or left truths unsaid, they were our lies and truths. He should not have taken them outside to someone else.

It didn't occur to me that he might do that. And that's trust, isn't it? It's the same thing, isn't it?

But he did it; he betrayed belief.

What if I had said to him calmly, "I know. I know all about it." What might have happened? I think he would have said, "I'm sorry, forgive me, it will never happen again, I'm sorry, forgive me." And no doubt I would have. What else would there have been to do and go on living? I would have bitten and chewed and swallowed the rage and we would have gone on. The pain would all have been inside me, instead of inside him. But we would not have looked at each other again. We would have skirted and been polite, and I would have been alone. Either way, I end up alone.

I could stop it all now. There must be so many ways here: poisons and hanging and razors in the night. Pills, perhaps. They are careful, but no care is enough. I know that better than they ever can.

I didn't mean to be entirely alone; and I never intended for people to stare.

Harry promised I might live to eighty? Oh, surely not.

Could I not make it end right now? Would that be cowardice or courage? Where there's a will there's a way. My mother used to say that. She would not have blundered about like this, she would say, "Really, Edna, you'll have to learn how to work these things out. You have to do some things for yourself. You have to make your own decisions." But when did I pay attention to my mother, except as a poor example?

Tough woman, though. I wonder if she was lonely? I wonder if she is lonely now.

Stella might say, "Just take a run at it from a new direction. If it didn't work, leave it behind you."

It hurts to move though. I might like to dance, but it hurts to move.

Oh Harry, why aren't you here to tell me things I need so badly to be told?

Poor Harry, to have been loved with such a grip. To have carried my small weight upon his back for so many years. No wonder he began to stoop.

Maybe he would have preferred it if he hadn't been able to find a clean shirt, or if all his meals hadn't been as pretty as a painting, a still life. Two white vegetables in the same meal might have suited him just fine. He might not have cared a bit. He was maybe tired.

It's even possible he did not find by chance a hole in the great wall I built so carefully around us, our shining wall, but instead deliberately made one, tunnelling through with his long, slender, talented fingers.

I built so carefully and for so long. The two of us, we both made something, it wasn't only me. And it can all be destroyed in a phone call, a sentence, a moment.

Or, on his part a whim, a desire, a selfishness, a lie.

At least the pain is cleaner here than there.

But it's much colder here. I am so cold.

I used to be warm, so well-covered and safe. I thought all that padding, all the layers of soft warmth behind the wall, would keep me safe.

Maybe I should have left some part of me exposed. Because I failed to hear voices or see signs. I missed so many things.

Real passion — how would that have been? What would it have been like to really feel Harry's skin, and my own, instead of turning it into something tougher, harder — protection? How would it have felt if there had been nothing between us? What if I had understood those hands, the body, all the words he spoke, were someone else, another person, a life?

I took the face he gave me and transformed it into something else.

I wiped myself off like a child at the blackboard and then both of us must have gone about writing on it something wrong.

Is it something like being in a convent? To be a nun, with rules and times and faith, no questions? Is God like Harry? When they spend their lives for God, in the end do they go before Him thinking they're paid up, and does He turn away? Does He say, "That wasn't what I wanted at all, you made a mistake"? What a thing, to go for judgment and love, for reward at last for all the work and sacrifices, and have Him reject the gift. And then turn around and accept a sinner who has never made a payment. Would there be anger in the saintly hearts? Would they reach for knives and kill God?

Where is the gratitude? Who pays? Who rewards those nuns if they go before God and He says it wasn't necessary?

Maybe He says, "But you shouldn't have believed, that was a mistake. Faith made it too easy for you, it's not supposed to be so simple. You took too much for granted, you assumed all I wanted was for you to follow rules."

Would He offer second chances? Might He say, "Now lose your faith and see what happens, there's your test. Try again and see what you can do without it."

Is it possible to hope if there is no faith?

Somebody should know, somebody ought to be able to tell me what I was supposed to do, what the real rules were. It isn't fair that no one told me. Everyone kept these secrets from me, and they must have known. It would be like seeing somebody starting off across the country thinking they were on a main highway and not telling them they would wind up on a dirt track ending nowhere.

This mistake, this crucial misperception — a deformity, like being born with two heads or one arm. I am missing something that should be there.

Maybe God would say, "If I take away your rules, if it's not simple any more, you'll find out what you can do yourself. You have to muddle around until you find out what your own rules are."

What would my own rules have been?

I can't imagine. It doesn't seem to have been my life at all; although it must have seemed like my life at the time.

Where did I learn what I did? My mother used to say, with her usual impatience, "For goodness' sake, stand on your own two feet, Edna," so obviously not from her. My father, poor man, gave no advice. I did not want what they were, but the opposite. A queer backwardness of rules.

What would my own rules have been? If I were free, what would I be?

Oh, I might dance and dance, my body might tell tales, it might move like water. I might fling my arms wide and lift my body, spring up from my legs and my hair would fly around my face. I would shout and laugh out loud, I would feel blood pouring through my body, and I would stretch my earthbound fingers up as high as they could go.

In my life I might have shouted and laughed out loud and cried my tears. I might have said certain things to Harry, or thrown a glass at him. At parties I might have smiled and joked and flirted. I might have been all teeth and glitter.

Now I might carry placards up and down in front of the offices of magazines and shout out how they lie. That if they say that if one does this one gets that, it's only what is easy, not what is true. I might warn others not to believe truths handed out on pages.

I might rage out loud.

I am a forty-three-year-old woman who has not danced or often laughed out loud. I am a forty-three-year-old woman who has drudged like a nun for salvation. My glitter has been a smile or a pat on the shoulder or being held in the night. My joy has been gleaming glasses and waking to the sound of a snore.

My reaching up has been a leaning down to vacuum or pack trash. My flinging arms have only touched Harry, and barely myself.

Who taught me, and when? Who said, "Be still, Edna, don't move, don't make a sound and you'll be safe"?

It wasn't in me to be a dancing girl; I did not have the gift, and I could not help what I was.

Could I help what I did? Harry pointed out so long ago that being and doing might be different things.

Now I am tiny here in this tiny room, whirling in diminishing circles to the absolute moment, the world grows smaller and smaller and my life is a pinpoint of a moment. All my thoughts within twelve hours and my life within an instant.

The notebooks have filled the bottom bureau drawer and have begun to make their way into the middle one. My underwear and toiletries are crammed into small spaces now, making room.

All the blue covers, grey lines, pink margins, and even holes, filled with all the meticulous writing. All the vital letters of my life. And the paper no longer binds the wounds. Blood seeps between the pages, and oozes out the covers.

29

A LIFETIME OF THOUGHTS IN THOSE TWELVE HOURS. All of it was clear, if not comprehensible.

"I'm sorry, Edna," said the woman's voice. "But I thought you ought to know." Explaining everything. "They were kissing. What other explanation could there be?"

My glossy living room. The couch on which I was sitting, the couch on which Harry and I sat together. Where I held his hands and traced his fingers and believed they could do anything. (And they could.)

The chair from which I'd sometimes watched him, still amazed that he was in this room and that I was in this room with him.

All the other rooms now out of sight, my perfect home; except that the vacuum cleaner was still sprawled upstairs waiting, work unfinished. That nagged a little. But not right now. To go back upstairs and flick the switch, restart the motor, look beneath the beds for dust, push carefully into corners, not right now.

Downstairs was finished. After all the years, it was truly finished, the cleanness frozen. No more holding the toaster over the garbage, dislodging crumbs, and wiping the counter beneath it. Or drawing a cloth across the windowsills, or picking up a cushion to punch it fresh. No more dirty dishes or smudged windows or bits of dust in the corners of shelves. It had not seemed possible to ever finish; but here it was, done now.

The new gold-flecked white wallpaper had my full attention.

The house was airless. Once, Harry shouted at me because we were out of lemonade. He was angry because it was so hot, a heavy, stifling day, and maybe for other reasons, too. He went out and bought an air conditioner. We did not quarrel again because of heat, but the windows had to be kept shut. It disconnected the house from the world, and one might be startled, struck, by walking out the door into a different atmosphere. This was not a different atmosphere, however, but no atmosphere at all; the air sucked out leaving me holding my breath.

Pain, yes, of course. Odd, though: I could tell the pain was there, but could not quite feel it. It left a hole instead of a presence of pain. Quite a different sort of pain from skinning a knee in a fall, or from cutting a finger on paper. A gap of pain. Shocks like lightning behind the eyes, and weightlessness, a whipping away of solidity like a tablecloth from beneath a setting of dishes, so that I might rise and float into the air, away, or crash.

Time like a stop watch: the action halted at the finish. Forty-three years. So busy, time filled or put in, time in which to do things or time by which to have things done, time for home-comings and different little tasks and leavings, time for coffee or for waking up, time passing, time running out, time gone.

Time suspended like the air. Only the gold-flecked white wallpaper timeless and airless to hold onto. If I fixed on it firmly, I might not vanish.

No need to go through it year by year, moment by moment, like a photograph, it could be taken in at a glance. But cruel, a staring into the sun, a blazing on the eyeballs, after keeping the head down for so long. The eyes, unprotected and naked, were easily scorched.

Two phone calls in a day. The second the familiar trusted voice, but tinny, like a poor recording, down the line. No need to move, the arm reaches out on its own accord, no need for the eyes to wander, the arm lifts, flexes, and the ears hear the warm voice that is no part of this. Like those queer moments of seeing from the corner the two of us in bed; or stories I have read of people dying, a watching part moving away, shifting off, looking back with distant disinterest at the heavy shell of body now unrelated. His voice wholly a mystery now, if not the words.

"I'm sorry, Edna," he is saying from so far away, another life, some other level altogether. "But I'll make it home at some point."

"Yes."

"Is something wrong? You sound funny."

"No."

Did he use the pause to tell himself it was all right to be free? That there was no need to pay attention? He must have needed many times to reassure himself, or how could he have kept on with what he did?

"Okay then, if you're sure. I'm sorry. Tomorrow I'll definitely make it home for dinner. Listen, you're sure everything's all right?"

"Yes."

Even to me, my voice sounded odd; as if it were coming from outside, no internal resonances.

"I'll be as early as I can. It's this damned job."

"Yes."

The remote muscles of the arm on their own again, replacing the receiver without a fumble, no need to look. So many things can be done without a glance, it seems; so what need is there for twenty-odd years of vigilance?

The important thing to watch was the gold flecks on that white wallpaper, the light changing on it, afternoon moving into evening, sun from a new direction and fading. If the light went out entirely, there would be no seeing those gold flecks; and if I could not see them I would lose my balance, topple, slide, dissolve. There would be no holding me.

In the grey dimness of late evening, my arm reached out again, thumb moving for the switch on the table lamp and finding it, the light flaring on. It was possible, if still dim, to see the golden flecks; the main outpouring of the light on me now, but enough reflecting across the room to where I needed it.

There was a certain warmth, I could feel, from the light.

I wanted to keep very still, apart from that necessary move. I needed to be careful, because I was precious and fragile like a piece of transparent china, and could easily be tilted out of place and broken.

Sounds changed like the light. They, too, were far away and outside, like my voice. There were bird songs, until it got very dark, and cars on the street. Sedate here in this proper neighbourhood, no peeling rubber or screeching brakes. Lights flashing, reflected from cars or the houses near by. In those other houses people moved from room to room, came home, went to the bathroom, watched television, or trudged upstairs to bed. Even with the windows closed, I could smell steaks barbecuing in the early evening. All those people doing all those familiar things. Things I might have been doing yesterday. Everything now so changed that each move they might be making, each move I had once made, just yesterday, all of it so ordinary, normal, was now unimaginably exotic. A different world I was in now, and I could see only the reflections of their lights.

Not lonely; remote. This was so far away that to have been lonely would not have been so distant. It would have been a connection of some sort.

All of it gone as if I read or watched it.

I learned to walk, standing only to my mother's thighs, looking up, up at the lines beneath her chin, the hard setting of the jaw, a throbbing in the neck; a smell about her of clean laundry and hard work. And my father's sad eyes, and their voices over and across me. Tiny Stella, bland baby eyes closed: my mother and father united once, staring down at her. I was beside them, looking up at them. Had they stood over me that way, together and wondering?

Hair and make-up and menstrual blood. Dances and music and easy feet and longings. The passion of mirrors and pillows. Hearing Harry's voice for the first time, and later lying down beside him, surveying his long and narrow body as if he were sunshine. This was no mirror and no fantasy, but completion, purpose, end.

There were poets and dark-skinned men; but this was in my apartment and in my bed and his hands blotted longings as if they were tears, and the cloth of his body wiped mine clean, and soothed it.

I could not have done less in return. He contained me: all the people in our life, all the magazines and quizzes and recipes, the scrubbed floors and shining dishes and matching dinners, all the wine and laundry and supermarket shelves, all the vacuumed rugs — in one slender body, all of this.

Gone like the air, astonishing blow.

Darkness all around, except for the brightness on me, reflecting on the wall. Lights outside flicked off, and there were few headlights to sweep the walls any more. Only the lamp and the dancing, glittering, golden specks.

I might be motionless forever. I might never move a muscle. I might sit and breathe and die. I could be still, I had often been still, although not like this, not frozen. But this was my whole life here, breathing in and out until it stopped, watching the golden flecks.

I might know everything now. I might see clearly. There were forty-three years here, not hard to know all about them. Except for why, of course.

I saw through myself like glass; but could no longer see Harry at all.

There was a crackling on the gravel driveway he kept saying should be asphalted; but never did. Rare for him, procrastination, except he said he thought gravel might be less slippery in the winter. The rumbling of the garage door going up, slamming car door, garage door down. Such familiar sounds. Sounds that on other days I had leapt up for, a springing in the stomach. Tonight there was no one in the hallway taking a last glance into the mirror, checking hair. Some time earlier I must have taken my last glance and not recognized it.

The key was quiet in the lock. Oh, I had the senses of bats to hear so sharply through doors and walls.

The front door swung open and there were footsteps, and it clicked shut. Solid door, closing with a clunk, always safe behind such a door, no intruders, no one seeing in.

A quiet padding of steps upstairs. Above me I could hear him like a thief. Water ran and toilet flushed. Doors opened and shut, feet moved more quickly. A voice, the friendly ordinary voice but at a slightly different pitch, was calling, but so far away. Feet moving faster, and without efforts to be quiet, not to disturb. Running down the stairs and the voice louder. It called my name with a question mark, but I was all silence inside.

He was moving around and then he was in the living room and the footsteps stopped abruptly. I could feel the foreign presence. I was safe though, if I did not look and if I kept quite still.

He would have been wise to go away, but he wouldn't have known that, of course.

Two long legs in front of me — could I have leaned forward and caught her scent? I could see past them to the wall and held to that.

But the two long legs bent and lowered, a trunk appeared, chest, neck, face, hands so close, on my knees, face earnest and concerned, and altogether it blocked the view. I peered and peered, but couldn't see through that face, so handsome and fearful. The golden flecks danced for a moment in his face, but faded. Impossible to hold them. The familiar face unfamiliar, strange and bewildered, mouth moving in a babble.

I could hear my thoughts. I thought, "It does not all end here in this face. That is wrong, a mistake."

Without a place to look, the loss of balance, toppling, sliding dissolution, began.

The muscles trembled and were tender, the legs were weak, standing after so long a time. How rigidly they must have held themselves for all those hours. But some core in there to hold them up, to move them, a foot shifting with the impulse of this leg and then the other, this is what walking comes down to, again and again. The voice was loud, shouting and why, I was not deaf? I just wasn't listening.

What was it he wanted so badly? Not me, and too late for that anyway. I could feel his hands and fingers, well-known admired hands and fingers, clutching at my arm, my shoulder, trying to restrain. Not to hurt, not to be unfriendly, just a force to hold me back.

But my, I was strong. He could not begin to match me now. I could brush him off like a fly.

Although my skin could still feel his fingers when they were gone, dents and wounds like burn marks, cigarettes stubbed out in the pores.

My feet were moving to the kitchen, the light and yellow kitchen. The light was on — he must have looked for me here already. Here was the table where recipe books were read, cigarettes smoked, coffees drunk, meals planned, meals eaten, wine uncorked, and glasses raised. The smiles exchanged across the table hovered over it, the lying angels. All the lying moments in each kitchen tile and cupboard. Every thread of yellow curtains and each drop of yellow paint a lie. Each tap on the sink and each element on the stove, all the chairs and the two plants, each green leaf on both the plants a lie.

Dark outside the window above the sink. So many hours spent here staring out, while hands did other things: washed dishes here in this sink, and dried them. Cleaned vegetables and pared them, peelings from potatoes, carrots, onions, dribbling in. All the mouthfuls and forkfuls of food prepared here in this room. To fuel the lies.

False vitamins and phony colours. Beside the window, above the sink, a rack of wedding-present teak-handled sharp steel knives. Five: the smallest for paring, the largest for carving. The middle one sharp for tomatoes and other delicate things.

I am turning, and see him again. Now he is more than

frightened. Not concerned-frightened, but terrified, I see, and backing away. His hands are reaching out towards me and the sounds are much louder and higher-pitched, shouting on a different level. The hands do not reach for me, but against me. Something new here, the voice and the expression.

I am so strong. I have never been so strong before. I wonder why I didn't know I could be stronger than he was?

It does not go into him so far that it is necessary actually to touch him. The softness is pleasing and surprising, and I experiment with it again; several more times. It is a little like digging a trowel into soft earth in the spring to plant a flower. Once there is some hard impediment, like a root or a rock, but it's easy to twist around that, back into the softness.

It is the way I once thought making love would be: a soaring loss of consciousness, transcendence, and removal. I have gotten out of myself at last — so this was the way; and I am joined and free. This instant is wholly mine, and I am so free and light, tiny and light, a helium being.

The white daisy clock on the kitchen wall, with its yellow petal hands reaching from the yellow centre, it goes so slowly, slowly, in the silence. The moment is only a moment. His face and hands have vanished, and the moment disappears as well.

But now I know it is there; I have proved that it exists.

The silence rings and echoes and the hands of the clock are slow.

It is like resting my head on Harry's shoulder afterward.

Outside in the black, I hear voices, some shouting. The silence stops ringing. I find myself holding the tomato knife stained brighter than the fruit. Under the tap the stain washes off red and thick and glossy, catching onto fingers and fluttering away under the hard blast of water. I slide my fingers up and down the blade until the red is gone and the shining silver shows through again. The wooden handle, with the carved indentations for fingers to grip, is harder: the red does not come out of the grain so easily.

It is dried, and replaced where it ought to be. There are small stains and smudges in the ridges of my fingertips and my palms, and I wash my hands clean and wipe them on a towel.

I could move through this house blindfolded, or blind. I step back to the living room, the familiar room where the lamp still glows on the gold-flecked white wall. It is different now; the waiting is finished. I sit down to try to pick patterns from the swimming golden flecks.

Much better than cooking the perfect meal, or shining the perfect crystal. I have accomplished something here, I have found the moment.

30

IT IS STRANGE THAT NOW THAT HE IS NO LONGER WHOLE, I can see him, his bones and skin and hair adding up to something. A glinting Harry standing looking at me: I can see his pores as clearly as my own. He's a good-looking man, but not so very handsome. He was never intended to be a god.

I regret that he is dead, I'm sorry. But I can't seem to make the connection.

It was rage, not love, that gave the moment clarity and purity.

Poor man, poor stranger, poor Harry, whoever he was. I expect there was a time when he loved me, whatever that meant to him and whoever he thought I was. Poor me, poor stranger.

Some other Edna with some other life. Reincarnated here, with a magician's poof she appears, sitting in this chair between this wide window and this narrow bed.

Somewhere is a child Edna kissing pillow and mirror and man. But they are all gone; the mirror is shattered, the pillow shredded, the man torn.

If I can do anything, what shall I do?

What should I do, being free?

Put down the pen, perhaps. Set my feet up on the windowsill and cross my ankles; slide down in the chair a little; close my eyes and fold my hands.

I might let dust collect, lint gather, pins pile up in the carpet.

I would walk through the town I grew up in, peer in the windows of the house there and stare at the rooms and the lives, my silent parents watching television. I might touch my mother's shoulder, and kiss my father's cheek. I could look around and see if I could spot what frightened me. See if anything still frightens me.

I would write to my sister and invite her to join me, to come and look through the windows with me. I might hold her hand, or put my arm around her.

I might conjure up the running laughing boy behind me, and turn and look and see if the face was really the one missing from the mirror and the pillow. See if it was magic.

If I could see that face again, I might weep for it.

I would write a poem and see what words there might be for all this.

I haven't ever danced, and I would like to.

But I can dance now if I want. So I whirl around this small room, between the beds and dresser; I hum music to myself and lift my feet. Dancing alone, I can move my body as it wants. If I close my eyes, I am a dancer.

If I open my eyes, people are standing in the doorway watching, amazed. They think I'm crazy; and it doesn't matter a bit what they see. I find I am dancing with my eyes open now.

I can stretch and turn, kick myself into the air and land again, and if I step on my own toes or fall down, it doesn't hurt, it isn't dangerous.

I can whirl myself out of this room and down the hall; bend and reach and twist, leap or run. Elude the reaching hands. I could dance on my hands if I wanted.

It no longer hurts when I move.

I can dance myself silly. I can dance every moment of forty-three years. I can toddle-dance like a baby and glide like a grown-up. I can dance my lost babies and a house and Harry coming home. I can dance fear and pain. I can dance Harry himself, turn him into motion. He and his wounds flow through my veins and out my toes and fingertips.

I can dance tears and weep for Harry, and dry them again with the sweeping of a turn. It feels fine, dancing tears. I can feel his pain in my steps, his terror in my leaps. His bewilderment and confusion, and what he may have seen for twenty years, are in a glide. I can dance his eyes and his vision. I can feel his body finally in my own. I can tap along the blade into his body and weep some more, and once again dry the tears with a whirl.

I can dance his touches, of me and of her. I can dance lies. I can dance all the shining surfaces.

I feel muscles leaping, blood thundering, heart hammering. Like the dances, they want to leap from my body. Everything wants out to dance. Lost words too, all inside, clamouring like my lost children. I can dance and dance.

Not forever. The muscles and blood and heart are nearly forty-four years old and this freedom, the dancing, comes as a shock.

But while they can, I shall dance. I can dance all there is to be danced, as if there's no tomorrow.

There will be one, of course. A mystery, how it will feel. But it will feel something. I shall dance the freedom of tomorrow, eyes open, watching the people watching. I may sing, if I think of a song.

Whatever will become of me, this agile, dancing, fearless Edna who killed her husband and herself in another life? Another forty years, perhaps, to see; a medieval lifetime. A whole pure future in which to sketch a whole new Edna, the singer and the dancer, the free woman in the narrow corridor, alone in a small white bed.

The Women's Press is a feminist publishing house. We aim to publish a wide range of lively, provocative books by women, chiefly in the areas of fiction, literary and art history, physical and mental health and politics.

To receive our complete list of titles, send a large stamped addressed envelope. We can supply books direct to readers. Orders must be pre-paid in £ sterling with 60p added per title for postage and packing (70p overseas). We do, however, prefer you to support our efforts to have our books available in all bookshops.

The Women's Press, 34 Great Sutton Street, London EC1V 0DX

Joan Barfoot
Gaining Ground

Gaining Ground is the story of Abra, a woman who leaves her husband, children and suburban security to live as a hermit. She buys an isolated cabin and a piece of land and settles to a life without mirrors, clocks or human contact.

The first winter is extremely hard but her senses sharpen and her muscles harden, and as her socialised masks drop away her rhythms gradually match the seasonal changes dictated by nature, giving her an inner peace and strength which had increasingly eluded her in the world of city and family life.

Nine years after Abra chooses solitude and self-sufficiency, her peace is broken by her daughter, now a young woman full of questions. How and why had her mother 'run out on her'?

'One of those rare books which puts you in touch with yourself as deftly and as deeply as *The Bell Jar*' Nell Dunn

'Thousands of women will recognise a sister' *Good Housekeeping*

Fiction £3.95
ISBN: 0 7043 3852 1

Joan Barfoot
Duet for Three

Aggie is eighty, and dying. Helpless, unwieldy, incontinent, her
body is slipping out of control, and she can only remember the
heady independence of those years after the death of her husband.
Now she is dependent on her ageing daughter June, a woman who
can neither accept nor offer love. Her consolation is the
passionate love she feels for her granddaughter Frances, the free
spirit that she once was, and whose dreams and desires, this time,
will perhaps not be destroyed by the forces of circumstance and
convention.

In this her third novel, Joan Barfoot examines minutely the lives of
three generations of women, and through them questions the
nature of love. She shows that love will not grow to order, but
that sometimes it flowers in unexpected places.

Fiction £3.95
ISBN: 0 7043 3981 1